麻生太吉日記

第五巻

麻生太吉日記編纂委員会［編］

九州大学出版会

題字：麻生太吉

麻生太吉銅像除幕式
(1934〔昭和 9〕年 12 月 2 日，於麻生家本邸内庭園)
麻生辰子（麻生太郎・夏夫妻の二女，太吉孫）除幕執行

麻生家菩提寺　正恩寺（飯塚市川島）

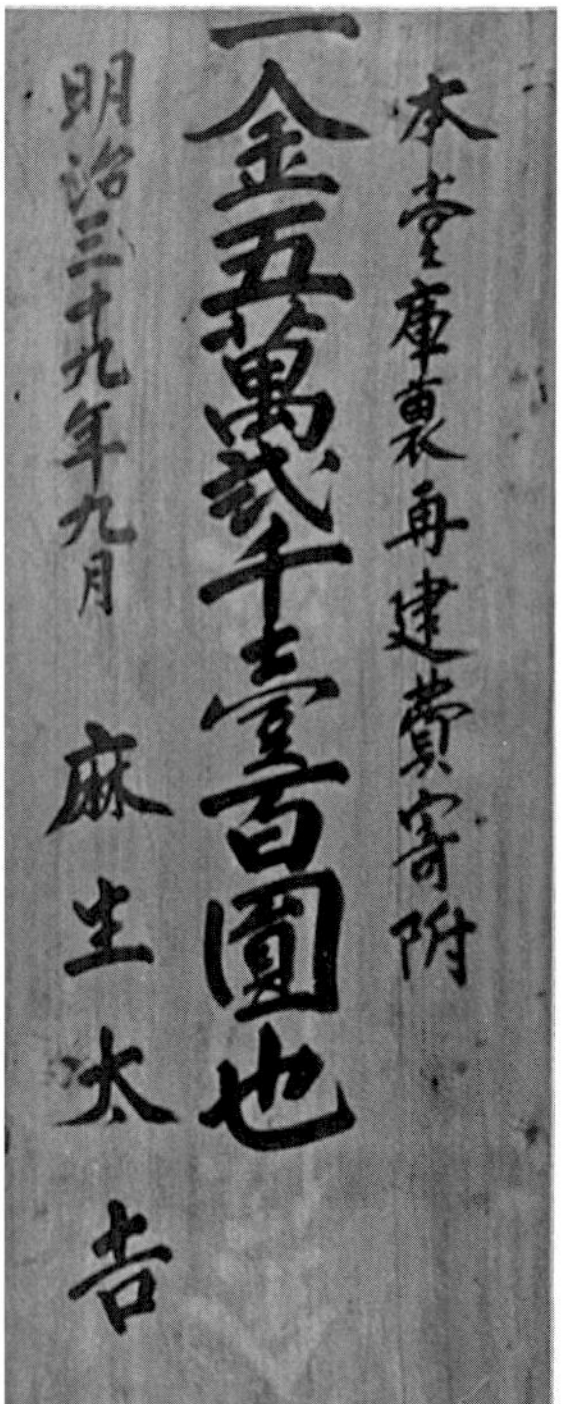

正恩寺本堂庫裏再建費寄附
麻生太吉寄附五万二千百円
（一建立，1906〔明治 39〕年 9 月）

正一位稲荷神社
(麻生家本邸内, 2010〔平成 22〕年 9 月 20 日, 麻生太郎, 麻生泰, 鳥居再建)

石碑
(麻生家本邸内)

招魂社
(麻生家本邸内, 1894〔明治 27〕年, 麻生太吉建立)

麻生太吉（右，1933〔昭和 8〕年 12 月 8 日死去，享年 77 歳），
妻ヤス（左，1924〔大正 13〕年 9 月 14 日死去，享年 68 歳）の墓
（飯塚市栢の森）

麻生賀郎（太吉父，右，1887〔明治 20〕年 5 月
24 日死去，享年 68 歳），
妻マツ（太吉母，左，1877〔明治 11〕年 9 月 14 日
死去，享年 54 歳）の墓
後方は太吉，ヤスの墓

麻生家の墓

仏間（麻生家本邸内）

仏間近景

仏間近景

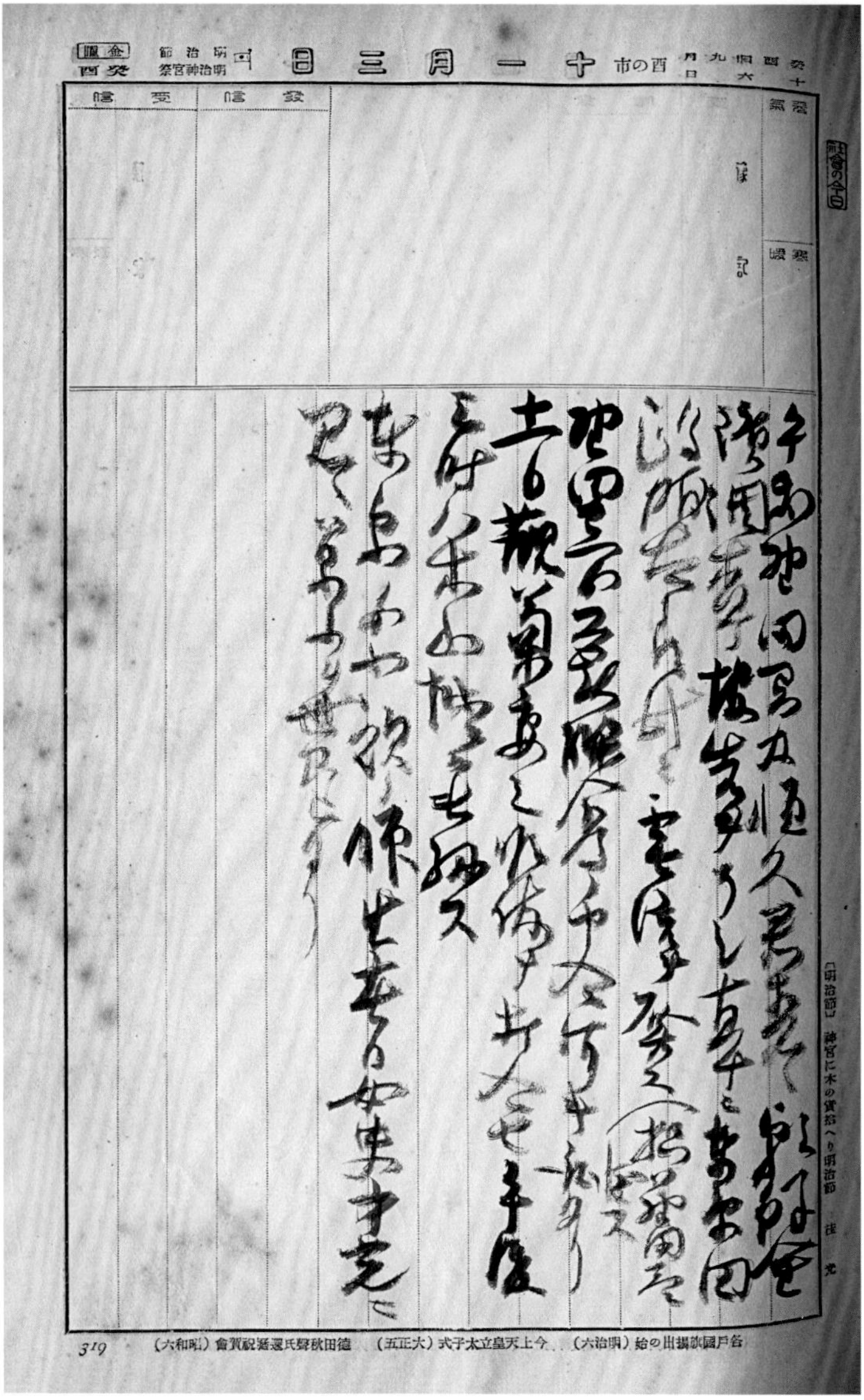

麻生太吉日記絶筆
（1933〔昭和 8〕年 11 月 3 日）

目次

凡例 …… ii
一九三二（昭和七）年 …… 3
一九三三（昭和八）年 …… 109
編纂後記 …… 191
索引 …… 75
参考文献一覧 …… 63
麻生太吉関係年譜 …… 1

凡例

一　漢字は原則として新字体を使用した。異体字・略字等も原則として新字体に変えた。（ホ→等・吴→異・迠→迄・乞→乞・无→無・桒→桑・啚→図・逺→違・㝡→最・戋→銭・扣→控・筭→算）等。人名・地名については、原史料の使用漢字を残したものもある。個人的慣用誤字は正したものもある。

二　片カナと平カナは原史料の通りとした。ただし、変体カナのうち　而・江は残し、文字サイズを小さくした。また合字、𪜈はトキ、ヿはコト、ゟはよりに変えた。

三　繰り返し記号（踊り字）のうち、〻は々とし、々・ヽ・ヾ・ゝ・ゞは原文通りとした。

四　校訂者の本文中の注記は［　］に入れて示した。
・欄外記述は［欄外］と注記して適切なところに置いた。本文の続きであることが明らかな場合は本文に続けた。
・代筆者の記述は［増野夷熊代筆］［吉浦勝熊代筆］と明示して適切なところに注記した。
・人名で姓や名のみが記されている場合、理解しやすいように［　］して姓や名を補注したものがある。

五　地名の注記は当時の地名を示し、煩雑を避けるため福岡県の場合は県名を、飯塚町の場合は嘉穂郡を原則として省略した。

六　敬意を表するための欠字平出は省略した。

七　読解不能の文字は□で示し、重書で読解不能の場合は▨で示した。原史料が空白とされている場合はおよその字数をはかり空けて［空白］と傍注した。

八　挿入文字と挿入箇所および重書や抹消は日記という史料の性格を考慮して明示しなかった。

九　記載月日の前後や誤記については、正しい年月日のところに置き、曜日を省略した。また記載のない日を所載しなかった。

十　読みやすくするため読点と並列点を付した。

＊　解読は東定宣昌・吉木智栄が行い、香月靖晴が補介し、全体を田中直樹が統轄した。

＊　麻生太吉関係年譜は、田中直樹・東定宣昌・草野真樹が作成した。

＊　索引は、今野孝・諸原真樹が作成し、東定宣昌・吉木智栄・永江眞夫・草野真樹が補介した。

麻生太吉日記　第五巻

一九三二（昭和七）年

一月一日　金曜

天照皇大神・明治天皇・昭憲皇大后〔ママ〕・天皇皇后両陛下・皇大后陛下・神社仏閣ヲ拝ス

病後ニ付、八木山越[1]道路修繕中ニ付自働車困難ニ付、浜町[2]ニテ新年ヲ迎ヒタリ

一月二日　土曜

野田勢次郎君[3]ヲ初メ麻生太三郎[4]夫婦及広畑[5]・花村徳右衛門[6]・臼杵弥七[7]及各分家[8]、皆打揃年始ニ見ヘタリ

福村[9]家若主婦及おとよ[10]年始ニ来リタリ、天勝[11]ニ金百円遣シ取次キヲ頼ミタリ

橋本クニ[12]及〔ママ〕おきみ[13]・お〔空白〕　両人連レ年始ニ来リタリ、女中二人ニ百円遣ス

一月三日　日曜

旧冬ヨリ病気ニ罹リ浜ノ町ニテ療養シ、漸次快方ニ向ヒタルニ付、午後四時半自働車ニ而帰リ、午後六時半過キ帰着、晩食ヲナシタリ

○宇垣〔一成〕[14]閣下ヲ初メ東京知人ニ年頭ノ祝詞ヲ呈ス

〔欄外〕本店[15]開キ、病気ニ付太賀吉〔麻生〕[16]代理ス

五百円橋本〔クニ〕祝義遣ス

常盤館[17]・政[18]・藤本チカ[19]ノ三家ニ五十円ツヽ、百五十円、歳暮遣ス

〔欄外〕七千八百九十円九十銭

四千八百二十円

〆壱万二千七百十円九十銭

内壱千百八十円人々ニ遣セシ分

〔欄外〕壱万壱千五百三十円九十銭受取　昭和六年下期九水[20]賞与

［欄外］五十円別府泉［鶴吉］21
［欄外］百円福岡梅野［栄カ］22

1 八木山越＝嘉穂郡鎮西村八木山を越え飯塚町と福岡市を結ぶ峠
2 浜町＝麻生家浜の町別邸（福岡市浜町）
3 野田勢次郎＝株式会社麻生商店常務取締役、九州鉱業株式会社専務取締役、昭和電灯株式会社取締役
4 麻生太三郎＝麻生屋、太吉甥、株式会社麻生商店会計係、株式会社芳雄運送店監査役、のち麻生鉱業株式会社監査役
5 広畑＝麻生家分家、太吉弟故麻生八郎家
6 花村徳右衛門＝株式会社麻生商店庶務部
7 臼杵弥七＝株式会社麻生商店庶務部本家詰
8 分家＝麻生家分家、麻生太右衛門家・麻生太七郎家・麻生義之介家・麻生五郎家・故麻生八郎家
9 福村家＝料亭（福岡市東中洲）
10 おとよ＝お豊とも、料亭福村家女中
11 天勝＝松旭斎天勝、中井かつ、女性奇術師
12 橋本クニ＝料亭橋本（福岡市東公園）
13 おきみ＝料亭橋本女中
14 宇垣一成＝朝鮮総督、元陸軍大臣
15 本店＝株式会社麻生商店本店（飯塚市立岩）、株式会社麻生商店は一九一八年設立、太吉社長
16 麻生太賀吉＝太吉孫、のち株式会社麻生商店社長
17 常盤館＝料亭（福岡市水茶屋）
18 政＝お政とも、料亭（福岡市東中洲）
19 藤本チカ＝料理屋ふじ本（福岡市西門橋東詰）
20 九水＝九州水力電気株式会社（福岡市庄）、太吉社長
21 泉鶴吉＝この年二月大分ポケット新聞（別府市秋葉通）創刊
22 梅野栄＝博多実業新聞社長

二百円東京宅野〔田夫〕[1]宅野〔ママ〕
〆三百五十円浜ノ町家費より払
〔欄外〕 博多新聞〔日日脱〕古川〔初雄〕[2]ニ金弐百円
橋本クニ女中ニ金百円　五十円ツ、両人
天勝ニ金百円
〆

一月四日　月曜

神社仏閣ニ拝礼ス
徳乗院[3]命日ニ付正恩寺[4]相見へ読経アリタ、近親皆仏参ス
瓜生長右衛門[5]孫満ヲ九軌[6]ニ就任方村上〔巧児〕[7]専務ニ紹介ス
書類整理ス
日誌買入アリ、浜町ト本家ト一冊ツ、備置クコトニセリ、二十六日ニ本家一冊ニ改ム
〔欄外〕 八百五十五円
七千五百九十円
九十七円懐中
〆八千五百四十二円現在

一月五日　火曜

渡辺皐築君[8]相見へ、産鉄[9]・〔九州〕産業会社[10]ノ件詳細聞取タリ、十周年ノ祝賀会[11]開催ニ付調査ヲ命ス
徳光米子[12]〔麻生ヨネ〕[13]病気見舞、其他静養ヲ主トシテ凌キタリ

一月六日　水曜

静養ス

芳雄駅[14]前地主寄附金取纏リ方ニ付、花村勝太郎[15]・瓜生茂一郎・元本村[16]区長ノ三氏相見へ、種々最初ノ約定ヲナス

コトニ役場ト打合方申向ケタリ〔ママ〕

買入品整理ヲナシ一切片付タリ

1 宅野田夫＝清征、画家、南町塾（尊王愛国）主宰
2 古川初雄＝博多日日新聞（福岡市下鰮町）社主、福岡県会議員
3 徳乗院＝太吉三男故麻生太郎（元株式会社麻生商店取締役）、一九一九年三月四日死去
4 正恩寺＝真宗本願寺派寺院（飯塚市川島）、麻生家菩提寺
5 瓜生長右衛門＝飯塚町会議員、この年三月飯塚市会議員、元麻生商店理事、元嘉穂電灯株式会社取締役、元福岡県会議員
6 九軌＝九州電気軌道株式会社（小倉市）、九州水力電気株式会社傍系会社、太吉取締役
7 村上巧児＝九州電気軌道株式会社専務取締役、九州水力電気株式会社取締役、第二巻解説参照
8 渡辺皐築＝九州産業鉄道株式会社専務取締役、九州産業株式会社専務取締役、元株式会社麻生商店会計部長、のち飯塚市長
9 産鉄＝九産鉄とも、九州産業鉄道株式会社（田川郡後藤寺町）、太吉社長、第四巻解説参照
10 九州産業株式会社＝一九二九年旧九州産業鉄道株式会社の鉄道部門以外を継承して設立（田川郡後藤寺町）、太吉代表取締役
11 九州産業鉄道株式会社起行・船尾間（田川郡後藤寺町）開業十周年祝賀会
12 徳光＝地名、飯塚町、麻生家分家麻生義之介家所在地
13 麻生ヨネ＝太吉四女、麻生義之介妻
14 芳雄駅＝筑豊本線（飯塚市立岩）、のち新飯塚駅
15 花村勝太郎＝飯塚町会議員
16 本村＝地名、飯塚町立岩の通称

一月七日　木曜

義之介〔麻生〕[1]来リ、山崎援介〔達之輔カ〕[2]之金五千円送金ノ打合ヲナス

金壱千五百円別口預ケより受取、壱千円大浦[3]ノ祝ヒニ遣ス

一月八日　金曜

湯町別荘[4]ニ而静養ス

現在之風呂場ニテ風邪ニ罹ル恐レアリ、玄関ノ横ニ新設ノコト狩野〔嘉市〕[5]ニ申付ル

金十円三介ニ遣ス

一月九日　土曜

湯町ニ滞在

午後三時自働車ニ而福岡ニ来タル

午後五時半福村家ニテ長崎代議士向井〔倭雄〕君及堀〔三太郎〕[6]氏ヲ招待ス、山内氏ハ欠席

一月十日　日曜

長崎代議士向井君挨拶ニ見ヘ、九洲ニ於ケル政治問題ニ付懇談ス

一月十一日　月曜

病気ニ付静養

一月十二日　火曜

病気ニ付静養

一月十三日　水曜

午前十二時九水本社ニ出頭、増永〔元也〕[7]氏ニ逢ヒ、製鉄所売込電力之件打合ス

午後一時〔九水〕営業所々長会ニ出席、別記ノ挨拶ヲナス
午後五時半一方亭[8]ニテ九水社員ニ新年ノ盃ヲ呈ス（別記ノ挨拶ス
午後八時帰ル、風邪ノ為メ早ク引上ケタリ

一月十四日　木曜

病気ニ付静養

一月十五日　金曜

病気ニ付静養

一月十六日　土曜

病気静養
田嶋勝太郎[9]氏東京より九洲ニ相見へ来福、玄関ニ而面会挨拶ス

1　麻生義之介＝太吉女婿、株式会社麻生商店取締役
2　山崎達之輔＝衆議院議員、立憲政友会福岡県支部長、のち農林大臣、のち逓信大臣
3　大浦＝麻生家分家、太吉長男麻生太右衛門家
4　湯町別荘＝二日市別荘とも、麻生家別荘（筑紫郡二日市町湯町）
5　狩野嘉市＝株式会社麻生商店鉱務部、この年十月同商店工作係麻生本家詰
6　堀三太郎＝第一巻解説参照
7　増永元也＝九州送電株式会社嘱託、元鉄道省電気局長、のち衆議院議員
8　一方亭＝料亭（福岡市東公園）
9　田島勝太郎＝元商工次官、元福岡鉱山監督局長、元製鉄所理事、翌月の総選挙で衆議院議員

一月十七日　日曜

[製脱]鉄所へ新年ノ案内ニ義之介遣ス

国維会[1]発会式ニ祝電ヲ発ス

病気ニ付引籠リタリ

一月十八日　月曜

黒木[佐久馬][2]・桜井[督三][3]両氏相見へ、杖立[4]ノ打合ヲナス

一月十九日　火曜

伊藤傳右衛門[5]サン相見へ、中野昇[6]氏嘉穂銀行[7]辞任跡弟二[次]郎[8]君ニ承諾ノ旨申向アリタ

午後二時三十分自働車ニ而金子[廉次郎][9]先生米方[麻生ヨネ]診察ニ付、自働車ニ而帰リタリ

午後十時診察相済、御食事後西田[得二][10]先生診察ノ上、十一時半自働車ニ而帰福アリタ

門前ニテ挨拶ヲナス

三井銀行福岡支店長本間[録郎]氏浜ノ町ニ相見へ、九水借リ入金三百万円返却方ニ付懇談アリタルモ、延期ノ懇談セリ、

払込額相定メテハ如何ヤト注告[ママ]アリタルモ断リタリ

一月二十日　水曜

渡辺阜築君相見へ、[野見山][11]幡[監]次郎検査役撰挙異存ナシトノ事ニテ、却而希望ノ内心見ヘタリトノ事デ有之旨内報アリタ

鉄道買上区域ニ加入之件打合ス

二十七日宮様献上ノ手続キ打合ス

午後四時義之介折尾[12]より同車ノ打合ヲナス

立岩小学校[13]生徒市政紀念式[14]祝賀ノ為メ集会アリタ

午後［以下空白］

一月二十一日　木曜

午前八時夏子［麻生］[15]ト自働車ニ而帰リ、嘉穂銀行重役会ニ臨ミ、午後二時半帰宅ス

議会解散[16]ノ通知ニ接シタリ

1　国維会＝国政革新を目指す政治団体、後藤文夫（麻生夏義兄）も発起人の一人
2　黒木佐久馬＝杖立川水力電気株式会社監査役、九州水力電気株式会社監査役、九州電気軌道株式会社監査役、第三巻解説参照
3　桜井督三＝九州水力電気株式会社企画調査課長
4　杖立川水力電気株式会社＝九州水力電気株式会社の全額出資で一九二三年設立（大分市）、太吉社長、この年六月九水に併合
5　伊藤傳右衛門＝第一巻解説参照
6　中野昇＝株式会社中野商店（鉱山業）社長、嘉穂鉱業株式会社取締役、元嘉穂銀行取締役
7　嘉穂銀行＝一八九六年設立（飯塚町）、太吉頭取
8　中野次郎＝株式会社中野商店取締役、この年嘉穂銀行取締役
9　金子廉次郎＝九州帝国大学医学部教授
10　西田得一＝株式会社麻生商店飯塚病院長
11　野見山幡次郎＝太吉甥、嘉穂郡稲築村長、元株式会社麻生商店、のち産業セメント鉄道株式会社監査役
12　折尾＝地名、遠賀郡折尾町
13　立岩小学校＝飯塚町立岩
14　飯塚町はこの日市制施行、記念式挙行
15　麻生夏＝太吉三男故麻生太郎（元株式会社麻生商店取締役）妻、故加納久宜六女
16　この日衆議院解散（第六十回帝国議会）

一月二十二日　金曜

午後一時嘉穂銀行ニテ野見山〔米吉〕[1]・西園〔磯松〕[2]両氏ト会合、定規〔期〕新設及更正ニ付打合ス

昭和七年度上半期ノ収支調査ノ打合ヲナシタリ

一月二十三日　土曜

在宿、病後静養ス

花村久介〔助〕[3]君相見へ、市会議員候補ニ付花村久兵衛[4]君希望アリ、同意ス、又花村□〔藤カ〕右衛門君も将来同一ノ態度ニテ進メラル、様注意ス

宇美小林〔作五郎〕[5]氏より鳥居ノ件[6]ニ付電話アリタ

一月二十四日　日曜

午前九時半嘉穂銀行・同貯蓄銀行[7]・博済会社[8]惣会ニ臨ミ、午前十時より十一時半閉会

衆議院撰挙ノ件ニ付実藤〔國〕[9]・篠崎〔団之助〕[10]・藤森〔善平〕[11]・山内嘉市県会議員・瓜生〔長右衛門〕ノ五名相見へ、銀行ニテ種々打合セ、撰挙ノ見込ト費額ト精確ナル数字ヲ御示シニナリ、夫ヲ以久恒〔貞雄〕[12]氏ニ懇談可致旨申向ケ、渡辺〔皐築〕君ハ将来ハ御願スルモ現在ニ於テハ候補抔と無理ノ申向ケハ御遠慮被下候様精々申向ケタリ

［欄外］昭和六年七月一日より十二月迄賞与金

四百七十二円七十四銭博済

百二十一円六十六銭貯蓄銀行

千二百七十二円八十八銭嘉穂銀行

〆千八百六十七円二十八銭

四十円小遣〔使〕・仕給〔給仕〕ニ渡ス、青柳〔茂〕[13]支配人ニ渡ス

一月二十五日　月曜

午後自働車ニ而出福

午後六時福村家ニテ新年宴会ニ出席、取持チタリ、風邪ノ為メ午後九時半帰リタリ

午後二時県庁〔福岡〕ニ出頭、知事・内務部長・学務部長ニ挨拶ノ筈ナリシモ、何れモ不在ニ付官房ニ依頼シ帰リタリ

一月二十六日　火曜

午前渡辺〔皐築〕氏ト電話シ上京ノ打合ヲナス

午前十時自働車ニ而帰リタリ

1 野見山米吉＝嘉穂銀行監査役、この年辞任、株式会社麻生商店取締役
2 西園磯松＝嘉穂銀行取締役、嘉穂貯蓄銀行取締役、博済無尽株式会社取締役
3 花村久助＝醤油醸造業（飯塚市立岩）、元飯塚町会議員
4 花村久兵衛＝昭和電灯株式会社（飯塚市立岩）支配人、元嘉穂電灯株式会社技術部長、元飯塚町会議員、この年四月福岡県会議員、のち飯塚市会議員
5 小林作五郎＝酒造業（糟屋郡宇美町）、元福岡県会議員
6 宇美八幡宮への太吉等の鳥居寄進
7 嘉穂貯蓄銀行＝一九二一年設立（飯塚市）、太吉頭取
8 博済無尽株式会社＝博済貯金株式会社として嘉穂郡大隈町に設立、一九一四年本社を飯塚町に移転翌年改称、太吉社長
9 実岡半之助＝元福岡県会議員、元嘉穂郡宮野村長、この年二月衆議院議員
10 篠崎団之助＝嘉穂郡穂波村長、元福岡県会議員
11 藤森善平＝元福岡県会議員、元飯塚町長、元飯塚警察署長
12 久恒貞雄＝久恒鉱業株式会社長、元衆議院議員
13 青柳茂＝嘉穂銀行本店支配人

九軌重役会ハ欠席ノ電報ス

一月二十七日　水曜

田中保蔵君[1]来、千葉県地所払下問題ノ咄ヲ聞キタルモ断リタリ

許斐安太郎君[2]相見へ、令息就職ノ件紹介方申入ニアリタ

午後六時半自働車ニ而出福、午後八時浜ノ町着

一月二十八日　木曜

堀三太郎君相見へ、床弁〔次〕[3]氏援介之件申入アリタ

午後二時大田黒〔重五郎〕[4]・村上〔巧児〕両氏相見へ、今井〔三郎〕[5]常務及新開〔真貝貫一〕[6]・久野〔五十志〕[7]両氏ノ身上ニ付打合ス

棚橋〔琢之助〕[8]氏辞任ニ付慰労金、前例ニナキ重役会決議存在スル等伝聞セリ

山内範造君[9]相見へ、貴族院議員大藪〔守治〕[10]氏ノ件聞キタリ

東京渡辺皐築君ニ電報及電話ノ手数セシモ出発跡ニナリタ

一月二十九日　金曜

午前七時自働車ニ而帰リ、八時半着ス

野田〔勢次郎〕・〔麻生〕義之介両人ト堀氏ノ内談之件打合ス

許斐安太郎氏令息就職紹介申入アリタ

藤森氏相見へ、耕地整理道路敷ノ件（町買上ケノ分）ハ補介スル程度ニテ進ミ、今更他ノ協義ノ余地ナキ旨申向ケタリ

一月三十日　土曜

渡辺氏帰県、東京用向報告アリタ

野田・義之介両人も見ヘタリ

　一月三十一日　日曜

義之介上京ニ付、意味間違ナキ様電話ニ而注意ス
書面整理ス
午後六時出福ス

　二月一日　月曜

午前九時箱［宮］崎八幡宮[11]ニ参詣
藤勝衛［栄］[12]君相見ヘ、撰挙ノ件ニ付種々咄シヲ聞キタリ
十二時半過キニナリ昼食ヲ差出シ、帰ラル

1　田中保蔵＝筑陽日日新聞（飯塚市）社主、のち福岡県会議員
2　許斐安太郎＝嘉穂郡頴田村長、元嘉穂郡会議員
3　床次竹二郎＝衆議院議員、鉄道大臣、元内務大臣、のち逓信大臣
4　大田黒重五郎＝九州電気軌道株式会社長、九州水力電気株式会社取締役
5　今井三郎＝九州水力電気株式会社常務取締役、昭和電灯株式会社取締役、第三巻解説参照
6　真貝貫一＝九州水力電気株式会社取締役技師長、第三巻解説参照
7　久野五十志＝杖立川水力電気株式会社取締役、この年七月九州送電株式会社取締役
8　棚橋琢之助＝元九州水力電気株式会社副社長
9　山内範造＝筑紫銀行（筑紫郡二日市町）頭取、元衆議院議員
10　大藪守治＝九州水力電気株式会社取締役、筑後電気株式会社取締役、この年九月より貴族院議員
11　筥崎八幡宮＝筥崎宮とも、糟屋郡箱崎町
12　藤勝栄＝福岡県会議員、立憲政友会福岡県支部幹事長

午後二時自働車ニ而湯町[1]ニ行キ、湯場工事ヲ見タリ
大丸館[2]老主婦大鯛ヲ送リタリ
老主婦ト港屋主人ト娘子聟ヲ会社就職ノ件申入アリタリ

二月二日　火曜

午前八時半辛府《〔宰〕》ヲ経而うどんヲ買、米山越[3]ニテ帰リタリ
午前藤森・山内《〔嘉市〕》（県会議員）両氏相見へ、久恒《〔貞雄〕》氏候補ノ交渉方依頼アリタ
渡辺皐築君ヲ呼ヒ、候補者之件ニ付打合、其ノ結果久恒氏別府温泉行ニ付、行先キニテ面会方ヲ打合ス
九水本社より電話ニ而、村上氏来ル四日面会方申込ニ付、午後博多ニ而面会ヲ約ス
［欄外］百円ト百円買入払代渡ス

二月三日　水曜

午前十時半自働車ニ而出福
午後一時木村《〔平右衛門〕》[4]専務相見へ打合ス
午後二時半第一銀行博多支店長竹内善造君相見へ、金融上ノ咄ヲ聞キタリ
渡辺皐築君別府より打電ニ付産鉄ニ電話ス
山内県会議員・実岡《〔半之助〕》ノ両氏より電話アリ、明日福岡ニテ面会ヲ約ス
東京義之介ニ電話ス

二月四日　木曜

午前十一時産鉄渡辺君より電話、久恒君候補ノ底意ハ希望ノ旨内報アリタ
東京義之介より電話ニ而五日午後一時発ニ而帰県ノ旨為知来リ

二月五日　金曜

午前九時九水重役会ニ出席

午後二時半浜ノ町ヲ発シ、二日市別荘[5]ニ立寄、自働車ニ而帰ル

二月六日　土曜

氏神[6]ニ参詣

墓所ニ先祖ノ霊ヲ拝ス

木村専務ト増永〔元也〕氏ノ打合ヲナス

芳賀茂元[7]氏及芳賀氏ノ養父・工藤茂一郎三氏、多額納税議員撰挙之件ニ関シ相見ヘタリ

義之介東京より帰リ、模様聞キ取タリ

昼食ヲ芳賀氏一行ニ差出ス

午後二時四十分ニテ渡辺皐築氏ト同車出福ス

久恒・渡辺両氏相見ヘ、候補件懇談シ、再考ノ上返事ノコトニ打合ス

1　湯町＝麻生家湯町別荘、二日市別荘とも（筑紫郡二日市町）
2　大丸館＝旅館（筑紫郡二日市町湯町）
3　米山越＝筑紫郡山家村と嘉穂郡上穂波村の間の太宰府と筑豊を結ぶ峠
4　木村平右衛門＝九州水力電気株式会社専務取締役、昭和電灯株式会社取締役
5　二日市別荘＝湯町別荘とも、麻生家別荘（筑紫郡二日市町湯町）
6　氏神＝負立八幡宮（飯塚市栢森）
7　芳賀茂元＝大正合資会社代表社員、のち十七銀行監査役、この年三月より貴族院議員

藤《〔勝栄〕》幹事長相見へ、貴族院議員大藪《〔守治〕》・芳賀両氏平和ノ件打合ス

二月七日　日曜

久恒君候補之件ニ付毛里保太郎[1]・渡辺皐築両氏相見へ懇談ヲ遂ケ、医師ノ診断ヲ乞、其ノ見込ニヨリ決定ノコトニ打合ス

其ノ診察ノ結果任務堪兼ルトノ事ニテ辞退申出アリ、渡辺君ハ香椎中将《〔秀一カ〕》ヲ上部より撰挙アルヨリ実岡ニ面会ノ為メ急キ飯塚ニ引返サル

実岡氏出飯ノ事、内山《〔山内嘉市〕》県会議員ニ電話ス

芳賀茂元君相見ヘタルニ付、大藪氏ノ有援者《〔ママ〕》ト協定ノ模様内報ス

山内範造君相見へ、八日夕迄ニ藤幹事長久留米ニ行キ電話ノ打合ヲナス

午後十時増永氏及親族相見へ、候補之件異見ヲ聞カレタルモ、重太問題《〔ママ〕》ニ付従来増永氏ノ身上ニ付関係ヲ咄シタリ

［欄外］松本《〔健次郎〕》[2]氏相見へ、原口《〔初太郎カ〕》[3]ニ弐千円ヲ援介ス

二月九日　火曜

午後一時半本宅ニ福岡より帰リタリ

二月十日　水曜

午前八時四十五分芳雄駅発ニ而産鉄十周年祝賀会ニ臨ミ、午後三時十五分迎之自動車ニ而帰リタリ

二月十一日　木曜

小野寺《〔直助〕》[4]・金子《〔廉次郎〕》両博士徳光病人《〔麻生ヨネ〕》診察ノ結果、重病ノ養体《〔ママ〕》ニテ何時如何ナル変事ヲ突発スルモシレヌトノ見込ニテ、途方ニ暮レタリ

芳賀茂元及両氏相見ヘタリ

二月十二日　金曜
徳光病人ノ為メ詰切タリ
十二時昼食ハ自働車ニ而ハン[ママ]食ヲナシ県庁ニ出頭、貴族院議員ノ撰挙ヲナシ、浜ノ町ニ立寄リ帰リタリ
笹[篠]栗[5]ノ付近ニ而義多賀[麻生義太賀][6]一行ニ出逢タリ
病人余程持直シタリ

二月十三日　土曜
芳賀茂元君御夫婦及長男一同相見へ、貴族[院脱]議員当撰之挨拶ニナリ、昼食ヲ差上、二時五分芳雄駅発ニ而帰宅セラル
渡辺皐築君相見へ、撰挙ニ付援介之申入アリタ

二月十四日　日曜
渡辺皐築君相見へ、撰挙ノ件報告アリタ
野田勢次郎君相見へ、西部産業会[7]ノ報告及林氏[嘉雄][8]招待ノ報告アリタ

1　毛里保太郎＝門司新報社長、元衆議院議員
2　松本健次郎＝明治鉱業株式会社相談役、石炭鉱業聯合会副会長、この年十一月昭和石炭株式会社社長、第二巻解説参照
3　原口初太郎＝陸軍中将、元陸軍第五師団長、この月の第一八回衆議院議員選挙で当選
4　小野寺直助＝九州帝国大学医学部教授
5　篠栗＝地名、福岡県糟屋郡篠栗村
6　麻生義太賀＝太吉孫
7　西部産業団体聯合会＝労働問題を対象とする経営者団体、全国産業団体聯合会の地方組織、前年設立、太吉常務委員長
8　林嘉雄＝元製鉄所二瀬出張所長

土居坑区[1]着手打合ヲナシタリ
子供部屋改修ノ件狩野〔嘉市〕ニ調査方ヲ命ス

二月十五日　月曜

渡辺皐築・福田〔基治〕[2]ノ両君相見へ、十周年祝賀会ノ為メ尽力セシ方面ニ心付進呈ノ件打合ス、見立小学校[3]ニ金三百円寄付ス
病人[4]ノ為メ在宿

二月十六日　火曜

小野寺・金子両博士病人見舞ニ見ヘタリ
二時半過キ着、四時半出発アリタ、篠田〔珍木〕[5]御案内ス

二月十七日　水曜

渡辺皐築君相見へ、支部ニ撰挙費支出之件ニ付出福ノ事打合ス
和合神拝受ス

二月十八日　木曜

病人ノ為メ在宿
宮川代人〔一貫〕[6]相見へ、撰挙費援助ノ内談アリタルモ断リタリ
九水岸氏〔光憲カ〕[7]相見へ、電力使用方法ニ付根本ヨリ調査スル必要アルコト等説明ヲ聞キタリ、至極適切之様気付タリ

二月十九日　金曜

実岡半之助君撰挙ニ応援之件貝嶋家[8]ニ依頼ス
飯塚警察署長ヲ初メ其他ニ大隈[9]地方不正行為ニ対シ取締方注意ス

牧北〔牧田環〕[10]・七海〔兵吉〕[11]両氏より病人見舞電信ニ対シ謝電ス

二月二十日　土曜

立岩小学校ニ而衆議員〔院〕撰挙アリ、午後一時半撰挙場ニ入リ実岡氏ヲ推撰ス
徳光ニ立寄、米方〔麻生ヨネ〕病苦重くなり将来ノ事ニ付頼ミタリ
伊藤〔伊東祐彦〕[12]先生（久留米医専校長）見舞ニ徳光ニ見ヘタリ

二月二十一日　日曜

在宿
屋敷内其他工事ノ指図ス

1　土居坑区＝この年一月桝谷音三より株式会社麻生商店に譲渡された坑区（嘉穂郡桂川村土居）
2　福田基治＝九州産業鉄道株式会社主任技師、元内務省大阪土木出張所、元筑豊電気軌道株式会社
3　見立小学校＝田川郡後藤寺町
4　太吉四女麻生ヨネ重態
5　篠田珍木＝株式会社麻生商店庶務部、麻生家浜の町別邸詰
6　宮川一貫＝元衆議院議員、二月二十日の選挙で衆議院議員当選
7　岸光憲＝九州水力電気株式会社営業第二課長
8　貝島家＝貝島合名会社、代表業務執行社員貝島太市（貝島炭礦株式会社社長）
9　大隈＝地名、嘉穂郡大隈町
10　牧田環＝三井鉱山株式会社常務取締役
11　七海兵吉＝三井鉱山株式会社常務取締役、石炭鉱業聯合会理事
12　伊東祐彦＝久留米医学専門学校長、元九州帝国大学医学部教授

二月二十二日　月曜

青柳〔茂〕支配人来リ、二十四日〔嘉穂銀行〕重役会義案ニ付打合ス

実岡半之介〔助〕氏当撰挨拶ニ、藤森〔善平〕・阿部〔兵四郎〕[1]・許斐〔安太郎〕ノ三氏一同見ヘタリ

二月二十三日　火曜

渡辺皐築君相見ヘ、〔九州〕産業会社石灰石製鉄所より注文之件報告アリタ

高倉寛[2]氏金談之申入アリタルモ断タル、昼食ヲ饗応ス

堀三太郎氏見舞旁上京中井上邸[3]ノ模様報告アリタ

二月二十四日　水曜

午後一時重役会ニ出席、米子方養体悪敷〔ママ〕ニ付自働車ヲ待タセ、会儀〔ママ〕終リ午後四時過キ帰リタリ

徳光ニ一泊ス、看護セシモ病室ニ入ル事ヲ止メタリ

二月二十五日　木曜

徳光より帰リ入湯シテ再度午前八時頃ニ行キシモ、午前二時頃より養体悪シクニ付枕元ニ詰切タリ

二月二十六日　金曜

漸次養体悪シク、午後零時三十分死去ス

徳光詰切

二月二十七日　土曜

同

午後三時より四時半迄告別式ニ列シ、会葬者ニ挨拶ヲナス

午後四時二十分墓所ニ送リ、雪降タルモ惣而会葬ヲ終リタリ

午後七時半三日ノ法事ニ参拝ス

二月二十八日　日曜

墓所ニ参リ墓築ヲナス

在宿

二月二十九日　月曜

仏参

午後二時半より出福

三月一日　火曜

午前八時自働車ニ而帰リタリ

途中道路改修ニ付工夫共ノ乱□ノ有様ヲ実見セリ

徳光ノ法事ニ仏参、午後九時半帰リタリ

三月二日　水曜

午前麻生惣兵衛[4]君重役辞任ノ挨拶ニ見ヘタリ

徳光ノ法事ニ仏参、墓所ニも参詣ス

1　阿部兵四郎＝合資会社阿部商会（映画館経営）代表者、飯塚市会議員

2　高倉寛＝二月二十日総選挙で衆議院議員当選

3　井上邸＝故井上準之助（元大蔵大臣、元日本銀行総裁）邸（東京市麻布区三河台町）

4　麻生惣兵衛＝酒屋、酒造業（飯塚市栢森）、嘉穂銀行取締役辞任、元飯塚町会議員

木村〔平右衛門〕氏より電話ニ而午後六時浜ノ町ニ而面会ヲ約ス
午後四時米山越ニテ出福ス

三月三日　木曜

午前九時半福中[1]卒業式ニ出席ス、式後浜ノ町ニ帰リ
午後一時米山越ニ而宰府〔太宰府〕ヲ経而帰リ、一時四十五分ヲ▨〔要〕セリ
福中ニテ工業〔福岡〕学校長志村良光・農業〔福岡〕学校〔長脱〕船津常吉・商業〔福岡〕学校長菊池武幹・筑紫中学校長生田徳太郎ノ諸氏ニ福中校長〔小林吉人〕ノ紹介ニテ面会ス

三月四日　金曜

午前仏事ヲナシ、午後一時半八木山越ニテ出福ス
野田氏相見へ、商業学校ニ付山崎達之介〔輔〕氏ニ出状ノ件及市〔飯塚〕会議員撰挙方ニ付聞キ取タリ
午後四時村上功〔巧〕児氏相見へ、金融及電力売込等ニ付種々打合ス
津屋崎魚〔ママ〕港及公堂建築費千七百円寄付ノ申込アリタルモ、壱千円寄付スルコトヲ承諾ス、晩食ヲナシ帰ラル

三月五日　土曜

東京箕口〔臣也〕[2]・原田〔延雄カ〕[3]両人浜町別荘ヲ前日より電話シ午前九時頃来リ、棚橋氏ノ慰労金ノ件何故延引スルカ、又金額ヲ多ク申向ケタルモ、延引セシコトハ甚タ宜敷ナイモ金額ノ事ハ今〔ママ〕マ御希望ニ添兼ル旨明言ナシタリ、延引ノ理由ハ他日申解クベキ時宜アルベシト申添へ置ク
午後木村専務・今井常務・増永元也三氏相見へ、鉄所所〔八幡製鉄所〕へ九[4]送発電余力売込ニ付属官連無法ノ算立ヲナシ申向ケタル詳細報告アリタルニ付、属官連ハ此侭トシ外部より理由ナキ調査ノ事ヲ知ラシムル必要アリ、書面ニ認メ其ノ筋ニ申入コトニ打合

午後五時自働車ニ而八木山越ニテ帰ル
徳光ニ仏参ス[5]

三月六日　日曜

木村専務ト電話及九水宿直ト電話シテ、東京團家〔琢磨〕[6]ノ葬義〔ママ〕ノ件聞キ合ス
製鉄所関係ノ電力ノ供給ノ件ハ調査中ニ付明日打合スコトニス
青柳〔茂〕支配人ニ電話セシニ、相田[7]ノ親族ニテ留主宅より使ヲ立テルコトヲ打合ス

三月十日　木曜

午前十一時半博多駅着、直チニ太賀吉迎ニ来リ、同車シテ浜ノ町ニ帰着ス
食事後九水本社ニ出頭、増永・柳原〔才次郎〕[8]（九送・今井常務ト九送余リ電力、製鉄所売込ニ付願書ノ方針草案ニ付打合ス
午後四時半二日市別荘ニ行キ、新設ノ風呂ニ入湯ス

1　福中＝福岡県福岡中学（福岡市堅粕）
2　箕口臣也＝大阪府会議員（大阪市天王寺区小宮町）、会社「ゴロ」
3　原田延雄＝東京の「ゴロ」（東京市外荏原町）
4　九送＝九州送電株式会社、九州水力電気株式会社・東邦電力株式会社・電化工業株式会社・住友家の平等出資で一九二五年創立、太吉相談役
5　太吉四女故麻生ヨネの仏参
6　團琢磨＝三井合名会社理事長、三月五日三井本館で血盟団員に射殺される
7　相田＝地名、嘉穂郡二瀬村
8　柳原才次郎＝九州送電株式会社技師長

三月十一日　金曜

午前十時田中飯塚〔正夫〕[1]より米山越ニテ前夜より迎ニ来リ、乗車シテ九水本社ニ出頭、前日九送電力製鉄所ニ売込ノ願書ニ付木村専務モ加リ尚打合ス、九送会社創立当時ノ協議録アリ、九洲電力統一ノ事明瞭トナリ、其ノ事ヲ書キ加へ尚打合セタリ、製鉄所関係明瞭トナリ方針モ弥決定ス

金融上ニ付池田〔常二〕[2]君より調書ニヨリ説明アリ、能ク了解ス

日出工場渡辺[3]技師出頭、器械増設ニ付説明アリタ

［欄外］昭和七年一月十四日迄大丸館勘定、弐百円四銭

三十二円七十六銭買物代

八円十七銭

〆二百四十円八十三〔ママ〕銭およね[4]渡

外ニ

五十円およね

三十円女中

三十円大丸館

二十円召使分

〆

［欄外］昭和五年七月九日家番入込

同七年二月迄二十ケ月

四百円、内百円渡

残而三百円、三月十一日渡

三月十二日　土曜

浜ノ町より自働車ニテ帰リ、十時四十分

嘉穂銀行臨時惣会ニ出席ス、十二時半貯蓄〔嘉穂〕及博済〔無尽〕両社ノ臨時惣会モ終リタリ

徳光ニ仏参ス

汗沢山出デ夜中二度寝巻ヲ取替ナシタルモ、尚閉口セリ

三月十三日　日曜

午前十一時半より相羽〔虎雄〕[5]部長・上野〔美満〕[6]測量掛ト豆田坑[7]ニ行キ、撰炭機据付中ノモノヲ見テ現在採掘上ノ事ニ付聞取、

夫より土居坑区ノヱントレス線[8]ト鉄道線ト実地ヲ見タリ

含有炭及断層ノ地位調査セシモ、十分ナラザルニ付実測方打合ス

1　田中正夫＝麻生家自動車運転手
2　池田常二＝九州水力電気株式会社副支配人
3　日出工場＝九州電気工業株式会社日出工場（大分県速見郡川崎村）、九州電気工業は一九二三年九州水力電気株式会社が大分電気工業株式会社を買収、一九二六年改称、太吉社長
4　およね＝旅館大丸館（二日市町）女中
5　相羽虎雄＝株式会社麻生商店鉱務部長、九州鉱業株式会社取締役、この年十月技術理事
6　上野美満＝株式会社麻生商店本店測量係
7　豆田坑＝株式会社麻生商店豆田鉱業所（嘉穂郡桂川村）
8　エンドレス線＝炭車運搬用の環状索道

相羽・麻生広[1]・上野ト三氏同供シテ断層ヲ余程念入調査ス

　三月十四日　月曜

午前八時出福、浜ノ町ニ立寄リ、おゑん・ことく《［小徳］》[2]玄関ニテ待受セシモ、時間ニ遅ルニ付直チニ本社重役会ニ出席

午後一時より関係会社ノ評義ヲナシ、福村家ニ行キツヤ子[3]ノ送別会ニ出席ス

　三月十五日　火曜

木村専務ト打合、午前自働車ニテ帰リシ、知事一行及才判所・大学惣長《［松浦鎮次郎］》[4]等招待ノ事ニナリ、午後三時再ヒ出福ス

一方亭ニテ宴会ヲ催シ出席、主人トシテ別記ノ挨拶ヲナス

　三月十六日　水曜

共進亭[5]ノ横井摘《［ママ］》髪所ニテ支度ヲ終リ、食堂ニテ昼食事ヲナス

午後四時二十分松嶋屋[6]ニ着福ノ大坂住友信託会社今井専務《［今村幸男］》一行福村家ニ招待、別記ノ挨拶ヲナス

ツヤ子ニ、金弐百円ハ分家より、百円ハ夏子《［麻生夏］》より、五百円本家より御祝ニ送リタリ

　三月十七日　木曜

午前八時典太《［麻生］》[7]ハ高等《［福岡］》学校[8]ニ行キ、見送リテ自働車ニテ帰リタリ

瓜生《［長右衛門］》・武田《［星輝］》[9]両人市会議員当撰ニ付挨拶ニ見ヘタリ

松本学氏[10]来福ノ電話浜ノ町よりアリタ、尤両三日滞福ノ由ナリ

　三月十八日　金曜

野田勢次郎相見へ、聯合会[11]ノ件ニ付筑豊組合[12]ノ希望聞取タリ

土居・後藤寺坑区[13]ノ件打合ス

松本学氏ニ中光[14]主婦ニ電話シ今午後八時会合ヲ約ス

午後四時飯塚ノ貸切自働車ニ而出福、中光ニ待合セ、午後九時松本学氏相見ヘ食事ヲナス
朝鮮ノ金鉱及地所二ケ所安価ノモノ有之、買入方申向ケアリタ、久方振ニテ午後十一時五十分▨〔小〕倉ニ送リ帰リタリ

三月十九日　土曜

午前九時自働車ニ而帰リタ
渡辺君相見ヘ、土居・後藤寺坑区ト合同シ経営ニ付利害ノ研究方申談シタリ
相羽君相見ヘ、豆田及土居坑区ノ含有炭層調査中ナルモ矢張已前見込之通尚試険〔ママ〕ノ上決定、及ヱントレス・機車ノ両様調査中ナルモ鑵〔汽〕力之方便利之様申向ケアリタ

1　麻生広＝株式会社麻生商店豆田鉱業所長事務取扱、この年十月に所長
2　おゑん・小徳＝水茶屋券番（福岡市）元芸妓
3　ツヤ子＝艶子とも、芝辻ヤク、水茶屋券番（福岡市）元芸妓、引退廃妓して上京
4　松浦鎮次郎＝九州帝国大学総長
5　共進亭＝西洋料理屋（福岡市呉服町片倉ビル内）
6　松島屋＝旅館（福岡市中島町）
7　麻生典太＝太吉孫、のち株式会社麻生商店取締役
8　福岡高等学校＝一九二一年設立、翌一九二二年開校（福岡市大坪町）
9　武田星輝＝株式会社麻生商店庶務部、飯塚市会議員、この年十月麻生商店土地係長
10　松本学＝この年五月より内務省警保局長、元福岡県知事
11　聯合会＝石炭鉱業聯合会、送炭調節を主目的として一九二一年十月設立、太吉会長
12　筑豊組合＝筑豊石炭鉱業組合、一八八五年筑豊五郡坑業組合（若松）として設立、太吉常議員、元総長
13　後藤寺坑区＝九州鉱業株式会社起行小松鉱業所（田川郡後藤寺町）
14　中光＝料理屋（福岡市中島町）

小林作五郎氏より電話ニ而鳥居[1]報告祭ハ同氏ニ依頼ス

四月十五日　金曜

午前東京より帰県ス

木村専務ト明日出福打合ノコト電話ス

野田君相見ヘ、花村〔久兵衛〕県会議員ノ打合ヲナス

渡辺君相見ヘ、名和〔朴〕[2]氏中[3]間町長問題打合セ、藤勝〔栄〕衛氏ヘ電話セシモ不在

堀氏東京旅行先キニ名和氏ノ件ニ付依頼ノ電信ヲナス

麻生惣兵衛君ノ見舞ニ行ク

書類整理ス

午後十時床ニツク

四月十六日　土曜

午前八時半自働車ニ而福岡ニ行キ、浜町別荘ニ木村専務相見ヘ、滞京中ノ用件ノ始末ヲ報告シ、挨拶等無洩相済タル旨ヲモ申加ヘ置キタリ

日仏銀行[4]取締役仏国人九洲事業視察之旨打合、道路順等打合ス

名和朴氏仲〔中〕間町長就職ノ件ニ付相見ヘ懇談アリタ、〔福岡県〕政友会幹事藤勝〔栄〕衛氏訪問ニ付同家迄自働車ニテ同車ス

午後三時湯町ニ女中連レ行ク、一泊ス

山内範造氏相見、会食ス

四月十七日　日曜

日曜日ニ付湯町ニテ静養、午後十時田中〔正夫〕自働車ノ検査ヲ受ケ飯塚より湯町ニ来リタルニ付浜町ニ帰ル

畑地石垣及溝コークリ・煙〔煉〕瓦ヘイ等一切ニテ約六百円ヲ要スル、狩野来リ予算ヲナス

四月十八日　月曜

大藪守二〔治〕氏相見へ、貴族院侯〔候〕補之件打合ス
松本学氏朝鮮金山・間嶋[5]土地之件ニ付合資ノ件懇談ス
午後三時松本健次郎氏ニ電話シ、二十五日聯会〔合脱〕欠席ニ付御上京ヲ相願、承諾アリタ、又高木陸〔睦〕郎[6]氏ノ件モ簡単ニ電話ス
池上〔駒衛〕[7]氏ニ出状ス
今井常務ニ電話、仏国人待遇上ニ付東京ニ電話ノ件打合ス
小林作五郎鳥居ノ挨拶ニ御出ナキ様電話ス
三井銀行東忠雄[8]・本間録郎[9]ノ両人相見ヘタルニ付、金融上ニ付懇談ス

1　宇美八幡宮（糟屋郡宇美町）鳥居
2　名和朴＝この年まで樺太刑務所長、元田川郡後藤寺町長、この年七月遠賀郡中間町長
3　中間＝地名、遠賀郡中間町
4　日仏銀行＝Banque Franco Japonaise、東京支店（東京市日本橋区呉服橋）一九一二年設立
5　間島＝満洲国の豆満江以北の朝鮮民族居住区
6　高木睦郎＝東洋製鉄株式会社取締役、中日実業株式会社副総裁、東亜鉱業株式会社長
7　池上駒衛＝石炭鉱業聯合会常務理事
8　東忠雄＝三井銀行福岡支店長
9　本間録郎＝元三井銀行福岡支店長

四月十九日　火曜

午前九時栄屋旅館[1]ニ東伏見宮妃殿下御機嫌奉伺セシニ、拝謁ノ御沙汰ヲ蒙リタリ

午後○[時脱]三十六分博多駅ニ御奉送致シ、直チニ帰リタリ

四月二十日　水曜

渡辺・麻生義[之脱]介両君来リ、[九州]産業会社ノ報告アリタ、又客車一台買入承諾ス、書面ニ而重役ノ承認ノコトヲ注意ス

村上氏ニ電話シ、今夕ハ代理ニ下ノ関ニ御出ヲ乞、明朝九時ニ小倉ニ出ルコトヲ約ス

女中いし[野畠][2]縁付ノ為メ休取リ里方ニ帰リタリ、心付遣ス

四月二十二日　金曜

午前八時十五分博多駅発ニ而マルチニ氏[3]一行ト久留米駅ニ着ス、石橋[正二郎][4]・大藪出迎アリ、直チニ石橋氏工場[5]ニ行キ、応接間ニテ談話ヲナシ、工場ノ視察ヲナシ、大牟田駅ニ向ケ一行及石橋氏一行午前十一時過キ着、出迎ノ案内ニテ倶楽部[三井港][6]ニテ大体図面ニヨル説明ヲ聞キ、食事ヲ頂キ、午後三時五十分大牟田駅ヲ発、久留米ニ来リ下車シ、自働車ニ而日田町ニ達、水月[7]ニ一行ハ宿泊アリ、木村専務ト一同松栄館[8]ニ一泊、午後九時半過キ松栄館ニ着ス

四月二十三日　土曜

午前七時半起キ朝食ヲナシ、水月ニ行キ一行食事済ミヲ待チ、貯水池・発電所ヲ視察ス、松栄館ニ茶代、女中ニ三十円遣ス

発電所階上ニテ昼食ヲナシ、午後二時日田ヲ発シ　[空白、由]布院ヲ経而午後六時別府ニ着ス、山水園[9]ニテ晩食ヲ饗ス、鮎川[義介][10]氏ハ母上ノ来別ニテ早く帰ラル

午後八時半亀ノ井旅館[11]ニ着カル

興銀田村[ママ]理事及博多支配人[中村秀夫]ハ昼食後日田より引返シ帰京セラル

四月二十四日　日曜

午前別府駅ヲ発シ十一時過キ幸崎駅[12]ニ着、直チニ迎ヒノ自働車ニ而佐賀関製練〔錬〕所[13]ニ行キ、応接所ニ而大体ノ説明ヲ聞キ、食事ヲ頂キ実地ノ視察ヲナシ、午後二時四十分幸崎駅発ニ乗車シ、マルチニ氏ハ別府ノ見物ヲサレ、午後六時ノ出帆ニ乗車〔船〕アリ、見送リタリ、木村氏ハ下車ナク其侭帰ラル

船ニハ成清〔信愛〕[14]氏乗船アリ、簡単ニ挨拶ヲナス

四月二十五日　月曜

大分県庁ニ知事〔永野清〕ヲ訪問ス、内務部長・学務部長一同面会ス、警察部長ハ御用ノ為メ面会ヲナサズ、頼ミタリ、村上

1 栄屋旅館＝福岡市橋口町
2 野畠いし＝麻生家女中
3 マルチニ＝R.Martinie、日仏銀行取締役
4 石橋正二郎＝日本足袋株式会社社長、ブリヂストンタイヤ株式会社社長
5 石橋氏工場＝日本足袋株式会社（久留米市洗町）、一九一八年設立
6 三井港倶楽部＝三池港の開港と同時に三井の迎賓館として一九〇八年開館（大牟田市西港町）
7 水月＝料亭旅館（大分県日田町）
8 松栄館＝旅館（大分県日田町豆田町）
9 山水園＝麻生家別荘（別府市）
10 鮎川義介＝日本産業株式会社取締役、東洋製鉄株式会社取締役、株式会社日立製作所会長
11 亀ノ井旅館＝亀の井ホテル（別府市流川通り）
12 幸崎駅＝日豊本線（大分県北海部郡神崎村）
13 佐賀関製錬所＝日本鉱業株式会社佐賀関製錬所（大分県北海部郡佐賀関町）
14 成清信愛＝朝陽銀行（大分県速見郡日出町）頭取、元衆議院議員

専務・坂本[猛][1]主任一同ナリ、知事官邸ニ野菜ノ土産ヲ持チ行ク
村上専務相見へ亀ノ井ニテ昼食ヲナス、前▨[夜カ]職員招待食費及一円五十銭、竹人形等二十九円五十銭ヲ仕払ヒタリ
村上専務ノ注意ニヨリ市役所ニハ名刺ヲ以挨拶スルコトニシ、大分・別府トモ見合セタリ

四月二十六日　火曜

午前八時大分[九水]営業所ニ行キ、坂本[猛]・岸[光憲]両氏一同電気蚕[養カ]農事ノ工場ヲ視察ス
国幣中社[2]ニ参拝ス
午前十一時半別府ニ着ス、食事ヲナシ午後一時半より自働[車脱]ニ而後藤寺[3]ヲ経而帰ル、午後六時着ス
今井常務ニ電話シ、日田発電所道修繕ノ打合ヲナス

四月二十七日　水曜

午前九時半内ケ磯[4]ニ行キ不幸ノ悔ミヲナシ、一同帰リタリ

四月二十八日　木曜

午前十一時半内ケ磯吉川[監十郎][5]ノ葬式ニ列ス
午後四時半帰宅ス
瓜生長右衛門来リ、鯰田村上跡ノ困難ニ付使用之件申入タリ、得と聞キ合セ返事スル旨申向ケタリ
区長[瓜生熊吉]来リ、麻生[清]医院[6]ノ住宅買入相談セシモ、新キ建築ヲ見合現在ノ病室ニテ治療スル方針ヲ纔々申向ケタリ

四月二十九日　金曜

藤森[善平]氏相見へ、停車場寄付金ノ件ニ付打合ス
工事ノ差図ヲナス
書類整理ス

藤沢〔幹二カ〕[7]氏より申込ノ□〔峯カ〕生氏の□□鯉ノ図ヲ千五百円ニテ買受ケルコトヲ諾ス

四月三十日　土曜

午後三時湯町ニ行ク

五月一日　日曜

湯町ニ滞在

狩野嘉市来リ、工事ノ場所ニ立会指図ス、工事ハ平野〔市三〕[8]立会せ能ク了解ス

五月二日　月曜

町長〔岡部新太郎〕[9]・助役〔奥永宗造〕・区長等一同湯分与ニ付内談ノ由ニ付、来ル六、七日中ニ役場〔二日市町〕ニテ会談ノ旨申向ケタリ

午後三時自働車ニ而帰リタリ

渡辺〔皐築〕氏相見へ、東本願寺用自働車之件ニ付申入アリ、尚打合ス

1　坂本猛＝九州水力電気株式会社主任
2　西寒田神社（大分県大分郡東稙田村）
3　後藤寺＝地名、田川郡後藤寺町
4　内ケ磯＝地名、直方市頓野、太吉親族吉川家所在地
5　吉川監十郎＝太吉妻ヤス甥、麻生太右衛門妻ミサヲ兄、地主
6　麻生医院＝麻生清小児科医院（飯塚市栢森）
7　藤沢幹二＝太吉四男太七郎義兄、市立小倉病院長
8　平野市三＝麻生家庭師兼雑務
9　岡部新太郎＝筑紫郡二日市町長

五月三日　火曜

渡辺皐築君相見へ、産鉄ノクラシヤ[1]及客車ノ打合ヲナス

福岡時事新報長野君〔民次郎〕[2]相見へ、来ル六日九時面会ヲ約ス

青柳〔茂〕支配人相見へ、金融及検査官ノ報告アリ、今後恐縮トカ責任トカノ文字ヲ注意ヲナス

山内範造氏・大丸館主婦外数人、博覧会[3]見物及庭園〔麻生家〕見物ニ相見ヘタリ

五月十三日　金曜

午後十時十二分大坂駅発ニ而帰途ニツク

五月十四日　土曜

鑵〔汽〕車中ニテ朝、林田普〔晋〕[4]・池田〔武志カ〕[5]両氏ト朝食ヲナス

午前八時四十五分下ノ関着、夫より門司ニ渡リ、午前十時門司駅発ニテ午後一時二分別府駅着、山水園ニ行ク

午後四時四十分大分駅ニ興銀惣裁〔結城豊太郎〕迎ニ行キ、山水園ニ案内ス、大分駅より大分合同銀行頭取〔藤田軍太〕[6]モ相見へ、一行ト一同晩食ヲ饗応ス

午後九時頃引上ケラレ、なるみより[7]合同銀行ノ招待アリタルモ欠席ス

〔欄外〕興銀惣裁一行、総裁・課長・次長三名、八日午後一時東京発九日午前八時五十分下ノ関着、九軌・戸畑鋳物会社[8]・八幡製鉄所視察、午後五時廿一分博多着、同夜官民招待会、十日銀行家招待

五月十五日　日曜

午前八時別府駅発ニテ佐賀関製練〔精錬〕所ニ視察ニ付見送リタリ

午後五時成清〔信愛〕氏金鉱[9]視察ニ付自働車ヲ遣ス

五月十六日　月曜
午後自働車ニテ椎田[10]ヲ経而帰宅ス
五月十八日　水曜
午後六時自働車ニ而出福
五月十九日　木曜
山内範造氏ニ電話ス
午後二時支部[11]ニ而故犬養〔毅〕[12]惣裁遥拝式ニ参列ス
午後三時半頃より湯町ニ行ク

1 クラシヤ＝石灰石破砕機
2 長野民次郎＝福岡時事新報社（福岡市春吉土橋）主幹、この年永野に改姓
3 博覧会＝飯塚市制記念産業博覧会、四月二十日より五月十六日まで開催
4 林田晋＝株式会社麻生商店商務部長、九州鉱業株式会社取締役
5 池田武志＝九州産業鉄道株式会社経理係
6 大分合同銀行＝大分銀行が一九二七年に二十三銀行を合併して成立（大分市）
7 なるみ＝料亭（別府市楠町）
8 戸畑鋳物株式会社＝一九一〇年鮎川義介設立（戸畑市）
9 馬上金山（大分県速見郡立石町）、一九一〇年成清博愛創業、一九一六年信愛等が成清鉱業合名会社を設立して継承
10 椎田＝地名、築上郡椎田町
11 支部＝立憲政友会福岡県支部
12 犬養毅＝内閣総理大臣、立憲政友会総裁、五月十五日射殺される

山内範造氏相見へ、湧湯分与ノ件打合ス、分与ノ断ル旨ヲ申向ケタリ
湯町より米山越ニ而帰リ、午後二時半頃より花村久助君ノ葬儀ニ列シタリ

五月二十日　金曜

木村専務帰福ニ付自働車ニ而午後六時出福ス
永井〔菅治〕[1]神都専務本宅ニ相見へ、廿三日直〔値〕下ケ問題ハ現今ハ▨〔幾分カ〕より比較的安ク故地方重役トモ親シク協義返事ス可キ事ト、市営[2]問題ハ一時出金ハ既ニ先般来事止ミニナリ、買収ノ希望ハ二十八日惣会ノ為メ宮崎ニテ面会ス可キ旨ノ返事ヲナスコトニ打合ス、昼食ヲナシ帰ラル
木村専務より東京ノ模様及重役慰労金規定ノ草案ヲ受ケタリ

五月二十一日　土曜

久留米大藪〔守治〕君ニ候補ノ件[3]ニ関シ電話ス
堀氏帰県ニ付来訪ヲ待ツコトニセリ、堀氏相見へ、滞京中政変ノ件等聞取タリ
木村専務相見へ、軍人ノ米国・ロシヤニ対シ戦争ノ行為アルコト友人より聞伝へニナリ、報告アリタ
中野節郎〔朗〕[4]君相見へ、同様之意味聞キ取タリ
臼杵〔弥七〕君ニ電話シ、工事上ノ打合ヲナス

五月二十五日　水曜

渡辺阜築君相見へ、産鉄石灰石山買入及福田〔基治〕[5]君ニ委托軽〔経〕営ヲナシ、至急重役会開催之打合ヲナス
午前九時九水重役会ニ出席ス、関係会社重役会及惣会
午後五時福村家ニ而重役・職員慰労会ニ出席ス
　旅費八百九十三円七十四銭受取

五月分報洲〔酬〕百九十四円九十銭受取
昭和電灯会社[6]賞与金百八十円
筑後[7]同百八十円受
杖立[8]同千五百円受
百円橋詰〔橋爪安彦〕[9]氏火災見舞、八十円大平（元九水会計主任）家族見舞、秘書和田〔豊秋〕[10]渡ス

五月二十六日　木曜

金四千円別封アリ、壱千百二十円ト三百円ト持参ス
午前八時二十分博多駅発ニ而午後五時三十分延岡駅着
菊池〔ママ〕旅館ニ着ク

1　神都＝神都電気興業株式会社（宮崎市）、九州水力電気株式会社の傍系として一九三〇年設立、元日向水力電気株式会社
2　宮崎市の電気事業市営計画
3　貴族院議員候補
4　中野節朗＝福岡日日新聞記者
5　福田基治＝九州産業鉄道株式会社主任技師、元内務省大阪土木出張所技師
6　昭和電灯株式会社＝元嘉穂電灯株式会社、一九三〇年九州水力電気株式会社の傘下に入り改称（飯塚市）、太吉社長
7　筑後＝筑後電気株式会社（浮羽郡田主丸町）、一九二三年九州水力電気株式会社が九州電気酸素株式会社の全株式を取得して改称、太吉社長
8　杖立＝杖立川水力電気株式会社、一九二三年設立、太吉社長、のち九州水力電気株式会社に譲渡
9　橋爪安彦＝玖珠実業銀行（大分県玖珠郡東飯田村）取締役
10　和田豊秋＝九州水力電気株式会社秘書課長

昼食ハ鑛〔汽〕車中ニテ、井上〔武〕[1]・黒沢〔覚治〕[2]ノ両氏モ相見へ同車ス
渡辺俊雄[3]君昨夜ノ宴会ノ挨拶ニ見ヘタリ
昼食ハ金五円余食堂払
延岡喜　〔空白、寿〕亭ニテ有志者招待会ニ列ス
午後九時旅館ニ帰ル

五月二十七日　金曜

鈴木〔憲太郎〕[4]氏方訪問ス（不幸ニテ他出中）
木村其他一行一同
午前十一時重役会
午後一時惣会
午後三時半頃より海上ノ猟ニ行キ晩食ス
船中ニテ気楽ニ遊ヒタリ、航空飛行演習ニテ終夜〔以下空白〕

五月二十八日　土曜

午前七時廿七分延岡駅発ニテ九時二十五分広瀬[5]着、下車シテ自働車ニテ神宮〔宮崎〕[6]ニ参拝ス
県庁〔宮崎〕ニ出頭、知事〔木下義介〕・内務部長・警察部長・学務部長、木村・永井両氏一同訪問ス
市役所〔宮崎〕ニ出頭、木村・永井両氏一同訪問ス
午前十一時重役会開設
昼食ヲナス
午後一時惣会ヲ開会

市〔宮崎〕長及市会議員相見へ、市営ノ件申入アリタルニツキ、直〔値〕下ケ問題ト両様デハ困リマスカラ御申合セアル様申向ケタリ

電灯直下ケ問題ニ付期成会々長外十一名相見へ、一方ハ財界困難ニ付直下ケ申向ケ、一方ハ他より料金高キ故引下ケ呉レル様申入ニ付、得と取調ナス旨ニテ分カレタリ

午後六時招待会ニ列ス

五月二十九日　日曜

午前七時廿七分宮崎駅発ニテ帰途ニツ〔ク脱〕

日▨〔高カ〕[7]・大和田〔市郎〕[8]ヲ初メ永井氏一同見送リアリタ

神田橋旅館[9]ニ三十円、茶代二十円、召使五十円ヲ延岡駅ニテ和田君〔豊秋〕ニ頼ミタリ

午後二時十分別府着

1 井上武＝延岡電気株式会社取締役、日田共立銀行取締役、大分銀行取締役
2 黒沢覚治＝延岡電気株式会社取締役、博多電気軌道株式会社取締役
3 渡辺俊雄＝九州電気工業株式会社取締役
4 鈴木憲太郎＝延岡電気株式会社取締役、神都電気興業株式会社取締役
5 広瀬＝地名、宮崎県宮崎郡広瀬村
6 宮崎神宮＝宮崎市花ケ島
7 日高伝造＝神都電気興業株式会社庶務課長
8 大和田市郎＝神都電気興業株式会社取締役、九州送電株式会社取締役、元日向水力電気株式会社長
9 神田橋旅館＝宮崎市川原町

大分駅より内本〔浩亮〕[1]及麻生益郎〔良〕[2]両君相見ヘタリ
午後六時なるみニ知事〔永野清〕之招宴ニ列ス
　金九十五円六十銭宮崎神田橋旅館・延岡菊地〔ママ〕仕払、黒木〔佐久馬〕氏渡
　外ニ
　　七円女中・風呂、菊地旅館
　　五円女中二人、神田橋
〔欄外〕県庁運転手山水園ニ送リ来リタルニ付十円遣ス
宮崎〔ママ〕線都農《ツノ》[3]・川南駅[4]間ニヨシミ[5]ニ類スル樹木アリタリ

　五月三十日　月曜

山水園滞在
村上・内本・渡辺〔綱三郎〕[6]三氏相見ヘ、園内ノ見物アリ、掛物等ヲ見テ亀ノ井ニテ昼食ヲ呈ス
　十四円仕払ナス
午後五時村上氏相見ヘ、一同大分市〔空白〕亭ニテ招待会ニ列シ、午後九時過キ帰リタリ
〔欄外〕百七十五円延電[7]昭和七年上期報洲〔酬〕
　五百二十五円同賞与金
　〆七百円
〔欄外〕金弐十弐円九十銭神都出張旅費
　同六百三十円七年上期賞与
〆

五月三十一日　火曜

午前七時四十三分別府駅発ニテ帰途ニツク
行橋駅[8]ニ下車シテ迎之自働車ニ乗リ、十一時五十分帰着ス
渡辺皐築君相見へ、明日産鉄重役会ノ件ニ付打合ス
［欄外］壱千三百円栗原［与一］[9]君渡
［欄外］三百八十五円懐中
　壱千円、三十一日
　〆千三百八十五円現在
三十一日出入ノ勘定セシニ、九十八円六十銭ノ現金余リタリ、外ニ十円松丸［勝太郎］[10]心付

1 内本浩亮＝九州送電株式会社取締役支配人、九州水力電気株式会社取締役、第三巻解説参照
2 麻生益良＝酒造業（大分県玖珠郡東飯田村）、のち九州水力電気株式会社監査役
3 都農駅＝日豊本線都農駅（宮崎県児湯郡都農町）
4 川南駅＝日豊本線川南駅（宮崎県児湯郡川南村）
5 ヨシミ＝植物、あせび（馬酔木）の方言
6 渡辺綱三郎＝神都電気興業株式会社監査役、延岡電気株式会社監査役、九州水力電気株式会社監査役
7 延電＝延岡電気株式会社、一九二四年旧藩主内藤家の事業を引継ぎ設立、一九三〇年九州水力電気の傘下に入り周波数を六〇ヘルツから五〇ヘルツに変更
8 行橋駅＝日豊本線（京都郡行橋町）
9 栗原与一＝九州産業鉄道株式会社経理係、元株式会社麻生商店会計係、この年本家詰
10 松丸勝太郎＝麻生家別府別荘山水園管理人

六月一日　水曜

午前八時四十分芳雄駅発ニテ船尾駅[1]ニ着ク、直チニ産鉄新設釜場火入場ニ臨ミ、拝礼シテ南釜ニ火入ヲナス

上部ノ火入後下部ニテ火入ノ祭典ヲセラレタル後、下部ノ北釜ニ火入ナス

午前十一時六分船尾駅発ニテ芳雄駅ニ十一時三十六分着ス

産鉄重役会ヲ開キ、義［議］案全部決議セリ

昼食ヲ自働車進行中ナシ、午後一時浜ノ町ニ着ス

第一銀行支店長［竹内善造］[2]相見ヘ、払入金請求アリ、又株金払入ヲ押而請求アルハ甚タ了解ニ苦ミタリ

午後二時十分杖立会社ノ重役会及惣会ニ列シ、午後六時春吉[3]野田［健三郎］[4]宅ニ而晩食ス

［欄外］弐十八円十七銭別府行旅費受取
　　八十円小国水力[5]七年上期賞与
　　〆受取

六月二日　木曜

臼杵［弥七］君ニ電話、産鉄火入ノ模様渡辺［皐築］氏ニ聞キ合セ通知ノ事申向ケタルニ、好都合ノ報告アリタ

田代丈三郎[6]氏ニ電話シ、東京より帰県ノ上面会ノ事ニ打合ス

藤［勝栄］幹事長ニ電話シ、大藪［守治］氏候補之件ニ付手抜ナキ様懇談ス

黒木［佐久馬］君相見ヘ、九［九州］軌・土地会社[7]合同及整理案ニ付打合ス、提案文案安全トカ又ハ其ノ意味ヲ省キ、不始末ノ権利ハ其侭保存ナシ、別会社ヲ以整理ノ事ニ打合ス

渡辺皐築君より電話ニ而報告アリタ

東洋製鉄[8]原安太郎[9]君来リ、小倉より送水木管取換及戸畑港改良及埋立地税金ノ件内談アリ、二件ハ本社ニ而相咄シ、

税金ノ件属官ト交渉セラレ、其ノ結果知事ニ面会ヲ約ス
［欄外］金二千円上京入用、本家より別口預ケノ金返却来リタリ
［欄外］午後四時湯町別荘ニ行キ、山内範造氏ニ面会、湧湯分配ハ断然見合セ、五百円地元ニ寄付ノ旨内蜜［ママ］ニ打合ス

六月三日　金曜

松本健次郎氏ト明日午後折尾より氣［汽］車中ニニ［ママ］テ打合スコトニ電話ス
藤勝衛［栄］氏来訪、政界ノ件、大藪貴族院議員候補ノ件、内談アリタ
湯町より帰リタリ、百円ハ上京費見合、百五十円ハ種々費用アリ、相渡ス

1　船尾駅＝九州産業鉄道船尾駅（田川郡後藤寺町）
2　竹内善造＝第一銀行福岡支店（福岡市下西町）長
3　春吉＝地名、福岡市春吉町
4　野田健三郎＝太吉孫ツヤ子夫、九州帝国大学工学部助教授
5　小国水力＝小国水力電気株式会社（熊本県阿蘇郡北小国村）、一九一六年設立、太吉社長
6　田代丈三郎＝元福岡県会議員
7　九州土地株式会社＝九州土地信託株式会社として一九一九年設立、一九二二年改称（小倉市京町）、この年九月九州電気軌道株式会社に合併
8　東洋製鉄株式会社＝一九一七年設立（東京市）、太吉取締役
9　原安太郎＝東洋製鉄株式会社嘱託

六月四日　土曜

木村氏相見へ、住友代表ノ懇談ヲナシ、三菱ハ跡廻シノ方可然事ニ打合ス、森村[市左衛門][1]男三菱代表承諾アル様尽力セラレタル条件付ニテ退任[2]ヲ承諾スル順序ニ打合ス

六月九日　木曜

昨晩下ノ関九時四十分着、直チニ十時十分文字[門司]駅ニ渡リ、午前零時半門司駅より帰着ス、入湯シテ午前二時床ニツク

午前木村・村上等ノ諸氏ニ電話シ、木村氏ニハ大坂ノ報告、村上氏ハ不正事件[3]ノ研究セリ、十日午後一時より二時迄ニ浜ノ町別荘ニ而打合スルコトニ電話ス

午後一時より本店ニ行キ、炭況不景気ニ付事業方法調査打合

産鉄渡辺君出店、決算ノ件打合ス

六月十日　金曜

工事場ヲ見廻リ、土取跡ハ土質東側不宜ニ付、下等石垣ニテ土留スルコトニ打合ス

午前十一時より野田[勢次郎]君ト同車、自働車ニ而浜ノ町ニ着ス

午後二時四十分木村・村上・黒木・野田・九軌秘書永野[長野安太郎][4]ト星野[礼助][5]・[空白、小野]　両弁護士立会、処分案ニ付打合ス

所得税ノ件ニ付渡辺皐築君ニ出福ヲ乞、熊本税務所[署]ニテ打合ノコトヲ依頼ス

六月十一日　土曜

午前野田君ト打合、産業会[6]ニハ病気ト称シ欠席ス

午前八時半より自働車ニ而帰リタリ

大塚[文十郎][7]来リ、起業[行][8]ノ排水ニツキ調査ス、起業ノ長[兵三]所長ニも電話、打合セタリ

相羽君ト木屋瀬石炭坑出張[9]ニ付明日実地ノ打合ヲナス
嘉穂〔銀行〕支配人〔青柳茂〕来リ、収入金問題ニ付打合ス、明日午前九時迄ニ書類持参ノコトニ打合ス
大坂林田普〔晋〕君より野田〔勢次郎〕君ニ電話、満鉄合同販売ニ付聯合会〔石炭鉱業〕ニ申込ノ由ナリ

六月十二日　日曜

午前八時相羽部長・五郎〔麻生〕[10]一同後藤寺九洲炭鉱[11]ニ行キ、実地ヲ視察ス
耕地整理ノ場所ハ畑作ヲ以試作スルコト、又地盛ハガス[12]ヲ一旦引直、ナラシ工事ヲ第一トシテ作リ、土ハ其ノ上ニ而ナス方便利ノ旨注意ス、降雨ノトキハ埋立ハ排水溝上流降リ込区域ハ排除ノ方法ヲ打合ス
午後四時義之介〔麻生〕上京中ノ模様聞キタリ

1　森村市左衛門＝株式会社森村組社長、九州水力電気株式会社取締役、杖立川水力電気株式会社取締役
2　森村市左衛門九州水力電気株式会社取締役退任の希望
3　九州電気軌道株式会社専務取締役松本枩蔵（のち社長）の背任事件、この年九月から九州電気軌道は無配に決定
4　長野安太郎＝九州電気軌道株式会社秘書兼文書課長
5　星野礼助＝弁護士（福岡市）
6　産業会＝西部産業団体聯合会、太吉常務委員長
7　大塚文十郎＝株式会社麻生商店鉱務係、この年十月同商店工作係長
8　起行＝九州鉱業株式会社起行小松鉱業所（田川郡後藤寺町）
9　木屋瀬石炭坑＝九州鉱業株式会社木屋瀬鉱業所（鞍手郡木屋瀬町・遠賀郡香月町）
10　麻生五郎＝太吉女婿、麻生家分家、株式会社麻生商店鉱務係
11　九州炭鉱＝九州鉱業株式会社起行小松鉱業所（田川郡後藤寺町）
12　ガス＝硬（ボタ）や不用の廃石

青柳《〔茂〕》支配人来リ、十三日重役会ノ打合ヲナス

六月十三日　月曜

野田君相見へ、十五日午前松本《〔健次郎〕》氏ト面会ノ打合ヲナス
木村氏ト大坂行ノ件（住友小倉《〔正恒〕》[1]氏重役推挙）原案打合ス
村上氏ニ熊本税務署意向渡辺君ノ報告ヲ電話ス

六月十四日　火曜

午前七時半自働車ニ而出福ス
午前九時半出社ス
午前十時より重役会《〔九水〕》、午後一時より関係会社重役会ヲ開催、電化会社[2]ノ不始末聞キ及ビタリ、木村専務上京ニ付大河内《〔正敏〕》[3]子爵ニ内話ノ打合ヲナス
午後五時半自働車ニ而帰リ、午後七時半悔ニ行ク
〔欄外〕大坂行旅費受取

六月十五日　水曜

午前九時自働車ニ而九軌重役会ニ出席ス
金壱百五十円土地《〔九州〕》会社報洲《〔酬〕》受取タリ
松本健次郎氏会社ニ相見へ、満鉄ト合同ノ内意モ打合ス、又貝嶋《〔太市〕》[4]モ幾分世間ノ事情カ分リタル様ナリタル旨ヲモ打合ヲナス、廿三日上京ノ乞《〔ママ〕》タリ
重役会後直チニ自働車ニ而福岡ニ行ク

六月十六日　木曜

午前星野〔礼助〕学士相見へ、九軌之件打合ス
村上氏ニモ電話シ、十八日会合ノ筈ナリシモ小倉小野〔政太郎〕[5]氏指問アリ、十九日午後一時ニ浜ノ町ニテ会合打合ス
午後壱時半湯町ニ行キ、午後四時半帰ル、五十円薬養費遣ス
別府小野〔実カ〕[6]氏市〔別府〕会議員ノ件ニテ電話アリ
今井常務相見へ打合ス
九炭[7]ノ長〔兵三〕[8]君ニ排水工事ノ件注意ス
本店〔麻生商店〕安達〔足立辺〕[9]君より電話アリ、九炭ノ件一層注意セラル、様電話ス

1　小倉正恒＝住友合資会社総理事、住友炭礦株式会社会長、九州送電株式会社監査役
2　電化会社＝九州電気工業株式会社（大分県速見郡川崎村）、一九二三年九州水力電気株式会社が大分電気工業株式会社を買収し、一九二六年改称、太吉社長
3　大河内正敏＝理化学研究所長、元東京帝国大学教授、元貴族院議員
4　貝島太市＝貝島炭礦株式会社長、前年筑豊石炭鉱業組合常議員、翌年総長、この年昭和石炭株式会社相談役、第二巻解説参照
5　小野政太郎＝弁護士（小倉市）
6　小野実＝大阪毎日新聞別府通信部通信主任
7　九炭＝九州鉱業株式会社、一九二九年設立、元帝国炭業株式会社の木屋瀬鉱業所および起行小松鉱業所経営、株式会社麻生商店傍系会社
8　長兵三＝九州鉱業株式会社起行小松鉱業所（田川郡後藤寺町）所長
9　足立辺＝株式会社麻生商店鉱務係

六月十七日　金曜

午前今井常務ト大分市・別府市会議員撰挙之件打合ス

午前八時自働車ニ而帰ル、黒瀬〔元吉〕[1]買物一切持返〔ママ〕ル

六月十八日　土曜

芳雄[2]耕地整理ニ関シタル道路問題及登記問題ニツキ本村連より申向ケアリタ

芳雄駅前最初地主寄付ノ件打合セ、払入ノ事ニナリタ

貝嶋太市氏墓参リニ見ヘタリ

中山〔佐之助〕[3]之知事留任ノ件木村専務ニ電信ヲ以依頼ス

後藤寺九洲坑〔鉱〕業地面埋立ノ件相羽君ト打合ス

六月十九日　日曜

午前八時自働車ニ而出福

大分橋爪〔安彦〕氏相見ヘ、麻生益郎〔良〕氏九水重役ノ希望申込アリタルモ、十二月迄待タラ〔ママ〕レル様申向ケ、了解アリタ

午前十二時半太田黒〔大田黒重五郎〕・村上両氏相見ヘ、九軌ノ配当此ノ次キハ四朱之事ニ打合ス

星野・小野両氏立会、整理案ニ付打合、別口未整理ヲ債権〔ママ〕未収入ト科目ヲ改〔ママ〕メムルコトニ一決ス、午後三時帰ラル

午後五時半湯町ニ行キ一泊ス

六月二十日　月曜

午前十一時半帰リタリ

木村専務東京より帰ラレ、森村〔市左衛門〕男辞任ノ件住友大屋〔敦〕[4]氏より代表ノ意味談合セラレ、一宮〔房治郎〕[5]氏依頼ノ中山知事留任之件等聞キ取タリ

九軌ノ六分ヲ四分減配ノ件、及其ノ結果九水ノ配当等ニツキ黒木君ニ調査方ヲ内談ス
橋爪〔安彦〕君相見へ、大分県より重役撰挙申入ノ件申伝ヘタリ
木村氏より伝達ノ山本〔達雄〕[6]大臣・松本〔学〕局長ニ知事留任ノ依頼ノ電信ヲ発ス
山内範造氏帰県、明日出福ノ旨電話アリタ

六月二十一日　火曜

午前九時九州炭〔鉱〕業排水ニ付実地ニ臨ミ、長所長及小田耕地整理掛及同主任ト面会、工事上ニ付打合、評議委員ノ評決ヲ経ラル、様注意ス
午後四時帰リタリ

六月二十二日　水曜

午前八時廿九分芳雄駅発ニ而九軌惣会ニ出席、及十一時重役会出席
芳賀〔茂元〕貴族院議員渡海ニ付餞別ヲ持チ自宅ニ訪問ス
九軌惣会後、午後二時廿九分小倉発ニ而、午後三時四十五分博多駅発〔着〕ニ而帰リタリ

1　黒瀬元吉＝古物商集古堂（福岡市上新川端町）
2　芳雄＝地名、飯塚市立岩
3　中山佐之助＝福岡県知事
4　大屋敦＝住友合資会社経営部長、九州送電株式会社取締役、のち九州水力電気株式会社取締役
5　一宮房治郎＝衆議院議員
6　山本達雄＝内務大臣

六月二十三日　木曜

久留米阿部竹次郎[1]・中野敬吉[2]・布江清作[3]ノ三氏相見へ、大藪守次〔治〕氏貴族院候補之件ニ付申入アリ、却而当方より御依頼スル旨申向ケタリ、小林〔作五郎〕氏ニ酒造組合ノ関係有之、依頼方申入アリタ

山内範造氏相見へ、東京滞在中ノ模様及安川ノブ[4]之身上等聞及ヒタリ

谷田信一〔太郎〕[5]君来リ、産鉄買入株ノ咄ヲナシ〔ママ〕

片倉食堂[6]ニ食事ニ行キ（山内氏一同）、太田〔清蔵カ〕[7]氏ニ面会ス

〔石炭鉱業〕聯合会より上京ノ電信来リ、二十七日会義〔ママ〕ニ出席ノ電信ス

南条〔覚〕[8]君相見へ、辞意ハ見合アル様注意ス

六月二十四日　金曜

午前九時九水本社ニ出頭、重役会ニ臨ミ、引続キ惣会ニ出席、午後三時閉会

小林作五郎氏ト廿五日午前十時参詣ヲ約ス

午後六時福村家ニテ慰労会ニ列ス

六月二十五日　土曜

午前八時半中野昇君ト一同宇美八幡宮[9]ニ参詣、鳥居神納之祭典アリ、終リテ小林氏より竹林ノ別荘[10]ニテ饗応アリタ

午後一時半帰リ、銀行其他ノ関係電話ス

午後五時三十分芳雄駅発ニ而上京ス

七月二十日　水曜

午前七時半松本健次郎氏より二十日夜出発上京ノ由ニ付東京出発迄之互助会[11]ト応接ノ件電話ス

野田勢次郎君文字〔門司〕ニ而石炭会[12]ニ出席ニ付尚重而伝達ヲ乞タリ
小林〔作五郎〕・原口〔初太郎〕氏等ニ書状ス
滞京中及留主中書類整理ス
木村専務ニも電話ス、青柳支配人ニ帰宅ノ電話及留主中ノ模様聞合ス
吉川〔庄兵衛カ〕[13]来リ、戸籍ノ打合ヲナス

七月二十一日　木曜

野田君相見、九洲〔鉱業〕炭坑ノ決算報告アリ、意外ニも利益ヲ得居タリ、減俸ハ如元復旧之打合ス

1 阿部竹次郎＝明治期多額納税者（久留米市螢町）
2 中野敬吉＝元久留米市会議員
3 布江清作＝久留米市会議員、のち福岡県会議員
4 安川ノブ＝延とも、安河とも、安川茶屋、おのぶ茶屋とも（太宰府天満宮境内）経営
5 谷田信太郎＝株式仲買人（福岡市）
6 片倉食堂＝西洋料理屋共進亭（福岡市呉服町片倉ビル内）
7 太田清蔵＝第一徴兵保険会社社長、貴族院議員、元衆議院議員
8 南条覚＝博済無尽株式会社、元飯塚警察署長
9 宇美八幡宮＝糟屋郡宇美町、太吉・貝島太市・中野昇鳥居奉納
10 竹林の別荘＝小林作五郎家別荘竹亭、竹亭山荘とも（糟屋郡宇美町）
11 互助会＝筑豊石炭礦業互助会、筑豊の中小炭鉱が筑豊石炭鉱業組合から分離して一九三〇年九月設立
12 石炭会＝石炭鉱業聯合会の下部会議カ
13 吉川庄兵衛＝太吉長女マツ夫、株式会社麻生商店山内鉱業所長、この年十月吉隈鉱業所長

吉浦《[勝熊]》[1]君相見へ、坑山関係ノ筆記ヲ乞タリ
[欄外]　組田《[鞆之助]》[2]買物代四百十六円余受取

七月二十二日　金曜

渡辺皐築君相見へ、営業上及金融上ニ付報告アリ、又朝日《[旭]》ガラス[3]売込ノ近状ヲ聞キタリ
吉浦君相見へ、聯合会ニ於而販売統制ニ関スル談話ノ筆記ヲ調成ス

七月二十三日　土曜

浜ノ町太賀吉ト電話ニ而、新築之広間ハ日本家ノ通リトシテ、万一椅子・テーフルノ必用之時ハ畳ノ上ニ敷物ヲ置キ使用出来ルニ付日本家ノ構造ニ打合ス
野見山米吉君相見へ、上野《[長之助]》[4]支配人ノ件ニ付内談アリ、重役会ノ停年ハ延長ノ事打合ス
午前十二時嘉穂銀行惣会ニ出席、無事済
博多《[済]》・貯蓄《[嘉穂]》一同ナリ
惣会後重役会ヲ開キ協義ヲナス
[欄外]　七年上期嘉ホ《[銀行]》・博済《[無尽]》・貯蓄《[嘉穂]》賞与金千百五十円三十七銭入、別ニ算記アリ

七月二十四日　日曜

義之介帰宅ニ付石炭記事ノ打合ヲナス

七月二十五日　月曜

午前九時半自働車ニ而出福
一山内範造君相見へ、銀行統一ノ件懇談ス
日本興銀福岡支店長中村秀夫氏相見へ、貸付金之件ニ付懇談アリタ

村上・小野［政太郎］ノ両氏相見へ、九軌之不正事件ノ件打合ス
午後五時福村家ノ宴会ニ列ス

七月二十六日　火曜

午前八時自働車ニ而九軌重役会ニ列ス
会儀［ママ］済、筑豊電気[5]惣会済、午後二時半自働車ニ而帰リ
湯町ニ一泊ス
［欄外］家番ニ百円渡ス、百四十五円米［およね］払、外ニ百円ユキ[6]渡ス

七月二十七日　水曜

午前十一時自働車ニ而湯町より帰リ
内務部長・警察部長官舎ニ挨拶ニ行キタリ
福岡日々新聞[7]ニ行キ、阿部暢太郎[8]氏ニ面会、聯合会記事ノ件懇談ス

1　吉浦勝熊＝元株式会社麻生商店庶務部
2　組田鞆之助＝書画骨董舗（東京市外渋谷町）
3　旭硝子株式会社＝一九〇七年創立、一九一二年牧山工場（遠賀郡戸畑町）設立
4　上野長之助＝嘉穂貯蓄銀行支配人
5　筑豊電気＝筑豊電気軌道株式会社（小倉市京町）、一九一九年設立、太吉取締役
6　ユキ＝おゆきとも、雪子とも、麻生家別荘（筑紫郡二日市町）管理人カ
7　福岡日日新聞＝一八七七年筑紫新聞創刊、めさまし新聞、筑紫新報を経て一八八〇年福岡日日新聞と改題
8　阿部暢太郎＝福岡日日新聞編集局副長兼編集長、のち社長

午後五時半中光ニ晩食ス、二十円女中、五十円おも茶

七月二十八日　木曜

中野節郎〔朗〕君相見へ、坑業上ニ付談話ヲナシタリ、金弐百円中元遣ス

藤田伴次郎[1]君相見へ、取留メナキ事ヲ聞キタルモ見込ナキ旨答へ置キタリ

九軌、動物園[2]引受ノ模様ナリシモ、先祖伝来ノ営業ハ勿論小作米取立モ他人ニ托シ、新キ経営ハ持手〔ママ〕之外ト意味ヲ申向ケタリ

七月二十九日　金曜

岩崎寿喜蔵[3]氏相見へ、互助会之件聞キタリ

午前十時半湯町ニ行ク、大丸館ニ貸付証書受取タリ、十七銀行[4]為替渡ス

七月三十日　土曜

午前九時湯町より帰リタリ

書類整理ス

互助会鉄道売込炭ノ件、野田〔勢次郎〕君より電話アリタ

七月三十一日　日曜

在宿

八月一日　月曜

渡辺皐築君相見へ、和才〔誠司〕[5]君非常ノ努力相当用達スルニ付動〔勤カ〕労部長ニシ一ケ月五円増給ノ旨申入アリ、同意ス

談話中血アツ八十〔百脱カ〕トノ事故過労ノ結果カモ知ラレ〔ママ〕、特別心付方注意ス

池上〔駒衛〕君博多より電話アリ、各地同意アリ、粕屋[6]ノ地方交渉ヲナシ帰京ノ事ナリシ、互助会ハ七万円トシ筑豊ニ貸

付渡スコトニセリトノ事ナリ
木村専務ト電話、明日十時迄ニ出福ノ事ヲ約ス、宮崎来県明日午前十時トノ事ナリ

八月二日　火曜

午前九時飯塚より来ル
宮崎県安部〔安藤寿〕県会議員神都ノ市営問題ニ付親切ニ解結〔ママ〕ノ事ヲ申向ケアリタ
木村・永井ノ両氏ト一同聞キ取、福村家ニ而昼食事ヲナス
一星野〔礼助〕氏相見へ、九軌之一件打合ス

八月三日　水曜

堀三太郎君相見へ、互助会等ノ件ニ付咄ヲ聞キタリ
午前十時県庁ニテ小栗〔一雄〕7知事ニ面会ス
中光ニ行キ昼食、及堀・岩崎ノ両氏ト食事ヲナス、費金ハ一切仕払フ事ヲ命ス

1　藤田伴次郎＝太吉親戚（小倉市上冨野）
2　動物園＝到津遊園（小倉市到津）、九州電気軌道株式会社が創立二十五周年を記念してこの年開園、翌年動物園を併設
3　岩崎寿喜蔵＝岩崎炭鉱主
4　十七銀行＝一八七七年第十七国立銀行（福岡）として開業、一八九七年私立銀行に転換
5　和才誠司＝九州産業鉄道株式会社人事部主任、勤労部長に昇任
6　粕屋＝粕屋鉱業組合（福岡市海岸通）、福岡県粕屋炭田と福岡市近郊炭田の炭鉱組織、一九二〇年六月二五日設立、石炭鉱業聯合会の構成団体の一つ
7　小栗一雄＝福岡県知事

村上専務へ星野氏面会ノ件書状ス

　八月四日　木曜

海岸[1]芥捨ノ件ニ付篠田〔珍木〕より区長ニ交渉ナササシム

午前八時飯塚ニ自働車ニ而帰ル

　八月五日　金曜

在宿

煉瓦壁築瓦葺落成、及吉辰日ニ付柱削リヲ祝シ酒肴ヲ供ス

　八月六日　土曜

午前七時自働車ニ而出福、東洋製鉄原〔安太郎〕氏外一人相見へ、埋立地県収入ノ件ニ付聞取、県庁ニ行キ庶務課長〔大津山信蔵〕ニ面会、親シク申入タリ

谷田〔信太郎〕来、九軌無配当ノ旨申居レリ

政・藤本〔ふじ〕・常盤館三軒ニ金五十円ツ、百五十円中元遣ス（懐中より）

午後六時半湯町ニ行ク

　八月七日　日曜

山内範造・有吉〔勝三郎〕[2]ノ両人相見へ、昼食ヲナシ、晩食ノ時ハ博多より二人ノ芸者来リ、午後十時帰リタリ

　八月八日　月曜

誕生日[3]ニ付赤飯浜ノ町より持来ル

大丸館の仕払及茶代・召使等一切仕払タリ、別ニ目六アリ

午前九時湯町より帰リタリ、浜の町ニ立寄、午後五時自働車ニ而帰リタリ

八月九日　火曜

在宿

八月十日　水曜

午前八時半自働車ニ而野田氏一同九軌重役会ニ出席

処分問題[4]ニ付調印ス、実行ノトキハ協義ヲナスコトニセリ

八月十一日　木曜

午後二時自働車ニ而帰リタリ

在宿

八月十二日　金曜

午前七時半自働車ニ而出福、九軌処分ノ件ニ付木村専務ト懇談ス

大分日田町井上〔武〕氏相見へ、貴族院議員候補之件懇談アリタ

午後四時より〔麻生〕太七郎[5]出福、坂井〔大輔〕[6]氏告別式ニ参詣ス

1　麻生家浜の町別荘（福岡市浜町）北側海岸

2　有吉勝三郎＝筑紫銀行取締役

3　太吉誕生日、安政四年旧暦七月七日生

4　九州電気軌道株式会社松本杢蔵元専務取締役不正事件に関連する件

5　麻生太七郎＝太吉四男、株式会社麻生商店庶務部、この年文書係長、株式会社芳雄運送店取締役

6　坂井大輔＝衆議院議員、元福岡日日新聞記者

八月十三日　土曜

午前八時半自働車ニ而帰リタリ

元吉井[1]警察[芹田寛一カ]署長撰挙之件猪股[治六カ][2]氏ニ電話ニ而依頼ス

八月十四日　日曜

墓所ニ花建[立]打ニ参リ、墓前焼香ヲナシ拝礼ス

命日[3]ニテ正恩寺読軽[経]アリ、親族参拝ス

東洋製鉄常務西野恵之介[助]氏ニ地代見積ノ件ニ付書状ス（控ハ来状ニアリ）

酒屋[4]・花村久助[5]・森崎屋[6]ノ三家ニ初盆ニ付仏参ス

徳光ニ仏参ス

八月十五日　月曜

在宿

盆祭ニ而徳光ニ仏参ス

八月十六日　火曜

徳光ニ早朝より仏参ス

午後九時半より太賀吉・お豊[7]一同自働車ニ而帰リタリ

八月十七日　水曜

午前九時半九水重役会ニ出席

神都会社宮崎市より申入ノ件ニ付、鈴木[憲太郎]氏ニ容易ニ中裁[ママ]ニ立タレザル様十二分ノ注意ス

午後五時久留米中野敬吉外二名、布江清作・吉田清[8]相見へ、貴族[院脱]候補之件ニ付申入アリ、明日何分之電話ニテ打

合スコトニ申向ム

八月十八日　木曜

午前十時聖福寺[9]ニ於テ故團[琢磨]男爵ノ追悼会ニ参拝ス、法要済後遺族方ニ昼食ノ用意アリ、列席ス（不工[ママ]合ニ付欠席申出セシモ聞入ナク、無止二時過迄出席）

［欄外］團氏ノ招待ニハ病気ニ而断リタリ

松本健次郎氏大名町[10]ニ訪問セシモ不在ニ付帰リタリ、直チニ相見へ、聯合会々長辞任ハ販売統制ハ[ママ]決定迄ニ付弥成立迄ノ希望アリタルモ、押而辞任承諾ヲ申向ケタリ、当番理事ニ出状ノ事ヲモ申向ケ置キタリ

久留米中野敬吉氏ニ電話ス

藤[勝栄]幹事長相見へ、大丈夫ニ付安心スル様トノ事ナリ、久留米三名ハ〇[ママ]付ニ用心スル様注意アリタ

1　吉井＝地名、浮羽郡吉井町
2　猪股治六＝元福岡地方裁判所検事正
3　太吉妻麻生ヤス一九二四年九月十四日死去
4　酒屋＝故麻生惣兵衛（酒造業、元嘉穂銀行取締役、元飯塚町会議員）・麻生尚敏（酒造業、嘉穂銀行取締役、元福岡県会議員）家
5　故花村久助＝醤油醸造業（飯塚市立岩）、元飯塚町会議員
6　森崎屋＝木村順太郎、株式会社森崎屋（酒造業）代表取締役、株式会社麻生商店監査役、妻および長男初益
7　お豊＝おとよとも、料亭福村家（福岡市東中洲）女中
8　吉田清＝弁護士（久留米市）、久留米市会議員、元福岡県会議員
9　聖福寺＝日本最初の禅寺（福岡市御供所町）
10　大名町＝地名、福岡市、松本健次郎家別荘所在地

八月十九日　金曜
松本氏面会ニ付辞任ノ件七海《〔兵吉〕》当番理事ニ書状ヲ出ス（別紙控アリ
午後五時本宅ニ帰ル
下痢強ク食物ニ注意ス、気分勝レズ困リタリ
八月二十日　土曜
午前七時野田《〔勢次郎〕》君相見へ、朝鮮人争ヒノ件[1]左迄心配ニ不及、順序能ク進行之事ヲ聞キタリ
渡辺君相見へ、久恒《〔貞雄〕》[2]氏ノ件聞キ取タリ
午後五時出福ス
久留米大藪《〔守治〕》氏ト電話シ、明日午前浜町ニテ面会ヲ約ス
八月二十一日　日曜
大藪氏より午前十時半来福ノ電話アリタ
午前十時半大藪氏来邸アリ、貴族議《〔院脱〕》員候補ノ順序打合セ注意ス
中野《〔敬吉〕》氏ヲ初メ、藤幹事長ノ注意三氏ノ件打合セシモ、何等異状ナシ
午後三時湯町ニ行ク、山内氏相見へ、円仏《〔七蔵〕》[3]氏ガ大丸館新館ニ多数招待ナシ、候補ノ順備《〔ママ〕》セリトノ事ヲ聞キタリ、
又女中よりモ聞キタリ
八月二十二日　月曜
午前八時野田氏より電話ニ而朝鮮人騒動モ一段落相付安心スル様為知アリタ、各坑油断ナク注意スル様申向ケタリ
午前九時半自働車ニ而帰リ
堀氏より電話アリ、午後一時迄待合ス

堀・山内両氏相見へ、貴族〔院脱〕議員候補之件依頼ス、賛意ヲ表〔セ脱〕ラル

八月二十三日　火曜

連日服部〔腹〕ニ故障ノ為メ食物ニ好キ不好キカ出来困リタリ、特ニ食事ヲ注文ス

江木〔千之〕[4]氏ニ悔電ヲ発シ、香ヲ呈ス（東京鳩居堂[5]ニ注文ス

八月二十四日　水曜

午前惣理〔斎藤実〕大臣秘書官ヨリ上京ノ電信来リタルモ、病気療養中ニテ欠席ノ返電シタ

渡辺君相見へ、貴族院議員候補ノ件及久恒氏ノ件聞キタリ

義之介東京より帰リ、滞京中ノ模様聞キタリ

八月二十五日　木曜

狩野〔嘉市〕及善五郎〔橋本〕[6]外一人同車湯町ニ来リ、狩野及高司〔山口孝〕[7]ハ帰リ

湯町ノ食事ハ家番カナシ、大丸館鯛火〔煮カ〕者付一皿持参ス（為念記シ置ク）

1　麻生商店各炭坑の朝鮮人坑夫は、日本石炭坑夫組合の指導と応援の下に争議団を結成し八月十四日争議に突入、九月三日一三二人復帰二六三人解雇で解決

2　久恒貞雄＝久恒鉱業株式会社社長、元衆議院議員

3　円仏七蔵＝材木商（大牟田市不知火町）、旭セメント株式会社取締役、元福岡県会議員

4　江木千之＝元文部大臣、元貴族院議員、八月二十三日死去

5　鳩居堂＝お香・文具店（東京市京橋区銀座）

6　橋本善五郎＝麻生家庭師兼雑用

7　山口孝＝麻生家雑用

八月二十六日　金曜

平野〔市三〕及浜ノ町音吉〔田辺〕[1]ノ両人ヲ呼ヒ、善五郎一同蒔付物ヲナシ、午後七時相済、善五郎同車本家ニ帰ル、平野・音吉両人ハ博多駅前ニテ下車シ而帰ル

和田〔豊治〕[2]家ニ悔電ヲ発ス

八月二十七日　土曜

飯塚ニ滞在

幅物分家ニ遣ス

五郎〔麻生〕一行帰宅、立寄タリ

吉浦〔勝熊〕氏ヲ呼ビ、幅物ノ件聞キ合ス

午後七時吉浦氏ト自働車ニ而出福

今井〔三郎〕氏ニ電話シ、和田家備〔供〕物ニ付依頼ス

八月二十八日　日曜

堀氏より電話ニ而大藪氏候補ニ付伊藤〔傳右衛門〕君承諾之旨申向アリ、若木〔栄助〕[3]氏ハ油断ナリ難キ旨通知アリタ、明日面会ヲ約ス

大藪氏ニ電話ニテ注意ス

八月二十九日　月曜

午前帰宅スル積リニテ本店〔麻生商店〕ニ電話セシニ、可成滞福ノ注意アリ、折柄朝人〔鮮脱〕[4]三十人余来リ面会ヲ求メタルモ不在ノ旨ヲ以面会断リタル跡〔ママ〕ニテ、永水〔種次郎〕[5]巡査部長面会致シ呉レテハ如何トノ事モ有之候ヘ共、一旦不在ト申面会スレハ此ノ不誠意ヲ以責メルハ当然ニ付、本店ナレバ明日面会ス可キ旨相答、了解セラレ、食費遣シ帰リタリ

大藪氏相見ヘ、候補之件打合セ、午後三時過キ米山越ニテ帰リタリ、狩野〔嘉市〕長尾村[6]上迄出迎セリ

［欄外］太七郎《〔麻生〕》・武田《〔星輝〕》両人来リ心配セシモ、何等悪敷事ヲセシニアラズ、心配ニ不及旨申含メ、荷物為持、米山越
ニテ単独ニ帰リタリ

八月三十日　火曜

野田・義之介両君相見へ、争儀ノ始末聞取タリ
渡辺皐築君相見へ、森崎屋ノ件、久恒氏ノ件打合ス
産鉄朝鮮人ノビラノ件聞キ取タリ

八月三十一日　水曜

在宿
麻生太三郎野見山仙陸《〔ママ〕》[7]氏撰挙之件ニ付申向ケタリ

九月一日　木曜

在宿

1 田辺音吉＝麻生家浜の町別邸雑用
2 和田豊治＝故人、元九州水力電気株式会社相談役、元富士瓦斯紡績株式会社長、第二巻解説参照
3 若木栄助＝福岡県会議員
4 朝鮮人＝麻生商店各炭坑朝鮮人争議団
5 永水種次郎＝福岡県警察部巡査部長
6 長尾村＝地名、嘉穂郡上穂波村
7 野見山仙陸＝故人、一九一六年死去、酒造業（嘉穂郡二瀬村伊岐須）

後藤寺福嶋〔嘉一郎〕[1]氏争議ノ見舞ニ見えタリ

九月二日　金曜

野田〔勢次郎〕君九水喜久田〔文一郎〕副支配人同供、互助会より電力料引下ケ申入ノ件ニ付内談、重要ノ事柄ニ付念入調査ノ上得と協義〔ママ〕ヲナシ返事スルコトニ意向ヲ申向ケタリ

九月三日　土曜

木村専務、直〔値〕下ノ件ハ将来ニ於而大ナル有害アリト存候故、慎重ノ調査ノ上尚十分協義ノ件電話ス

野田氏より争儀〔ママ〕[2]円満片付ノ模様電話アリタ

村上専務相見へ九軌重要問題打合ス、午後二時自働車ニテ見へ三時ニ帰ラル

九月四日　日曜

午前九時自働車ニ而出福ス

浜ノ町ニテ木村・黒木・今井ノ三氏ト九軌ノ件村上専務ノ意向ニ付打合セ、配当見合スルコトニ打合ス

九月五日　月曜

午前八時二十分博多駅発ニ而九軌重役会ニ出席、黒木君同車、三井〔生命〕保険会社福岡支店長同車ニ付何ニも打合出来ス、

折尾より野田君乗車、重役会ニテ新株払込カ配当見合スカノ問題重要ニ付、調査ノ上明六日再会ノ事ニナリタ

午後二時二十九分小倉駅発ニ而福岡浜ノ町ニ帰リ、木村専務ニ電話ス

午後六時半自働車ニ而帰リタリ、野田君ト自働車ニテ打合ノ□□〔約算カ〕ニ帰リタリ

九月六日　火曜

午前八時二十分自働車ニ而野田君ト九軌重役会ニ出席、午前十二時閉会、直チニ自働車ニ而帰宅

減配問題可決、今夜村上専務上京ノ事ニナリ、太田黒〔大田黒重五郎〕社長ノ意向電信ニ而通報ヲ約ス、夫ニヨリ住友家ニ内相談ノ

打合ス
本宅より木村専務ニも直チニ電話ス
　九月七日　水曜
午前十時嘉穂銀行重役会ニ出席
　九月八日　木曜
午前堀・安川〔敬一郎〕[3]・小林〔作五郎〕ノ三氏ニ大藪氏撰挙協定ニヨリ御進ミノ事ヲ電話ニ而御詫ナシタリ
午前大坂行ノ支度シテ浜ノ町ニ向ケ出発
大藪氏相見へ、撰挙後ニ上坂申入アリ、木村専務ト協義ノ上村上専務ニ電話ヲ乞、十一日ニ上坂ニ打合ス
大田〔太田清蔵〕[4]氏挨拶ニ見タリ、大藪氏ノ行掛リヲ打明ケナシタ
［欄外］黒木・木村両氏ト九軌関係九水ニ影響調査ス
　九月九日　金曜
大藪氏撰挙ニ同意ヲ乞セシ方面ニ大〔太〕田氏ニ推挙之事ニ手配ナシタリ
堀氏も心配シテ相見ヘタリ
藤幹事長も相見へ、山内範造氏も相見ヘタリ

1　福島嘉一郎＝後藤寺水道株式会社取締役、田川郡後藤寺町助役
2　この日麻生商店各炭坑における朝鮮人争議解決
3　安川敬一郎＝第一巻解説参照
4　太田清蔵＝蓬莱生命保険合資会社社長、第一徴兵保険株式会社専務取締役、十七銀行取締役、貴族院議員

久留米大藪氏ニ電話、間違ナキ事ト電話アリタ

九月十日　土曜

木村専務相見ヘ、九軌之打合ヲナシ、又神都ノ件鈴木〔憲太郎〕ニ注意ノ事打合ス

午前十時県庁ニ行キ撰挙ス

松本健次郎氏より十四日上京スルニ付十二日ニ面会ノ電話アリタルモ、九軌無配当ノ為上坂ノ必要アリ、秘蜜ノ事故打明ケ出来ズ、病気ニ付野田勢次郎君ヲ代人トシテ遣スコトニ返話ヲナサシメタリ

九月十一日　日曜

大藪守治貴族院議員当撰ノ礼トシテ相見ヘタルモ、不在（浜ノ町別荘

添田雷四郎氏[1]・中野敬吉・布江清作・吉田清・阿部竹次郎諸氏同上

福岡時々新聞〔時事新報〕永野〔民次郎〕君相見ヘ、本日ト十八日ノ分ト読方注意アリタ（此ノ記事ハ書抜ヨリ写シ如此ノモノニナリタ）

九月十四日　水曜

午前十一時博多駅ニ着、直チニ食事ヲナシ九水重役会ニ出席

山林技師八波氏[2]口演ヲ聞キ、午後六時帰ル

義之介浜ノ町ニ立寄、食事ヲナス

九月十五日　木曜

木村専務・永井専務相見ヘ、別府市電〔市営電気〕及宮崎市電ニ関スル調査ヲ打合ス、其ノ調査書ヲ重役会ニ謀リ、其上ニテ鈴木〔憲太郎カ〕氏ト協義スルコトニ打合セ

午前十一時半自働車ニ而帰リタリ

金三百十八円臼木〔臼杵弥七〕より受取

村上氏ニ電話シ、明日午前十時浜ノ町ニテ面会ヲ約ス

　九月十六日　金曜

午前八時自働車ニ而出福

村上専務ト打合ス、惣会已前ニ報告方法重役会ニテ評義ナスコトニテ打合ス

午後一時ヨリ自働車ニ而帰リ

上山田坑区[3]野上[4]ニ売渡ニ付相羽〔虎雄〕君も相見へ打合ス

共同事業ハ如何考慮方野田君ニ電話ス

　百九十三円現在

〆二千百九十三円

　外ニ（千円　五百円二ツ　（名料〔刺カ〕ニ記シアリタ

　　　壱千円

〔欄外〕上京費二百六十四円三十四銭

　京都費百十八円

〆三百七十〔ママ〕二円三十四銭九水より受取

1　添田雷四郎＝福岡県会議員、三潴郡大川町長

2　八波＝八並とも、九州水力電気株式会社嘱託山林技師カ

3　上山田坑区＝株式会社麻生商店旧牛隈炭鉱（嘉穂郡山田町・大隈町）

4　野上鉱業合資会社＝一九二七年野上辰之助設立（直方市）、翌一九三三年株式会社に変更

九月十七日　土曜

午前八時自働車ニ而鷹〔烏〕尾峠[1]東部見立区[2]ノ西側ノ山脈ニヨリ後藤寺・船尾[3]間ニ達スル道路線ヲ見査〔ママ〕シ、尤適〔ママ〕当ノモノ渡辺氏ト発見セリ、此ノ線路ニヨリ実際進行方打合ス

谷田〔信太郎〕より九水下直〔値〕之電話ス

青柳〔茂〕支配人相見へ、営業困難ノ事情申入アリタルニ付、重立タルモノ調査方命シ置キタリ

九月十八日　日曜

午前津屋崎町[4]役場ニ電話シ、義之介ト上京行ノ件ニ付打合セシモ、二十日理事会〔石炭鉱業聯合会〕ニ出席ノ電信アリタルニ付今夕出発スルノ外ナシトノ返話ニ付、渡辺専務〔皐築〕ト打合セシニ、左スレハ東京ニテ情願ヲ見合スルノ外ナキ旨咄ヲ聞キタリ、今夕出発前ニ停車場ニ而打合ノコトニセリ

県道ノ踏査花村徳右衛門君図面ヲ持チ相見へ打合ス

九月十九日　月曜

午後八時半飯塚より自働車ニテ帰ル

九月二十日　火曜

午前八時二十分九軌重役会ニ臨ミ、飯塚ニ帰ル

九月二十一日　水曜

九軌惣会より午後四時二十二分博多着ノ鑖〔汽〕車ニテ帰福、直チニ九水会社ニ立寄、靍丸〔皐市〕[5]・桜井〔督三〕・池田〔常二〕ノ三氏ト今井常務ト九軌無配当カ九水ニ関係ノ事ヲ新聞ニ掲栽〔載〕ノ原案ヲ打合ス

支那料理ヲ靍丸・桜井・池田・和田〔豊秋〕ノ諸氏トナシ、午後十時帰ル

九月二十二日　木曜

九軌会社より橋本[6]ニテ昼食ノ宴会ノ催シアリ、出席

大田黒社長ト村上一行ト博多駅前ヨリ築港[7]ノ積入場等ヲ視察シ、橋本ノ宴会ニ臨ミ、一方亭ニ見舞ニ立寄リタリ

九月二十三日　金曜

箕口〔臣也〕・原田〔延雄〕来リ、大藪君貴族院議員之件申入タルモ、別段常務ニナキ故指問ナキ旨申向ケタ、箕口より（ステキヲ貰ヒタリ）

午後一時二日市[8]ニ行ク

九月二十四日　土曜

大田黒氏浜ノ町ニ相見へ、今井・黒木・内本三氏ヲ呼ヒ昼食ヲ饗応ス

九水減配ノ注意アリタルモ、九軌カ配当ノ始リタルトキニ其ノ分ハ増配カ債却スルコトニナル故、此際一歩減ノ方穏当ノ旨ヲ打合ス、九軌常任重役ノ手当ハ十分引受致ス旨ヲ申向ケ、午後三時十分博多駅発ニ見送リタリ

1　烏尾峠＝田川郡糸田村と嘉穂郡頴田村を結ぶ峠
2　見立区＝地名、田川郡後藤寺町弓削田
3　船尾＝地名、田川郡後藤寺町
4　津屋崎町＝地名、宗像郡、麻生家別荘所在地
5　鶴丸卓市＝九州水力電気株式会社支配人
6　橋本＝料亭（福岡市東公園）
7　築港＝博多築港（福岡市）
8　二日市＝地名、筑紫郡二日市町、麻生家二日市（湯町）別荘所在地

午後四時下女サダ〔安藤〕[1]連レ二日市ニ行ク

九月二十五日　日曜

二日市滞在

九月二十六日　月曜

西高辻〔信任〕[2]宮司・冨田幹三郎主典ト相見ヘタルモ不在（浜ノ町別荘）

二日市滞在

九月二十七日　火曜

午後一時四十分芳雄駅着ニ而池上〔駒衛〕君東京より出向ノ為知アリ、自働車ヲ迎ニ遣シ相見ヘ、広間ノ書斉〔斎〕ニテ面会ス、会長辞任[3]ハ惣会ノ必要アリ、辞任届書ヲ当番理事ニ夫迄預リ置キ、来年四月惣会ノトキ発表之旨内談ヲスル様当番理事之使者トシテ来福之旨申入アリ、了解ノ旨返事ス、販売統制上ニ付古川〔古河虎之助〕[4]氏及宇部塩浜売等ノ事聞キタリ、異見ヲ述べ置キタリ

勝〔正憲〕代議士・福岡税務署長岡部周太郎氏相見ヘタルモ、不在（浜ノ町別荘）

午前飯塚ニ帰ル（米山越ヲ止メ、八木山越ニセリ）

九月二十八日　水曜

午後四時下女貞〔安藤〕連レ湯町ニ行ク

午後一時木村専務・靏丸支配人・喜久田〔又一郎〕[5]副支配人相見へ、互助会ノ申入ノ電力料ノ件打合ス

九月二十九日　木曜

二日市滞在

午後五時半浜ノ町ニ帰ル

九月三十日　金曜

木村専務ニ九軌関係ノ書面ヲ示シ、午前十時湯町ニ来ル、木村専務より電話ニ付、債〔償〕却ハ従来五十万円ツ、セシモ、尚債却ノ意味同意アリト返話ス

毛利看護婦来リ、晩食ヲ饗シ午後九時過キ帰ラレタリ

黒瀬〔元吉〕来リ、五十五円ノ買物ヲス

湯町滞在

十月一日　土曜

神仏ヲ拝ス

月始メニ付鱠付ニテ食事ヲナス

湯町滞在

十月二日　日曜

湯町滞在

午後三時自働車ニ而博多ヲ経而午後四時四十分帰宅ス

1 安藤サダ＝さだとも、貞とも、麻生家浜の町別邸（福岡市）女中
2 西高辻信任＝竈門神社（筑紫郡太宰府町）宮司
3 太吉石炭鉱業聯合会長辞任を希望
4 古河虎之助＝古河鉱業株式会社会長、一九三三年古河石炭鉱業株式会社会長
5 喜久田又一郎＝九州水力電気株式会社副支配人

十月三日　月曜

在宿

工事之指図と書類整理ス、□夜安眠出来タルモ注意ス

十月四日　火曜

午後九時飯塚より浜ノ町ニ来ル

十月五日　水曜

午前八時半知事官舎ニ電話ニ而伺ヒタル処、宮様[1]御来県ニ付筑後ニ出迎午後四時帰宅、官舎ニ而面会ノ電話アリタ

芹田寛一氏、元大隈署長[2]より吉井ニ転勤免職トナレリ、後職ニ付□〔陳カ〕情ノ用件ナリ

十月六日　木曜

赤司[3]ニテ植木類二日〔市脱〕行買入、目六平野ニ渡シ運搬ノ無駄ニナラザル様注意ス

午後一時中光ニ行キ昼食ヲナシ

午後六時自働車ニ而飯塚ニ帰ル

芹田寛一君相見へ会談ス

十月七日　金曜

在宅

午前九時四十分より嘉穂銀行重役会ニ出席

昼食ヲナシ、午後三時半過キ帰リタリ

青柳支配人ノ件ニ付西園君より注意アリタ

［欄外］八十二円黒瀬買物、田崎〔知後〕[4]より受取

十月八日　土曜

在宅

野田君相見へ、鹿町坑区[5]ノ件及上山田坑区ノ件打合ス

木屋瀬[6]九洲産業鉄道移管之件ヲ地元より希望アリ、承諾ノ旨内談アリタ

十月九日　日曜

野田君相見へ、部長制ヲ理事制[7]トスル事ニ付内談アリタ

午後一時小林〔作五郎〕氏告別式ニ参拝ス

午後一時十五分宇美[8]御自宅浜ノ町より自動車ニ而約三十分間ヲ要ス

〔福岡〕市会議員木梨久太郎氏浜ノ町ニ相見ヘタルモ留主中ナリ

十月十日　月曜

浜ノ町より午後自働車ニテ帰リタリ

1　宮様＝李王カ、李王は四日久留米戦車隊を視察して五日船小屋温泉出発、北白川宮永久王は五日再度福岡県に入り大牟田三井染料株式会社等視察

2　大隈＝地名、嘉穂郡大隈町

3　赤司広楽園＝植木花商、分園（福岡市新大工町）、本園は久留米市

4　田崎知俊＝株式会社麻生商店庶務係麻生本家詰

5　鹿町坑区＝株式会社麻生商店所有坑区（長崎県北松浦郡鹿町町）

6　木屋瀬＝九州鉱業株式会社木屋瀬鉱業所（鞍手郡木屋瀬町）

7　株式会社麻生商店は十月十五日付で職制を改革し部を廃止して各部長を理事とする

8　宇美＝地名、糟屋郡宇美町、小林作五郎邸所在地

渡辺皐築氏〔ママ〕ヲ野見山〔米吉〕君ニ銀行勤務中ノ軽検〔経験〕アルベキニ付支配人ノ身上ニ付異見ヲ打合方依頼ス
古鏂〔汽〕罐ハ却而工費高クナリタ

十月十三日　木曜

原田〔原口初太郎カ〕代議士相見ヘタルモ不在（浜ノ町別荘）
飯塚より二日市別荘ニ行キ、午後六時浜ノ町ニ来ル

十月十四日　金曜

午前九時九水重役会ニ出席
途中金子爵〔子脱〕[1]ヲ黒田侯別邸[2]ニ訪問ス
田嶋〔勝太郎〕代議士製鉄所電気ノ件会談ス
午後五時半大藪貴族院議員祝賀会ニ出席

十月十五日　土曜

午前神都会社ノ香月〔盈司〕[3]君相見ヘ、飯櫃之発明ニ付種々説明アリタ
午前十一時山内〔範造〕・藤〔勝栄〕幹事長相見ヘ種々会談、午後一時半より中光ニ食事ニ行キ、午後十時山内氏駅迄、藤君ハ天神町電車迄送リタリ
〔欄外〕浜ノ町滞在

十月十六日　日曜

赤司ニテ先日買入タル花類平野〔市三〕湯町ニ持参ス、午後五時半本宅ニ帰ル

十月十七日　月曜

米山越ニテ湯町ニ行ク、菊六ツ持参ス

湯町滞在

十月十八日　火曜

湯町別荘ニ滞在
宮崎県青嶋内海[4]河野たきノ同居高橋あさゑト申ス婦人相見へ、神都会社電灯料金取立方ニ付遺憾之事アリトテ申入アリ、直チニ靏丸［卓市］君ニ電話シ調査方ヲ相頼ミタリ
黒瀬より百円ノ買物ナシタリ

十月十九日　水曜

午前十時過キ自働車ニ而浜ノ町ニ来リタリ
黒瀬モ同車して福岡ニ帰リタリ
現金壱千四百五十七円現在
［欄外］黒瀬より買物ナシ三十円仕払

十月二十日　木曜

佐藤慶太郎[5]・義之介来リ、種々談話シ、柏木［勘八郎］[6]氏寄付ノコト依頼アリタ

1　金子堅太郎＝枢密顧問官、元農商務大臣、元司法大臣
2　黒田侯別邸＝福岡市浜町
3　香月盈司＝神都電気興業株式会社（宮崎市）常務取締役、筑後電気株式会社取締役
4　内海＝地名、宮崎県宮崎郡青島村内海
5　佐藤慶太郎＝三菱鉱業株式会社監査役、前年日本農士学校・福岡農士学校開校、石炭鉱業聯合会設立首導者
6　柏木勘八郎＝宇島鉄道株式会社社長、地主（京都郡行橋町）

［欄外］浜ノ町滞在

十月二十一日　金曜

浜ノ町滞在、團［琢磨］男爵ト関係ノ事柄取調ヲナシ、廉書ヲ作成ス
大牟田三井[1]より電話アリ、明日午後ニ出福ノ為知アリタ（玉木［懿夫］[2]氏外一人ナリ

十月二十二日　土曜

午前大分橋爪［安彦］君相見へ、麻生益郎［良］君之身上ニ付十二月初旬カ十一月下旬ニ村上・木村両氏ニ申入、他ニハ何ニ等申込無之様注意ス
三井合名会社玉木懿夫・藤井甚太郎[3]両氏三池鉱山より午後二時博多駅着ニ付迎ニ遣シ、浜ノ町ニテ男爵［團琢磨］伝記ニ関係スル数件打合、自働車ニ而旅館ニ送ル
午後五時米山越ニテ飯塚ニ帰ル
［欄外］浜ノ町滞在

十月二十三日　日曜

渡辺皐築君相見へ、興銀より借リ入ノ件ハ来春迄見合せノ事ニ打合ス
買入物太七郎ニ遣ス
花村栄［永］次郎[4]・栢森区長相見へ、停車場敷地寄付金ノ件跡始末市長ニ申入方打合ス
百三十円黒瀬買物代受取
午後六時典太［麻生］・辰子[5]一同米山越ニテ出福ス

十月二十四日　月曜

今井常務・菱［重之］[6]形［常］専務相見へ、日出工場之件、鈴木博士［富治カ］[7]より渡辺［俊雄］君ノ代リニ坂田［貞臣］[8]君ニ為受持、其他ハ一切従事ノ希

望アルニ付、篠木〔吉木カ〕[9]・沢田〔沢崎カ〕[10]ハ不白面〔ママ〕人物ナルモ受持替ヘヲシテ、鈴木氏ノ御思召通ニ木村専務帰社ノ上打合セ返事スルコトニ打合ス

十月二十五日　火曜

大丸〔王丸代吉〕[11]・岡野龍一[12]両君中野正剛[13]君ノ書状持参、国民同盟会[14]援介之申入アリタ

午後一時四十分博多駅ニ鈴木〔喜三郎〕[15]惣裁御迎ニ行キ面会セシモ、多数ノ出迎ニテ緩々御挨拶不出来、栄屋旅館ニ訪問セシモ箱〔筥〕崎宮御参拝ニテ直チニ引返シタリ

1　三井＝三井鉱山株式会社三池鉱業所
2　玉木懿夫＝三井合名会社調査部長、故團男爵伝記編纂委員会
3　藤井甚太郎＝文部省維新史料編修官、故團男爵伝記編纂委員会、のち実践女子専門学校長、法政大学教授
4　花村永次郎＝酒造業（飯塚市立岩）、元飯塚町会議員
5　麻生辰子＝太吉孫
6　菱形重之＝九州電気工業株式会社常務取締役、筑後電気株式会社監査役
7　鈴木富治＝日本鉱業株式会社、のち常務取締役
8　坂田貞臣＝九州電気工業株式会社製造部長
9　吉木光男＝九州電気工業株式会社日出第一工場長
10　沢崎弥十郎＝九州電気工業株式会社小倉工場長
11　王丸代吉＝福岡市会議員
12　岡野龍一＝広島県厚生信用組合長、衆議院議員、元我観社常務理事
13　中野正剛＝衆議院議員、元九州日報社長
14　国民同盟＝中野正剛（元立憲民政党）・安達謙三（立憲民政党）らがこの年十二月に結成した政党
15　鈴木喜三郎＝立憲政友会総裁、衆議院議員、元検事総長、元司法大臣・内務大臣

午後四時半過キ湯町ニ行ク
午後七時半別府滞在ノ田山〔クマ〕[1]より電ニテ、藤沢老婦[2]病気ニ付臼木〔臼杵弥七〕滞在之事ニ打合ス

十月二十六日　水曜

午前八時湯町より自働車帰リタリ
〔欄外〕出発ノトキ上納等ニ番人ニ五十円渡ス
藤沢見舞ノ為メ夏子〔麻生夏〕帰福ヲ促シ、中嶋[3]留主番ヲ命シ、藤沢家ニハ見舞品為持遣ス
永野清[4]・麻生益郎〔良〕ノ両氏相見ヘ懇話ス
野依秀一[5]君玄関ニテ逢ヒ、取急挨拶シテ帰ラル
鈴木惣裁ノ代理ニ惣裁秘書猪野毛〔利栄〕代議士挨拶ニ見ヘタリ
木村専務上京より帰ラル、菱方〔形〕君坂田〔貞臣〕打合セタメ上京ヲ促カス
芳賀元〔茂元〕貴族院議員帰朝ニ付挨拶ニ見ヘタリ
〔欄外〕五十三円黒瀬買物ヲナス
〔欄外〕惣裁一行一方亭ニ九水・九軌・東望〔東邦〕[6]ト合同歓迎会開催、八十六名余出席アリタ（挨拶別記）
　橋本ニ行、惣裁招待ス

十月二十七日　木曜

惣裁一行午前六時廿分博多駅発見送リタリ
黒田若様〔長礼〕[7]御一行午前十一時八分博多駅ニテ御迎申上、停車場ニ而御挨拶ス
福間久一郎[8]君夫婦挨拶ニ見ヘタリ
木村専務相見ヘ、滞京中ノ報告アリタ

十月二十八日　金曜

藤沢家ニ見舞ニ行キ、養体〔容態〕折合居候故見舞差出方浜ノ町ニ命シ、十時十二分米山越ニテ帰リタリ

十月二十九日　土曜

午後五時半松月[9]ニ長崎控訴院々長〔石井豊七郎〕・検事正〔金山秀逸〕[10]ノ歓迎会ニ出席

十月三十日　日曜

午後フヨト〔麻生〕[11]藤沢家火葬ニ列スル為メ米山越ニテ浜ノ町ニ行キ、直チニ藤沢家ニ行キ、火葬場ニ行ク

長崎控訴院検・判事及福岡才判所ノ検・判事飯塚停車場ニ十時十九分発ヲ見送リタリ

十月三十一日　月曜

渡辺皐築君大宰〔宰府〕付ノ商人ト相見へ、昼飯ヲナシ帰ラル

1　田山クマ＝麻生家女中、元麻生家家庭教師
2　藤沢老婦＝麻生太七郎妻きみを母、藤沢幹二（医師、小倉市立病院長）母
3　中島＝麻生家分家麻生五郎家、太吉五女フヨ
4　永野清＝元大分県知事
5　野依秀一＝実業之世界社主、衆議院議員
6　東邦＝東邦電力株式会社
7　黒田長礼＝黒田長成貴族院議員の息、鳥類学者
8　福間久一郎＝飯塚市会議員、元株式会社麻生商店庶務係主任、この年七月退職
9　松月＝料亭（飯塚市新川町）
10　金山秀逸＝長崎控訴院検事長、飯塚区裁判所視察
11　麻生フヨ＝太吉五女、麻生五郎妻

午後二時四十分順正寺[1]ニテ藤沢家ノ葬儀ニ列ス
木村専務神都ノ件ニ付電話ニテ打合ス

十一月一日　火曜

午前九時箱崎様[2]ニ参詣
浜部〔ママ〕ノ鳥居建設ノ場所等ヲ拝見シテ帰リタリ
午前十一時半福村家ニ山崎達之助〔輔〕ヲ招待、山内範造・藤勝衛〔栄〕・樋口典常[3]ノ諸氏一同午後四時半滞在アリタ、御客ハ帰リニナリタル故湯町ニ行キ一泊ス

十一月二日　水曜

午前九時湯町ヲ発シ浜ノ町ニ帰リ、大分市長高田保氏相見へ、同市ニ五万円九水ヨリ寄付ノ申込アリタ、重要之事柄ニ付得と協義ノ上返事ス可キモ、他ニ洩レサル様注意ス
九水本社ニ午前十一時ヨリ出頭、神都之永井・黒木・今井・木村ノ諸氏ト宮崎市ノ件打合ス、黒木君筆記アリ
夏子一同米山越ニテ帰リタリ
大坂海見〔ママ〕[4]・京都今井新兵衛[5]ノ両氏九軌松本〔恭蔵〕[6]氏所有品タリシ掛物売却方ニ付申入アリタルモ、今ニ代価等ハ未定ノ旨申向ケ、村上専務ニ申入ノ方穏当ノ旨申添へタリ
［欄外］七十円買物代渡ス

十一月三日　木曜

吉田九右衛門[7]来リ、隠退之件内談アリタ
瓜生長右衛門来リ、無量寺[8]建物之件内談ス、対談中県道及養水上ニ付注意ス、昼食ヲナシ帰ラル
午後七時自働車ニ而米山越ニ而浜ノ町ニ達、途中風呂敷包等道路ニアリ、何トナク不快ナリシ

十一月四日　金曜

藤田伴三《[次郎カ]》氏より電話ニテ、浅木[9]所有地学校公堂《[ママ]》ヲ建設ニ付相談之為メ村長其外多数相見ヘル意味ナリシモ、商店《[麻生]》ニ御申込被下候様返話ス（篠《[藤カ]》田氏之電話要領ヲ不得、更ニ当方より通話ス）

［欄外］十五円見舞ヲ遣ス

十二時黒田長礼様御一行歓迎会ニ教育学館[10]ニ参会ス

木村専務相見へ、重役推挙ノ打合セ村上氏ニ電話ヲ依頼ス、林《[嘉雄カ]》ナル人の間違ナキ様依頼ス、大坂行モ見合ス

宮崎鈴木憲太郎氏東京より帰途面会ノ為メ待合セシモ、八日相見ヘル事ニ専務ニ出状ノ事相分リ候旨、待合セヲ止メ、午後五時半帰途中湯町ニ寄リ一泊ス

十一月五日　土曜

午前八時半米山越ニテ帰リタリ

1　順正寺＝浄土真宗本願寺派寺院（福岡市祇園町）
2　箱崎様＝筥崎宮（糟屋郡箱崎町）
3　樋口典常＝衆議院議員
4　海見＝春海商店（東京市、書画骨董商）カ
5　今井新兵衛＝今井長兵衛カ林新兵衛カ、書画骨董商（京都市）
6　松本枩蔵＝九州電気軌道株式会社元社長
7　吉田九右衛門＝麻生家親族、酒造業（飯塚市上三緒）
8　無量寺＝浄土宗寺院（飯塚市栢森）
9　浅木＝地名、遠賀郡遠賀村
10　教育学館＝福岡県教育会館（福岡市薬院堀端）

拓務大臣秘書官〔永井柳太郎〕ニ電信等ヲナス、別記アリ

在宅

　十一月六日　日曜

野田勢次郎氏相見へ、太賀吉修学及実務就職ニ付打合ス

岩崎坑区[1]ハ九州産〔鉱カ〕業ト同一ノ方針ニテ営経〔ママ〕スルコトニ打合ス

　十一月七日　月曜

午前十時嘉穂銀行重役会出席

義ノ介ヲ呼ヒ、予算作成ヲ命シ置キタリ

午後四時自働車ニ而米山越ニテ浜ノ町ニ来ル、辰子〔麻生〕同車

　十一月八日　火曜

午前十一時二十八分博多駅発御出発之黒田〔長礼〕様御一行御見送リ申上ク

［欄外］黒田長礼様・御前様・御令嬢様御一行ナリ

帰途九水ニ立寄、大分亀川電鉄[2]問題ニ付浅生〔尾〕新十郎[3]専務より提出之甲乙丙ノ予算書ヲ見テ、丙ノ毎月予算書収入ハ毎日明瞭スル様精々申向ケ、三ケ年間無配当ニスルノ外ナキコトニ打合ス

午後四時半一方亭ニ行キ食事ヲナシ、午後九時半帰ル

［欄外］五十円女中心付遣ス

　十一月九日　水曜

午後九時半鈴木憲太郎氏相見候ニ付中光ニテ待受ノコト木村氏ト電話ス

八時頃より中光ニテ待合セ、相見ヘタルニ付食事ヲナシ、午後十二時頃帰リタリ

仲道政治君[4]明朝出福トノ事故談判ヲ其上ノ事ニナシ、九軌之重役会故午後三時半迄ニ再会ヲ約ス

十一月十日　木曜

〔前脱〕午八時半博多駅発ニテ乗車シ九軌重役会ニ出席、午後二時廿九分小倉駅発ニテ帰福、直チニ中光ニ来リ、宮崎市営問題及電灯直〔値〕下ケ問題ヲ中止ノ事ニ鈴木氏より提案アリ、無止事ニ付同意ノ旨内報シ、重役会開催ノ上正式挨拶ノ事ニテ終了セリ、酒宴ニナリ、午後十時過キニナリ帰リタリ

大浦[5]病気ノ電話アリ、十二時過キヨリ夏子一同米山越ニテ帰リ、大浦ニ行キ少シク折合居タリ

十一月十一日　金曜

在宿

大浦病人ニ付終日在宿セリ

太七郎へ、佐賀高取〔九郎カ〕[6]氏ノ処ニ遣シ東京〔空白〕ノ上手ヲ呼ヒ寄治療ノ相談セシモ、見合セル様注意アリ、幸ヒ病人も折合、見合ス事ニセリ

1　岩崎坑区＝元岩崎後藤寺炭鉱（田川郡後藤寺町・糸田村・川崎村）、一九三一年麻生太吉が譲り受け、この年十二月九州鉱業株式会社に譲渡

2　大分亀川電鉄＝別府大分電鉄株式会社（大分市）、一八九六年豊州電気鉄道株式会社として設立、豊後電気鉄道を経て、一九一六年九州水力電気株式会社と合併後一九二七年改称

3　浅尾新十郎＝別府大分電鉄株式会社専務取締役

4　仲道政治＝宮崎時事新聞社長、のち宮崎新聞社長

5　大浦＝太吉長男麻生太右衛門家、太右衛門妻ミサヲ病気

6　高取九郎＝高取合資会社（佐賀市白山町）代表社員、高取鉱業株式会社副社長

十一月十二日　土曜

相羽部長〔理事〕ヲ招キ、後藤寺岩崎坑区設計ノ件打合セ、昼食ヲナシ帰ラル

十一月十三日　日曜

野田君相見へ、営業上ニ付打合ス
広畑、知人相連レ出浮タリ、午後三時四十分米山越ニテ湯町ニ行キ一泊ス

十一月十四日　月曜

午前八時半ヨリ自動車ニ而九水本社ニ行キ（浜ノ町ニハ立寄ズ〔ママ〕）重役会ニ列ス

重役会中重立タル要件

日出工場カーワバイド拡張ノ件
昭和電気〔灯〕会社債〔償〕却方法改正ノ件
予算書ニ付可成早ク明瞭スル様改正ノ要アルコト、及傍系会社ト軽〔経〕財統一ヲスル件

一九軌大黒田〔田黒〕社長急行電車[1]実地調査済ニテ面会ノ電話アリ、博多駅ニテ面会ス
三菱ニ重役申入ノ件串田〔万蔵〕[2]氏ニ挨拶ノ件
打合序ニ取締役・検〔監〕査役新任ノ打合ヲナシタリ、三菱ハ他より了解アレバ増加シテ可然ト打合ス
午後五時福村家ニテ大藪氏之宴会ニ出席
［欄外］浜ノ町ニハ軍人宿泊ニ付、午後九時湯町ニ行ク

十五日午前八時半浜ノ町ニテ待合事渡辺〔皐築〕氏ト電話ニテ打合ス

十一月十五日　火曜

湯町より渡辺氏ニ電話シ、湯町ノ別荘ニ而面会ニシテ山家駅[3]ニ田中〔正夫〕ヲ迎ヒニ遣シ、相見ヘタルニ、石灰増産ノ件ニ

付大牟田工場[4]より申入ノ件説明アリ、又セメント工場設計（大正二年ノ分）書等詳細承リタリ、昼食後鳥栖駅[5]ニ行カル

午後二時浜町ニ帰リ、川淵［洽馬］[6]元知事相見、青年学館[7]ノ補介ノ件申入アリ、野田ヲ以御答ヘスルコトニテ談話シ、午後三時半より米山越ニテ帰リタリ

渡辺君、製鉄所ニ石灰売込ノ件ニ付十六日朝八幡出張ノ打合ト鳥栖駅より博多駅迄ニ於テ三井筋ト打合ノ報告ノ為メ、午後八時相見ヘ会談ス、晩食後帰ラル

十一月十六日　水曜

渡辺皐築君ニ電話シ、大無［牟］田工場売込石灰ノ件ニ付注意ス、渡辺君より八産鉄合同[8]及増資ノ件電話アリ、調査方打合ス

野田勢次郎君ヲ呼ヒ、カワバイト製品ニ付休業中ノ鯰田火力発電所[9]ノ借受最低料金カ何程ナルカ、其ノ結果ニ［ママ］ニ付化学営業ノ方針打合度ト協義ス

1　急行電車＝九州鉄道株式会社本線（福岡市・久留米市間）
2　串田万蔵＝三菱銀行会長、三菱海上火災保険株式会社取締役
3　山家駅＝筑豊本線筑前山家駅（筑紫郡山家村）
4　大牟田工場＝電気化学工業株式会社大牟田工場（大牟田市）
5　鳥栖駅＝鹿児島本線（佐賀県三養基郡鳥栖町）
6　川淵洽馬＝衆議院議員、元福岡県知事
7　青年学館＝青年訓育会館カ、元護国青年同盟（福岡市下警固）青年訓練所
8　九州産業鉄道株式会社と九州産業株式会社の統合計画、翌年一九三三年合同、第四巻解説参照
9　鯰田火力発電所＝九州水力電気株式会社発電所（飯塚市鯰田）、一九二三年開業

十一月十七日　木曜

花村久兵衛君ヲ呼ヒ、鯰田発電所ノ休業中ナルモ発電ノ時費用調査ヲ打合ス

相羽部長〔理事〕ヲ呼ヒ、後藤寺坑区及鯰田発電ニ関シ石炭供給ノ場合鯰田地内ニテ採掘ニ付利害調査方打合ス

購売〔ママ〕掛大屋昇君[1]ヲ呼ヒ、営業上ニ付十分注意方申付ル

山内[2]所長高嶋市次郎相見へ、鯰田方面下層炭採掘之打合ヲナシ、又先年水抜等ヲ初メ断層等打合ス

小石原[3]山林ニ付花村徳右衛門君相見ヘタルニ付、先方より直段〔値〕申出アル様申向ケタリ

午後七時より米山越ニ而山口孝ヲ乗セ出福ス

十一月十八日　金曜

午前八時一方亭ニ悔ミヲ兼告別式[4]ノ時間前ナリシモ焼香ナシ帰リタリ

午前十時県庁ニ出頭、中小商工者ニ融通ノ件ニ付、午後四時過キ退散ス（書類別紙ニアリ）

十一月十九日　土曜

浜ノ町ニ松本元知事〔学〕ノ紹介ニヨリ大日本正義団[5]主監酒井栄蔵[6]氏相見へ、満洲国ニ関シ詳細ノ説明アリ、今後モ十分国家ノ為メ尽力スルトノ事ニテ実ニ申分ナキ人ナリシ

午後一時二十分自働車ニ而米山越、三時過キ帰宅ス

十一月二十日　日曜

相羽部長〔理事〕ト鯰田坑山採掘ニ付実地踏査ノ事ニセシモ、後藤寺災難アリ、見合ス

十一月二十一日　月曜

午前十一時間宮〔英宗〕[7]禅師幸袋伊藤伝サン之方ニ御泊ニ付、太七郎自働車ニ而御迎ニ行、御出アリタ

午後六時半ヨリ本家広間ニテ職員及付近懇意之人々ニ法話アリタ

十一月二十二日　火曜

午前八時半仏前ニ御読教［経］アリタ

昼食後農学校[8]ニテ法話アリタ、無何心禅師ニ御供シテ農学校ニ参リシ、校長より生徒ニ照合［紹介カ］アリ、挨拶ヲ兼簡単ニ咄ヲナシタリ

甲種農学校[9]ハ実地トノ関係等閑ニ付シ可カラズト大ニ感シタル故、今後研究スルコトニセリ

十一月二十三日　水曜

午前八時半間宮禅師墓所ニ而読教［経］ニナリ、一同参拝ス

十二時昼食後岩崎野見山［米吉］ノ乞ニヨリ十二時半自働車ニ而出発、夏子等一同御供ス

八幡芳賀［茂元］氏邸ニ宮様[10]御成リニ付、家具品取揃用達ス、博多より黒瀬［元吉］呼寄荷造リヲナス

1　大屋昇＝株式会社麻生商店購買係
2　山内＝株式会社麻生商店山内鉱業所（飯塚市立岩）
3　小石原＝地名、朝倉郡小石原村
4　料亭一方亭（福岡市東公園）経営者黒川達之助母げん子告別式
5　大日本正義団＝国家主義団体、一九二二年設立
6　酒井栄蔵＝九州肥筑鉄道株式会社取締役、播磨電気鉄道株式会社取締役、大日本正義団主宰、満洲国正義団設立者
7　間宮英宗＝栖賢寺（京都市左京区）住職、元臨済宗方広寺派管長
8　農学校＝福岡県嘉穂農学校（飯塚市鶴三緒）、一九一〇年嘉穂郡立農学校（乙種）として創立、一九二三年県立に移管し、一九二五年甲種に昇格して改称
9　甲種農学校＝高等小学校卒業生を対象とする三ケ年課程の実業学校
10　宮様＝梨本宮守正王、帝国在郷軍人会小倉支部献納愛国機命名式ならびに北九州国防協会発会式出席のため来福

午後六時十二分芳雄駅発ニ而午後七時半博多駅ニ着、直チニ迎之自働車ニ而浜町ニ着、晩食ス

十一月二十四日　木曜

午前八時半増永〔元也〕君相見へ、製鉄所電気統制ニ付東京地方ニテ了解方ニツキ打合ス、地方ハ可及丈ケ尽スコトヲ打合ス

渡辺綱三郎氏相見へ、九軌ト今少シ打合セ方申入アリ、又減配ニ付希望アリシモ、九軌之関係之末尚努力スルコトニ余□アリ、局力尽シタル上ニ付減配ス可キ旨申向ケタリ

キヨクトランプ[1]理事酒井武雄君相見へタルニ付、今井〔三郎〕氏ニ面会申入方申向ケタリ

堀氏相見ヘタルニ付、セメン製造ノ件ニ付販売方法東京ニテ調査ヲ依頼ス

青柳〔茂〕嘉穂〔銀行〕支配人来リ、廿六日出福ニ付打合ス

十一月二十五日　金曜

午前九時ヨリ九水重役会ニ出席

午後一時ヨリ傍系会社惣会

午後五時半福村家ニテ一同慰労宴会ヲ催シ、木村専務より挨拶ヲナシサ〔ママ〕メタリ、湯町ニ午後八時頃ヨリ行キタリ

［欄外］金百八十円昭和電気〔灯〕

同百八十円筑後同

〆三百六十円受取

十一月二十六日　土曜

午前湯町より浜ノ町ニ行キ、午前十時商業会議所[2]二階ニ而銀行不動産融通ノ件ニ付県庁より呼集アリ、出席セシモ皆支配人ノミノ出席ニ付相断リ早ク帰リ、帰途野田俊作代議士ヲ栄屋旅館ニ訪問ス

橋本待合ニ午後五時半より案内ス、野田俊作・[空白]ノ両氏相見へ、午後九時より米山越ニテ帰リタリ

十一月二十七日　日曜

渡辺阜築君相見へ、大牟田工場ノ模様及直[値]増ノ厚意アル報告アリ、其他セメン工場新設[3]ニ付、先ツ三十万樽ヲ一期トシ漸次ニ拡張ノ実行方打合ス

午後相羽及五郎ノ両君同供、鯰田元阿部[市兵衛][4]ノ採掘セシ場所より下ノ山部落ノ付近ヲ経而狸坂及三緒浦[5]方面ニ行キ、下層炭採掘方及鯰田発電所ニ石炭供給方等打合ス

十一月二十八日　月曜

本店[麻生商店]嶋田寅吉君元鉱務員退職ニ付、相田炭坑[6]ニ従事ノ事ニナリ、挨拶ニ見ヘタリ

花村久兵衛君ヲ呼ヒ、鯰田発電所出力ニ付費要[ママ]其他調査ヲ乞、壱万キロノ発電ノ場合ト八千キロ発電場合ニ於ケル費要調査書別紙アリ

有馬伯爵[頼寧]ノ御紹介ニテ亀井[貫一郎][7]一同面会ノ件門司より電話シタル末、十二月一日浜ノ町ニ平尾[与四郎カ][8]ト申者一人来リ、五十円

1　キョクトランプ＝極東商事株式会社（東京府豊多摩郡下落合）
2　商業会議所＝博多商工会議所（福岡市）、元博多商業会議所
3　九州産業株式会社（田川郡後藤寺町）のセメント工場新設
4　阿部市兵衛＝元阿部鯰田炭鉱経営者
5　三緒浦＝地名、飯塚市下三緒
6　相田炭坑＝秋山長三郎経営（嘉穂郡二瀬町）
7　亀井貫一郎＝衆議院議員、元外務事務官
8　平尾与四郎＝堺金属労働組合長、元総同盟泉州連合会副会長

ヲ遣ス（篠田〔珍木〕面会ス

十一月二十九日　火曜

楠木地蔵山より移植ス
山内農園[1]ニ行キ北側ノ楠植付ノ場所ヲ見タリ
芳賀氏宮様御成ニ付家装品用達セシ礼ニ態々太七郎〔麻生〕同道挨拶ニ見ヘタルニ付、急キ帰ラル様注意ス
麻生太三郎来リ、遠賀所有地小学校敷地ニナリ寄附ノ申出アリタルニ付、四百五十円ノ内弐百五十円ヲ寄付方武田ニ電話ス（外ニ相響カザル様注意ス
大浦病人見舞タリ
鉄道会[2]より上京ノ電信達セシモ、義之介上京中ニ付代理出席打合ナシタルモ、大坂ニ帰リ居ルニ付、堀氏ニ打電ノ打合ヲナス

十一月三十日　水曜

瓜生長右衛門・瓜生熊吉・鬼丸平一〔市〕ノ三君相見へ、和一〔瓜生〕郎移転不致旨報告アリ、又無量寺▨□ノ為メ移転ノ内談アリ、又鬼丸ハ弥平跡屋敷引受ノ相談セリ
午前十時ヨリ相羽・高嶋〔市次郎〕・五郎〔麻生〕ノ三君一同鯰田地内ヨリ山内坑跡等実地踏査ス、花村勇君[3]モ同車ス

十二月一日　木曜

午前六時起キ、庭園造リ籾田〔喜三郎〕[4]ト打合ス、道路筋ト指図ス
午前十二時後藤寺ノ起行坑[5]ノ四尺坑内排水ノ模様聞キ取リタリ
持参ノ弁当ニテ坑長〔長兵三〕ト一同事務所ニテ午後一時昼食ヲナス
産業〔九州〕会社ニ行キ工場視察ヲナシ、事業ノ進行方打合ス

午後六時半米山越ニテ浜ノ町ニ行キタリ

十二月二日　金曜

村上氏ニ電話シ、新任重役及険〔監〕査役ノ推挙ニ付打合ス

木村専務及桜木〔桜井督三〕君相見へ、配当ハ七分ノ維持ニ付十二分ノ協力一致方申合ス

午後二時ヨリ米山越ニテ帰宅ス

十二月三日　土曜

午前六時床起キ、工事場見廻リ、庭園ニ付籾田ト打合ス、西側大石坂本土取跡より取寄据付ル（運搬着手日より三日目ニ据付終リタ）

午後一時より鯰田市ノ間[6]阿部坑区ノ中シメ三尺採掘跡ヲ調査ス（高嶋〔市次郎〕所長同供ス）

鯰田鑵〔汽脱〕場ニ臨ミ、ヱンドレスノ工場ヲ視察ス

野田・義之介相見へ、後藤寺排水（四尺ノ坑口）方ニ付別段操合ヲナシ、一日も早く排水ノコト打合ス、及鯰田発電所借受発電スルニハ石炭ノ安価カ必要ニ付、市ノ間ニ於テ掘方調査ヲモ打合ス

三井〔銀行〕ハ十万円融通スル旨相答、夫レニテ冬ノ凌キ不相立ニ付、興銀借入ノ打合ヲ渡辺君ト電話ニテ打合ヲナス

1　山内農園＝株式会社麻生商店山内農場、廃鉱地試験農場（飯塚市立岩）
2　鉄道会＝石炭聯合会の内部組織カ
3　花村勇＝株式会社麻生商店土地係
4　籾田喜三郎＝麻生家庭師兼雑用
5　起行坑＝九州鉱業株式会社起行小松鉱業所（田川郡後藤寺町）
6　市ノ間＝地名、飯塚市鯰田

十二月四日　日曜

義之介ヲ呼ヒ、坑業ニ限リ収支予算書ノ件申含メ、又休業中ノ鯰田発電所利用及同付近石炭採掘方及起業〔行〕排水ニ付申含メタリ

相羽部長〔理事〕ニ起業〔行〕排水方申付タリ

午後七時五十分芳雄駅発ニ而山家駅ニ下車シ、迎ヒノ自働車ニ乗リタルモ、道路悪シク湯町別荘ニ加藤〔伊三郎カ〕[1]一同一泊ス

十二月五日　月曜

午前八時半湯町より自働車ニ而帰リ

渡辺皐築君相見へ、大牟田工場之件ニ付東京藤原〔銀次郎〕[2]氏より呼電ニ付出発ノ打合ヲナス、料金問題ハ先方ニ任セ当方よりハ申向ケナキ様注意ス

操方〔麻生〕[3]病院〔飯塚〕[4]ニテ西田〔得二〕先生一同診察ヲ乞、午後七時自働車ニ而帰ル

十二月六日　火曜

午前八時半新貝〔真貝貫一〕技師長浜ノ町ニ今井氏ニ伝へ呼ヒ、鯰田休業ノ発電所ニ付調査方打合ス

堀氏ニ直方ニ前田幸作[5]電灯料直〔値〕下運動中止ノ件ニ付電話シ、明日午後出福ノ返電アリシモ、鯰田坑業指急クニ付

博多駅発午後二時三十分ニテ飯塚ニ返〔帰〕ル

芳雄駅ニ相羽・高嶋待受アリ、一旦運諭〔輸〕[6]店ニ立寄鯰田坑山打合セシモ、本家[7]ニ引揚ケ午後八時過キ迄調査ス、野田勢次郎君及太賀吉も一同ト調査書ヲ作成、概略ノモノ出来上リタリ

約二円三十五銭位ノ目的相分リタリ

十二月七日　水曜

午前九時半嘉穂銀行重役会ニ出席

内野村[8]山内高君ノ担保地所ノ評価ニツキ図面ニ基キ評義ナシタリ、午後三時閉会、酒屋及麻生屋[9]ト一同帰リタリ
野見山米吉君相見へ、青柳〔茂〕支配人ノ身上ニ付懇談アリ、又営業上ニ付十分注意方ト援介ト相頼タリ

十二月八日　木曜

高嶋ト市間坑業上ニ付電話ニテ打合セ、又後藤寺排水方ニ付電話ヲ架設、毎日模様之分ル様相羽部長〔理事〕・野田専務ニ打合ス
花村勇君ニ、市ノ間採払〔切〕ニツキテハ、採取タル小笹等ヲ以テ降雨ヲ凌グ四五人位立寄ノ出来得ル仮小家建設注意ス
麻生太三郎来リ、元警察ニ奉職セシ人採用方及代次郎〔有吉乃次郎カ〕[10]身上ニ付申入アリタ
米山越ニテ午前十一時半ヨリ湯町ヲ経而出福、中光ニ立寄晩食ヲナス（堀氏も相見ヘタリ）
池田〔常一カ〕〔ママ〕支配人相見へ決算ノ報告アリタ

1　加藤伊三郎＝麻生家浜の町別邸
2　藤原銀次郎＝電気化学工業株式会社会長、王子製紙株式会社長、九州電力株式会社長
3　麻生ミサヲ＝太吉長男麻生太右衛門妻
4　飯塚病院＝株式会社麻生商店飯塚病院、一九一一年竣工、一九一八年社内診療開始、一九二〇年地域診療開始
5　前田幸作＝前田幸三郎とも、映画館世界館（福岡市東中洲）主、元映画館東亜倶楽部・民衆倶楽部（同所）経営者、のち福岡市会議員・衆議院議員
6　運輸店＝株式会社芳雄運送店（飯塚市立岩）、一九二九年設立、のち新飯塚商事運送株式会社
7　本家＝麻生家（飯塚市栢森）
8　内野村＝嘉穂郡
9　麻生屋＝太吉甥麻生太三郎、嘉穂銀行取締役、株式会社麻生商店会計係、のち麻生鉱業株式会社監査役
10　有吉乃次郎＝元株式会社麻生商店豆田鉱業所人事係、この年八月退職

十二月九日　金曜

堀君相見へ、三菱[1]ト産鉄トノ関係聞キタリ、此際協定出来得ル様申入ナシタリ

木村専務ト決算ノ打合ヲナス

相羽部長〔理事〕ト起業〔行〕ノ〔坑脱〕四尺排水方打合ス

午後三時自働車ニテ花村久兵衛君ト米山越ニテ帰宅

十二月十日　土曜

新〔真〕貝技師長相見へ、鯰田発電所調査ヲ乞タリ

芳賀茂元氏御家室先日之家具ノ用達ノ礼トシテ挨拶ニ相見へ、玄関口より御引返シニナリタ

午後一時花村勇君ト山内坑より市間坑業所迄ノ道路ノ踏査ヲナシ、芳ケ浦[2]より▨ヨウ塘ヲ経而市ノ間ニ達スル道路踏査ス

橋爪安彦氏相見へタルニ付、木村・村上・今井ノ三氏ニ申入方注意ス

十二月十一日　日曜

花村久兵衛君ヲ呼ヒ電気之取調ヲ乞タリ

午後三時自働車ニ而相羽・五郎一同起業〔行〕小松ニ行キ、排水ノ打合ヲ為シ帰リタリ

直方野上君〔辰之助〕[3]ニ電話シタリ

小松坑下層四尺ノホンプ下ケ方法及通風坑道浚シ方ニ付打合ス、五尺層ニ三台水漬ノモノアリ、此ノ「モウタ」[4]早ク手当スルコトニ打合ス

十二月十二日　月曜

野上辰之介〔助〕君相見へ、上山田坑区買受及九洲電力直〔値〕下ケノ件内談アリタルニ付、坑区ノ方ハ可成意味ノ行違ヒノ出

来ザル様、又電力ノ方ハ統一ニツキ十二分ノ努力中等ノ大体ノ意味ヲ咄シ、相分レタリ
渡辺皐築君帰県、〔模脱〕様ヲ聞キ取タリ
鯰田市間石炭坑業ハ従業者ハ惣而山内坑現業員ヲ其侭召使フ事トシ、山内東側ノ処并芳ケ浦・簱ケ辻[5]・大谷[6]ヲ経而市ノ間ニ達道路ヲ第一着手ニ仮道ノ切払ヲナスコト、及鯰田九水発電所ニ至ルヱントレス道路敷地買収方、相羽氏ト打合ス
午後三時半より八木山越ニ而自働車ニ而大学病院[7]ニ操〔ミサヲ〕ヲ見舞、小野寺〔直助〕博士ニ挨拶ヲナシ、午後六時半浜ノ町ニテ一同ト晩食ス

十二月十三日　火曜

後藤寺[8]排水ノ件ニ付長〔兵三〕君ニ電話シ、順序能ク進ミ居ル旨ヲ報告アリ、十二分ノ努力方打合ス
木村氏ト明日午前八時半より出社ノ打合ヲナス

1 三菱＝三菱鉱業株式会社筑豊礦業所方城炭坑金田坑区
2 芳ケ浦＝地名、飯塚市立岩
3 野上辰之助＝野上鉱業合資会社（直方市）代表社員
4 モウタ＝発動機
5 旗ケ辻＝地名、飯塚市立岩
6 大谷＝地名、飯塚市立岩
7 大学病院＝九州帝国大学附属病院（福岡市千代町）
8 後藤寺＝九州鉱業株式会社起行小松鉱業所（田川郡後藤寺町）

元三池坑ノ岩田[謙三郎][1]氏死去ニ付悔ミノ打電ス、及香典ヲ東京出張所[2]ニ頼ミタリ
風邪ノ気味ニテ少シク発熱ス

十二月十四日　水曜

午前九時ヨリ九水重役会ニ出席
野上[辰之助]氏相見へ、話合ノい才[委細]ヲ靍丸君ニ申含メタリ

十二月十五日　木曜

午後三時八木山越ニテ帰ル
風邪ニテ発熱ス

十二月十六日　金曜

相羽君相見へ、起業[行]鉱山排水之打合ヲナス
山内切払場所ニ臨ミタリ

十二月十七日　土曜

花村徳右衛門君相見へ、道路ノ件ハ苦情ノ為メ買受スルコトハ相断ル旨申向ケタリ
花村勇君道路及楠殖[ママ]林ノ件打合ス
九水ニ電話シ及黒木君ニも電話、九軌勧銀証書ノ件打合ス
午後一時半村上氏相見へ、報□[告]書及其他調印ス

十二月十八日　日曜

靍丸君相見へ野上[鉱業]関係打合、互助会交洲[渉]ハ従来ノ通トスルコトニシテ、病気引入中ニ付暫ラク延引ノ旨申入コトニ打合ス

野見山米吉君相見へ、青柳［嘉穂］銀行支配人ノ件ニ付打合、本人ノ誓約書等ヲ中受ケタリ

起業［行］小松坑排水ニ付江頭［康治］[3]及引続大森［林太郎］[4]君ト電話ス

十二月十九日　月曜

今井常務ニ電話シ、宮崎市ノ件永井氏ノ電話ノ意味不明ニ付明瞭ニナル様電話シ、了解アリタ

山内より鯰田市ノ間坑口迄ノ道路造リ方ニ付打合ノ為メ地蔵山ノ東迄行キ、高嶋［市次郎］所長ト花村勇君ト打合ス

十二月二十日　火曜

栗原［与一］君産鉄より本家ニ転勤之事渡辺［皐築］氏ト打合セ、同君居住家モ元嶋田［寅吉］[5]君之住宅ニ取極メ掃除ヲナス

地蔵山付近之旧火葬場之道路より北側ニ向ヒ瓜生［政五郎］[6]外二人工事ニ着手ス、瓜生同道大谷溜池ノ付近ノ処迄実地ヲ踏査ス

午後二時三十分自働車ニ而八木山越ニ出福、市内ニ入リ福村家おとよト同車ス

午後五時より福村家ニ而食事ヲナス

操方病院より来リ、退院ノ件打合ス

1　岩田謙三郎＝元三井鉱山株式会社常務取締役
2　東京出張所＝株式会社麻生商店東京出張所カ、この月開設
3　江頭康治＝九州鉱業株式会社起行小松鉱業所
4　大森林太郎＝株式会社麻生商店採鉱係長、元綱分鉱業所長
5　島田寅吉＝元株式会社麻生商店本店鉱務部、この年七月退職
6　瓜生政五郎＝麻生家職工

十二月二十一日　水曜

午前麻生益郎〔良〕・橋爪安彦両氏相見へ、検〔監〕査役推挙ノ打合ヲナス

午後十二時半九水本社ニ出頭、宮崎県ノ件星野〔礼助カ〕・矢野〔輝カ〕[1]両氏来社ヲ乞、市営及直〔値〕下ケ問題ニ付打合ス

互助会より申入ノ料金直下ケ件、靍丸・喜久田両氏ト専務・常務ト打合ス

野田君相見へ、聯合会九洲区域ニ於ケル互助会ノ関係等打合、尚野上君ニ売却坑区ノ件打合ス

後藤寺排水模様臼杵より電話アリタ

十二月二十二日　木曜

午後令〔零〕時半九水重役会、引続キ商業会議所〔博多商工会議所〕ニ階上ニテ四十四回ノ九水惣会ニ臨ミタリ

二十分間ニテ閉会ス

互助金〔会〕正副会長外四、五十人打揃料金直〔値〕下ケ問題ニ付打合中、金丸〔勘吉〕[2]会長退座シ引離レタリ

午後五時福村家ノ宴会ニ臨ミ、挨拶ハ別ニアリ、警察員ハ宴会済迄援介アリタ

午後八時より八木山越ニテ飯塚ニ帰リタリ

十二月二十三日　金曜

山内道路之処ニ臨ミタリ

野田氏相見へ、互助会員ノ報告アリタ

一相羽君相見へ、起業〔行〕小松ノ坑業上ノ打合セヲナス

一新〔真〕貝貫一君〔九水〕取締役新任ノ挨拶ニ見ヘタリ

有田〔広〕博済常〔専〕務相見へ、中村〔俊雄〕[3]君ノ不始末報告アリ、直チニ星野〔礼助〕氏之処ニ遣シ研究ヲ乞タリ

十二月二十四日　土曜

午前八時半嘉穂銀行重役会ニ出席

義之介来リ、販売炭ノ件坑務〔ママ〕ト打合ノ事ヲ命ス

有田・西園磯松両氏博済ノ件ニ付相見へ協議ス、星野弁護士ニ研究ノ上進行ノ事ニ打合ス

金弐百円昭〔ママ〕和七月より半期博済報洲〔酬〕受取

十二月二十五日　日曜

風邪ニ而在宿

渡辺君相見へ、産鉄決算及〔麻生〕商店営業方針ニ付打合ス

有田氏、星野〔礼助〕氏研究ノ結果報告アリタ

十二月二十六日　月曜

中村〔俊雄〕博済支配人相見へ、不始末之件ニ付有田氏立会其ノ責ヲ純〔詑カ〕シタリ

青柳銀行支配人来リ、株売却及元大隈支店書記ノ件打合ス

金五十円志賀嶋[4]楼門改造費寄付セシノ分、臼杵より受取

義之介来リ、年末賞与金五千円持参来リ、夫々相渡ス

1　矢野輝＝神都電気興業株式会社経理課長
2　金丸勘吉＝大隈炭鉱（遠賀郡香月町ほか）経営者、筑豊石炭礦業互助会長
3　中村俊雄＝博済無尽株式会社支配人、元福岡県郡長
4　志賀島＝地名、糟屋郡志賀島村、志賀海神社所在地

十二月二十七日　火曜

野田・相羽両氏相見へ、起業〔行〕岩崎坑区着手ノ件及野上より申入ノ山田坑区[1]ノ打合ヲナス

麻生太三郎来リ、乃次郎〔有吉〕ノ身上ニ付聞キ取タリ

貝嶋家不幸[2]、義之介代理ニ遣ス

午後▨時半米山越ニ而湯町ニ狩野〔嘉市〕[3]ト行キ、神殿[4]ノ打合ヲナシ、晩食後午後八時半浜ノ町ニ行ク

十二月二十八日　水曜

午前八時八木山越ニテ帰リ、産鉄重役会ニ出席、昼食後産鉄・産業〔九州〕ノ惣会ニ臨ミ、午後二時半済シタリ

堀氏福岡ニテ知事一行案内セラレ、招待ヲ受ケタルニ付堀氏一同自働車ニ而福村家ニ行キ、午後八時浜ノ町ニ帰ル

〔欄外〕五十円政、五十円ふじ本、五十円常盤館、百円おあい[5]祝義、百円□賀見舞、三百円福岡時々〔事〕、百円天勝

〆七百五十円篠田〔珍木〕渡

十二月二十九日　木曜

午前八時半自働車ニ而八木山越ニテ帰リタリ、五日ノ後藤寺岩崎元坑区ノ坑口開坑ハ従来之通開坑ノ内祝ヲナシ、是迄尽力ニ預リタル人々ニ而別ニ宴会ヲ催シ挨拶スルコトニ打合ス

十二月三十日　金曜

野田・相羽両君相見へ、上山田坑区野上君より買受希望申入アリ、打合ス

野見山米吉氏相見へ、大隈支店〔嘉穂銀行〕書記ノ不始末事件ノ打合ヲナス

十二月三十一日　土曜

山内ヨリ市ノ間往復道路開作中〔ママ〕ノ実地踏査ヲナス

田嶋〔勝太郎〕代議士より電話アリ、製鉄所坑区ノ件打合セ、来月六日ニ面会ヲ約ス

渡辺氏より製鉄所鉱石非常手段ヲ以送布〔ママ〕方申込アリ、多少ノ損失ハ致方ナク十分努力シテ積込方打合ス

金銭出納録

昭和六年下期七月より十二月迄ノ分、病気ノ為メ七年ノ上期ニ記ス

金五百円	大浦
同百円	太右衛門[6]
同五十円	操《ミサヲ》
同千五百円	徳光
同五十円	米《ヨネ》
同二十円	義太賀・太介[7]

1 山田坑区＝上山田坑区に同じ
2 故貝島栄三郎元貝島鉱業合名会社副社長の孫死去
3 狩野嘉市＝株式会社麻生商店鉱務係麻生家詰
4 麻生家湯町別荘（二日市町）に稲荷祠建立
5 おあい＝橋本あい、料理屋おあい（福岡市中の島）を廃し、鮎里（同上）開業
6 麻生太右衛門＝太吉長男
7 麻生太介＝太吉孫

同五百円　立岩[1]
同五十円　君代〔きみを〕[2]
同十円　たき代〔多喜子〕[3]
同五百円　中嶋
同五十円　ふよ〔フヨ〕
同三十円　摂郎・忠二・おこを〔幸子〕[4]
同五十円　夏子
同三十円　太賀吉・典太・辰子
〆三千四百四十円
同壱千円　野田〔勢次郎〕
内
金五千円　義之介より受取
別口預ケニ入
残而五百六十円　残リ受取

昭和七年七月二十三日嘉穂銀行惣会午後十二時一分開催
一月より六月迄七年上半期
金八拾弐円弐十二銭　貯蓄銀行七年上期賞与金　一月より六月迄
同四百四十四円九十三銭　博済無尽会社七年上期賞与金

同六百六十三円廿二銭　嘉穂銀行七年上期賞与金
〆千百九十円卅七銭
内
四十円　小使給仕心付
残而千百五十円卅七銭　入

昭和七年一月より六月迄則七年上半期
金五百円　大浦
同百円　太右衛門
同五十円　操［ミサヲ］
〆六百五十円
金千五百円　義之介
同五十円　二月末死去セシモ[5]送与スルコトニセリ

1　立岩＝麻生太七郎家
2　麻生きみを＝麻生太七郎妻
3　麻生多喜子＝太吉孫
4　麻生摂郎・忠二・幸子＝太吉孫
5　麻生義之介妻ヨネ死去

同二十円　太介・義太賀
〆千五百七十円
同五百円　中嶋
同五十円　ふ代〔フヨ〕
同三十円　摂郎・忠二・こを〔幸子〕
〆五百八十円
同五百円　立岩
同五十円　君代〔きみを〕
同十円　たきよ〔多喜子〕
〆五百六十円
同五十円　夏
同三十円　太賀吉・典太・辰子
〆八十円
千円　野田勢次郎
〆五千円　八月五日義之介より受取
残而五百六十円　残金受取

昭和七年七月より十二月迄上〔下〕半期心付
金五百円　大浦

同壱百円　太右衛門
同五十円　操
同壱千五百円　徳光
同二十円　義太賀・太介
同五百円　中嶋
同五十円　ふよ
同三十円　摂郎・忠二・こを
〆
同五百円　立岩
同五十円　君代
同十円　たきよ
同五十円　夏子
同三十円　太賀吉・典太・たつ
同五百円　春吉[1]つや子〔野田ツヤ子〕[2]
同壱千円　野田勢次郎
〆

1　春吉＝地名、福岡市春吉町
2　野田ツヤ子＝太吉孫

残金

残而六十円

一九三三（昭和八）年

一月一日　日曜

午前五時半起床　風呂

六時　　御茶

六時半　　雑煮及食事

洋服ニ着替

御真影拝賀

皇室拝礼

神仏拝礼

午前九時太賀吉〔麻生〕[1]一同自働車ニ而八木山越[2]浜町[3]ニ着ク

食事後、箱〔筥〕崎八幡宮[4]・住吉神社[5]・愛宕神社[6]参拝

箱崎参詣中神内〔ママ〕ニテ軍人寄付ニ寄付ス

一月二日　月曜

湯町別荘[7]ニ而神仏遥拝ス

午前十時半米山越[8]ニ而帰宅ス

山内坑[9]及市間坑[10]ノ道路ヲ踏査ス

愛宕神社[11]ニ参詣ス

農園[12]ニ立寄、楠植付ノ伐〔ママ〕払場所ニ臨ミ帰リタリ

起業〔行〕[13]排水ハナセシモ流込ノ泥土ノ為メゴムハイプ設計ナシ排水スルコトニ着手ノ旨電話アリタ（相羽〔虎雄〕[14]氏）

一月三日　火曜

午前九時半本店[15]新年祝賀ノ為メ祝盃ヲ職員一同トナス

一月四日　水曜

花村徳右衛門[16]君相見へ、山林及道路等ノ件ニ付報告アリタ

1　麻生太賀吉＝太吉孫、のち株式会社麻生商店社長
2　八木山越＝嘉穂郡鎮西村八木山を越え飯塚市と福岡市を結ぶ峠
3　浜町＝地名、福岡市浜町、麻生家浜の町別邸所在地
4　筥崎八幡宮＝糟屋郡箱崎町
5　住吉神社＝福岡市住吉町
6　愛宕神社＝早良郡姪浜町
7　湯町別荘＝二日市別荘とも、麻生家別荘（筑紫郡二日市町湯町）
8　米山越＝筑紫郡山家村と嘉穂郡上穂波村の間の太宰府と筑豊を結ぶ峠
9　山内坑＝株式会社麻生商店山内鉱業所（飯塚市立岩）
10　市間坑＝市ノ間坑とも、株式会社麻生商店の炭鉱（飯塚市鯰田）
11　愛宕神社＝飯塚市栢森
12　農園＝株式会社麻生商店山内農場、廃鉱地試験農場（飯塚市立岩）
13　起行＝九州鉱業株式会社起行小松鉱業所（田川郡後藤寺町）
14　相羽虎雄＝株式会社麻生商店技術理事、九州鉱業株式会社取締役
15　本店＝株式会社麻生商店本店（飯塚市立岩）
16　花村徳右衛門＝株式会社麻生商店庶務係

午後一時ヨリ大谷[1]溜池ノ東側ニ行キ、旧坑口ノ現在之場迄草木ヲ切払道路ヲ開キタリ、右開坑之事ハ高嶋〔市次郎〕[2]所長ニ電話ス
北側深林ノ処ニ不思儀〔ママ〕ニモ雨ニ触レズ中岩弐個重リ、談ニ云フ蛇ノ業場ニテハナキカ、大ニ人夫ニ注意ス、同場所付近ニハ白蛇住居ル事ヲ人夫より聞キタリ

一月五日　木曜

午前九時後藤寺起業〔行〕小松坑業所[3]弓削田新坑開鑿鋤〔鍬〕入式ニ〔麻生〕太賀吉事業実習手初メニテ、〔麻生〕義之介[4]一同自働車ニ而式場ニ臨ミ、鯣・冷酒ノ祝盃ヲ催シ、職員一同ト式ヲ終リ帰リタリ
実岡〔半之助〕[5]代議士初メ許斐〔安太郎〕[6]村長等七名相見へ、嘉穂学館[7]建設ノ寄付申入アリ、弐千円出金ヲ諾ス
午後五時半松月[8]ニテ郡内有志者新年宴会ニ出席（別記ノ挨拶ヲナス）
午後九時半帰ル

一月六日　金曜

中村清〔精〕七郎[9]氏ハ小栗〔一雄〕[10]知事一同橋本[11]ニ招待アリ、出福ス
午後五時半橋本ニ行キ、午後十時半帰リタリ
午後三時四十分木村〔平右衛門〕[12]専務相見へ要談ス

一月七日　土曜

田嶋勝太郎[13]氏来福ニ付橋本ニ訪問、面会済後昼食ヲナス、山芋ノ御土産ヲ頂キタリ
午後五時福村家[14]ニテ分家[15]一同ノ新年宴会ニ列ス

一月八日　日曜

午後四時二日市[16]ヨリ帰リ、橋本ニテ中村清〔精〕七郎氏招待会ニ臨ミタリ

小栗知事も出席アリタ

一月九日　月曜

午前七時四十分八木山越ニテ自働車ニ而本宅ニ帰リ、嘉穂銀行[17]重役会ニ列ス

一月十日　火曜

午前七時飯塚より八木山越ニテ八時四十分着、直チニ食事ヲナシ

1 大谷＝地名、飯塚市立岩
2 高島市次郎＝株式会社麻生商店山内鉱業所長、翌一九三四年同商店愛宕鉱業所長
3 起行小松鉱業所＝九州鉱業株式会社起行小松鉱業所（田川郡後藤寺町）
4 麻生義之介＝太吉女婿、株式会社麻生商店取締役、九州鉱業株式会社監査役、九州産業鉄道株式会社取締役
5 実岡半之助＝衆議院議員、元宮野銀行（嘉穂郡宮野村）頭取、元福岡県会議員
6 許斐安太郎＝嘉穂郡頴田村長、元嘉穂郡会議員
7 嘉穂学館＝嘉穂郡出身者東京寄宿舎、山内確三郎設立
8 松月＝松月楼とも、料亭（飯塚市新川町）
9 中村精七郎＝株式会社中村組社長、博多湾築港株式会社取締役、山九運輸株式会社取締役
10 小栗一雄＝福岡県知事
11 橋本＝料亭（福岡市東公園）
12 木村平右衛門＝九州水力電気株式会社専務取締役、第三巻解説参照
13 田島勝太郎＝衆議院議員、元福岡鉱山監督局長、元製鉄所理事、元商工次官
14 福村家＝福村とも、料亭（福岡市東中洲）
15 分家＝麻生家分家、長男麻生太右衛門家・太吉弟故麻生八郎家・女婿麻生義之介家・女婿麻生五郎家・太吉四男麻生太七郎家
16 二日市＝地名、筑紫郡二日市町、麻生家二日市（湯町）別荘所在地
17 嘉穂銀行＝一八九六年設立（飯塚市）、太吉頭取

永井〔菅治〕[1]・今井〔三郎〕[2]ノ両氏相見へ、宮崎市ノ件[3]打合ス
午後一時二十分湯町[4]ニ行キ、入湯シテ五時帰福
福村家新年招待会ニ列ス

一月十一日　水曜

午後〇時三十分本社〔九水〕ニ出頭、宮崎市ノ電気問題ニ付市長〔川越壮介〕・市会議員相見へ、鈴木憲太郎氏[5]ノ中〔ママ〕裁案ニ付挨拶ニ見ラレタリ、然ルニ覚書出来タルニ、種々希望アリタルモ大体中裁案ニ決定シタリ、夫より福村家ニ行キ晩食会ニ臨ミ、午後十時頃帰リタリ
吉田良春氏[6]相見へ、津屋崎[7]乾〔干〕拓事業資金ノ内談アリタルモ、断リタリ
星野〔礼助〕[8]氏相見へ、宮崎市電気問題ノ覚書之件ニ付懇談ス

一月十二日　木曜

永井官次〔菅治〕君相見へ、宮崎市ト交換之覚書取換シニ関シ、星野氏ト打合ノ草案打合ス
堀三太郎氏[9]相見ヘタリ、来ル十五日招待ス
鈴木憲太郎・中道〔仲道政治〕[10]ノ両氏挨拶ニ立寄アリタ
宮崎市長及市会議長挨拶ニ見ヘタリ

一月十三日　金曜

午前九時九水[11]本社ニ而営業所々長会議ニ列シ、年頭ノ挨拶ヲナシ、努力方ニ付親シク懇談ス
午後四時半迄所長会ヲ傍聴ス
午後五時半一方亭[12]ニ新年宴会招待会ニ列シ、午後十時帰リタリ

一月十四日　土曜

午前九時半菊竹氏〔淳〕[13]及村上氏〔巧児〕[14]ト会社ニ而面会、大統社[15]維持費寄付ノ相談アリ、一ケ月三百円ツヽ二ケ年間承諾ス

十時ヨリ重役会

大統社吉田三郎君[16]ニ面会ス

午後五時三十分橋本ニテ麻生益郎〔良〕[17]氏祝賀会ニ出席

1 永井萱治＝神都電気興業株式会社（宮崎市）専務取締役、九州水力電気株式会社取締役、第三巻解説参照
2 今井三郎＝九州水力電気株式会社常務取締役、神都電気興業株式会社取締役、第三巻解説参照
3 宮崎市電気事業市営計画
4 湯町＝地名、筑紫郡二日市町、麻生家湯町別荘所在地
5 鈴木憲太郎＝神都電気興業株式会社取締役、延岡電気株式会社取締役、元日向水力電気株式会社長
6 吉田良春＝若松築港株式会社取締役、元住友理事
7 津屋崎＝地名、宗像郡津屋崎町、麻生家津屋崎別荘所在地
8 星野礼助＝弁護士（福岡市）
9 堀三太郎＝第一巻解説参照
10 仲道政治＝宮崎時事新聞社長、のち宮崎新聞社長
11 九水＝九州水力電気株式会社（福岡市庄）、太吉社長
12 一方亭＝料亭（福岡市東公園）
13 菊竹淳＝六鼓、福岡日日新聞編集局長、のち副社長
14 村上巧児＝九州電気軌道株式会社専務取締役、九州水力電気株式会社取締役、第二巻解説参照
15 大統社＝国家主義団体、東京大統社一九二六年設立カ、大統社工業塾（遠賀郡芦屋町）、福岡大統社の社主安河内政治郎
16 吉田三郎＝大統社代表
17 麻生益良＝酒造業（大分県玖珠郡東飯田村）、九州水力電気株式会社監査役就任

永野清[1]氏相見へ、別席ニテ面会ス

　一月十五日　日曜

田嶋勝太郎氏ニ鹿町坑区[2]之件ニ付書留書状ヲ発ス、図面共

午後五時半藤じ《〔ふ〕》本[3]ニ新年之宴会開《〔ママ〕》ヲ催ス、藤幹《〔勝栄〕》[4]事長・山内範造[5]・堀三太郎・木村平右衛門・小栗《〔一雄〕》氏六名ナリ、午後九時帰リタリ

　一月十六日　月曜

午前七時半より八木山越ニテ帰リタリ

組田《〔鞆之助〕》[6]来リ、掛物ヲ買入、滞在中調査セシ分能ク聞キタリ

市ノ間・山内[7]間ノ道路開鑿中及楠植付ノ場所等実地踏査ス

　一月十七日　火曜

野田《〔勢次郎〕》[8]君病気全ク能クナキニ付注意ス

午後四時ヨリ福村家之宴会ニ出席ス、義之介等一同乗車シテ行ク

出状及帳面及書類整理ス

福村家宴会後湯町別荘ニ行、休養ス

　一月十八日　水曜

午前夏子《〔麻生夏〕》[9]ヨリ上京操《〔繰〕》上ケ之電話アリタルニ付、休養ヲ止メ昼食後二時米山越ニ而帰リタリ

　一月十九日　木曜

山内殖《〔ママ〕》林之場所ニ行キ、午後二時帰リタリ

午後三時寺坂《〔勝右エ門〕》[10]ノ葬式ニ列ス

午後四時愛岩〔宕〕神社ニ参詣ス

一月二十日　金曜

野田君相見へ、互助会[11]分離及九州一円ニ付内話アリタ

昼食後坂元[12]土取場ニ臨ミタリ

一月二十一日　土曜

午前九時半八木山越ニテ帰リタリ

1 永野清＝元大分県知事、のち別府市長
2 鹿町坑区＝株式会社麻生商店所有坑区（長崎県北松浦郡鹿町村）
3 ふじ本＝料理屋（福岡市西門橋東詰）
4 藤勝栄＝立憲政友会福岡県支部幹事長、福岡県会議員、のち衆議院議員
5 山内範造＝筑紫銀行（筑紫郡二日市町）頭取、元衆議院議員
6 組田靹之助＝書画骨董商（東京市渋谷区豊沢町）
7 山内＝地名、飯塚市立岩、株式会社麻生商店山内鉱業所所在地
8 野田勢次郎＝株式会社麻生商店常務取締役、九州鉱業株式会社専務取締役、九州電気軌道株式会社監査役
9 麻生夏＝太吉三男故麻生太郎（元株式会社麻生商店取締役）妻、故加納久宜六女
10 寺坂勝右エ門＝元旅館綿勝（飯塚市向町）経営、元飯塚町会議員
11 互助会＝筑豊石炭礦業互助会、筑豊炭田の中小炭鉱が筑豊石炭鉱業組合から離脱して一九三〇年に結成
12 坂元＝地名、坂本とも、飯塚市立岩

午前十二時嘉穂銀行惣会ニ臨ミ、博済[1]・貯蓄［嘉穂］[2]モ惣会無事済後重役会開催ス

一月二十二日　日曜

増永［元也］[3]氏訪問ノ電話アリ、午前十時八木山越ニ而出福ス

午後一時半増永氏相見へ、九送[4]嘱托辞退ノ意味有之モ差留メタリ

昭和製鉄[5]弐十五サイクル設計ノ内蜜ニ聞キタリ、右ニ付電気統一ニハ此際八幡製鉄所ト交渉ノ必要アリ、上京ノ打合ヲナス、尤四月迄ハ秘蜜ニ上京ノ内談ス

一月二十三日　月曜

午前九時八木山越ニ而自働車ニ而帰リタリ

山内・市ノ間ノ新設道路ノ実地ニ臨ミタリ

一月二十四日　火曜

午前九時相羽［虎雄］・高嶋［市次郎］両氏同供、山内農園[6]付近三尺・尺ナシ両炭層、旧坑ニツキ採掘残炭ノ区域及其ノ採掘方ニ付打合セ、鯰田市ノ間新口ノ場所ニ臨ミ、夫より鯰田発電所[7]ニ達スル道路ノ打合及実地ニ臨ミ、午後一時半帰宅ス

一月二十五日　水曜

午前九時半八木山越ニ而出福

午前十一時半女中連レ二日市ニ行ク

旧二十九日ニテ本店［麻生商店］及営業所モ休日ニ付、湯町ニテ静養ノ積リニテ出福ス

一月二十六日　木曜

二日市滞在

一月二十七日　金曜

二日市滞在

午前八時半永井管次［菅治］君出福、宮崎市より寄付約束ノ三ケ月分ト五千円ト融通ノ申込アリ、今井常務一同打合、無止事故木村専務ニ電話シ、其他重役方之意向ヲ聞キ、融通スルコトニ打合ス、其ノ手続キハ今井常務ニ頼ミタリ

一月二十八日　土曜

藤勝策［栄］・山内範造・堀三太郎三氏相見へ、藤氏ハ宝満神社[8]負債之件、山内氏ハ種々世間咄、堀氏ハ金宮鉄道三菱関係[9]ノ事ナリシ

1　博済＝博済無尽株式会社（飯塚市）、太吉社長、一九一三年博済貯金株式会社として設立（嘉穂郡大隈町）、一九一四年本社を移転して翌一九一五年改称、太吉社長

2　嘉穂貯蓄銀行＝一九二一年設立（飯塚市）、太吉頭取

3　増永元也＝九州送電株式会社嘱託、元鉄道省電気局長、のち衆議院議員

4　九送＝九州送電株式会社（東京市麹町区丸の内）、宮崎県五ヶ瀬川水力開発のため九州水力電気・東邦電力・住友・電気化学四社によって一九二五年設立、太吉相談役

5　昭和製鉄＝株式会社昭和製綱所（鞍山）、一九三三年設立され鞍山製鉄所を継承

6　山内農園＝株式会社麻生商店山内農場（飯塚市立岩）、一九〇八年設立、廃鉱地試験農場

7　鯰田発電所＝九州水力電気株式会社鯰田火力発電所（飯塚市鯰田）

8　宝満神社＝竈門神社（筑紫郡太宰府町）

9　九州産業鉄道株式会社金宮（田川郡金田町・同郡後藤寺町宮床）線と三菱鉱業株式会社筑豊礦業所方城炭坑金田坑区と坑区交換の件、金宮鉄道株式会社は一九二七年創立（田川郡後藤寺町）、太吉社長、一九二九年九州産業鉄道株式会社が買収、第四巻解説参照

午後四時半より中光[1]ニテ○料理[2]ニ而晩食ス、藤・山内両氏、堀氏ハ来客ノ為メ不参ナリ、十五円遣ス
湯町より九時自働車ニ而帰リ、十時小野寺《［直助］》[3]博士ニ太賀吉《［麻生］》病状聞取タリ
［欄外］堀氏ニ托サレ小西久遠氏[4]ノ手相図解贈与アリタ
［欄外］藤氏ノ申込ハ、宝満宮負債ニ付宰府宮司財産ヲ以債却《［償］》ニ付、其ノ財産ヲ引受方ニ付学務部長《［郡茂徳］》[5]より表金申込ニ付秘蜜ニ相談スルトノ事ナリシニ付、断リタリ

一月二十九日　日曜

午前九時自働車ニ而八木山越ニテ帰リタリ、大雪降リナリシモ幸ヒニ故障なく帰リタリ
渡辺《［阜築］》[6]氏ニ電話、金宮鉄道三菱関係打合セ度ニ付相羽君一同協議ノ件ヲ通ス

一月三十日　月曜

午前八時半芳雄駅[7]発ニ乗車、九軌[8]重役会及筑豊鉄道[9]惣会ニ臨ミ、午後弐時廿九分小倉駅発ニ而黒木《［佐久馬］》[10]・野田両氏ト一同四時博多駅ニ着ス

一月三十一日　火曜

午前九時二十分八木山越ニ而帰リタリ

二月一日　水曜

山内坑三尺・尺ナシ[11]旧坑付近ニ而採掘ニ付、高嶋所長同供午前九時より午後▨時迄実地ニ臨ミタリ
大田黒《［重五郎］》[12]社長之招宴ニ付午後二時半過キ八木山越ニテ出福
木村専務ト打合ス、上京・製鉄所電気ノ件
午後四時三十分橋本ニ行キ、午後十時過キ帰ル

二月二日　木曜

木村専務ト電話セシニ、野田氏在京中ノ由ニ付上京ノ事ニ打合ス
井上〔準之助〕[13]氏邸ノ法要ハ惣而八塚〔秀二郎〕[14]氏ニ頼ミタリ
午前十時半八木山越ニ而帰宅ス
渡辺皐築君相見へ、高山[15]家督譲渡ノ件、及大牟田貝谷〔真孜〕代議士より金融談アリシモ断リアル様頼ミタリ、又別府競

1　中光＝料理屋（福岡市中島町）
2　○料理＝スッポン料理
3　小野寺直助＝九州帝国大学医学部教授
4　小西久遠＝西洋流手相鑑定家、白眼学舎
5　郡茂徳＝福岡県学務部長
6　渡辺皐築＝九州産業鉄道株式会社専務取締役、九州産業株式会社取締役
7　芳雄駅＝筑豊本線（飯塚市立岩）
8　九軌＝九州電気軌道株式会社、一九〇八年電気事業と軌道経営を目的として設立（小倉市）、一九三〇年九州水力電気株式会社の傘下に入る、太吉取締役
9　筑豊鉄道＝筑豊電気軌道株式会社（小倉市京町）、九州電気軌道株式会社傍系会社、太吉取締役
10　黒木佐久馬＝九州電気軌道株式会社監査役、九州水力電気株式会社監査役、神都電気興業株式会社監査役、第三巻解説参照
11　三尺・尺ナシ＝石炭層の名称
12　大田黒重五郎＝九州電気軌道株式会社長、九州水力電気株式会社取締役
13　井上準之助＝故人、元大蔵大臣、元日本銀行総裁、前年二月血盟団員に射殺された
14　八塚秀二郎＝九州水力電気株式会社支配人、東京出張所長
15　高山＝麻生家親族吉田家（飯塚市上三緒高山）、酒造業、九右衛門から和太郎に家督相続

馬所[1]付近ノ設備ニ付何村某より頼ミノ事モ都合能ク断リ方打合ス

二月三日　金曜

義之介〔麻生〕・渡辺皐築両君ヲ呼ビ、炭業丈ケニテ営業ヲナス方法ヲ調査ノ件打合ス、目下交渉中ノ製鉄所関係ノ如キ又晏〔安〕眠嶋[2]ノ如キハ別ニ調査ヲ乞コトヲ打合ス

小栗知事御夫人ト赤十字社主事ト一同相見へ、女子盲学院寄付金ノ申入アリ、安川〔敬一郎〕[3]・貝嶋〔太市〕[4]ト打合可申上旨ヲ答、自働車ニ而八木山越ニ而帰福セラル

午後八時半官舎ニ御帰着如何電話セシモ御帰着ナク、間モナク宇都宮〔喜郎治〕[5]主事より帰着ノ電話アリタ

二月四日　土曜

相羽・渡辺両君相見へ、金宮鉄道線中三菱坑区関係ニ付打合ス

高山より元嘉穂坑山煽石株之件申居候金ニ付、弐千五百円余ノ由ト聞キマシタ故夫レハ三千円出金可申ニ付安心スル様電話ヲ乞タリ

義之介・夏子一同太賀吉縁談之件ニ付秘蜜ニ打合ス

二月五日　日曜

午後七時半自働車ニ而八木山越ニテ出福ス

二月六日　月曜

湯町ニ滞在

筑紫銀行[6]ニ小切手二百円番人ニ渡シタリ、家費仕払ノ為メナリ

堀三太郎氏ト午前三菱坑山[7]ノ件ニ付打合ス

午後二時二十分より湯町ニ行キ滞在

二月七日　火曜

湯町より午前八時半浜ノ町[8]ニ帰リ

九水ニ出社、電気供給順序ニ付九軌火力・九送水力ト調査ノ上方針ヲ打合ス

昼食後二時帰リタリ

午後六時八分博多駅発ニ而上京ス

二月十二日　日曜

猪股〔喜藤〕[9]元学務部長相見へ、中光ニテ晩食ヲ約シ、午後六時中光ニ行キ九時半湯町ニ行ク

二月十三日　月曜

午後三時湯町より浜ノ町ニ向ケ出発、三時半着ス

黒瀬〔元吉〕[10]来リ、買物ス

1　別府競馬所＝別府市野口原
2　安眠島＝地名、朝鮮忠清南道瑞山郡安眠面、株式会社麻生商店安眠島林業所所在地
3　安川敬一郎＝明治鉱業株式会社元相談役、第一巻解説参照
4　貝島太市＝貝島合名会社長、貝島炭礦株式会社長、第二巻解説参照
5　宇都宮喜郎治＝赤十字社福岡支部主事、愛国婦人会福岡県支部主事
6　筑紫銀行＝一九〇〇年設立（筑紫郡二日市町）
7　三菱坑山＝三菱鉱業株式会社筑豊礦業所方城炭礦金田坑区
8　浜ノ町＝麻生家浜の町別邸（福岡市浜町）
9　猪股喜藤＝元福岡県学務部長
10　黒瀬元吉＝古物商集古堂（福岡市上新川端町）

二月十四日　火曜

午前九時九水本社ニ出頭、滞京中ノ打合ヲナス

午前十時より重役会開会、予算書ノ件ニ付研究スルコト

午後一時より傍系会社重役会

博多銀行家招待ハ専務[木村平右衛門]ニ代理出席ヲ乞タリ

午後五時半自働車ニ而八木山越帰飯ス

[欄外]　金三十円井上[準之助]家仏前備品[ママ]代東京より取替ノ分、和田[豊秋][1]君渡ス

二月十五日　水曜

野田勢次郎君相見へ、鹿町[2]ノ件及金宮鉄道、鯰田発電所ノ件等打合ス

起業排[行]水終リ、着炭ハ地山ノ如ク相見ヘルト相羽君より報告アリタ

別府泉[鶴吉][3]君相見へ種々懇談ス、鑵[汽]車代五十円遣ス

[欄外]　二百三十円東京ニ而組田買物代、栗原[与一][4]君より受取

外ニ

九百五十六円懐中

〆千百八十六円

千円封、百八十六円懐中

二月十六日　木曜

午前十時糸田[5]ヨリ香原[春][6]ヲ経、椎田・中津[7]、山国川[8]橋梁掛替中ニテ仮橋ヲ見誤リ山国川西側ニ行キ、夫より引返シ、亀川[9]より山手ニ登リ山水園[10]ニ達ス、午後五時過キナリシ

野依[秀市][11]リ[ママ]金三百円送金ヲ臼杵[弥七][12]ト電話ニ而打合ス
黒木監査役ハ明日九時五十四分発ニ而宮崎行キノ打合ヲナス

二月十七日　金曜

午前九時四十五[ママ]分別府駅発ニ而宮崎ニ向ケ出発ス、別府駅ニハ木村専務・黒木監査役待合セアリ、麻生益良氏大分駅迄同車ス
昼食五人分亀井[ノ脱][13]ニ注文セシモ、三人トナリタルニ付、奥村[茂敏][14]大分支部長ニ二人分遣ス
午後三時三十七分宮崎駅ニ着、川越[壮介]市長ヲ初メ其他出迎アリ

1　和田豊秋＝九州水力電気株式会社秘書課長
2　鹿町＝地名、長崎県北松浦郡鹿町村、株式会社麻生商店坑区所在地
3　泉鶴吉＝大分ポケット新聞（別府市秋葉通）主宰
4　栗原与一＝株式会社麻生商店本家詰、元同商店会計係
5　糸田＝地名、田川郡糸田村
6　香春＝地名、田川郡香春町
7　椎田＝地名、築上郡椎田町　中津＝地名、大分県中津市
8　山国川＝英彦山を源流とし大分県と福岡県の県境を流れ、大分県中津市で周防灘に注ぐ
9　亀川＝地名、大分県速見郡亀川町
10　山水園＝麻生家別府別荘（別府市）
11　野依秀市＝雑誌『実業之世界』社長、衆議院議員
12　臼杵弥七＝株式会社麻生商店庶務係、本家詰
13　亀の井＝亀の井食堂（別府市不老町、亀の井ホテル内）
14　奥村茂敏＝九州水力電気株式会社大分支部長兼大分営業所長

宮崎県庁及市役所ニ訪問、午後六時前泉亭[1]ニ行キ宴会ニ列シ、挨拶ハ別記アリ
午後十時過キ神田橋旅館[2]ニ着ス

二月十八日　土曜

午前神都会社[3]ニ而重役会開会
神宮〔宮崎〕[4]ニ参詣
高等〔宮崎〕農林学校[5]ニ臨ミ完全ナル設備ヲ拝観シ及説明アリタ、帰途学業ニヨル化学教授所ヲ実見セリ
午後六時前紫明館[6]ニ而招待会ニ臨ミ、宴会ニ挨拶ヲナシ（別記アリ）、午後十時過キ帰リタ

二月十九日　日曜

県人会〔福岡〕ニ臨ミタリ、金壱百円ヲ呈ス
住吉神社[7]ニ参拝ス
午後六時皇居ノ旧地ヲ拝観ス
皇宮神社[8]ニ参詣ス
景清〔平〕の墓所[9]ニ参拝ス
小賀玉《をがたま》大木ト池トアリ、皇居ノ旧蹟アリタ

二月二十日　月曜

午前七時半宮崎駅発ニ而帰途ニツク、駅ニハ川越市長等見送リアリタ
午後大分駅より下車シ県庁ニ訪問ス
大分〔九水〕営業所及別府営業所ニ而職員ニ懇話ス
なるみ[10]、麻生益郎〔良〕氏・知事一同招待会ニ臨ミ、午後九時帰ル

二月二十一日　火曜

別府滞在

午後五時中山旅館[11]主婦〇《〔スッポン〕》料理持参アリタ

農園[12]ノ実地ニ見タリ、又苗木等ノ件ニ付川田《〔十〕》[13]君ニ申含メル、譲渡土地表上ニアル樹木ニハ相障リナキ様十分申付タリ、尤譲渡外ノ分ハ間違ナキ様セラル、旨申添置キタリ

二月二十二日　水曜

伊《〔由〕》布院ヲ経而自働車ニ而浜ノ町ニ向ケ午前十二時過キ出発、日田町[14]筑後川北側ノ道路修繕中ニテ其ノ表記ナキ為メ

1 泉亭＝料亭（宮崎市）
2 神田橋旅館＝宮崎市川原町
3 神都＝神都電気興業株式会社（宮崎市）、九州水力電気株式会社の傍系として一九三〇年設立、元日向水力電気株式会社
4 宮崎神宮＝宮崎市花ケ島
5 宮崎高等農林学校＝一九二四年設置（宮崎県宮崎郡大宮村）
6 紫明館＝料亭（宮崎市大淀川河畔）
7 住吉神社＝宮崎市塩路
8 皇宮神社＝宮崎神宮摂社（宮崎市下北方）
9 景清廟＝平景清の墓所（宮崎市下北方）
10 なるみ＝料亭（別府市楠町）
11 中山旅館＝別府市上ノ田湯
12 農園＝株式会社麻生商店別府農園
13 川田十＝株式会社麻生商店別府駐在員、別府農園主任、元株式会社麻生商店山内農場主任
14 日田町＝大分県日田郡

志波[1]ノ付近ニ至リ引返シ、約一時間余無駄ヲナシタリ、午後五時過キ帰着

［欄外］金五十円中山旅館ニ遣ス

二月二十三日　木曜

午前二時頃吉田九右衛門[2]入院中電話アリタ、早起キナシ待受、午前九時頃本人来リ、病体悪シク有様ナリ

和太郎〔吉田〕[3]来リタルニ付、看護方ニ付先生方ニ相□〔承カ〕リ今後ノ看護方ニツキ相願フ様打合ス、其末当分□□□〔看護男カ〕子ヲ二人ヲ付添ノ旨被申候由ニ付、其ノ事ニ打合ス

大森〔林太郎〕[4]氏ト電話シ、起業〔行〕排水能ク分リタ、午後一時より帰リタ、山内山林及鯰田山林実地ヲ見タリ

二月二十四日　金曜

義之介来リ、太賀吉縁談ノ件ニ付夏子一同打合ス

正恩寺[5]相見へ読経アリ、皆一門参拝ス

書類整理ス

二月二十五日　土曜

渡辺君ニ電話、三菱関係ニ付相羽君出張留主中ノ旨堀氏ト打合ヲ乞タルモ、相羽君帰リノ上ニ而可然ト返事アリタ

徳光仏事[6]ニ参詣、及墓所ニ参詣ス

鯰田市ノ間工事ニ付高嶋所長ト打合ス

二月二十六日　日曜

武田〔星輝〕[7]君来リ、鯰田運炭線敷地買入方、及坑口開鑿用ノ杭木切取坑場ニ運搬方等打合ス

渡辺氏相見へ、養子産鉄ニ従事ノ件、及九水ニ橋爪尋彦君使用方今井常務ニ申入アリタルニ付採用方申向ケアリタ

午後一時八木山越ニテ出福ス、永井君ト打合セタルニ付聞キ合ノ旨電話アリ、別ニ用件ナキニ付帰宮ノ旨洩シタリ

堀氏《[三太郎]》ハ直方ニ滞在、出福ナカリキ

二月二十七日　月曜

浜ノ町滞在

午後四時県庁ニ出頭、小栗長官《[ママ]》ニ面会ス、午後六時中光ニテ食事ノ事ヲ約ス

二月二十八日　火曜

荒戸別荘[8]ニ行キシモ不在ナリシ

午後二時二十分二日市ニ行キ、平野《[市三]》[9]ニ敷地ノ工事着手ヲ申談ス、三月一日より平野湯町ニ出務スルコトニセリ

三月一日　水曜

湯町より米山越ニ而帰宅ス

臼杵・加納《[狩野嘉市]》[10]両君連レ、山林（山内・立岩・鯰田ヲ廻リタリ実地ニ踏査ス、及市ノ間開坑ノ場所ニモ臨ミタリ

1　志波＝地名、朝倉郡志波村
2　吉田九右衛門＝太吉親族、元酒造業（飯塚市上三緒）
3　吉田和太郎＝九右衛門長男、酒造業（飯塚市上三緒）、のち飯塚市会議員
4　大森林太郎＝株式会社麻生商店採鉱係長、元綱分鉱業所長
5　正恩寺＝真宗本願寺派寺院（飯塚市川島）、麻生家菩提寺
6　徳光＝麻生義之介家
7　武田星輝＝株式会社麻生商店土地係長
8　荒戸別荘＝麻生家別荘（福岡市荒戸）
9　平野市三＝麻生家庭師兼雑用
10　狩野嘉市＝株式会社麻生商店鉱務係麻生家詰

湯町ニテ平野ニ敷石ノ指揮ス

三月二日　木曜

野田・相羽両君相見へ、鹿町坑区実地踏査ノ様報告アリ、今後進行方打合ス、田嶋[勝太郎]ニ面会ノ為メ上京ヲ打合ス

昼食ヲナシ、尚金宮線三菱坑区関係坑区交換ノ件書類一切受取、午後七時四分着ニ而渡辺君帰飯アリ、待受、自働車ニ而直方堀氏[三太郎]ニ中[ママ]裁依頼ノ為メ出直ヲ乞タリ

渡辺君面会後直チニ八木山越ニテ出福ス

三月三日　金曜

花村徳右衛門君相見へ、本村[1]区域ノ山林境界及地所買入希望ノ場所等実地踏査ス

渡辺君ト電話シ、堀氏ノ模様報告アリタ

午後三時三十分八木山越ニテ帰リタリ

三月四日　土曜

仏事ヲナシ、親族来リ昼食ヲナス

三月五日　日曜

山内山林楠植ノ場所ヲ見而帰リタリ

午前十時ヨリ八木山越出福ス

午後五時四十分[博多]商工会議所[2]ニロータリ倶[3]新発会式ニ臨ミタリ

午後七時半福村家ニテ同倶楽部員来県ノ重立タル方々小栗知事ト招待ス、十一時過キ帰ル

三月六日　月曜

堀氏ニ電話、病気ノ見舞ヲナス

靍丸〔卓市〕[4]君ヲ宮崎永井君〔菅治〕之処ニ遣シ、延岡電灯〔気〕[5]件、書面ノ件、合同問題[6]ノ外ニ市内ニ直〔値〕下ケノ起リヘキ事アルカ打合セノ件ニ付遣シ、其旨今井常務トモ打合、同異見ナリシ
福岡市会議員運動費[7]出金ノ件続々申込アリ、断リタリ
ロータリ倶楽部来福ノ重立タル人々福村家ニ招待ナシタル費用、小栗氏ニ負担ナキ様出金ナス旨靍丸君ニ申含メ、斉藤君〔英一カ〕[8]ニ打合方注意ス
午前十時半八木山越ニテ帰リタリ
午後一時より鯰田山及山内等臼杵・狩野連レ実地ニ臨ム

三月七日　火曜

別府川田君〔十〕ニ電話、同方より輸送之植木発送方及梅木買入ノ模様催促ス

1　本村＝地名、飯塚市立岩の通称
2　博多商工会議所＝元博多商業会議所
3　ロータリー倶楽部＝国際的社会奉仕団体、一九〇五年シカゴで設立、日本では一九二〇年最初のクラブ（東京）設立
4　鶴丸卓市＝九州水力電気株式会社支配人
5　延岡電気株式会社＝一九三〇年九州水力電気株式会社の傍系会社となる、太吉社長
6　合同問題＝九州水力電気株式会社は傍系会社の杖立川水力電気株式会社を前年一九三二年合併した
7　福岡市会議員選挙の運動費
8　斎藤英一＝東邦電力株式会社理事福岡支店長兼久留米支店長兼大牟田支店長

相羽君ニ後藤寺四尺炭[1]模様聞キ合ス、ホンプ座[2]片盤[3]より二十五間不毛〔フケ〕[4]ノ方ニ旧延[5]アリ、夫より断層迄約四十間ノ約算トノ事故、調査方ヲ命ス

三月九日　木曜

午前野田君相見へ、鹿町坑区ノ件詳細説明ヲ聞キタリ

青柳〔茂〕[6]支配人相見へ、銀行ノ件聞キ取タリ

渡辺氏ト電話ニテ打合ス

午後〇時三十分太賀吉・夏子一同出福

山内範造氏相見へ、二日市ニ□〔同カ〕供ス

〔欄外〕三百五十円稲荷神社建設費神納ス[7]

靏丸君宮崎より帰県、木村専務一同模様聞キ取タリ

三月十日　金曜

午前七時五十分二日市発ニ而九軌重役会ニ出席

小倉駅ニ迎ノ自働車来リ出社ス

午後二時廿九分小倉駅発ニ而浜ノ町ニ帰ル

木村専務・靏丸支配人・川崎〔圭三〕[8]若松所長相見へ、若松市電灯市営ノ希望アリトノ内報ニ付、吉田〔鞆明〕代議士ニ慎〔沈静〕勢方依頼スルコトニ打合ス

三月十一日　土曜

森崎屋[9]相見へ、家政上ニ付渡辺〔皐築〕君ニ依頼方申入アリ、電話シテ十五日後ニナレハ帰飯之旨申向ケタリ

萩原助太郎（小倉、子息弘君九軌採用方申入ニ付、村上氏ニ電話ス

森崎屋ノ件渡辺君ニ打合方栗原〔与一〕ニ電話ス

三月十二日　日曜

午前九時飯塚ニ八木山越ニテ帰リタリ

正恩寺石垣及敷地ノ整理ニ臼杵・狩野川嶋[10]ニ行、調査報告アリタ

別府植木送布〔ママ〕方川〔十〕田君ト電話ス

三月十三日　月曜

午前別府より苗木類一台送布〔ママ〕来リ、取寄、夫々移植方打合ス

義之介東京より帰リ、〔麻生〕[11]太介一同書斉〔斎〕ニ而会談ス

午後三時より米山越ニテ自働車ニ而浜ノ町ニ着ス

1　後藤寺四尺炭＝九州鉱業株式会社起行小松鉱業所（田川郡後藤寺町）の炭層
2　ポンプ座＝排水ポンプを設置した場所
3　片盤＝炭層の傾斜する方向と直角で傾斜のない方向
4　フケ＝傾斜石炭層の低い方、高い方はカタ（肩）という
5　延＝ノビ、坑道の掘進
6　青柳茂＝嘉穂銀行本店支配人
7　稲荷神社＝麻生家二日市（湯町）別荘屋敷神
8　川崎圭三＝九州水力電気株式会社若松営業所長
9　森崎屋＝株式会社森崎屋商店（飯塚市本町）代表取締役木村順太郎（株式会社麻生商店監査役）
10　川島＝地名、飯塚市川島、麻生家菩提寺正恩寺所在地
11　麻生太介＝太吉孫

渡辺氏より商店[麻生][1]会計調査済ノ事電話アリタ
有馬[秀雄][2]氏へ金壱千円電信為替ニ而送布ス
［欄外］別口より壱千五百円嘉穂[銀行]より引出受取タリ

三月十四日　火曜

午前野田君相見へ、大分県警察部長来福、別府地所買収ノ件申入アリ、打合ス
午前九時九水本社ニ出頭
村上[巧児]及井上[博通][3]両氏一同九軌需用炭香原[春][4]炭坑調査ノ依頼アリタ
午前十時ヨリ[九水]重役会開催、午後一時傍系会社ノ重役会開催、午後五時閉会、別府泉靍吉君ニ百五十円遣ス、村上氏ト打合同氏ニ渡ス
香原炭坑調査ノ為大森[林太郎]君ニ出福ヲ乞タリ
［欄外］百九十五円九十八銭二月七日出発上京十二日帰県、九水旅費受取

三月十五日　水曜

午前九時八木山越ニテ帰宅ス
大森君坑[5]務署調査ノ模様報告アリタ
渡辺君相見へ、商店ノ営業法ニ付調査書持参アリタ

三月十六日　木曜

無量寺[6]移転ノ件ニ付瓜生茂一郎・瓜生長右衛門[7]・鬼丸平一[市]ノ三君来リ懇談セシニ付、移転ハ重太[ママ]事件ニ付居間建増ノ方ニテ進行方注意ス
昼食ヲナシ帰リタリ

電気取付ノ打合セニ花村久兵衛[8]外一氏相見へ打合ス
午後七時より八木山越ニテ出福
橋本ニ田嶋〔勝太郎〕氏待受、翌午前一時半迄相待帰リタリ

三月十七日　金曜

午後四時三十分青柳町[9]経而津屋崎ニ行キ、実地ヲ踏査、午後七時半帰リタリ
朝食ヲ止メ昼食後約弐時半床ニツキ、午後四時半より津崎屋〔ママ〕ニ行ク

三月十八日　土曜

貝嶋太市君相見へ、惣長[10]就任ノ件勧告ス、北九洲ニ於ケル製鉄所及鉄道・築港・筑豊炭坑ヲ合同ノ件[11]遠ク已前より希望アリ、運動ノ件ヲ能ク咄シタリ

1　商店＝株式会社麻生商店（飯塚市立岩）、一九一八年株式会社設立、太吉社長
2　有馬秀雄＝この月十七日東京市会議員再選、元衆議院議員
3　井上博通＝九州電気軌道株式会社総務部次長
4　香春炭坑＝香春鉱業株式会社（田川郡勾金村）、一九二九年設立、この年九州電気軌道株式会社が買収
5　坑務署＝福岡鉱山監督局、元福岡鉱務署
6　無量寺＝浄土宗寺院（飯塚市立岩）
7　瓜生長右衛門＝飯塚市会議員、元麻生商店理事鉱務長、のち飯塚商工会議所顧問
8　花村久兵衛＝昭和電灯株式会社（飯塚市）事務嘱託、元嘉穂電灯株式会社主任技師、この年四月福岡県会議員、のち飯塚市会議員
9　青柳町＝地名、糟屋郡青柳村
10　貝島太市、筑豊石炭鉱業組合総長に四月一日就任
11　当初松本学元福岡県知事の合同案、太吉・貝島太市・松本健次郎は賛成したが、三井の反対により頓挫

村上〔巧児〕・草臥〔刈〕[1]・井上〔博通〕・野田ノ四氏ト香春坑山ノ件打合ス、十五万屯含有トシテ債〔償〕却ノ方法ハ別ニ記ス
午後四時半より橋本ニ行キ田嶋〔勝太郎〕氏ニ鹿町坑区ノ件打合セ、吉田〔健三郎〕[2]所長ト交渉ノ順序等打合ス
午後七時より小栗〔一雄〕氏も相見へ晩食ス

三月十九日　日曜

湯町別荘滞在

三月二十日　月曜

午前十一時湯町より帰宅

三月二十一日　火曜

仙学院〔鶴〕[3]正〔祥〕月命日ニ付法要ヲナス
午後四時八木山越ニ而夏子一同浜町ニ着ス

三月二十二日　水曜

午前十時半博多駅ニ而東伏見宮殿下〔周子妃〕奉迎ス
午後五時福村家ニ而喜寿ノ祝[4]トシテ家族一同宴会ヲ催ス

三月二十三日　木曜

午前八時洲崎[5]赤十字社支部ニ出頭、愛国婦人会[6]福岡支部ニ御臨席ノ惣裁殿下[7]特別有功章ヲ拝受ス
午後一時再ヒ出頭、茶話会ニ参列ス
午後四時第一公会堂[8]ニ出席、惣裁殿下ノ賜餐会ニ参列ス
午後六時半一方亭ニ立寄晩食ス

三月二十四日　金曜

九軌井上〔博通〕支配人相見へ、香原〔春〕坑区[9]ノ件打合ス

東伏見宮殿下〔周子妃〕奉伺ス

昨夜賜餐ノ御礼ノ為メ奉伺、夫々名刺ヲ差出シタリ

三月二十五日　土曜

午前十時九水本社ニ而黒木監査役ニ九軌香原〔春〕炭坑契約ノ件了解ヲ得タリ

東伏見宮殿下十一時廿五分御出発、奉送ス

木村専務帰京、鶴丸支配人延岡より帰社ニ付報告ヲ聞キタリ

専務より鈴木〔憲太郎カ〕氏ニ別府ニ而面会ノ書状ヲ乞コトニ打合セ、午後一時発ニ而八木山越ニ而帰リタリ

三月二十六日　日曜

渡辺〔皐築〕氏相見へ、商店〔麻生〕ノ財産調書ヲ貰ヒタリ

1　草刈雄治＝九州電気軌道株式会社常務取締役

2　吉田健三郎＝製鉄所二瀬出張所（嘉穂郡二瀬町）所長、のち日本製鉄株式会社二瀬鉱業所長、日鉄鉱業株式会社常務取締役

3　仙鶴院＝太吉次男故麻生鶴十郎、米国留学中一九〇八年三月二十一日死去

4　太吉（安政四年旧暦七月七日生）喜寿祝い

5　洲崎＝地名、福岡市須崎

6　愛国婦人会＝戦死者の遺族と傷病兵の救済を目的として一九〇一年創立、同年福岡支部も結成

7　総裁殿下＝東伏見宮依仁親王妃周子、愛国婦人会総裁

8　第一公会堂＝福岡県公会堂（福岡市西中洲）

9　香春坑区＝香春鉱業株式会社（田川郡勾金村）、一九二九年設立、この年九州電気軌道株式会社が買収

森崎屋相見へ、家政上ニ付種々懇談アリタルモ、渡辺氏ニ整理方委托ノ事ヲ申向ケタリ
山内及鯰田市ノ間坑区開坑ニ付、旧坑埋立所有主花村栄〔永〕[1]次郎君承諾ニ付、直チニ着手ス、花村徳右衛門君ヲ以相談ナシ、承諾セラル
大門ノ西側ニ生垣ヲナシ、物干場ノ柱木ヲ建ツ

三月二十七日　月曜

午前十一時半大正自働車[2]ニ乗リ、八木山峠ニテ田中〔正夫〕[3]ニ逢ヒ、午後一時半着ス
永井管〔菅〕治君相見へ、鈴木〔憲太郎〕氏外一人ニ中裁〔ママ〕ノ諭〔謝〕礼之相談アリ、木村・今井ノ両氏ト打合セ、贈呈スルコトニ打合ス
午後六時福村家ニ而永井君慰労ノ宴会ヲ催シ、木村・今井両氏陪席ヲ乞タリ
午後十一時帰ル
［欄外］林田〔晋〕[4]君□〔栢カ〕[5]森移□〔転カ〕ニ付金弐百円餞別ヲ呈ス

三月二十八日　火曜

谷田〔信太郎〕[6]来リ、九軌旧株売物ノ件咄セリ、木村専務ニ電話ス
村上氏より香〔春〕原坑区契約成立之電話アリタ
典〔麻生〕[7]太合格之電話アリタ
木村氏ヨリ電話アリ、三十日鈴木君より別府ニテ面会返事来リタルトノ事故、永井君ニ電話シ、今少シ先キニシテ如何ヤト打合セノコト電話ス
午後四時より八木山越ニテ帰リタリ

三月二十九日　水曜

午後五時二十分八木山越出福

山口銀行[8]弥永〔克己カ〕[9]常務招宴ニ一方亭ニ列ス

三月三十日　木曜

堀〔三太郎〕氏訪問アリ、三菱金田坑区[10]ノ件申入方打合ス
堀氏一同東望電気会社〔東邦電力〕[11]迄同車、堀氏ハ下車アリ、夫より中光ニ行キ昼食ヲナス
午後五時野田〔勢次郎〕君相見へ、田嶋〔勝太郎〕氏ニ鹿町坑区ノ件上京ノ時ハ申入方打合ス
午後六時二日市ニ行ク

三月三十一日　金曜

午前八時五十二分二日市駅発ニ乗車、戸畑駅ニ午前十時五十分着、直チニ渡場ニ人力車ニ乗リ至リタルニ、丁度黒

1　花村永次郎＝酒造業（飯塚市立岩）、元飯塚町会議員
2　大正自動車＝合資会社大正自動車商会（飯塚市吉原町）、一九三〇年設立
3　田中正夫＝麻生家自動車運転手
4　林田晋＝株式会社麻生商店理事営業担当
5　栢森＝地名、飯塚市栢森、麻生本家所在地
6　谷田信太郎＝株仲買商（福岡市）
7　麻生典太＝太吉孫、福岡高等学校入学試験合格
8　山口銀行＝一九一七年設立（大阪市東区瓦町）、この年合併して三和銀行となる
9　弥永克己＝日仏銀行常務取締役
10　金田坑区＝三菱鉱業株式会社筑豊礦業所方城炭礦（田川郡）
11　東邦電力株式会社＝九州電灯鉄道株式会社（福岡市）と関西電気株式会社（名古屋市）が一九二二年合併して発足、福岡支店（福岡市天神町）

田男爵[長和][1]迎ノ築港会ノ鎎[社脱][2][汽]船迎ニ来リ、松本氏[健次郎][3]モ一同乗込築港会社ノ門前より上陸、重役会ニ列ス
午後二時三十六分戸畑駅発ニテ乗車、午後四時三十分博多駅ニ着、直チニ九水本社ニ立寄木村専務ニ面会、鈴木氏ト別府ニ而面談之用向ヲ聞キ取リ
［欄外］百円ロリータ[ロータリー]倶楽部福岡支部発会式費寄付、九水会計ニ渡ス
　三十円原田[延男][4]ニ遣ス

四月一日　土曜

午前十時半八木山越ニ而帰飯ス
吉浦[勝熊][5]君相見へ、例之取調書ノ件ニ付野田[勢次郎]君ト加除ヲ乞ラレタリ
渡辺阜築氏新夫婦一同挨拶ニ見へ、書斉[斎]ニ而粗茶ヲ呈ス

四月二日　日曜

在宿ス
古川誠次[治][6]外二君相見ヘタルモ面会断リタリ
屋敷内ノ手入方籾田[喜三郎][7]ニ談ス

四月三日　月曜

義之介[麻生]東京より帰リ、模様聞取タリ
午後四時八木山越ニ而出福ス

四月四日　火曜

山内範造君相見へ、中光ニ行キ昼食ヲナス
石炭聯合会[8]ヨリ二十五日理事会出席ノ電信アリ、出席ノ返電ス

村上〔巧児〕氏ニ電話シ香春坑〔鉱〕業[9]ノ件打合セシモ、重要ニ付五日社員追□〔悼カ〕会ニ出席ヲ約ス

四月五日　水曜

午前九時五十分村上氏着福之事ニ付迎之自働車ヲ駅ニ遣シ候処、行違ニテ徒歩相見ヘタリ
香原坑業〔香春鉱業〕ノ件ニ付相当ノ順序ヲ以組織スルコトハ九軌会社トシテハ幸福ニ付、大田黒氏ヲ社長セラル、様注意ス
相羽〔虎雄〕君ニ属〔ママ〕託トシテ一ケ月ニ四、五回差遣〔ママ〕シベク旨打合ス
午後三時二日市ニ行ク

四月六日　木曜

午前九時自働車ニ而大分市及別府市有志家九水会社より招待会ニ出席
午後十二時半別府山水園ニ着ス
日田[10]之付近ニ而土木工事者ノ不注意ニヨリ自働車ニ故障ヲ来シタルモ、運転ハ別条ナカリシ

1　黒田長和＝若松築港株式会社取締役、貴族院議員
2　築港会社＝若松築港株式会社（若松市）、太吉取締役
3　松本健次郎＝若松築港株式会社社会長、明治鉱業株式会社相談役、石炭鉱業聯合会副会長、第二巻解説参照
4　原田延男＝東京の「ゴロ」（東京市荏原区荏原町）
5　吉浦勝熊＝元株式会社麻生商店庶務部
6　古川誠治＝真球硝子株式会社（長崎県）監査役カ
7　籾田喜三郎＝麻生家庭師兼雑用
8　石炭聯合会＝石炭鉱業聯合会、国内石炭需給調節を目的として一九二一年設立、太吉会長
9　香春鉱業株式会社＝田川郡勾金村、一九二九年設立、この年九州電気軌道株式会社傍系会社
10　日田＝地名、大分県日田郡日田町

四月九日　日曜

午前七時四十五分別府駅発ニ而博多駅ニ木村専務ト午前十一時廿三分着、直チニ中光ニテ増永元ヤ〔也〕及木村専務ト電気統一ノ件ニ付打合ス

橋本ニテ田嶋勝太郎氏鹿町坑区ノ件ニ付待合アリ、野田氏一同立会打合セシモ買収ノ見込薄ラキタリ

四月十日　月曜

午前八時二十分博多駅発ニ而九軌重役会ニ出席

博多駅より土木課長及黒木〔佐久馬〕氏、折尾駅ヨリ野田君同車、小倉駅ニテ迎之自働車ニ而本社〔九軌〕ニ出頭

火力発明者賞与ノ立会ヲナス

午後三時自働車ニテ黒崎越[1]ニテ飯塚ニ帰ル

四月十一日　火曜

上田〔穏敬〕[2]君之告別式ニ列シ

午後四時半自働車ニ而八木山越出福ス

書類整理ヲナス

四月十二日　水曜

午前十一時九水本社ニ出頭、別府□〔報償カ〕債問題ヲ初メ日出工場[3]ニ付調査方黒木・真貝〔貫一〕[4]、今井〔三郎〕・木村ノ両氏ト打合ス

谷田君来リ、熊本電気[5]安田家[6]持株三十万円余九水ニ引受方申込アリタルモ、容易ニ表面之沙汰ニナラザル様注意方申向ケタリ

四月十三日　木曜

藤勝栄氏相見へ、貴族院議員今井五介氏より関門海底トンネルノ件ニ付発起者ニ加名ノ件内談アリタ

永野清氏相見ヘタリ、橋本ニ而食事之案内ス
牧野忠篤[7]氏より千葉千一〔ママ〕氏九水重役申入アリタルモ断書ヲ出ス、木村・黒木・今井ノ諸氏ニ文案ヲ打合セノ上清書シテ出状ス

四月十四日　金曜

午前九時九水重役会ニ出席、殊ニ日出工場ノ監督ニ付営業方針ヲ親シク社長室ニ而今井・木村ノ面前ニテ申談ス
橋本ニテ村上・内本〔浩亮〕[8]・黒木・渡辺〔綱三郎〕[9]ノ諸氏ト永野〔清〕氏一同晩食ヲ呈ス

四月十五日　土曜

午前九時より箱崎浜[10]ニ於而福岡県国防会[11]並ニ戦車命名式ニ参列ス

1　黒崎越＝旧長崎街道黒崎宿と木屋瀬宿を結ぶ峠カ
2　上田穏敬＝元株式会社麻生商店庶務部長、前年一九三二年十月に退職
3　日出工場＝九州電気工業株式会社日出工場（大分県速見郡川崎村）、九州電気工業は一九二三年九州水力電気株式会社が大分電気工業株式会社を買収し、一九二六年改称、太吉社長
4　真貝貫一＝九州水力電気株式会社取締役技師長、第三巻解説参照
5　熊本電気株式会社＝熊本電灯株式会社として一八九一年創立、その後経営者と名称を変え、一九〇九年安田家・細川家（旧藩主）の共同出資により設立
6　安田家＝合名会社安田保善社・安田銀行・熊本電気株式会社等経営
7　牧野忠篤＝貴族院議員、帝国農会長
8　内本浩亮＝九州水力電気株式会社取締役、九州送電株式会社取締役、第三巻解説参照
9　渡辺綱三郎＝九州水力電気株式会社監査役、神都電気興業株式会社監査役
10　箱崎浜＝糟屋郡箱崎町海岸
11　福岡県国防会＝この年三月二十日結成、四月十五日に発会式にかわる国防大会挙行

午後三時五十分帰リタリ
　四月十六日　日曜
十二時より湯町ニ滞在静養ス
　四月十七日　月曜
湯町滞在
野田君より電話ニ付、鯰田発電所ノ件ハ何等九水ニテ聞及不致ニ付、実地ノ有様及昭和会社[1]ノ件能ク打合方電話
午後一時半自働車ニ而中光ニテ食事ヲナス
小西〔久遠〕氏来県ニ付招待ノ件、栄屋[2]主婦ニ電話シ池田〔常一〕[3]副支配人ニ頼ミ、又主人側ハ義之介ニ電話ス
午後六時小西氏訪問セシモ不在
　四月十八日　火曜
湯町より浜ノ町ニ来リ案内ノ順序打合ス
午後五時半一方亭ニ行キ待合ス
別記アリ
小西氏及付添ヲ正賓トシ、久恒〔貞雄〕[4]・戸塚〔九一郎〕[5]・黒木・山内範造・藤勝栄・渡辺〔綱三郎〕・今井・真貝・犬塚〔三郎〕[6]・野田〔勢次郎〕・渡辺〔阜築〕・相羽・義之介・太七郎〔麻生〕[7]等喰事ヲナス
　四月十九日　水曜
午前十時太右衛門〔麻生〕[8]一同自働車ニ而帰宅ス
　四月二十日　木曜
午前在宿

午後後藤寺弓削田新坑[9]ニ行キ、長〔兵三〕所長ノ案内ニテ工事ヲ見ル
帰途烏尾越[10]東側ニテ弓削田ノ炭脈太賀吉ト調査ス
藤森〔善平〕[11]氏帰飯、耕地組合道路敷地ノ件地主ノ申分不相立トノ異見ニ付、尚調査決スルコトニ打合ス

四月二十一日　金曜

仙学〔鶴〕院命日ニ付正恩寺読教〔経〕法事ヲナス
有田〔広〕[12]・麻生尚敏[13]両君相見へ、博済〔無尽〕新築打合ヲナス
金五千円別口預ケ、百円ハリタロ会〔ロータリー〕寄付、十五円ハ黒瀬貸金受取

1　昭和会社＝昭和電灯株式会社（飯塚市）、元嘉穂電灯株式会社、一九三〇年九州水力電気の傍系会社となり改称、太吉社長
2　栄屋＝旅館（福岡市橋口町）
3　池田常二＝九州水力電気株式会社副支配人
4　久恒貞雄＝久恒鉱業株式会社長、元衆議院議員
5　戸塚九一郎＝福岡県内務部長
6　犬塚三郎＝株式会社博多株式取引所（福岡市鰮町）理事長
7　麻生太七郎＝太吉四男、株式会社麻生商店文書係長、嘉穂銀行取締役、株式会社芳雄運送店取締役
8　麻生太右衛門＝太吉長男
9　弓削田新坑＝九州鉱業株式会社起行小松鉱業所（田川郡後藤寺町）
10　烏尾越＝嘉穂郡頴田村と田川郡糸田村を結ぶ峠
11　藤森善平＝芳雄土地整理組合副組合長、元福岡県会議員、元飯塚町長
12　有田広＝博済無尽株式会社専務取締役、嘉穂銀行取締役
13　麻生尚敏＝博済無尽株式会社取締役、嘉穂銀行取締役、嘉穂貯蓄銀行取締役、酒造業（飯塚市栢森）、元福岡県会議員

五月三日　水曜

午前九時四十分門司駅着、迎ノ九軌之自働車ニ而野田君ト会社重役会ニ臨ミ、十二時二十九分小倉駅発ニ乗車シ、黒木君ト九水本社ニ而別府市営問題[1]ニツキ打合ス

村上氏ニ別府市営問題ノ成行鶴丸〔卓市〕君ヲ以打合ノコト木村氏ニ注意ス

五月四日　木曜

村上氏ノ意向鶴丸君聞取伝達アリタルモ、一方丈ケニテ折合兼ベク、矢張両方よりノ方宜カルベシ、尤程度ノ低キ方ヲ希望スル旨専務ニ電話ス

堀氏ニ東望〔東邦〕ノ件打合ス、中光ニテ昼食ヲナス

五月五日　金曜

一方亭ニテ水谷八重子[2]一行ニ昼食ヲナサシム、福岡日々新聞[3]中野〔節朗・景雄〕二君外一氏相見へ、内本〔浩亮〕君も出席アリタ

午後四時四十分自働車ニ而帰宅ス

五月六日　土曜

渡辺旱築君相見へ、セメント会社[4]創立ニ付県土木課より加入方申入ニ付打合ス、会社ハ先ツ三十万樽ノ設計ヲ希望スル旨打合ス

義之介東京より帰リ、鉄道院売込ノ件打合セ、及セメント会社ノ件ヲモ咄シタリ

五月七日　日曜

東望〔東邦電力〕電気会社海東〔要造〕[5]氏下ノ関より自働〔車脱〕ニ而相見へ、重役撰挙ノ件内談アリ、重要問題ニ付上京ノ上返事スルコトニ申向ケ、帰ラル、事務員一名付添アリタ、応接ニテ待合アリ、玄関ニ而付添ノ事ヲ知リタリ

午後五時半湯町ニ行ク

五月八日　月曜

湯町滞在
辛〔宰〕府ニ参詣、宝満〔竈門神社〕ニも参詣ス
江崎〔いし〕[6]氏方ニテ山内氏一同昼食ヲナス
加布里[7]ニ行キ芥屋ノ大戸〔ママ〕[8]ニ参詣ス
この〔此〕里[9]ニ而食事ヲナス
午後六時半帰ル

五月九日　火曜

木村専務ニ電話シ、来訪ニ付、東望〔東邦〕重役交渉問題海東君よりノ内談打合セ、別ニ気付ノ点モナク、丁度幸〔ママ〕都合ハ
松永〔安左衛門〕[10]氏より来電ニ付返電ヲナス、海東氏ニも打電ス（文案ハ別紙控アリ、又控九水本社専務ニ送ル）

1　別府市の電気事業市営計画
2　水谷八重子＝新劇女優、映画俳優、のち新派劇女優
3　福岡日日新聞＝一八七七年筑紫新聞創刊、めさまし新聞、筑紫新報を経て一八八〇年福岡日日新聞と改題
4　産業セメント鉄道株式会社、この年九月九州産業鉄道株式会社を継承して設立（田川郡後藤寺町）
5　海東要造＝東邦電力株式会社専務取締役、第三巻解説参照
6　江崎いし＝おいし茶屋（太宰府天満宮境内）経営
7　加布里＝地名、糸島郡前原町
8　芥屋大門＝玄武岩の海食洞（糸島郡芥屋村）
9　此の里＝料理屋（糸島郡前原町加布里）
10　松永安左衛門＝東邦電力株式会社長、第三巻解説参照

午前九時湯町より帰リタリ

藤幹〔勝栄〕事長相見へ、今井五介氏[1]より申入ノ関門トンネル問題、現下鉄橋[2]出願中ニ付出願加名相断タリ

今午後五時福村ニテ晩〔食脱〕事ス

五月十日　水曜

木村専務相見へ、東望〔東邦〕ノ地下線問題[3]、西山君〔信一〕[4]ノ口気一時ハ荒ラカリシモ漸次平和ノ口気ニナリタル由聞キタリ、

其他緒方氏子息入社ノ件ハ可然配慮セラル、様申添ヘタリ

永冨貞平氏[5]相見へ、弁護士出願大ニ同感ノ意ヲ表シタリ

谷田来リ、九水株住友家ニ於テ買入ノ希望ノ旨ヲ報ス

松永安左衛門氏ニ電信ヲ発ス

五月十一日　木曜

野田君ト電話ニ而、鮎田発電所ニ関シ坑山ヲ何等カノ名義ニテ約束シ、其ノ順序九水ト交渉方注意ス

午後一時半自働車ニ而出福ス

義之介来リ、松本〔健次郎〕・今井〔五介〕両氏出状方打合ス

五月十二日　金曜

黒木君相見へ、別府市営問題ニ付麻生益郎〔良〕氏ノ件打合ス

東京藤屋[6]主婦来リ、一方亭ニテ食事ヲナサシム

今井五介氏ニ関門トンネル発起人ノ件、松本健次郎氏ニハ会長トシテ挨拶状ヲ発ス（別ニ控アリ）

五月十三日　土曜

午後一時西部[7]商工業役員会及惣会ニ出席

午後四時松岡洋右氏[8]通行ニ付博多駅ニ挨拶ニ行キ、西部産業会[9]代表シテ名刺ヲ差出ス
藤氏より□〔山カ〕田氏[10]ニ伝言アリ、湯町大丸館[11]ニ行、松岡氏招待会ヲ見合セ博多織地ヲ贈呈スルコトニシタリ
湯町ニ一泊

五月十四日　日曜

午前七時大丸館松岡氏ヲ訪問、大問題ノ感謝シ、外交問題ニ付同氏ノ意向聞キタリ
博多織地取揃贈呈ス
午前九時二日市駅ニテ同氏ヲ見送リ、午後六時浜ノ町ニ帰ル

1　今井五介＝片倉製糸紡績株式会社副社長、中央電気株式会社社長、貴族院議員
2　関門鉄橋架橋計画、太吉主導者の一人
3　地下線問題＝九州水力電気の地下線による福岡市内電気供給権は東邦電力（元九州電灯鉄道）と一九一三年以来抗争と両社合併問題を惹き起し、一九二四年一応解決をみたが、協定は一九三三年六月まで延期された。翌一九三四年東邦が九水の地下線による電気供給権を買収して終焉した
4　西山信一＝東邦電力株式会社取締役理事兼九州技術部長
5　永冨貞平＝長崎地方裁判所長、この年八月退官して弁護士（福岡市）
6　藤屋＝東京市麹町区永田町
7　西部商工業＝西部産業団体聯合会、労働問題を対象とする経営者団体、全国産業団体聯合会の下部組織、太吉常務委員長
8　松岡洋右＝衆議院議員、元南満洲鉄道株式会社副総裁、のち総裁、のち外務大臣
9　西部産業会＝西部産業団体聯合会
10　山田大蔵＝旅館大丸館（筑紫郡二日市町）主
11　大丸館＝旅館（筑紫郡二日市町）

五月十五日　月曜

大藪《〔守治〕》[1]氏相見へ種々打合ス、上京御土産ヲ□《〔頂カ〕》キタリ

午前九時大藪氏ト一同本社ニテ重役会及傍系会社重役会ニ出席、午後六時帰ル

五月十六日　火曜

木村専務ト社債ノ件、住友大平《〔賢作〕》[2]氏ノ御意向モアリ、暫ラク現在之侭トシテ臨時惣会開設シテモ指問ナカルベシ、

木村専務上京ノ節打合方電話ニテ打合ス

黒瀬《〔元吉〕》来リ買物ス、此ノ内ニハ珍品アル見込ナリ

田中《〔徳次郎〕》[3]氏死去ニ付悔電ス

五月十七日　水曜

午後五時中光ニテ晩食ス、おゑん・ことく《〔小徳〕》・こさん《〔小三〕》・こたき《〔小滝〕》[4]、古キ知合集リタリ

堀三太郎氏より電話ニ而招待アリ、おまさ[5]ニ行キタリ、女中ニ三十円遣ス

五月十八日　木曜

執印《〔宮夫〕》[6]氏ニ治療ヲ乞

中光ニテ昼飯ヲナス積リナリシニ、堀・山内《〔範造〕》両氏相見へ、昼晩共ニ会食ス

五月十九日　金曜

午前執印歯医ニ行キ治療ヲ乞タリ

渡辺《〔皐築〕》君製鉄所より《〔ママ〕》出張ニ付出福出来兼ル旨電話ニ付、二十日ハ九軌ノ重役会故十時より八木山越帰宅ス

谷田より九軌新弐千株売物ノ電話アリ、今井《〔三郎〕》君ニ電話シ、事実ヲ池田《〔常二〕》君ニ命シ調査ノ上金融上ニ指問ナクバ木村氏ニ電話打合方電話ス

五月二十日　土曜

自働車ニ而九軌重役会ニ野田〔勢次郎〕氏ト一同出席ス

午後閉会後野田・黒木両氏ト自働車ニ而福岡ニ帰ル

五月二十一日　日曜

湯町ニ行キ、午後六時より八木山越ニテ浜ノ町ニ帰ル

五月二十二日　月曜

香春炭坑重役会ニ野田・相羽ノ両君一同自働車ニ而出頭、重役会済後湯山[7]ト申ス料理屋ニ而食事ヲナシ、午後四時頃より八木山越ヲ経而出福ス

執印氏ニ治療ヲ乞タリ

五月二十三日　火曜

麻生益郎〔良〕・木村専務・黒木監査役相見へ、別府市営問題打合セシニ、何ニ等変ル事ナク円満ニ進行セシコトヲ慥カメタリ

1　大藪守治＝九州水力電気株式会社取締役、貴族院議員
2　大平賢作＝住友銀行常務取締役、百六銀行（佐賀市）取締役
3　田中徳次郎＝元東邦電力株式会社専務取締役、元九州産業鉄道株式会社社長
4　おゑん・小徳・小三・小滝＝水茶屋券番（福岡市水茶屋）元芸妓
5　おまさ＝政とも、矢野ソデ経営待合（福岡市東中洲）
6　執印宮夫＝歯科医師（福岡市中島町）
7　湯山＝料理屋（田川郡香春町）

午後六時橋本ニ木村専務ノ招待会ニ出席ス

五月二十四日　水曜

午前九時半九水本社重役会ニ出席
十一時より重役会開会
午後一時傍系会社惣会開設、午後一時半終了閉会ス
湯町ニ行キ差図ヲナシ、午後六時福村〔ママ〕[1]労慰宴ニ出席、午後九時帰ル
六百九十五円懐中
［欄外］百八十円昭和電気〔灯〕〔社脱〕会より賞与
　　百八十円筑後[2]同
〆

五月二十五日　木曜

午前八時二十分博多駅発延岡ニ出向、木村・渡辺・黒木ノ三氏同供ス、中津駅より黒沢〔覚治〕[3]君乗車、一同昼食ヲナス、和才〔誠司〕[4]君人夫墓〔募〕集ノ為メ行橋〔駅〕[5]より乗込アリ、杵築迄同車ス
午後四時過キ延岡駅ニ着、出迎之人々ト挨拶ヲナシ、仲田〔又次郎〕市長之自宅ニ訪問シ、留主中ニ付市役所ニ重而訪問ナシ
タルモ出張跡ニテ面会セザリシ
喜寿亭[6]招待宴会ニ臨ミ別記ノ挨拶ヲナシ、午後九時過キ菊地〔ママ〕旅館ニ帰リタリ

五月二十六日　金曜

午前十時延電[7]重役会ニ出席、閉会、午後一時ヨリ株主惣会ヲ開催、会長席ニツキ謹〔僅〕少ノ時間ニテ用済ミタリ
午後一時三十八分延岡駅発ニテ宮崎ニ出向ス、午後三時三十七分宮崎駅着、多数ノ出迎アリタ

青嶋[8]広瀬旅館ニ木村・渡辺・黒木ノ三氏一同自働車ニテ着ス、同夜泊ス

五月二十七日　土曜

午前十時県庁・市役所ヲ訪問ス
午後一時重役会開催、午後二時ヨリ惣会開会、閉会後一葉稲荷神社[10]ニ参詣、東浜ノ海面ニ臨ミ休息シテヒールヲ呑ミ、一同引揚グ
午後六時泉亭ニ招待宴会ニ臨ミ別記ノ挨拶ヲナス
午後九時青嶋広瀬ニ引返シ一泊ス、芸者跡ヨリ追来リ、午前一時頃迄大騒キヲナシタリ

1　福村＝福村家とも、料亭（福岡市東中洲）
2　筑後電気株式会社＝浮羽水力電気株式会社として一九一四年創立、九州電気酸素株式会社を経て一九二三年九州水力電気株式会社の傘下に入り改称（浮羽郡田主丸町）、太吉社長
3　黒沢覚治＝延岡電気株式会社取締役
4　和才誠司＝九州産業鉄道株式会社勤労部長
5　行橋駅＝日豊本線（京都郡行橋町）
6　喜寿亭＝料亭（延岡市）
7　延電＝延岡電気株式会社、一九一〇年開業の延岡電気所を継承し一九二四年創立、一九三〇年九州水力電気株式会社の傍系会社となる、太吉社長
8　青島＝地名、宮崎県宮崎郡青島村
9　神都電気興業株式会社（宮崎市上野町）重役会
10　一葉稲荷神社＝宮崎市新別府町

五月二十八日　日曜

午前七時三十分宮崎駅発ニ乗車シ、木村・渡辺・黒木ノ諸氏同車ス、午後一時九分別府着、山水園ニ自働車ニ而着ス

四十二円五月廿五日延岡出張旅費

四百五十円七年十一月より八年五月迄賞与

百五十円報洲〔酬〕

〆

六百三十円同上賞与ト報洲、神都会社

四十二円出張旅費

〆

〔欄外〕二十円茶代、十円召使、三円五十銭外ニ五円延岡菊地旅館払

三十円　二十七日、二十円、泉亭仲ゑ〔ママ〕二十円

百七十三円五十銭広瀬〔旅館〕払

百円　三十円召使

七十円茶代

〆

外ニ　五円一葉〔神社〕参リ費

十円鑛〔汽〕車中

五月二十九日　月曜

九軌会社より、東京ニ而銀行家招待スルニ付六月二日上京ノ件、浜ノ町より山水園ニ電話アリ、和田〔豊秋〕秘書ニ電話ニ而可成上京セザル様村上専務ト打合方頼ミタリ

麻生益郎〔良〕氏相見へ、別府市営問題ニ付福岡ニ而木村氏一同ニ報告アリタル大体之模様重而報告アリ、別ニ騒カシキ事ハ無之旨申サレタリ、日出工場ノ件尽力方依頼ス

藤沢良吉[1]君相見へ、市営問題ニ付深入ナキ様注意ス、了解アリ、熊本監理局[2]迄ニハ委員ノ諸氏出頭セラル、モ可然ト申向ケタリ、警察部ニ療養所[3]ノ上位ニ道路ヲ新設、地所交換便利ノ旨咄シアリ、調査ノ上返事ノ〔事脱〕ヲ申向ケタリ

〔欄外〕九十円宮崎ニテ掛物代受取

〔欄外〕大牟田市役所[4]ニ見舞ノ電信発スル様注意ス

五月三十日　火曜

奥村茂敏君母上一同相見へ、種々懇談ヲナシ、昼食ヲ呈シテ金〔鉄〕輪温泉[5]ニ自働車ニ而送リタリ

原口〔克一〕[6]別府営業所々長相見へ、市営問題モ現今相静リ騒ガシキ等ノ事無之旨申向ケアリ、今後一層注意シ無手抜様

1　藤沢良吉＝別府市信用販売購買組合長、別府回遊鉄道株式会社（未開業）清算人、元別府市会議員
2　熊本監理局＝熊本逓信局（熊本市花畑町）、元熊本逓信管理局
3　療養所＝九州帝国大学温泉治療学研究所（大分県速見郡石垣村・朝日村）、一九三一年設立
4　大牟田市役所は五月二十七日全焼
5　鉄輪温泉＝別府八湯の一（大分県速見郡朝日村）
6　原口克一＝九州水力電気株式会社別府営業所長

注意ス

東京ニ於而九軌会社ノ銀行家招待会ニハ出席ニ不及旨秘書より電話ニ接シ、村上氏ニ欠席ノ打電ス（別ニ控アリ

五月三十一日　水曜

午前十一時半別府駅発ニ而福岡浜町ニ向ケ帰途ニツク

別府駅より福岡県警察員講習会帰リニ多数ノ人々面会ス、殊ニ永水［種次郎］[1]警部補ハ余程誠意アル人物ニ見ヘタリ

［欄外］八年上期重役報洲［酬］及賞与八十円受取
外ニ五円ノ受取証アリ、調査スルコト

六月一日　木曜

箱［筥］崎八幡宮・三隅神[2]・千代森神社[3]ニ参詣ス

午後二時湯町ニ行キ、山内範造氏相見へ、湯町工事費寄付之件、五百円以上ハ出金相断ル旨申向ケタリ
百円祝義、五十円家費ト五十円相渡ス

午後八時浜町ニ帰ル

六月二日　金曜

午前執印歯医ニ治療ヲ乞タリ

午前岩崎[4]野見山米吉君[5]ニ両度電話ニ而、二日市電機［ママ］取扱者前後ノ連名ニ付手抜ナキ様一層注意ス

午前九時前ヨリ自働車ニ而八木山越帰宅ス

書類整理ス

［欄外］五十五円組田［靹之助］買物代
五十円ト七十五円黒瀬買物

〆百八十五〔ママ〕円栗原〔与一〕より受取、帳簿ニ記ス

六月三日　土曜

午前八時五十分八木山越ニ而出福
執印歯医師ニツキ治療ス
午後一時四十一分後藤〔文夫〕[6]大臣来福ニ付、一同相連レ停車場ニ御迎ス
木村専務相見ヘ重役賞与ノ割合打合ス、再計算ヲ打合ス、九日十日ニ来福懇談ノ事ニス
午後五時半ヨリ野田・義之介一同脇山村農士学校[7]ニ後藤大臣御出ニ付先着シテ待受、午後九時松嶋屋旅館[8]ニ訪問、帰リタリ

六月四日　日曜

午前八時後藤大臣天神丁急行電車[9]ニ見送リ、執印歯医ニツキ治療ス

1　永水種次郎＝福岡県警察部警部補
2　三隅神社＝糟屋郡箱崎町
3　千代森神社＝福岡市千代町
4　岩崎＝地名、嘉穂郡稲築村
5　野見山米吉＝太吉妹婿、株式会社麻生商店取締役、この年十二月辞任、元嘉穂銀行監査役
6　後藤文夫＝農林大臣、元台湾総督府総務長官、のち内務大臣
7　農士学校＝福岡農士学校、愛日書院とも、一九三一年設立（早良郡脇山村）、同年設立の日本農士学校（埼玉県比企郡菅谷村）ともに太吉多額の寄附
8　松嶋屋旅館＝福岡市中島町
9　急行電車＝九州鉄道株式会社本線（福岡・久留米間）

後藤様奥様〔治子〕[1]十一時八分博多駅着ニ而来福、直チニ夏子〔麻生〕御迎ニ行キ、野田君夫婦一同浜ノ町ニ相見ヘ昼食ヲナス
松本健次郎氏相見、頭山令息〔満〕[2]才判事件ニ付費金補介安川男〔敬一郎〕ヨリモ内談之意味打明ケアリ、弐千円トノ事ニ故承諾ス、
炭坑鉄道・築港此際尤好時機ニ付奔走スル旨懇談ス
藤森〔善平〕氏相見ヘ、弁償金ノ件、徳前所有地[3]グランドニ寄付ノ件ハ絶体相断ル旨、是迄迷惑セシ次第詳細相咄シタリ
［欄外］後藤奥様椎香宮〔ママ〕参詣アリ、序ニ津や崎ニ行カル

六月五日　月曜

午前八時執印歯医師ニ治療ヲ乞タリ
午後九時八木山越ニ而帰宅ス
後藤奥様ヲ正賓トシテ分家一同昼食ヲナス
有田〔広〕氏相見ヘ、藤森〔善平〕弁償口弐千五百円入金ニテ、其跡ハ会社ニテ別講ニ其ノ利子ニテ加入シ損失セザル様ナシ、重役会ニテ協義方打合ス、時経而麻生尚敏君も相見ヘ、同様ノ打合ヲナス

六月六日　火曜

渡辺皐築君相見ヘ、セメント製造計画[4]ニ打合、又書類上ニも協義ス
後藤奥様別府ニ出発ニ付、太賀吉〔麻生〕・夏子御供シ自働車ニ而出発ラル〔セ脱〕
午後八時二十分八木山越ニテ村上専務ト会合ノ為メ出福
浜ノ町ニ午前十時村上氏相見ヘ懇談ス
木村専務モ相見ヘ賞与ノ件打合ス
山内範造君相見ヘ、神納刀代百円相渡ス

六月十一日　日曜

午前十一時八分博多駅着ニテ帰県致、野田君相見ヘ居タルニ付、鉄道大臣〔三土忠造〕之方ニ出席ノ打合ヲナシ、帰飯セラル、堀氏ニ電話シ大臣歓迎会出席ノ打合ヲナス

産鉄[5]セメントウ製造ノ▨〔件カ〕ニ付渡辺氏より電話アリ、打合ス

六月十二日　月曜

午前八時十九分博多駅発ニ鉄道大臣ヲ見送リタリ

安川〔敬一郎〕男爵見舞タリ

午前十一時池田〔常二〕君相見へ、予算ニ付決算ノ件打合ス

九軌社債変更ニ付捺印ス

午後四時湯町ニ行ク

六月十三日　火曜

朝食ヲナス

午前十一時中光ニ行キ食事ス

1　後藤治子＝後藤文夫妻、野田勢次郎妻八重子妹、故麻生太郎妻夏姉
2　頭山満＝玄洋社、在野の政治家、頭山満三男秀三は五・一五事件で古賀清志海軍中尉に武器を調達した容疑で検挙された
3　徳前＝地名、飯塚市
4　九州産業鉄道株式会社のセメント事業参入計画、第四巻解説参照
5　産鉄＝九州産業鉄道株式会社（田川郡後藤寺町）、太吉社長、この年九月九州産業株式会社と合併し産業セメント鉄道株式会社となる

六月十四日　水曜
午前九時九水本社ニ而重役会ニ列ス
午後一時ヨリ傍系会社重役会ニ列ス
日出工場ノ中止之件ニ付打合ス
午後五時半橋本ニ行キ長野〔永野清〕氏招待ス、熊本中野氏へ相見へ居タリ

六月十五日　木曜
大隈[1]大村国次〔太カ〕郎[2]君福岡日々新聞取次キノ相談方依頼アリ、篠田〔珍木〕[3]ヲ代理ニ遣シ申入タリ
猪股〔喜藤〕氏福岡市助役ノ件ニ付中野節郎〔朗〕[4]君より依頼アリ、本人ニ希望有無聞キ合タルニ希望アリ、乍併現在ノ助役知人ニ付競争セザル旨明言アリタ
中野節郎君相見へ政治上ニ付談話中、猪股君相見へ帰ラル
山内・藤氏ニ電話セシモ、藤氏不在、山内氏ニ依頼ス
午前十一時八木山越ニ而帰飯
［欄外］百四十七円九十四銭組田〔鞆之助〕渡、椿木代受取
花村徳右衛門君相見へ、立岩[5]〔花村〕芳介所有地引受断リタリ
〔麻生〕太三郎[6]来リ、〔麻生〕商店整理方ニツキ大ニ考慮スルコトヲ申入タリ

六月十六日　金曜
野田君相見へ、新設商社[7]之件打合ス
九洲工〔鉱〕業[8]所有坑区分割分与ノ件等打合ス
〔栢森〕区長及鬼丸来リ、無量寺四畳・六畳ト賓僧之間ト老僧ノ居間四畳半新築ノ件承諾ス、本堂等一切門徒ニ而建築之旨

申向ケタリ
午前十時半八木山越ニ而出福ス
山内・藤両氏ニ面会ノ場所打合中
六月十七日　土曜
午前八時二十分博多駅発ニ而九軌重役会ニ出席
午後二時廿九分小倉駅発ニ而飯塚ニ帰リタリ
渡辺氏相見へ、嘉穂銀行之件ニ付聞取タリ
六月十八日　日曜
午後五時半八木山越ニテ出福
義之介同車ス、猪股氏助役ノ件ニ付同家訪問打合ス

1 大隈＝地名、嘉穂郡大隈町
2 大村国太郎＝元嘉穂郡大隈町会議員
3 篠田珍木＝株式会社麻生商店庶務係、麻生家浜の町別邸詰
4 中野節朗＝福岡日日新聞
5 立岩＝地名、飯塚市
6 麻生太三郎＝太吉甥、株式会社麻生商店会計係、株式会社芳雄運送店監査役
7 株式会社麻生商店の一部を改組して鉱業および有価証券売買を営業目的とする嘉麻興業株式会社（飯塚市立岩）をこの年九月設立、代表取締役野田勢次郎
8 九州鉱業株式会社＝株式会社麻生商店傍系会社として一九二九年設立（飯塚市立岩）、元帝国炭業株式会社の木屋瀬・起行小松鉱業所経営

午後八時ヨリ中光ニ行キ、義之介一同おゑん《〔桑原〕》さん[1]ニ面会、一同より喜寿《〔太吉〕》之祝之事ヲ断リタリ
午後十時過キ湯町ニ行キ一泊ス
田川北代《〔市治〕》[2]君相見へ、中村《〔武文〕》[3]退任ニ付慰労金ノ申入アリタルモ、秘蜜ナルモ従来ノ行蹟《〔ママ〕》ヲ申向断リ、其旨直接同人ニ打明ケルコトニ打合
九水ニ元田川銀行[4]譲渡ノ件ハ、九水ノ当局ニ咄シ更ニ協義ノコトヲ打合ス

六月十九日　月曜

午前九時湯町より帰リ、大坂山中《〔吉郎兵衛〕》[5]待受、二時余面会シ、都合能ク申向返《〔ママ〕》シタリ
組田《〔輌之助〕》来リ、午後八木山越ニテ飯塚ニ帰ル

六月二十日　火曜

野田氏ト鯰田発電所ノ件九水ト打合ノ順序ニ付協義ス
貯蓄《〔嘉穂〕》上野《〔長之助〕》支配人相見へ、停年ニ付退任ノ旨申向ケアリシモ、今暫ク勤続ノ申向ケヲナシタリ
木村専務相見へ、第二冨士発電所[6]持株之件ニ付重役ヲ割込ムコトハ苦情アルベシト掛《〔懸〕》念アリシモ、夫レハ間違デ取締ヲ割込方安全ニ付、十分其ノ方針ヲ打合ス
午前十時半八木山越ニ而着ス
堀氏ト政[7]ニ行キ、三菱坑区ノ関係ニ付打合ス

六月二十一日　水曜

午前八時大学病院[8]武田《〔武谷広カ〕》博士ノ病室ニテ療養中ノ吉田□《〔磯〕》[9]吉氏ヲ見舞タリ、見舞ニ送リシ夏ふとん常ニ用ヒラレタル由ヲ聞キタリ
〔欄外〕金弐円六銭組田《〔輌之助〕》残金受取

六月二十三日　金曜

第四十五回九水会社第四十五回〔ママ〕惣会相済、午後四時福村家ニテ重役一同招待会ニ臨ミ、午後七時ノ博多発ニ而上坂ス

惣会場ニテ株主菅村鈍平ト申人（福岡雑誌屋ノ由ナリ）ヨリ営業報告書中金銭ニ関スル質問セシモ、本社ニ而出頭質問セラル、様申向ケ、会場ニテハ他ノ株主迷惑ノ事ヲ謝〔論カ〕シ質問見合ス

七月三日　月曜

午前十一時東京より帰着ス、門司駅より自働車ニ而帰ル

七月四日　火曜

午前十時鯰田愛岩〔宕〕坑[10]開坑式場ニ臨ム

1　桑原エン＝元待合於苑（お苑）経営、水茶屋券番（福岡市）元芸妓、おはまとともに馬賊芸者の祖

2　北代市治＝第二起行小松炭鉱（田川郡後藤寺町ほか）経営者、筑豊石炭礦業互助会幹部、福岡県会議員、のち筑豊鉱業鉄道株式会社長

3　中村武文＝九州産業鉄道株式会社取締役、九州産業株式会社取締役、この年九月より産業セメント鉄道株式会社取締役

4　田川銀行＝一八九九年設立、一九二九年解散（田川郡後藤寺町）

5　山中吉郎兵衛＝美術商（大阪市東区北浜）

6　第二富士発電所＝第二富士電力株式会社（東京市）、一九二八年設立、会長森村市左衛門、取締役棚橋琢之助

7　政＝お政とも、待合（福岡市東中洲）

8　大学病院＝九州帝国大学附属病院（福岡市千代町）

9　吉田磯吉＝若松帆船運輸株式会社取締役、若松魚市株式会社代表取締役、元衆議院議員

10　愛宕坑＝株式会社麻生商店愛宕鉱業所第一坑（飯塚市鯰田）

午後四時出福ス

七月六日　木曜

午前七時半博多駅発ニ而大牟田不破〔熊雄〕[1]氏ニ面会、石炭筑豊ノ区域合同[2]ノ件、尤三池ハ別物ナリト前言シ、又大牟田染料[3]工場電気使用方、香春不毛〔フケ〕[4]ノ坑区ノ件等懇談ス、駅ニ待受アリタ

十一時五十四分大牟田駅発ニ乗車ス、久留米ニ下車シ、自働車ニ而日田ヲ経而別府山水園ニ達ス

大牟田駅ニ而松永〔安左衛門〕氏一行ニ面会ス

七月七日　金曜

日田滞在ノ池田〔常二〕君ニ電話シ、小竹〔茂〕[5]氏一行ノ模様聞キ合ス

小竹理事午後一時山水園ニ自働車ニテ相見ヘタリ

村上専務ニ電話、午後六時なるみニて招待ノ電話アリタ

飯塚金本三郎[6]・田中市郎[7]ノ両氏相見へ、商業所会頭[8]ノ懇□〔望カ〕アリシテ駒山〔伴蔵〕[9]氏ニ折合ノ旨相聞ケ、〔ママ〕物而将来円満ノ事ヲ申含メタリ

原田〔原口克一〕・奥村〔茂敏〕両君相見へ昼食ヲナス

善五郎〔橋本〕[10]家具持参、直チニ引返ス

七月八日　土曜

午後一時小竹理事佐賀関製錬〔錬〕所[11]より帰リタリ

昼食事ヲ呈シ、小竹氏及御随行、村上専務、奥村・原口両人ト成清〔信愛〕[12]・麻生益郎〔良〕ノ両氏ト一同、午後五時半迄接待ス

午後六時ノ出帆ニ見送リ、気嫌能ク出発アリタ

七月九日　日曜

別府滞在ス

七月十日　月曜

午前七時半別府別荘出発、自働車ニ而日田ヲ経而午後一時前帰着ス

中村ノ川側之道路ニテ自働車より飛下リ川ニ飛込タリモ、自働車運転手と田中〔正夫〕ト助ケ、又寮〔療〕養費トシ二十円遣ス

福村家ニ堀・岩崎〔寿喜蔵〕[13]ノ両氏より招待アリタ、主人ノ筈ナリシモ岩崎氏より押テ招待ヲ受ケ、其内ノ返礼ノ筈ナリ

木村専務相見へ、不破〔熊雄〕氏ノ模様ヲ初メ小竹氏ノ接待模様等懇談ス

［欄外］三日ノ現在、千四百円、二百五十円懐中

1　不破熊雄＝三井鉱山株式会社取締役
2　元福岡県知事松本学の提唱による筑豊炭田大合同計画案
3　大牟田染料工場＝三井鉱山株式会社三池染料工業所（大牟田市）
4　フケ坑区＝傾斜石炭層深部の採掘困難な炭層
5　小竹茂＝日本興業銀行理事
6　金本三郎＝呉服商（飯塚市本町）、飯塚商工会議所商業部長
7　田中市郎＝醬油醸造業（飯塚市向町）、飯塚商工会議所議員
8　商業所＝飯塚商工会議所、飯塚商工会（一九〇八年設立）を改組してこの年一九三三年四月設立
9　駒山伴蔵＝飯幡連絡自動車合名会社（飯塚市室町）代表、株式会社森崎屋商店取締役、元飯塚商工会会頭
10　橋本善五郎＝麻生家庭師兼雑務
11　佐賀関製錬所＝日本鉱業株式会社佐賀関製錬所（大分県大分郡佐賀関町）
12　成清信愛＝朝陽銀行（大分県日出町）頭取、元馬上金山経営者、元貴族院議員、元衆議院議員
13　岩崎寿喜蔵＝深坂炭鉱（遠賀郡中間町ほか）経営者

七月十一日　火曜

電気工業菱形所長〔重之〕[1][2]相見へ、休業ニ付補債〔償〕契約ノ報告アリタ、地所買収ニ付成清氏秘蜜依頼ノ件内談ス
谷田〔信太郎〕来リ、旧株九水壱万株買受ノ内談ス
巡査両君相見へ、生産堂〔大日本生産党〕[3]東京ニ而相険き為メ注意ノ件ニテ、終日詰切アリタ
九水ハ発電所水量ハ仮成ニ凌キ居ル旨、電話ニテ今井常務より聞キタリ

七月十二日　水曜

宕〔ママ〕愛鉱山[4]実地ニ臨ミ、坑口開鑿之順序ニ付高嶋〔市次郎〕立会打合ス、五郎〔麻生〕[5]も同供ス、朝来五郎・義之介両人ニ事業ノ運方ニ付十分注意ノ不行届キ責メ、今後十二分努力方申談ス
宗像神社[6]鳥居増加シテ注文ス
今井君モ電化[7]之休業ニ付麻生益郎〔良〕君ニ依頼方電話ス

七月十五日　土曜

午前七時八木山越ニテ帰宅ス
野田〔太吉〕君喜寿ノ挨拶ニ見ヘタリ
午前八時四十八分芳雄駅発ニ而船尾駅[8]ニ達ス、直チニ渡辺〔皐築〕氏案内ニ而セメン工場敷地ヲ踏査ス
午前十時起工式ヲ施行シ、永遠ノ繁栄ヲ祈リタリ、鋤〔鍬〕入ヲナス
十一時半重役会ヲ開催ス、昼食後直チニ帰リタリ

七月十六日　日曜

金本三郎氏相見へ、〔飯塚〕商工会義所役員撰挙ノ件ニ付懇談アリタ
瓜生〔長右衛門〕・阿部〔兵四郎〕[9]両君相見へ、同上ノ件申入アリ、飯塚公会堂ニ而集会ヲ乞、其席ニテ打合ノ事ヲ申向ケタリ

七月十七日　月曜
湯町別荘ニ而午後三時高橋義雄君[10]避署〔暑〕茶湯ノ放送アリタ、実ニ元気ノ講話ニ聞キ取タリ
七月十八日　火曜
午前十時半八木山越ニ而帰宅ス
七月十九日　水曜
芳雄[11]耕地整理組合ノ件ニ付藤森〔善平〕副委員長及林田書記相見へ打合ス
野田君相見へ、電気ノ件其他打合ス
吉田九右衛門来リ、親シク安眠ノ出来得ル様写物ノ事ヲ切ニ申含メタリ

1　電気工業＝九州電気工業株式会社（大分県速見郡川崎村）、大分電気工業株式会社として一九二〇年設立、一九二三年九州水力電気株式会社が買収して改称、太吉社長
2　菱形重之＝九州電気工業株式会社常務取締役
3　大日本生産党＝一九三一年結成の国粋主義団体、この日クーデター（神兵隊事件）計画発覚
4　愛宕鉱山＝株式会社麻生商店愛宕鉱業所（飯塚市鯰田）
5　麻生五郎＝太吉女婿、株式会社麻生商店、翌一九三四年同商店山内鉱業所長
6　宗像神社＝宗像郡田島村
7　電化＝九州電気工業株式会社（大分県速見郡川崎村）、太吉社長
8　船尾駅＝九州産業鉄道線（田川郡後藤寺町）
9　阿部兵四郎＝合資会社阿部商会（土地家屋貸付及興行業、飯塚市御幸町）社長、飯塚市会議員
10　高橋義雄＝茶人、元三越百貨店
11　芳雄＝地名、飯塚市

六月二十七日出立七月三日帰県、九水旅費金壱百四十七円五十六銭

七月二十二日　土曜

午前八時湯町出発、八木山越ニ而直チニ嘉穂銀行惣会、博済〔無尽〕・貯蓄〔嘉穂〕ノ惣会ニ出席、昼食ハウトン二椀、一椀ハ中野〔次郎カ〕[1]君ニ分配ス

博済之件、県庁より申達之件ハ十二分ノ研究ノ上答伸〔ママ〕ノ処ニ打合ス

金四十円銀行小使給仕ニ心付渡ス

　六百六十三円八十銭嘉穂銀行賞与

百五円四十銭貯蓄〔嘉穂〕同

五百十円七十九銭博済同

〆千二百七十九円九十九銭入

［欄外］三百八十五円懐中

　千五百円別封

七月二十三日　日曜

愛宕坑ニ行キ高嶋〔平五郎〕主任・永冨〔兵太〕機器主任ニ面会、及狩野〔嘉市〕等ニい才〔ママ〕事業上ノ打合ヲナス

午後一時より米山越ニテ湯町ニ着ス、昼食ス

堀・山内両氏ニ電話、明日湯町ニテ食事ノ案内ス（善五郎〔橋本〕滞在中ニ付建具一切取片付）

七月二十四日　月曜

午前浜ノ町へ電話、耕地主任吉田氏今明日他ニ出張中ニテ何事も不出来旨篠田〔珍木〕より返話アリタ、出福□〔見カ〕合セタ

［欄外］金五十円家費渡

七月二十五日　火曜

午前八時半湯町より帰宅ス

村上氏明日午前十時着福ヲ約ス

木村専務相見へ、社債及大牟田電気売込ノ件、東京ノ模様報告アリタ

七月二十七日　木曜

今井常務相見へ、熊本［逓信］監理局ノ意向及名嶋[2]定約満期ノ内談アリタ

午後三時湯町ニ行ク

七月二十八日　金曜

政友会［福岡県支部］幹事長藤［勝栄］君相見へ、山崎［達之輔］氏[3]ニ普請見舞之相談アリタ

堀氏より明日十二時橋本ニ招待アリタ

午前八時半湯町より帰リリシモ［ママ］、地下線[4]書類延着ニ付明日ニ木村専務ト打合ス

湯町帰途太賀吉等ニ出逢ヒタルモ気付ザリシ

地下線問題書類整理ス

［欄外］七月廿三日宴会費

1　中野次郎＝嘉穂銀行取締役、嘉穂貯蓄銀行取締役、株式会社中野商店社長
2　名島＝地名、糟屋郡多々良村、東邦電力名島発電所所在地
3　山崎達之輔＝衆議院議員、元文部事務次官、のち農林大臣・逓信大臣
4　九州水力電気の地下線による福岡市内電気供給権

八十円五十七銭宴会費
三十五円十五銭一月より費金
〆百十五円七十二銭、百二十円払

七月三十一日　月曜

午前七時自働車ニ而八木山越ヲ軽〔経〕而出福ス
九水本社ニ而専務・常務・黒木〔佐久馬〕・真貝〔貫一〕ノ四氏ト東望〔東邦〕ノ関係ニ付打合ス、決局六十[1]ヲ五十五ニ〔ママ〕▨〔引カ〕下ケ、其ノ損失一ケ年約八千円トナルニ付、其ノ事ニ決シ、書類将来不利ナキ様研究スルコトニセリ
東望西山〔信一〕君見ラレ、東望関係ニ付親シク将来競争ノ不利ナル事ヲ申向ケタリ

八月一日　火曜

靏丸〔卓市〕・桜井〔督三〕[2]両君相見へ、地下線問題ニ付名嶋電力供給ノ件ニ付契約案打合ヲナシタリ、其旨木村〔平右衛門〕氏ニ電話ス、為念湯平温泉[3]行ノ顧問弁護士ニ鑑定ノ件靏丸君ニ申談ス
野田勢次郎君帰県、縁談ノ件及鯰田発電所引受ノ件報告アリタ
太賀吉より自働車古クナリタルニ付買替之内談ヲ受、不□気時代ニテ実ニ困難セリ
午後六時半八木山越ニテ帰ル

八月二日　水曜

花村久兵衛氏ニ来訪ヲ乞、鎮西村[4]県庁負担ニ付飯塚市より補介ノ件打合ス
相羽〔虎雄〕・石田〔久三郎〕[5]両氏相見へ、春光園[6]養鶏ノ件打合ス
八木山・米山県▨〔道カ〕開鑿ニ付藤〔勝栄カ〕氏ニ出状ス

八月三日　木曜

山内範造氏相見ヘ昼食ヲナス
午後四時湯町ニ行ク
午前［数字空白］　芳雄駅発ニ而原田[7]ヲ経而福岡ニ着ス

八月四日　金曜

湯町より福岡ニ来リ耕地整理課［ママ］ニ出頭、田中［仲］仙次氏[8]ニ面会、事情陳セシニ、六円ヲ尚一円増加之協義シテハ如何トノ事故、夫ニテ引下リ、本人承諾セシ時ハ組合ニ協義スルハ何等異法［ママ］ニナキ旨申向ケラレタリ
橋本ニ行キ岩崎・堀両氏招待ス、増永元ヤ［也］及山内範造氏ハ欠席、午後九時退散ス
［欄外］三百円支払ヲ仕払セリ

八月五日　土曜

一午前十一時八木山越ニ而帰ル

1　交流周波数サイクル、現在はヘルツ
2　桜井督三＝九州水力電気株式会社企画調査課長
3　湯平温泉＝大分県大分郡湯平村
4　鎮西村＝地名、嘉穂郡
5　石田久三郎＝代書人（飯塚市）
6　春光園＝養鶏業（飯塚市芳雄町）、安岡亀吉経営
7　原田＝地名、筑紫郡筑紫村
8　田仲仙次＝福岡県耕地課農林主事補

八月六日　日曜

渡辺氏ト産鉄新製鑵[汽][車脱カ]ノ件打合ス

又小石原[1]杉木一切同所ニ使用方ヲ申入、山所ハ悉皆此際根切スルコトニセリ

金弐千円別口預ケノ分受取、此外三千円ハ預ケ入ル

西部産業団体聯合会[2]より使用人ニ関スル書類壱袋送来リタルニ付、西部産業組合ノ書類ニ綴リタリ

［欄外］四百十円買物代受取

八月七日　月曜

午前九時半嘉穂銀行重役会ニ出席、午後六時帰ル

岩本[忠][3]小学校長、上穂波村長当撰ニ付挨拶ニ見ヘタリ

八月八日　火曜

午前八時石田久三郎君相見ヘ、春光園経営困難ニ跨[陥カ]リ融通資本ノ相談アリ、丁度義之介居合セリ、法律上異法[ママ]ナキ時ハ融通ノ旨申含メタリ

午後四時半八木山越ニ而出福ス

八月九日　水曜

午後五時八木山越ニテ帰宅ス

木村専務東京より帰県ニ付、社債ノ件、三井大牟田電力使用不調等ノ成行聞キ取タリ

靏丸・桜井ノ両君名嶋及地下線問題ニ付相見ヘ、書面ノ打合ヲナス

八月十日　木曜

愛宕新坑[4]ニ行キ実地ニテ打合ス

八月十一日　金曜

東京より組田〔鞆之助〕、福岡より吉浦〔勝熊〕ノ両氏出張ヲ乞ヒ、内祝〔喜寿〕ノ贈リ物調査ニ着手ス

狩野・瓜生政五郎[5]両人産鉄ニ加勢ニ行ク事ニ電話ニテ打合ス

八月十二日　土曜

掛物調査相済、明日ニテ引上ケノ事ニ打合ス

野田勢次郎、田川三井不毛〔フケ〕坑区九軌ニ委託掘ノ件林〔新作〕[6]坑長ニ懇談之模様報告アリタ

八月十三日　日曜

芳賀茂元[7]君相見ヘ、桜ヒール会社[8]之件懇談アリ、気付ノ点ハ注意ス

渡辺皐築君ニ地床工事進行上尚営業上ニ付電話ス

幅物店員[9]ニ贈呈之数調査済、東京より参リ居候組田モ帰京ス（芳雄駅発午後四時下ノ関接〔続脱〕ノ急行ナリ

1　小石原＝地名、朝倉郡小石原村
2　西部産業団体聯合会＝労働問題を対象とする経営者団体、全国産業団体聯合会の地方組織、太吉常務委員長
3　岩本忠＝嘉穂郡上穂波村長
4　愛宕新坑＝株式会社麻生商店愛宕鉱業所（飯塚市鯰田）第一坑
5　瓜生政五郎＝麻生家職工
6　林新作＝三井鉱山株式会社田川鉱業所長
7　芳賀茂元＝桜麦酒株式会社筆頭株主、元貴族院議員
8　桜麦酒株式会社＝一九二七年株式会社鈴木商店の破綻により一九二九年帝国麦酒株式会社（一九一二年設立）を改称（門司市大里）
9　株式会社麻生商店社員

午後六時八木山越ニテ浜ノ町ニ着ス、夏子・大浦[1]一同ナリ

八月十四日　月曜

午前九時半九水会社ニ出頭、午後五時半帰ル

福日[2]中野節郎[朗]君ニ金弐百円遣ス

黒瀬より買物ヲナス

八月十五日　火曜

靍丸・奥村[茂敏]・原口[克二]ノ三氏相見へ、別府市営問題ニ付書面ニ対シ返事ノ事柄打合セ、書面ニ認メ、奥村・原口両氏より委員ニ返事ノ件打合ス、委員ノ宅ニハ訪問ノ順序、市長[平山茂八郎]ト打合セノコトヲモ打合ス

市営問題ニツキテハ森八治[3]ナル人ヲ相手スルコト故余程注意方操[繰]返シ注意ス

谷田来リ大分セメン[4]株売却ノ申入セシニ付、打合セ返事ノ旨申[ママ]

今井常務・靍丸支配人相見へ、名嶋及地下線東望[東邦]関係契約証問題ニ付打合ス

八月二十日　日曜

藤森・花村且[勝]太郎[5]両氏相見へ、耕地組合ノ件協義シ、七円五十銭ニテ花且承諾ス、就キテハ十分調査シテ惣会開催スルコトニセリ

午後二時半ヨリ八木山越ニテ湯町ニ達ス、博多停車場東側ヲ通過ス

［欄外］大丸[6]勘定

十円帳場、三十円女中

十円板場

五十円米[7]

〆百円　　外ニ五十円ユキ[8]

八月二十一日　月曜

午前九時半湯町より自働車ニ而浜ノ町ニ帰ル
臼杵〔弥七〕君ニ電話シ、掛物類分配方荷造リニツキ黒瀬之滞在中速カニ相整ヒ候様注意ス
木村専務東京ヨリ帰県ニ付、同地ノ模様報告ヲ聞キタリ、信托手数料ハ前以計算ニ加入ノ由ナリ
桜ヒールノ件、銀行家他行且〔勝〕チニ付要領ヲ得ザリシ旨報告アリタ
村上〔巧児〕・麻生〔益良〕両氏ト会合ノ打合ヲナス
別府麻生・小倉村上両氏ニ二十二日会合電話ス

八月二十二日　火曜

芳賀〔茂元〕氏ニ電話、東京ノ模様要領ヲ得ザリシニ付百十銀行[9]ノ方ニ内談方注意ス
堀・藤〔勝栄〕・山内範〔造脱〕ノ三氏訪問、先日来訪相談之五千円重而懇談アリ、商店〔麻生〕ト打合セ御返事申ス事ニ打合ス

1　大浦＝太吉長男麻生太右衛門家
2　福日＝福岡日日新聞（福岡市）
3　森八治＝別府市会議員
4　大分セメント株式会社＝一八一八年設立（大分市）
5　花村勝太郎＝飯塚市会議員、元嘉穂銀行書記
6　大丸館＝旅館（筑紫郡二日市町）
7　米＝ヨネ、大丸館女中
8　ユキ＝おゆきとも、雪子とも、麻生家別荘（筑紫郡二日市町）管理人カ
9　百十銀行＝一八七八年国立第百十銀行設立、一八九八年私立銀行に移行し百十銀行（下関市）となる

八月二十三日　水曜

午前八時半ヨリ津屋崎ニ行キ、鯛網ヲ引キ、一度ハ不猟〔ママ〕ナリシモ二度目ハ沢山取レタルニ付懇意之先キニ贈呈ス、

午後六時半植木[1]ヲ経而野田君ト中嶋[2]孫両人一同飯塚ニ帰リタリ

八月二十四日　木曜

芳雄耕地整理之件ニ付武田〔星輝〕及市役所〔飯塚〕林田書記相見へ、計算書ヲ調成スルコトニ打合セ着手ス、出来次第委員会ヲ開キ惣会ヲ催シ早ク片付スル様打合ス

八月二十五日　金曜

午前九時九水本社ニ出頭、別府市営問題ニ付進行順序打合ス

東〔東邦〕望問題ハ名嶋発電所及地下線問題、九月二日臨時重役会ニ打合スルコトニセリ

山内・藤両氏相見へ、弐千円補助之事ヲ申向ケ、堀氏帰リ次第ニ再会ノ事ニテ帰ラル

八月二十七日　日曜

誕生日[3]ニテ営業所より職員惣代トシテ相羽部〔長脱〕外〔空白〕名相見へ、喜寿ノ祝賀内祝贈リ物ニ付挨拶ヲ受ケタリ

喜寿ノ当日ニ付喜寿ノ七月七日ヲ記シ数〔枚カ〕数ヲ書キタリ

東京より来客アリ、小栗〔一雄〕氏より電話ニ付出福、橋本ニテ食事ヲ出ス

八月二十八日　月曜

午前八時半木村専務ノ電話ヲ乞、打合、浜ノ町ニテ別府市営問題藤沢〔良吉〕ニ対シ野田君ヲ以市長ノ意向ヲ聞キ合セ、

奥村〔茂敏〕・原口〔克二〕両人ノ報告、三井大牟田火力発電所[4]ノ件等重太〔ママ〕ノ関係打合ス、九月二日重役会ニ委員ヲ設ケル等ノ事迄注意ス

十時半より湯町ニ行キタリ

山内範造氏ト電話ニテ打合、三十日サーカス[5]見物ノ案内ス

八月二十九日　火曜

午前九時半湯町より帰リタリ、ユキニ遣ス五十円家費家番渡し

近栄電気株式会社[6]東条〔虎輔〕[7]氏相見ヘタリ、電玖〔球〕之咄アリタルモ、本社ニ出頭アル様申向ケ、木村氏ニも小竹〔茂〕氏ノ紹介之旨申添ル

福村家於豊[8]挨拶ニ来リ、昼食シテ帰ル

八月三十一日　木曜

午前八時四十六分芳雄駅発ニ而産鉄ニ行、工場ヲ視察シ将来ノ方針ニ付気付ノ点注意ス

十二時四十分ニテ庄内駅[9]ニ行キ、迎之自働車ニテ赤坂坑[10]ノ新設計ヲ見テ驚入タリ、自働車ニ而四時半帰ル

木村専務ヨリ電話ニ付、二日ノ惣会前ニ打合ス旨電話ス

1　植木＝地名、鞍手郡植木町
2　中島＝太吉女婿麻生五郎家
3　太吉誕生日、安政四年旧暦七月七日生
4　三井大牟田火力発電所＝三池鉱山の石炭を利用して熊本電気株式会社と三井鉱山株式会社が共同して発電所を建設する計画
5　ドイツハーゲンベック大サーカス＝八月二十五日から九月十二日まで福岡市須崎裏で興行
6　近栄電気株式会社＝電球製造、一九三〇年設立（東京市渋谷区原宿）
7　東条虎輔＝近栄電気株式会社長
8　お豊＝おとよとも、料亭福村家（福岡市東中洲）女中
9　庄内駅＝九州産業鉄道線（嘉穂郡庄内村）
10　赤坂坑＝株式会社麻生商店赤坂鉱業所（嘉穂郡庄内村）

夜分ニナリ足痛ミテ困難セリ

九月一日　金曜

神前参拝ス

宕愛〔ママ〕鉱山ノ件ニ付山内坑高嶋所長来リ、水撰ヲ見合塊炭ハ販売スルコトニシテ鯰田駅より積入ナスコトニ方針打合ス、クラシヤ[1]ニテ発電所ニ送ルコトニ打合ス

九月二日　土曜

午前七時八木山越ニテ浜町ニ着ス

午前九時九水本社ニ出頭ス

午前十一時ヨリ臨時重役会ニテ共同火力発電所及地下線問題[2]ニ付協義シ、臨時委員五名ヲ撰ミ、将来両問題進行ニ付協義スルコトニナリタ、大田黒〔重五郎〕・村上・大屋〔敦〕[3]・木村〔平右衛門〕・今井〔三郎〕ノ五氏ヲ撰ミタ

昼食後商業会義所〔博多商工会議所〕階上ニテ臨時惣会ヲ開会ス、旧盆ニ付午後七時より八木山越ニテ帰リタリ

［欄外］今井氏より課長取替之提案アリシモ、女□〔畑カ〕発電所[4]ノ方重大ニ付今侭ニスルコト注意ス

九月三日　日曜

大坂須藤功[5]・河本亘両君[6]訪問アリタルモ、仏前参詣留主中ナリシ

旧盆ニ付赤坂及吉隈坑ノ拡張ニ付聞キ取、吉川〔庄兵衛〕[7]及五郎ニも其旨申向ケタリ

九月四日　月曜

旧盆ニ而在宿ス

午後六時吉浦〔勝熊〕・浜町女中一同八木山越ニ而出福

九月五日　火曜

九水本社ニ而共同火力計画ノ件打合ス

午後湯町ニ行キ、湯場之治療ヲ乞セシタメ、少シク過度ノ療治ニテ却而痛ミヲ増シタル様感シタリ

九月六日　水曜

湯町ヨリ九水本社ニ出頭、共同火力発電所ノ件ニ付木村・今井・新貝〔真〕・黒木ノ諸氏ト打合

午前十時五十分本店〔麻生商店〕ニ着、林田〔晋〕君モ東京ヨリ帰店中ニテ石炭ノ模様聞取リ、石炭採掘上ニ付相羽部長〔理事〕より図面ニヨリ説明ヲ乞タリ、右ニ付石炭堀〔ママ〕方可成早く□炭スル様注意ス

九月七日　木曜

午前九時半重役会ニ出席、嘉穂銀行・博済〔無尽〕・貯蓄〔嘉穂〕銀行共午後二時閉会、帰リタリ

二瀬[8]之県道片嶋[9]より西側及東側立岩之方モ視察ス

1　クラシヤ＝破砕機、石炭を破砕して水洗機にかけボタや品質の悪い石炭を取り除き精選する
2　共同火力発電所＝三井鉱山株式会社と熊本電気株式会社の共同火力発電会社構想、一九三五年に両社に九州水力・東邦電力・九州送電を加えて九州共同火力発電株式会社（東京市日本橋区）設立
3　大屋敦＝九州水力電気株式会社取締役、九州送電株式会社取締役、住友アルミニューム株式会社取締役
4　女子畑発電所＝九州水力電気株式会社水力発電所、一九一三年開業（大分県日田郡中川村）
5　須藤功＝雑誌『財界時報』社長
6　河本亘＝雑誌『証券界』（証券研究会、大阪市住吉区田辺本町）主宰
7　吉川庄兵衛＝株式会社麻生商店吉隈鉱業所長
8　二瀬＝地名、嘉穂郡二瀬町
9　片島＝地名、嘉穂郡二瀬町

九月八日　金曜

山内坑採掘方ニ付高嶋所長ト図上ニヨリ南北ノ両部ノ場所打合ス、又宕〔ママ〕愛鉱モ可成早ク進行スル様打合ス

産鉄・〔九州〕[1]産業両社合併ノ打合ヲ渡辺専務相見へ打合セ、伊藤〔傳右衛門〕[2]・堀〔三太郎〕両氏ニ電話シ了解ヲ得タルニ付、十一日福岡ニテ重役会ヲ開催スルコトニセリ

吉隈ノ吉川所長ニ容易ニ採掘ノ場所調査方電話ニテ打合ス

豆田麻生〔広〕[3]所長ニも同様電話ニテ注意ス

水揚ホンプ并ニ巻器械[4]不用ノモノ調査方及修繕ヲナス様大森〔林太郎〕君ニ電話ス

花村勇[5]君来リ、鯰田山灰焼及杉檜植付ノ件打合ス、才田山[6]モ含ム

九月九日　土曜

九軌重役会ニ自働車ニ而木屋瀬[7]ヲ経而出席し帰ル

九月十日　日曜

午前七時半より相羽・大森・大塚〔文十郎〕[8]・五郎・足立〔辺〕[9]ノ諸君ヲ連レ吉隈坑山ニ自働車ニ而行キ、午後四時半帰宅ス

午後七時半より八木山越ニテ出福ス

九月十一日　月曜

午前石田亀一[10]氏相見へ、朝鮮金山之件懇談ト日田付近青木伯爵〔ママ〕紹介之鈴木〔正夫〕[11]某ノ金山調査方申入アリ、引続キ金山持主某相見へ、実地踏査ノ上交渉ノ旨申向ケタリ

長田〔義彦〕[12]君ニ、西部産業会欠席ニ付野田〔勢次郎〕ヲ代リニ出席為致、東京より出張之〔数字空白〕　氏ニ宜敷伝達方電話ス

木村専務ト別府市営ノ件打合ス

午後一時市長及市会議員相見へ種々懇談アリタ

午後三時半より産鉄重役会ヲ開キ、午後六時より福村家ニテ食事ヲナス
午後八時湯町ニ行キ入湯ス

九月十二日　火曜

午前七時湯町ニ渡辺氏より電話アリタ
同時義之介より恒久〔清彦〕[13]君へ日田付近之鈴木金山調査ノ件電話アリタ
午前七時半より八木山越ニテ帰宅ス
後藤寺産鉄より渡辺氏ト興銀借リ入利子引下ケ之打合ヲナス
相羽部長〔理事〕ト姑息的増採掘之件電話ニテ打合ス

1　九州産業株式会社＝この月九州産業鉄道株式会社と合併して産業セメント鉄道株式会社となる、第四巻解説参照
2　伊藤傳右衛門＝第一巻解説参照
3　麻生広＝株式会社麻生商店豆田鉱業所長
4　巻器械＝炭車を坑内から坑外に引き揚げる器械
5　花村勇＝株式会社麻生商店土地係、元麻生久原鉱業所
6　才田山＝嘉穂郡千手村
7　木屋瀬＝地名、鞍手郡木屋瀬町
8　大塚文十郎＝株式会社麻生商店工作係長
9　足立辺＝株式会社麻生商店採鉱係、翌年採鉱係長
10　石田亀一＝元帝国炭業株式会社専務取締役
11　鈴木正夫＝星野金山（福岡県）及び本星野金山鉱区所有者
12　長田義彦＝博多商工会議所理事、元博多商業会議所書記長
13　恒久清彦＝株式会社麻生商店労務係長、元赤坂鉱業所長

製［芳雄］工所福沢［辰雄］[1]ニ電話シ、小巻器械及小ホンプ五、六台ツ、順［ママ］備方注意ス、捨［拾カ］ヒ集メ物ニテ宜敷、見面悪敷も危検［ママ］ノ
ナキ様申添タリ
午後二時半八木山越ニテ出福ス
［欄外］別府市営ノ問題ハ昨日予定ノ申向ケヲナシ、何ニ等引カカリナク委員ハ引取リタリトノ木村専務より電話
アリタ

九月二十六日　火曜

渡辺皐築君相見ヘ産鉄ノ件打合ス、栗原［与一］君より百五円受取、出入帳ニ受取ヲ記入ス

九月二十七日　水曜

野田君ト金□［坑カ］調査ノ結果打合、石田［亀一］氏君［ママ］ニ報告ノ為メ十時四十分浜ノ町ニ来リ、石田君より明日午後二時面会ノ旨
申来リ、午後一時半より湯町ニ行ク
湯町ニ一泊、療養ス

九月二十八日　木曜

湯町滞在
区長相見ヘ開通式[2]費寄付ノ申込アリタルモ、柳木弐百円ニテ植付ノ約定シ即時ニ金員相渡シタリ
午前九時半湯町出発、浜ノ町ニ帰ル、大橋君ノ療治ヲナス
十二時半中光ニ行キ山内犯［範］造氏ト昼食ヲナス、石田氏約束アリ、弐時半引取リ

九月二十九日　金曜

木村専務ト打合ス
午後三時飯塚ニ帰ル

九月三十日　土曜

午前八時四十分芳雄駅発ニ産鉄ニ行キ、臨時惣会[3]ニ出席

十月一日　日曜

鯰田発電所及宕[ママ]愛鉱運炭路及立岩浦運動場杉松等採リ取之場所ニ及□坑所ニ行キ、昼食後有吉[乃次郎カ][4]ト打合、帰リタリ

午後四時半自働車ニ而浜ノ町ニ来リ、石田氏ト明日午前八時協義ノ事電話ニ而打合ス

十月二日　月曜

石田亀市[一]氏相見へ、星野金山[5]鈴木[正夫]氏所有ノ分ニ付申入アリ、野田君ニ電話シ恒久[清彦]君一同相見へ、買受順序ニ付打合セ、尚[九州帝国]大学教授ト協義ノ件アリ、野田・恒久両君大学ニ行カル

小曽根[喜一郎カ][6]・新妻[駒五郎][7]・宇佐美[直人カ]ノ三氏不幸ニ付弔電ス

十月三日　火曜

鈴木正夫・石田亀一ノ両氏相見へ、星野金山ノ打合ヲナシ、来ル十四日再会ノ事ニテ打合ス

海東[要造]ノ見舞ニ東望[東邦]会社ニ行キ、九水より黒木・靏丸両氏代表シテ挨拶ニ出シタリ

1　福沢辰雄＝株式会社麻生商店芳雄製工所長
2　筑紫郡二日市町湯町道路開通式
3　九州産業鉄道と九州産業を合併し、産業セメント鉄道株式会社設立臨時株主総会
4　有吉乃次郎＝元株式会社麻生商店豆田鉱業所人事係
5　星野金山＝八女郡星野村
6　小曽根喜一郎＝九州土地株式会社取締役、元九州電気軌道株式会社取締役
7　新妻駒五郎＝元大分県知事、元小倉市長

十月四日　水曜

午前八時湯町より博多駅側ヲ経而八木山越ニテ本宅ニ帰ル

上三緒坑山[1]ニ吉田〔伝作〕坑長ヲ電話ニテ打合セ、熖石[2]採掘場所及撰炭機其他納家〔屋〕[3]ノ場所等ニ臨ミ、自働車ニ而綱分坑[4]ニ行キ、午後四時半同所出発本宅ニ帰ル

十月五日　木曜

午前八時四十八分芳雄駅発ニ而船尾[5]産業会社評価ノ件ニ付出頭、午後十二時四十分庄内駅ニ向ケ出発、同所より迎之自働車ニ而帰ル、野田・藤森〔善平〕・花村栄〔永〕次郎ノ三氏ト一同ナリ

午後二時より自働車ニ而出福ス

午後五時中光ニ行キ食事ヲナス

十月六日　金曜

堀三太郎氏相見へ長時間種々咄ヲ聞キタリ、海東氏ノ見舞ノ挨拶等アリタ

谷田来リ、九水旧五千株五十四円五十銭東京より買入希望ノ旨申入タリ、打合セ返事スル事ヲ申向ケタリ

午後四時湯町ニ行キ休養ス

十月七日　土曜

午前七時四十分自働車ニ而湯町より帰リタリ

午前九時別府平山〔茂八郎〕市長相見へ、市営ノ件先般委員之時ニ市営ハ容易タリシ旨返事セシカノ如ク意向アリタルニ付、夫レハ全ク間違ニナル旨説明シ、市長も同異見トノ意味ト申向ケラレタリ

渡辺皐築氏より吉田〔徳次郎〕[6]教授招待ノ旨電話アリタ

九水株売却渡辺君ニ托ス

午後六時福村家ニ而吉田氏招待会ニ列ス

十月八日　日曜

午前七時五十分八木山越ニ而帰宅ス

黒木氏ニ村上氏ニ伝達ヲ電話ニ而頼ミタリ

相羽氏・山内高嶋〔市次郎〕一同相見へ、坑業上ニ付注意ス、綱分及山内坑及上三緒坑下層採掘方及宕愛〔ママ〕運炭方法等打合、昼食ヲナシ帰ラル

十月九日　月曜

赤坂坑ニ大森〔林太郎〕・安達〔足立辺〕・五郎一同工場ヲ視察ス、綱分坑ニ立寄、吉田〔伝作〕坑長ト打合セ、午後六時半帰ル

十月十二日　木曜

藤森〔善平〕・実藤〔実岡半之助カ〕両氏相見へ、実藤氏身上ニ付懇談ヲ受ケタリ、重要之事故尚研究ノ旨申向ケタリ

木村専務ト電話ニ而東京合同火力及露国関係等電話ニ而打合ス

1　上三緒坑山＝株式会社麻生商店上三緒鉱業所（飯塚市上三緒）
2　煽石＝噴出した火成岩によって石炭層が自然乾溜して無煙化したもの
3　納屋＝坑員社宅
4　綱分坑＝株式会社麻生商店綱分鉱業所（嘉穂郡庄内村）
5　船尾＝地名、田川郡後藤寺町、産業セメント鉄道株式会社所在地
6　吉田徳次郎＝九州帝国大学工学部教授

十月十三日　金曜

吉隈坑新坑開口ニ付相羽・大森其他一同実地ニ臨ミ打合ス
午後三時野田君東京より帰福ニ付八木山越ニテ出福ス
野田氏より滞京之報告ヲ聞キ、別府地所売却ニ付藤沢《[良吉]》君モ見へ、一同打合ス

十月十四日　土曜

午前八時半九水本社ニ出頭、重役会及傍系会社ヲ済マシタリ
保険《[ママ]》会社今村《[幸男]》[1]専務相見へ挨拶ヲナシタリ（住友保険常務《[ママ]》）、招待之挨拶セシモ熊本行ノ為メ断リアリタ
福岡日々新聞中野節郎《[朗]》君来リ、世界ノ咄ヲ聞キタリ
［欄外］弐百五十四円二十四銭上京旅費受取

十月十五日　日曜

相羽君ニ鯰田積入[2]及九水線借リ入[3]之手配急ソガル、様注意ス

十月二十六日　木曜

門司ニ迎ニ来リ居自働車ニ乗車シ、興銀宝来《[市松]》理事来福ニ付福村ニテ九水より招待シ、同《[ママ]》六時出席ス
午後九時湯町ニ行キ入湯ス

十月二十七日　金曜

湯町ヨリ午前九時五十分浜町ニ来リ、八木山越ニテ飯塚ニ帰ル
鯰田宕《[ママ]》愛坑運炭線より巻揚器械及積入場、鯰田発電所運炭線ニツキ大森・大塚《[文十郎]》等臨ミ、宕愛坑ニモ立寄帰リタリ

十月二十八日　土曜

午前九時半自働車ニ而八木山越ニ而出福ス

午後十二時半より九水重役会ニ出席、共同火力発電所ノ件一同異義〔ママ〕決定ス
来月一日別府山水園ニ而別府市会議員ノ諸氏ト面会ノコトニ打合ス、上京八木村専務ニ托シ、若シ用件ノ時急報ニ
而出発ノ打合ヲナス
黒木氏病室ニ見舞、金子〔廉次郎〕[4]博士ニも養体〔容〕聞キ取、療養中ノ依頼ヲナシタリ
午後五時半中光ニ行、堀氏ニ食事ヲナス

十月二十九日　日曜

午前別府山水園ニ来月一日来客之電話ス

十月三十日　月曜

宕〔ママ〕愛坑桟橋架設ノ方法ニ付高嶋より聞取タリ
村上専務香〔春〕原坑出張中ニ付、野田君上京ニナリシ旨打合セシニ、相羽君出坑シ夫レニテ十分ナリトノ事ナリシ
書類整理ス
渡辺〔皐築〕専務ト電話ニテ明日会儀ノ打合ヲナス
午前九時浜ノ町より八木山越ニテ帰宅ス
〔欄外〕二百八円上京中組田買物代受取

1　今村幸男＝住友信託株式会社専務取締役、住友生命保険株式会社取締役、住友合資会社理事
2　休止中の九州水力電気株式会社鯰田火力発電所（飯塚市）を麻生商店借り上げ運営
3　九水線＝九州水力電気株式会社運炭線
4　金子廉次郎＝九州帝国大学医学部教授

千五百円別口預ケ金之内受取

十月三十一日　火曜

午前八時四十六分芳雄駅発ニ乗車、産鉄惣会ニ臨ミタリ、藤森氏等多数株主ト同車ス、船尾駅ニ着、直チニセメント基礎工事実地ニ見物ス

午前九時半惣会開催、謹〔僅〕少之時間ニ相済、後藤寺より行橋[1]ニ行キ、同所より鉄道ニ乗車、別府駅ニ午後二時二十分ニ着、直チニ迎ノ自働車ニ而山水園ニ着ス

十一月一日　水曜

別府別荘[2]滞在

午前十時別府市長及市営問題ニ付交渉委員四名相見へ、種々従来ノ交渉セシコトヲ操〔繰〕返シタルモ、決局重要問題ニ付会社容易ニ市ノ用〔要〕求承諾難相運旨相答、別ニ何ニカ双方誠意ヲ以協義スルコトニ打合ス

昼食後退出アリタ

十一月二日　木曜

午前九時四十分別府駅発ニ乗車、宇之嶋駅[3]ヨリ下車、自働車ニ而香原〔春〕ヲ経而帰リタリ

商店〔麻生〕ニ電話シ観菊宴ノ打合ヲナス

夏子ハ晩食後出福シテ菓子及薄〔蒲〕鉾注文ス

十一月三日　金曜

午前野田君及恒久君相見へ、朝鮮金鉱調査ノ報告ヲ了シ、直チニ東京田嶋勝太郎氏ニ電信ヲ発ス（控ハ野田君ニ渡ス

野田君より石炭聯合会ノ申合聞キ取タリ

十一日観菊宴之順備〔ママ〕ヲ打合セ、午後三時八木山越ニ而出福ス
東京より小歌〔唄〕ノ師生〔匠〕春日〔とよ〕4女史中光ニ見へ、菓子ヲ貰ヒタリ

補遺

昭和八年一月廿一日
金九十円四十銭〔嘉穂〕貯蓄銀行七年七月より十二月迄賞与
同六百四十八円八十銭嘉穂銀行同
同五百〇七円七十二銭博済〔無尽〕同
〆千二百四十六円九十二銭
内
四十円小使給仕心付
残而千二百六円九十二銭入

1　行橋＝地名、京都郡行橋町
2　別府別荘＝麻生家別荘山水園
3　宇島駅＝日豊本線（築上郡宇島町）
4　春日とよ＝柏原トヨ、小唄春日流創立者

編纂後記

二〇一一年（平成二十三）に第一巻を上梓して以来、茲に最終第五巻を刊行するに至った。

『麻生太吉日記』全五巻の構成は次のとおりである。

第一巻　一九〇六年（明治三十九）～一九一六年（大正五）
第二巻　一九一七年（大正六）～一九二二年（大正十一）
第三巻　一九二三年（大正十二）～一九二七年（昭和二）
第四巻　一九二八年（昭和三）～一九三一年（昭和六）
第五巻　一九三二年（昭和七）～一九三三年（昭和八）

第一巻の「刊行にあたって」に記したように、麻生太吉の日記に関しては、上記の日記とは別に「肝要記憶廉附」、「肝要廉附」、「備忘録」といった廉附帳、手帳類と家記録である「日誌」がある。後者は、一八九四年（明治二十七）から一九三三年（昭和八）までの記録がある。これとは別に、太吉を含めて家族の生活基盤の一つであった別邸（福岡市浜の町）で記された「浜の町日誌」がある。

『麻生太吉日記』は、家長として、また経営者としての太吉を考察するうえで中核の位置を占めるが、麻生家の家業、生活共同体、企業者活動等を把握するには、膨大な量にのぼる「麻生家文書」の分析と考察が必要である。同文書の概略は秀村選三氏によって紹介（『麻生百年史』所収、一九七五年）されており、文書目録の一部は、『九州石炭礦業史資料目録』（第一集・一九七五年～第十一集・一九八五年、西日本文化協会〔福岡市〕）に収録されている。

麻生家文書の社会経済史、経営史からの研究は、従来から細々ではあるが蓄積がなされてきたが、基礎的な研究は未成熟の段階に留まっている。農業、石炭をはじめとする家業、麻生商店を中心とする企業者活動、さらには近世以降の地域社会との関係等々、諸領域からの総合的研究はこれからの課題である。この意味で、『麻生太吉日記』全五巻の刊行は、これら研究への一里塚と自負している。

『麻生太吉日記』の編纂、刊行にあたって麻生家の方々、株式会社麻生から格別の御厚情と御配慮を賜った。これらの方々に対し衷心より感謝を申し上げる。

故麻生太賀吉氏、麻生太郎氏、麻生　泰氏、深町純亮氏、藤本　昭氏、齋藤旭彦氏、山根義一氏、伊藤ひとみ氏

史料の閲覧・調査などについては左記の機関と個人の方々の御協力に負うところが大きい。心から御礼を申し上げる（敬称略）。

飯塚市教育委員会、飯塚市歴史資料館、宇佐市観光協会、九州大学附属図書館、九州大学附属図書館付設記録資料館、九州大学大学文書館、九州歴史資料館、正恩寺（飯塚市）、一般財団法人西日本文化協会、直方市立図書館、福岡県立図書館、福岡市総合図書館、別府市立図書館、公益財団法人三井文庫

阿部武司、石瀧豊美、岡本幸雄、荻野喜弘、川田　康、古賀康士、木庭俊彦、嶋田光一、都留慎司、新鞍拓生、畠山秀樹、久恒真由美、宮崎克則、山田　秀、吉村千哉子

口絵の写真撮影はハシモト写真工房による。橋本文夫、山田美幸の両氏には各巻ごとに労を煩わし、大変お世話になった。また、九州大学出版会の永山俊二氏には、『麻生太吉日記』編纂の最初から最後にいたるまで、細大にわたって御尽力を頂いた。記して謝意を申し上げる。

二〇一六年（平成二十八）八月

麻生太吉日記編纂委員会

麻生太吉日記《あそうたきちにっき》　第五巻

2016年11月10日　初版発行

編　者　麻生太吉日記編纂委員会

発行者　五十川　直行

発行所　一般財団法人　九州大学出版会
〒814-0001 福岡市早良区百道浜 3-8-34
九州大学産学官連携イノベーションプラザ 305
電話　092-833-9150
URL　http://kup.or.jp/
印刷／城島印刷㈱　製本／篠原製本㈱

ISBN 978-4-7985-0171-0

麻生太吉日記編纂委員会

編纂顧問

秀村選三（九州大学名誉教授）

深町純亮（株式会社麻生　社史資料室顧問）

編纂代表

田中直樹（日本大学名誉教授）

東定宣昌（九州大学名誉教授）

編纂委員

藤本　昭（株式会社麻生　総務人事部担当部長）

三輪宗弘（九州大学附属図書館付設記録資料館教授）

香月靖晴（九州大学附属図書館付設記録資料館学外研究員）

今野　孝（福岡大学商学部教授）

永江眞夫（福岡大学経済学部教授）

吉木智栄（九州大学附属図書館付設記録資料館学外研究員）

草野真樹（九州産業大学商学部講師）

山根良夫（九州大学附属図書館付設記録資料館学外研究員）

諸原真樹（福岡大学商学部非常勤講師）

麻生太吉関係年譜

年譜を作成するにあたり，以下の点に留意した．

⑴　年　齢

麻生太吉，麻生家の家族をはじめ関係者の年齢は，原則として数え年である．

⑵　坑区の借区出願

麻生太吉などに関する坑区の借区出願事項の採録は，代表的事例にとどめるとともに，明治末年頃までに限定した．

⑶　地域社会欄

地域社会欄は，筑豊地域，北九州地域を中心に記載し，適宜，国内および国外情勢を加えた．

⑷　< 炭鉱 >< 鉱夫 >< 鉱区 >

炭鉱，鉱夫，鉱区の <鉱> は，時代と地方により <坑><鉱><礦> の字をあてており，その区分は必ずしも明確ではない．当年譜では，固有名詞を除き < 炭坑 >，< 坑夫 >，< 坑区 > に統一した．

⑸　略　号

法人組織に関して次のとおり略記した．

株式会社 →（株）　合資会社 →（資）　合名会社 →（名）　株式合資会社 →（株資）

財団法人 →（財）　社団法人 →（社）

⑹　参考文献

『麻生太吉日記』と「麻生太吉関係年譜」の参考文献は一括して別途掲載した．

麻生太吉関係年譜

西暦(年号) 麻生太吉年齢	麻　生　家	麻　生　太　吉
1857 (安政 4) 1		7.7　筑前国嘉麻郡栢森村に誕生．幼名鶴次郎
1859 (安政 6) 3	12.26　太七誕生（太吉弟）	
1864 (文久 4・元治 1) 8		1. －　時枝満正（嘉麻郡立岩村）の私塾に入り修学（1868.5 まで）
1867 (慶応 3) 11	8.22　マス（太吉妹）誕生	
1868 (慶応 4・明治 1) 12	1. －　賀郎（太吉父），居村ならびに近村貸渡金 595 両余を免除し証書を返還．このこと奇特につき藩庁より格別をもって倅代まで大庄屋申し付けられ，苗字名乗りを許される	
1869 (明治 2) 13	10. －　賀郎，嘉麻郡立岩触 21 ヶ村の触口役，ついで穂波郡飯塚触 33 ヶ村の触口役	＊上野彦三郎（嘉麻郡綱分村）の私塾に入り修学
1870 (明治 3) 14	6. －　賀郎，穂波郡飯塚触大庄屋	
1871 (明治 4) 15	11. －　賀郎，第十四大区戸長兼大庄屋 ＊麻生藤十郎・浅野又右衛門・福間和右衛門と共同で穂波郡目尾村の村承諾を得て，同年中に旧御用山の採掘に着手	6. －　檀那寺正恩寺（嘉麻郡川島村）住職井上誓存について修学（1872.10 まで）

麻生太吉の企業活動関係	地 域 社 会
	6.7 吉川半次郎（鞍手郡頓野村）の六女ヤス誕生（のちの太吉妻）
	1.3 王政復古派公卿が集まり，王政復古の大号令を出す 1.27 ～ 1869.6.27 戊辰戦争 9.11 大坂銅会所を鉱山局と改称 10.23 明治と改元し，一世一元を制定
	3.2 新政府，諸道の関門廃止を布告
＊瓜生長右衛門入店	12.12 工部省を置く（鉱山・製鉄・鉄道・燈台・電信の5掛を民部省より移管）
	5.22 戸籍法を定める（行政区画の区を設置，戸長・副戸長を置く．福岡県下に34の戸籍区を設定） 6.27 新貨条例制定 8.29 天皇，廃藩置県の詔書を出す 9.28 工部省の各掛を寮に改組（鉱山掛から鉱山寮と改称） 10.20 田畑勝手作を許可

麻生太吉関係年譜

西暦(年号) 麻生太吉年齢	麻　生　家	麻　生　太　吉
1872 (明治5) 16		11. －　嘉麻郡立岩村副戸長（1873.3 辞任） ＊元服により鶴次郎から太吉と称す
1873 (明治6) 17	9. －　賀郎，第八大区（嘉麻郡）普請取締役 9. －　賀郎，嘉麻・穂波両郡石炭山元取締	2.15　吉川半次郎（鞍手郡頓野村）の六女ヤスと結婚 4. －　立岩村保長頭
1874 (明治7) 18	11.28　マツ（太吉長女）誕生	6.12　第八大区四小区副戸長（嘉麻郡立岩・川島・栢森村）
1875 (明治8) 19	2. －　賀郎，地租改正にあたり嘉麻郡の総代人となる 10. －　金子ヤス（太吉祖母）死去，享年88 10. －　太七分家	
1876 (明治9) 20	1.31　賀郎，第七大区（穂波郡）・第八大区（嘉麻郡）三等戸長 2.1　タケ（太吉二女）誕生	2.2　第七大区・第八大区十小区（穂波・嘉麻

麻生太吉の企業活動関係	地　域　社　会
7. －　太吉，穂波郡南尾村において同村庄屋山口角蔵と炭坑を共同経営	3.23　土地永代売買の禁を解く 5.4　鉱山心得書を制定（鉱物はすべて政府の所有とし，採掘権の政府専有を規定） 5. －　太政官布告第 117 号(1872.4.9)をうけ，庄屋・名主・組頭の呼称廃止．改めて戸長，副戸長を置く 9.5　学制を頒布 10.10　大蔵省令 146 号達により町村単位の行政機構を停止し，大区小区制布達 12.9　太陰暦を廃して太陽暦を採用 12.15　国立銀行条例・国立銀行成規を定め，銀行設立を許可
	2.8　福岡県下 34 の戸籍区は，郡を単位とする 16 の大区に再編 7.20　日本坑法頒布（鉱山その他諸坑業の規則を改定） 7.28　地租改正条例を定め，地租改正施行規則・地方官心得書を頒布
4.15　太吉，坑区（穂波郡忠隈村，1,000 坪）の借区願許可 4.22　太吉，坑区（嘉麻郡有井村，2,137 坪．同郡鯰田村，540 坪）の借区願許可	2. －　安川敬一郎，三兄幾島徳の戦死（佐賀の乱）により二兄松本潜と相談し東谷炭坑（鞍手郡）の経営に着手．松本潜は相田炭坑（穂波郡）を経営
	＊嘉麻郡栢森村は立岩村に合併
	2. －　十六大区併合，九の調所に統合

西暦(年号) 麻生太吉年齢	麻　生　家	麻　生　太　吉
1876 (明治 9) 20	2.3　賀郎，第七大区・第八大区石炭掛 12.11　賀郎，第六大区（穂波・嘉麻郡）調所一級出仕 ＊賀郎，この頃から公職を退出	郡立岩村ほか 11 ヶ村）二等副戸長 12.7　第六大区六小区（穂波・嘉麻郡立岩村ほか 20 ヶ村）副戸長
1877 (明治 10) 21		8.30　第六大区六小区副戸長，依願免職務 9.1　第六大区調所書記 9.10　再び第六小区副戸長
1878 (明治 11) 22	9.14　マツ（太吉実母）死去．享年 54	11.24　神官教会より皇大神官御神号一葉賞与 12.9　嘉麻郡立岩村・川島村戸長
1879 (明治 12) 23	2.5　賀郎，後妻広沢カツ（1842.6.5 生）と結婚	11.17　郡区町村編制法により立岩村戸長 12. －　嘉麻郡三番学区学務委員
1880 (明治 13) 24		
1881 (明治 14) 25		9.22　職務勉励に付，福岡県より賞金 2 円授与

麻生太吉の企業活動関係	地　域　社　会
10.19　太吉，坑区（嘉麻郡立岩村，280 坪）の借区願許可	**6. －**　県下十六大区を九大区に編制替え．従来の第七大区（穂波郡）・第八大区（嘉麻郡）は第六大区（穂波・嘉麻郡）となる **8.5**　金禄公債証書発行条例制定 **12. －**　小区の区画改正．第六大区（穂波・嘉麻郡），穂波郡は一小区より三小区まで，嘉麻郡は四小区より六小区まで，計六小区となる
	1.11　工部省に鉄道・鉱山・電信・工作・燈台・営繕・書記・会計・検査・倉庫の 10 局を設置（鉱山寮から鉱山局と改称） **1.30 ～ 9.24**　西南戦争 ＊安川敬一郎，遠賀郡芦屋村に石炭販売店「安川商店」を開業（1886，若松に移転）
12.24　太吉，有松伴六とともに坑区（嘉麻郡綱分村，324 坪）の借区願許可	**7.22**　大区小区制を廃止し，郡区町村編制法，府県会規則，地方税規則（三新法）制定
4.1　太吉，坑区（嘉麻郡綱分村，567.6 坪）の願許可 **8. －**　綱分煽石坑をほか 2 名と共同で採炭 **10. －**　平恒煽石坑をほか 2 名と共同で採炭 **12.23**　麻生太七ほか 3 名，坑区（嘉麻郡有安村ほか，116,224 坪）の借区願許可	**11.5**　工場払下概則制定 **12.8**　杉山徳三郎，目尾炭坑でスペシャルポンプの試用に成功 ＊英国人技師ポッター（三池鉱山局），福岡県の依頼により「筑豊炭山報告書」提出
1. －　有井下笠松坑をほか 3 名と共同採炭 **2. －**　泉鳥羽坑をほか 2 名と共同採炭 **3.25**　太吉，坑区（嘉麻郡綱分村，614.1 坪）の借区願許可	**4.7**　農商務省設置

西暦（年号） 麻生太吉年齢	麻　生　家	麻　生　太　吉
1881 （明治 14） 25		11.17　嘉麻郡立岩村戸長 12. －　嘉麻郡三番学区学務委員（1882.10 辞任）
1882 （明治 15） 26	7.21　太右衛門（太吉長男）誕生 11.25　八郎（太吉弟）誕生 ＊麻生家，嘉麻郡の坑主十数名を組織し，「嘉麻組石炭煽石売捌処」を若松港に設立．社長に賀郎就任	2.26　太吉ほか 15 名，石炭販売を目的とした「嘉麻石炭売捌処」設立 2. －　勧業通信委員（1884.4 辞任） 10.24　嘉麻郡立岩村・川島村戸長（1884.4.8 依願免職務） 10. －　嘉麻郡三番学区学務委員（1884.4 辞任） 12. －　嘉麻・穂波両区教育会会員
1883 （明治 16） 27		12. －　嘉麻・穂波両郡衛生委員に当選（1884.10 辞任）
1884 （明治 17） 28		4.8　福岡県より戸長職務勉励につき金 4 円授与 4.27　嘉麻郡立岩村・川島村戸長 4. －　嘉麻郡三番学区学務委員（7 辞任） 7.3　穂波郡一番学区学務委員（1884.10 辞任） 7.3　嘉麻郡飯塚村・徳前村・堀池村・菰田村・南尾村・忠隈村戸長（10.15 依願免職務） 12.19　嘉麻郡川島村・立岩村・上三緒村・下三緒村・鯰田村戸長（1886.3.17 依願免職務）
1885 （明治 18） 29		4.27　戸長の職務上不都合につき，福岡県令より譴責処分

麻生太吉の企業活動関係	地　域　社　会
＊父賀郎と共に嘉麻社を組織し，綱分煽石坑を組合組織とする	＊麻生炭坑納屋頭領瓜生弥市，園田覚助と謀って筑豊四郡（遠賀・鞍手・嘉麻・穂波）の頭領会を結成．木屋瀬で結成式を挙行
1. －　上三緒の借区から煽石の一手買受契約を結ぶ 2. －　鯰田大師坑をほか 3 名と共同採炭	11.7　公立飯塚中学校開校
7.2　地元村承諾の必要性から福間久三郎名義で鯰田坑区 1 万坪余を取得 8.23　太吉，坑区（嘉麻郡有井村，1,977.8 坪）の借区願許可 11.5　太吉，坑区（穂波郡忠隈村，985.3 坪）の借区願許可	9.22　工部省，工作局と鉱山局を廃止し，その事務を省直轄とする
1. －　有井下鳥羽坑をほか 3 名と共同採炭 2. －　鯰田炭坑を開坑，蒸気汽缶を据付け，ちりめん五尺層に着炭 ＊上三緒坑区を買収	5. －　嘉麻・穂波勧業会開催
4.14　太吉，坑区（嘉麻郡佐与・鯰田村，117,486.3 坪）の借区願許可 8. －　嘉麻郡才田村の大山某から 730 坪の坑区を譲受，煽石採掘開始	

麻生太吉関係年譜

西暦(年号) 麻生太吉年齢	麻　生　家	麻　生　太　吉
1885 (明治 18) 29	12.24　鶴十郎（太吉二男）誕生	10.1　嘉麻・穂波両郡教育会会員に当選(1886.3 辞任)
1886 (明治 19) 30		
1887 (明治 20) 31	5.24　賀郎死去．享年 68 9.4　太郎（太吉三男）誕生	11. −　所得税調査委員に当選（1889.1 辞任)
1888 (明治 21) 32	3.26　マス（太吉妹)，野見山米吉と結婚	12.25　嘉麻郡立岩村尋常小学校建築費として 130 円寄付，福岡県より木盃一組を授与

麻生太吉の企業活動関係	地　域　社　会
10. –　忠隈炭坑（穂波郡忠隈村）をほか1名と共同経営 **10. –**　鯰田炭坑開坑．1886.8 着炭 **12.16**　太吉，坑区（嘉麻郡綱分村ほか，588,403 坪）の借区願許可	**11.14**　1885.4.9 付福岡県布達第 34 号「石炭坑業組合準則」にもとづき，筑豊五郡（田川・嘉麻・穂波・鞍手・遠賀）の各石炭坑業組合を統合して，「筑前国豊前国石炭坑業組合」を結成 **11.15**　貝島大之浦，最初の竪坑開鑿に着手 **12.22**　内閣制度確立．工部省の廃止に伴い，鉱山・工作関係事務を農商務省へ移管
4. –　太吉，嘉麻郡才田村に 33,512 坪の増借区を出願するも海軍炭坑の事情から不許可	**3.29**　郵便汽船三菱会社，三菱社と改称（社長岩崎弥之助） **4.10**　師範学校令・小学校令・中学校令各公布 **7.20**　地方官官制公布 **10.17**　小学校令に基づく県令により穂波郡に小学簡易科 21 校，尋常小学校 7 校，高等小学校 1 校を置く
2. –　野見山米吉，麻生商店入店	**1. –**　筑豊五郡川艜同業組合設立 **2.1**　安川敬一郎，坑区（嘉麻郡大隈村勢田，18,254 坪）の借区願許可
1.17　三緒社（上三緒，鴨生，山野地区の借区を合併した株式組織），徳明社（同綱分地区）を設立 **9. –**　嘉麻炭坑を株式組織とする **12.10**　選定坑区の鯰田坑区 485,000 坪を取得	**1.21**　農商務省，福岡県内の海軍予備炭山指定区域（糟屋郡 18ヵ村，鞍手郡 7ヵ村，嘉麻郡 7ヵ村，田川郡 6ヵ村，計 4 郡 38ヵ村）を福岡県に通達 **1. –**　石炭坑区の選定，農商務省は福岡県の稟申により筑豊鉱業資源の合理的開発のため小坑区を合併し，筑豊 5 郡を 21 区とする選定坑区を発表（1889 年末までに 34 坑区となる） **4.25**　市制町村制公布（1889.4.1 より順次施行） **6.10**　筑豊興業鉄道発起人会，若松・飯塚・直方・赤池間の運炭鉄道敷設を目的として設立出願（7.30 創立仮免状下付） **6.19**　福岡県知事，筑豊興業鉄道敷設申請を政府に上申 **6.27**　九州鉄道(株)設立．本店企救郡文字ヶ関村大字門司 911 番地，目的「運輸営業」，資本金 1,100 万円 **10.8**　貝島太助，私財を投じて私立大之浦小学校簡易科設立．11.26 開校式

麻生太吉関係年譜

西暦（年号） 麻生太吉年齢	麻　生　家	麻　生　太　吉
1889 （明治 22） 33	4.2　マツ（太吉長女），吉川監十郎（太吉妻ヤスの甥）と結婚	1. －　海軍予備炭田解放運動のため，県知事，鉱主代表者らと上京 5. －　嘉麻煽石社社長
1890 （明治 23） 34		
1891 （明治 24） 35	5.29　タケ（太吉二女），諫山九右衛門と結婚	4.22　筑豊興業鉄道会社常議員（6.15 同社定款改正により取締役）

麻生太吉の企業活動関係	地　域　社　会
1.24　太吉，嘉麻郡綱分村ほか5ヶ村の選定坑区611,400坪を井上市三郎・有松伴六と共同で借区願出願 **2. −**　嘉麻煽石社設立（三緒社・徳明社を合併） **4.15**　太吉，坑区（穂波郡穂波村ほか，985坪）の借区願許可 **4. −**　鯰田炭坑を三菱社へ10万5千円で譲渡 **6. −**　笠松炭坑開坑，立坑を開鑿 **11.8**　太吉ほか2名，坑区（嘉麻郡庄内村ほか，283,390坪）の借区願許可 **11.28**　太吉ほか2名，坑区（穂波郡穂波村ほか，302,602坪）の借区願許可	**1.3**　三井物産，三池鉱山の払下げを受け，「三池炭礦社」を設立 **2.11**　大日本帝国憲法発布 **3.38**　門司築港(株)設立，7.8開業．本店企救郡文字ヶ関村大字門司1092番地，目的「門司港湾開築営業」，資本金25万円 **3. −**　三菱社，帆足義方より新入炭坑を買収 **4.1**　飯塚・徳前・菰田の3ヶ村合併，穂波郡飯塚町となる．上三緒・下三緒・立岩・川島・鯰田の5ヶ村合併，嘉麻郡笠松村となる **4.16**　田川・嘉麻両郡の海軍予備炭田の一部解放 **6.15**　平岡浩太郎・安川敬一郎，坑区（田川郡赤池村，326,071坪）の借区願許可 **6.28**　豊州鉄道会社，豊前8郡の有志神崎徳右衛門ほか16名を発起人総代として，行橋・宇佐郡四日市間の鉄道敷設出願 **7.12**　筑豊興業鉄道(株)設立．本店鞍手郡直方町（本店は1893.4.6若松に移転），目的「乗客及び貨物運輸」，資本金100万円 **7.31**　特別輸出港規則公布（米・麦・麦粉・石炭・硫黄の5品輸出のため，四日市・下関・博多・門司・口之津・唐津・三角・伏木・小樽の9港を特別輸出港に指定） **8.17**　豊州鉄道会社発起人に行橋・四日市間，行橋・香春・今任・添田間の仮免状下付 ＊福岡県市町村数現況，市2，町村384
12.18　太吉，坑区（嘉麻郡庄内村ほか，87,968坪）の借区願許可	**5.17**　府県制・郡制各公布 **5.23**　若松築港(株)設立．本店遠賀郡若松町，目的「若松港の改築及び浚疏」，資本金60万円 **9.26**　鉱業条例公布（1892.6.1施行） **10.30**　教育ニ関スル勅語発布 **12.22**　三菱炭坑事務所，鞍手郡直方町に設置，九州の各炭坑を統括
6.1　太吉，坑区（穂波郡穂波村ほか，88,637坪）の借区願許可	**2.1**　若松町制施行

西暦(年号) 麻生太吉年齢	麻　生　家	麻　生　太　吉
1891 (明治 24) 35	**7.27**　ヨネ（太吉三女）誕生	**7.13**　若松築港会社常議員（1893.7.15 辞任）
1892 (明治 25) 36		**3.31**　経費削減を主眼とする「家政ノ改革」実施
1893 (明治 26) 37	**6.5**　太七郎（太吉四男）誕生	

麻生太吉の企業活動関係	地　域　社　会
7. －　笠松炭坑，出水のため廃坑．忠隈炭坑大出水のため浸水，5名溺死．この事故により麻生家家計窮状に陥る 8.1　太吉，坑区（嘉麻郡稲築村，23,200坪）の借区願許可 8.1　太吉，野見山米吉とともに坑区（穂波郡穂波村，119,363坪）の借区願許可 10.8　太吉，坑区（嘉麻郡笠松村ほか，167,091坪）の借区願許可 11.27　太吉，坑区（嘉麻郡笠松村ほか，35,824坪．笠松村下三緒，16,461坪）の借区願許可 12.5　野見山米吉，坑区（嘉麻郡笠松村ほか，26,162坪）の借区願許可	7.24　鉱山監督署官制公布（1892.4.1施行） 8.3　八木山峠開削工事竣工式．飯塚本町金崎屋で挙行 8.30　筑豊興業鉄道，若松～中間～直方間開通 ＊三菱鯰田，長壁式・残柱式採炭法を実施
5.6　三菱社支配人兼管事・荘田平五郎に嘆願し，所有坑区すべてを売却し，炭坑業からの撤退を図る 6.27　太吉，坑区（嘉麻郡庄内村ほか，10,584坪）の特許願許可	3.8　農商務省，東京・秋田・大阪・広島・福岡・札幌に鉱山監督署設置公布 3.16　鉱業条例施行細則・鉱業警察規則公布 6.1　福岡鉱山監督署を博多馬場新町26に設置（のちに因幡町へ，さらに土手町へ移転） 6.20　三井鉱山(資)設立
1.13　太吉，坑区（鞍手郡勝野村･赤池，36,397坪）の特許願許可 2.20　太吉，坑区（穂波郡飯塚町・穂波村ほか，416,049坪）の特許願許可 6.1　太吉，坑区（穂波郡桂川村，148,142坪）の特許願許可 6.15　太吉ほか1名，坑区（嘉麻郡碓井村ほか，109,257坪）の特許願許可 6.23　太吉ほか4名，坑区（穂波郡上穂波村・桂川村，356,160坪）の特許願許可 6.28　太吉ほか3名，坑区（嘉麻郡稲築村，109,473坪）の特許願許可 10.9　太吉，坑区（嘉麻郡頴田村ほか，10,238坪）の特許願許可 10.20　太吉，坑区（嘉麻郡笠松村，62,500坪）の借区願許可 10.20　太吉，野見山米吉とともに坑区（嘉麻郡庄内村・笠松村，347,700坪）の特許願許可	2.11　筑豊興業鉄道，直方～金田間開通 3.6　商法および商法施行条例改正公布（商法中，会社・手形・小切手および破産の部分を修正，7.1施行） 6.30　筑豊興業鉄道，折尾駅に九鉄線との連絡線完成 7.3　筑豊興業鉄道，若松～飯塚間開通 7.6　三井物産会社・三井鉱山，それぞれ合名会社に改組し営業開始

西暦(年号) 麻生太吉年齢	麻　生　家	麻　生　太　吉
1893 (明治26) 37		11. －　筑豊石炭鉱業組合常議員
1894 (明治27) 38	3.6　タケ死去（太吉二女，諫山九右衛門妻）．享年19 ＊祖先の招魂社，賀郎の記念碑を麻生家本邸内に建立	8.24　日清戦役軍費500円寄付 ＊この頃，日本鉱業会通常会員
1895 (明治28) 39		
1896 (明治29) 40		3.4　(株)嘉穂銀行頭取（以後，死去まで在任） 4.27　若松築港(株)監査役 9.21　若松船舶(株)取締役

麻生太吉の企業活動関係	地　域　社　会
11.2　太吉，坑区（嘉麻郡庄内村・笠松村ほか，10,388坪）の特許願許可	11.16　筑豊興業鉄道，九州鉄道より機関車・石炭車を借り受け，鯰田炭積場・勝野炭積場～門司間の石炭輸送開始 11.25　石炭坑業組合，福岡県へ筑豊石炭鉱業組合規約の更正を申請．1894.2.7 認可 12.15　三菱社，三菱(資)に改組（社長岩崎久弥，資本金500万円）
2.－　嘉麻郡笠松村に芳雄製工所設立（機械工場，コークス製造，精米業の3部門） 4.8　太吉，忠隈炭坑の開発が苦境に陥り，前鉱山局長和田維四郎の斡旋で住友吉左衛門に譲渡を交渉 5.1　忠隈炭坑坑区662,661坪，ならびに施設一切を住友吉左衛門へ譲渡 9.－　上三緒炭坑第一坑（本坑）開坑に着手．1896年採掘開始，1899.2 第二坑開鑿 12.5　太吉，坑区（鞍手郡西川村，238,040坪）の特許願許可 ＊「麻生家家法・家掟」制定（もしくは1895年制定．推定）	8.1～1895.3.30　日清戦争 8.15　筑豊興業鉄道(株)は筑豊鉄道(株)と商号変更 9.－　古河市兵衛，下山田・牛隈両坑区を頭山満から譲渡
7.10　太吉，坑区（嘉麻郡熊田村ほか，23,200坪）の特許願許可 7.12　太吉，坑区（穂波郡上穂波村，45,105坪）の特許願許可 7.12　太吉，坑区（嘉麻郡庄内村，116,224坪）の特許願許可 8.13　太吉，坑区（嘉麻郡庄内村ほか，368,381坪）の特許願許可 11.－　芳雄製工所，芳雄炭坑付属製工所となる	4.17　日清講和条約調印 7.28　(株)門司石炭取引所設立，10.15 開業．本店企救郡門司町大字門司桟橋通10番地，目的「石炭売買取引」，資本金5万円，理事長守永勝助 11.22　(株)若松石炭取引所設立，1896.5.1 開業．本店遠賀郡若松町浜の町開2番地，目的「石炭売買取引」，資本金4万5千円，理事長安川敬一郎
3.4　(株)嘉穂銀行設立．本店穂波郡飯塚町大字飯塚1254番地，目的「銀行営業」，資本金18万円	4.1　穂波郡と嘉麻郡が統合し，嘉穂郡となる 4.14　明治炭坑(株)設立．本店大阪市西区江戸堀南通2丁目11番屋敷，支店嘉穂郡穎田村大字勢田284番地，資本金50万円，社長桑原政，取締役安川敬一郎 9.21　若松船舶(株)設立．本店遠賀郡若松町，目的「乗客及び貨物運輸」，資本金15万円 9.－　古河，勝野（目尾）炭坑の経営に着手

西暦（年号） 麻生太吉年齢	麻　生　家	麻　生　太　吉
1896 （明治 29） 40		
1897 （明治 30） 41	**9.10**　八郎（太吉弟），慶応義塾普通科入学	**4. －**　九州鉄道(株)取締役 **6.11**　飯塚煉瓦製造(株)取締役（7.30 辞任） **9.17**　福岡県農工銀行設立委員(1898.3.22 辞任) ＊九州石炭(株)監査役
1898 （明治 31） 42		**1. －**　九州コーク(株)監査役

麻生太吉の企業活動関係	地域社会
12. − 日焼炭坑（鞍手郡下境村）の共同経営開始 12. − 山内炭坑旧一坑開坑（1897.2 二坑，1905.5 三坑，1912.2 四坑開坑） 12.24 (資)幸袋工作所設立．発起人松本健次郎，伊藤伝右衛門，安川敬一郎，麻生太吉，中野徳次郎，平岡浩太郎．本店嘉穂郡大谷村大字幸袋 215 番地	12.1 筑豊骸炭製造(資)，戸畑村に設立．出資者貝島太助・柏木勘八郎・久良知重敏・神崎岩蔵．のちの三菱牧山骸炭工場
7.18 麻生家本邸前に事務所新築．麻生商店と称す 7. − 麻生工場を笠松村に創業，炭坑用機械器具製作，職工 25 名，製造品価格 81 万円余 10. − (株)嘉穂銀行大隈支店開設	2.27 九州コーク(株)設立．本店遠賀郡若松町字濱の町 2 丁目番外地，目的「コーク(ス)製造販売及び石炭売買営業」，資本金 20 万円 4.17 洞海北湾埋渫(資)設立．社長芳賀与八郎 4.29 九州石炭(株)設立．本店企救郡門司町大字門司 960 番地，目的「石炭売買その他石炭に関する一切の業務」，資本金 30 万円 6.11 飯塚煉瓦製造(株)設立．本店嘉穂郡飯塚町大字菰田 150 番地，目的「煉瓦製造並びに販売営業」，資本金 2 万円 9.30 筑豊鉄道(株)，九州鉄道(株)と合併のため解散
1. − 吉浦勝熊（のちの麻生本家執事），麻生商店入店 1. − 骸炭製造所を設け，窯数 85 個を築き，芳雄骸炭名で販売 2.8 「麻生商店店則」制定(もしくは 1899.2.8，推定) 2. − 日焼炭坑を明治炭坑(株)へ譲渡 5.11 太吉，洞海北湾埋渫(資)へ資本参加（熊本甚右衛門出資額 10,000 円のうち 8,000 円譲渡）．1899.9 安川敬一郎・貝島太助・足達仁造とともに業務担当社員 5. − 各炭坑，製工所，骸炭場，川端監量場の事務一切を麻生商店の下に統一（五月改革），また同改革により納屋制度を一旦廃止，のち復活	2.5 三井鉱山(名)，山野炭礦事務所を開所 3. − 鞍手郡育才会設立．筑豊石炭鉱業組合からの寄付金 12,000 円を基金とする（1901.4 鞍手郡育英会と改称） 5.15 貝島鉱業(名)設立．本店鞍手郡直方町，資本金 200 万円，代表社員貝島太助 11. − 古河下山田，発電機，汽缶，電気捲揚機設置

西暦(年号) 麻生太吉年齢	麻　生　家	麻　生　太　吉
1899 (明治 32) 43		**3.22**　大日本山林会通常会員（会頭貞愛親王，幹事長田中芳雄） **4. –**　明治炭坑（株）取締役（1901.12 辞任） **7.26**　衆議院議員当選（福岡県第三選挙区選出衆議院議員許斐鷹助の補欠選挙） **9. –**　洞海北湾埋渫(資)の増資に伴い，同社業務担当社員 **10.1**　藤棚炭坑の経営権，太吉に移る **12.11**　(資)幸袋工作所の増資に伴い，同社業務担当社員
1900 (明治 33) 44	**11.12**　八郎（太吉弟）と鶴十郎（太吉二男），毛利家時習舎（1897.12.2 創立）に入舎	**10.29**　若松築港(株)監査役から同社取締役（以後，死去まで在任）
1901 (明治 34) 45		**3.1**　飯塚警察署新築費のため 320 円寄付，上三緒火災に対し罹災者救恤 200 円寄付，木杯一組をそれぞれ授与

麻生太吉の企業活動関係	地域社会
2. － 上三緒炭坑第二坑開坑．山内・上三緒坑区を合併し，芳雄坑区と称す	2.24 安川敬一郎，明治第一坑の納屋制度を廃止して直轄制に改め，続いて全坑に及ぶ
	4.1 門司，市制施行 4.13 門司新報，「坑主炭商の品位」と題して社説を掲げ，坑主らの豪奢と傍若無人の風を戒め，実業者的自覚を促す
5.26 (株)嘉穂銀行，本店を嘉穂郡飯塚町大字飯塚 375 番地へ新築移転 5. － 三井物産と石炭委託販売契約締結（委託販売の炭坑，金田・豊国・貝島大之浦・貝島大辻・三井山野）	
	6.15 豊国炭坑，坑内爆発事故．死者 215 名 6.16 新商法施行
	8. － 古河西部鉱業所発足
1. － (株)嘉穂銀行，幸袋貯蓄銀行を合併して幸袋支店設置	
	2.1 八幡町制施行
3. － 嘉穂郡穂波村に所有する坑区 318,000 坪を官営製鉄所へ譲渡	3.10 治安警察法公布 3.11 三井鉱山(名)，田川採炭組を買収．三井田川炭坑と呼称 4.1 小倉市制施行
6. － (株)嘉穂銀行，資本金を 70 万円に増資（払込資本金 31 万円） 9. － (株)嘉穂銀行小竹支店設置	
	10.3 九州の石炭業者有志，売炭中止同盟会規約に調印（三菱などは加入せず）
＊佐伯梅治，麻生商店入店	
	2.5 官営八幡製鉄所第一高炉火入れ，操業開始．11.18 起業式
3.27 太吉，坑区（嘉穂郡飯塚町ほか，47,652 坪）の採掘願登録	
4. － 花村久助と共同で笹原炭坑内（嘉穂郡碓井村）を経営	4.10 飯塚煉瓦製造(株)，敷地を九州鉄道(株)より収用につき解散

西暦（年号） 麻生太吉年齢	麻　生　家	麻　生　太　吉
1901 （明治 34） 45	11.25　マツ死去（太吉長女，吉川監十郎妻）．享年 27	9.1　飯塚町郡道石橋架橋費用 460 円寄付，福岡県より木杯一組を授与 12. −　明治天皇御聖影拝受
1902 （明治 35） 46	4.16　八郎（太吉弟），慶応義塾大学予科入学 5.5　フヨ（太吉五女）誕生	
1903 （明治 36） 47	5.5　太三郎（太吉甥）誕生 9.12　八郎（太吉弟），大阪高等工業学校入学	1.3 〜 20　二男鶴十郎と上海・香港視察 ＊門司倶楽部（筑豊石炭鉱業組合・門司石炭商組合・西部銀行集会所・九鉄社交クラブ）通常会員
1904 （明治 37） 48		4.20　貴族院多額納税者議員互選名簿に掲載される（福岡県告示第 108 号，地租 1,187.111，所得税［土地］257.19，所得税［商業］52.5，

麻生太吉の企業活動関係	地域社会
5. －　豆田炭坑（嘉穂郡桂川村）開坑に着手（1905.11 第二坑, 11.27 本坑, 1911.12.25 第五坑開坑）	4.25　豊州鉄道株主総会，九州鉄道(株)との合併を決議．9.3 合併認可 7.15　岩崎炭坑，水害のため死者 69 名
2. －　(株)嘉穂銀行天道支店設置 5.1　太吉，坑区（嘉穂郡笠松村ほか，68,778 坪）の採掘願許可 6. －　満之浦坑区（鞍手郡宮田村，156,832 坪）を貝島に譲渡 7. －　貝島太助の仲介で堀三太郎より本洞炭坑を譲受，藤棚第二坑と改称 8.15　麻生太郎，坑区（嘉穂郡飯塚町，16,830 坪）の採掘願許可 ＊若松出張所設置，坑木の買入れ，煽石・骸炭の取扱い開始	4. －　安川敬一郎，中堅技術者養成の目的で赤池炭坑に私立赤池鉱山学校を開校（1904.12 廃校） 6.15　上三緒駅開業．鯰田～飯塚間の芳雄貨物積場，芳雄駅（のちの新飯塚駅）と改称 ＊福岡工業学校，筑豊石炭鉱業組合の援助により採鉱科を開講 ＊筑豊炭，全国出炭量の 50% を占める（筑豊炭移送量 523 万 5,680 トン）
4.21　太吉，坑区（田川郡上野村ほか，98,587 坪）の採掘願登録 10.5　太吉，坑区（嘉穂郡笠松村ほか，24,947 坪）の採掘願登録	2.7　第 2 回五郡坑夫取締会開催 6. －　貝島太助提案により三井物産との石炭委託販売に関し，麻生，豊国，金田の各炭坑主との協議会を結成 10.1　門司倶楽部発会式（会長安川敬一郎） ＊この年，筑豊で坑内火災事故頻発．1.17 製鉄所二瀬炭坑（死者 64 名），4.2 大任炭坑（同 65 名），11.15 明治赤池炭坑（同 36 名）
1.23　藤棚炭坑ガス爆発事故，死傷者 4 名 2. －　藤棚第二坑坑内火災，坑口密閉による消火作業も効果なく，4 ヶ年延焼．麻生家窮状に陥る 4.4　太吉, 坑区（嘉穂郡上穂波村ほか, 927,782 坪）の採掘願登録	2.10　日露戦争勃発 4.7　若松港，特別輸出入港に指定

西暦(年号) 麻生太吉年齢	麻生家	麻生太吉
1904 (明治37) 48	5.2　太郎（太吉三男），嘉穂中学校から熊本県立中学済々黌に転学 9. −　家政整理のため，井上馨の推挙により三井物産元参事兼監査方支配人・松本常盤に総理を嘱託 11.27　太右衛門（太吉長男），花村久助長女マサと結婚	所得税［工業］1,789.47，営業税21，合計3,307.271円．互選名簿15人中1位） 6. −　日本赤十字社特別社員
1905 (明治38) 49		1. −　九州コーク(株)取締役
1906 (明治39) 50	7.15　八郎（太吉弟），大阪高等工業学校卒業	1.1　この日より『当用日記』に日々の記録をつけはじめる 2.18 〜 3.26　筑豊石炭鉱業組合遠賀川改修委員として貝島太助と上京，国会に請願．改修工事に尽力 4.4　鞍手郡長を通じて，岡森用水工費4,192円余寄付．7日許可 7. −　南満洲鉄道(株)設立委員(1906.12辞任) 9. −　麻生家菩提寺正恩寺（嘉穂郡飯塚町）本堂庫裏再建費52,100円寄付

麻生太吉の企業活動関係	地　域　社　会
7. −　豆田炭坑，幼児無料預かり所開設 7. −　麻生商店事務所，藤棚二坑（鞍手郡下境村）へ移転 ＊豆田炭坑，水洗機設置	5. −　山本作兵衛，山内炭坑鶴嘴鍛冶に弟子入り．1906.5 より山内炭坑の坑夫として入坑 8.27　久良知寅次郎死去．享年 37
5. −　永江純一，麻生商店監督就任 8.13　太吉，坑区（嘉穂郡庄内村，396,048 坪）の採掘願登録	3.8　鉱業法公布（1905.7.1 施行） 3. −　福岡工業学校，採鉱科第 1 回卒業生 24 名 6.22　鉱業警察規則全文改正（1905.7.1 施行） 8.29　三菱方城炭坑第二竪坑（直径 5.5m，深さ 273.1m）掘り下げ完了 9.5　日露ポーツマス条約調印
2.16　太吉，坑区（嘉穂郡庄内村，26,670 坪）の増区願許可 4.16　太吉，坑区（嘉穂郡大隈村，47,000 坪）の採掘願登録 4. −　綱分炭坑第一坑開坑 5.7　太吉，坑区（嘉穂郡碓井村ほか，59,491 坪）の増区願許可 8.11　太吉，坑区（嘉穂郡笠松村ほか，1,654,644 坪）の採掘願登録 12.3　太吉，坑区（鞍手郡福地村ほか，396,868 坪）の増区願許可 12.14　太吉，坑区（嘉穂郡庄内村，140,405 坪）の増区願許可	1.26　筑豊炭坑懇話会発足（学士親和会） 3.19　直方商工会結成（私設） 3.28　三菱高島炭坑，ガス爆発事故．死者 307 名 3.31　鉄道国有法公布 4.17　内務省告示により遠賀川改修工事開始(1916.5 竣工)．筑豊石炭鉱業組合より 258,200 円寄付 10.24　平岡浩太郎死去．享年 56

西暦(年号) 麻生太吉年齢	麻生家	麻生太吉
1906 (明治 39) 50		
1907 (明治 40) 51		**3.20** 嘉穂郡笠松村川島火災救助費用 100 円寄付，および鞍手郡福地村中泉水害のため 200 円寄付，福岡県より木杯一組授与 **4.17** 鞍手郡下境村尋常小学校建築費 700 円寄付，賞勲局より銀杯一個下賜 **12. －** 港湾調査会臨時委員（1909.9 辞任） ＊鉱山懇話会会員
1908 (明治 41) 52	**3.21** 鶴十郎（太吉二男），アメリカニューヨーク留学中に死去．享年 24 **3.25** 有田集平死去（太吉養子の麻生義之介父）	**4.20** 嘉穂郡立立岩尋常小学校建築費 1,736 円（1907.7）および 1,300 円寄付（1908.2），賞勲局より銀杯一組下賜 **6.7** 嘉穂郡郡統治への尽力に対し，人民総代として嘉穂郡長より金杯一個授与 **7.7** 廃兵院へ 1,000 円寄付（6 月），賞勲局より銀杯一個下賜 **10.31** 嘉穂電灯(株)取締役社長

麻生太吉の企業活動関係	地　域　社　会
12. －　牛隈炭坑の開鑿に着手（1916.5 休業） ＊麻生商店若松出張所を設置	＊住友忠隈，坑外の馬匹運搬を廃止し，エンドレスロープを使用
4.26　太吉，坑区（嘉穂郡上穂波村ほか 1 村，927,782 坪）の増区願許可 **7.10**　太吉，井上馨・貝島太助の斡旋で藤棚炭坑を三井鉱山(名)へ譲渡．三井本洞炭坑と改称．8.17 より操業開始 **7. －**　麻生商店事務所を藤棚二坑から芳雄製工所（嘉穂郡笠松村）へ移転 **10.7**　太吉，坑区（嘉穂郡庄内村，83,770 坪）の増区願許可 **11.3**　麻生商店，拝賀式後に金比羅公園にて運動会を開催．一般参観者数千名	**3.21**　小学校令改正，尋常小学校年限を 6 年に延長，高等小学校を 2 年もしくは 3 年生とする **5.16**　鉱山懇話会（東京麹町区八重洲・古河鉱業会社内）発足 **7.1**　九州鉄道(株)，鉄道国有法により解散 **7.20**　豊国炭坑，ガス炭塵爆発事故．死者 365 名 **7.23**　(財)私立明治専門学校，設立認可．理事安川敬一郎，総裁山川健次郎，校長的場中（1909.4 開校） ＊三井田川，採炭法に総払い式長壁法を採用
2. －　大阪百三十銀行飯塚支店の地所，家屋，什器および債権買収 **5. －**　太吉，花村久助との共同経営である笹原炭坑（嘉穂郡碓井村）から撤退 **9. －**　飯塚病院建設覚書作成 **10.31**　嘉穂電灯(株)設立．本店嘉穂郡笠松村大字立岩 768 番地 1，目的「電灯及び電力の需用に応じ，兼ねて電気機械及び器具の販売をなす」，資本金 10 万円	**1.7**　安川敬一郎，明治鉱業(株資)設立．本店嘉穂郡潁田村勢田 284 番地 **1. －**　三菱方城炭坑第一竪坑（直径 4.4m，深さ 273.1m）開鑿完了

西暦(年号) 麻生太吉年齢	麻　生　家	麻　生　太　吉
1908 (明治 41) 52	＊久保貢の五六庵を購入し，田の湯別荘(大分県別府町）とする	
1909 (明治 42) 53	**4.14**　八郎(太吉弟),柏木縫と結婚．4.17 披露宴（園遊会）．9.21 届出 **10.26**　太右衛門（太吉長男），吉川ミサヲと結婚	**11. –**　京都本派本願寺より本山勘定方を委嘱
1910 (明治 43) 54		**3.16**　日露戦役出征軍人の家族遺族廃兵救護のため帝国軍人援護会に 500 円寄付，賞勲局より銀杯一個下賜 **4.4**　飯塚高等小学校作業教室建物 1 棟(1908.7）および建築費 1,400 円（1909.9）寄付，賞勲局より銀杯一個下賜 **4.6**　佐賀県西山代第一尋常小学校増築費 500 円寄付，佐賀県より木杯一組授与 **4. –**　日本赤十字社へ 1,000 円寄付

麻生太吉の企業活動関係	地　域　社　会
11. －　久原炭坑（佐賀県西松浦郡西山代村）を大久保福松と共同経営．1909.12，共同権を買収 ＊麻生商店山内農場（廃鉱地試験場）設立 ＊吉隈坑区（嘉穂郡碓井村）買収	12.11　九州電気軌道(株)設立．本店小倉市船頭町，資本金100万円．1942.9.21，西日本鉄道(株)と商号変更 12. －　飯塚商工会発足(私設)
5.10　吉隈炭坑下臼井甲坑開坑 6.11　太吉，坑区（嘉穂郡碓井村，626,880坪）の採掘願許可 7.10　太吉，坑区（嘉穂郡笠松村ほか，1,766,921坪）の合併願許可 10. －　永江純一，麻生商店監督辞職	6.1　嘉穂郡飯塚町と笠松村が合併し，飯塚町となる．飯塚町の人口約12,000人 10.11　三井(名)設立，資本金5000万円．三井鉱山は三井(名)鉱山部となる 10.15　貝島家家訓制定式を井上馨邸にて挙行．12.1実施 10.20　伊藤伝右衛門，新手炭鉱(株)設立．本店嘉穂郡大谷村幸袋300番地，資本金50万円 10.19　三井田川伊田坑一坑（直径5.4m，深さ361.8m）竣工．1910.9伊田坑二坑（直径5.4m，深さ362.4m）竣工 11.24　貝島大之浦第二坑，坑内ガス炭塵爆発事故．死者259名 12.1　貝島鉱業(株)設立．本店鞍手郡直方町大字直方614番地，目的「石炭の採掘及び販売」，資本金250万円
1. －　麻生豆田幼児無料預かり所新舎屋建設（保母3名，平均22名） 1. －　永江純一，麻生商店相談役就任 2.15　太吉，坑区（嘉穂郡碓井村ほか，686,371坪）の合併願許可 3.25　豆田炭坑第四坑開坑 3. －　山内農園開園 4. －　豆田炭坑新坑開鑿，坑口からエンドレスロープで選炭機へ送炭 5.15　嘉穂電灯(株)営業開始，立岩地区1,500戸	4.1　飯塚・立岩・鯰田尋常小学校，高等科を併置し，それぞれ尋常高等小学校となる 4.8　伊藤伝右衛門の寄付により嘉穂郡立技芸女学校創立．修業年限3年

西暦（年号） 麻生太吉年齢	麻　生　家	麻　生　太　吉
1910 （明治 43） 54	＊この頃，津屋崎別荘（福岡県宗像郡津屋崎町）を建築（推定）	**6.10**　嘉穂郡長尾尋常小学校建築費 500 円寄付，賞勲局より銀杯一個下賜 **6.13**　嘉穂郡役所へ飯塚・中津間県道更生費 15,000 円寄付 **10. －**　日本赤十字社福岡県支部商議員
1911 （明治 44） 55	**2.2**　太郎（太吉三男），加納久宜六女・夏と結婚届出 **3.31**　麻生ヨネ（太吉三女），有田義之介を養子に迎える **4.5**　太郎（太吉三男），嘉穂館において結婚披露宴 **9.29**　太賀吉（麻生太郎・夏夫妻の長男，太吉孫）誕生	**3.25**　筑豊石炭鉱業組合総長 **4.19**　貴族院多額納税者議員互選名簿に掲載される（福岡県告示第 182 号，所得税［土地］1,732.71，所得税［商業］1,282.31，所得税［工業］4,964.68，合計 1,1263.285 円．互選名簿 15 名中 2 位） **5. －**　負立八幡宮（栢森）へ大石燈籠一対，大鳥居を寄進 **6.10**　多額納税者互選により貴族院議員当選 **9. －**　恩賜財団済生会に 6 万円寄付 **10. －**　港湾調査会臨時委員 **11.13**　明治天皇，久留米大本営に御臨幸の際，福岡・佐賀両県の実業家 17 名とともに拝謁を賜わる

麻生太吉の企業活動関係	地　域　社　会
へ送電	
6.8　太吉，坑区（長崎県北松浦郡佐々，441,355 坪）の採掘願許可	6.1　飯塚郡立嘉穂農学校創立（飯塚町菰田，修業年限 3 年乙種農学校，募集人員 50 名）
	6.13　博多電気軌道（株）設立．本店福岡市下洲崎町，資本金 150 万円．1912.11.4 九州水力電気（株）へ合併のため解散
7.10　嘉穂電灯（株），本店を嘉穂郡飯塚町大字立岩 809 番地へ移転	
7.－　久原炭坑一坑開坑（1915.5 第二坑開坑）	
8.2　太吉，坑区（嘉穂郡熊田村ほか，126,197 坪）の増区願許可	8.22　日本，韓国併合
11.28　太吉ほか 1 名，坑区（佐賀県西松浦郡西山代村，1,011,218 坪）の減区願許可	
＊豆田炭坑，炭坑文庫を計画，職員より所蔵の書籍・雑誌類を寄贈，昼間に限り坑夫に閲覧	
1.27　太吉，坑区（嘉穂郡穂波村ほか，31,537 坪）の増区願許可	
1.28　太吉，坑区（佐賀県杵島郡山口村ほか，332,050 坪）の採掘願許可	
2.24　太吉，坑区（嘉穂郡稲築村ほか，1,794,771 坪）の増区願許可	
3.－　飯塚病院竣工（建坪 1,300 坪，敷地 8,290 坪，建築費 35 万円余円，病床数 120）	3.30　電気事業法公布．10.1 施行
	4.5　東京銀行集会所において九州水力電気（株）の創立総会開催
	4.18　九州水力電気（株）設立．本店東京市日本橋区小網町 4 丁目 4 番地．資本金 800 万円，社長浜口吉右衛門
5.3　太吉，坑区（佐賀県杵島郡山口村・佐留志村，413,000 坪）の採掘願許可	
	6.1　住友忠隈，ガス炭塵爆発事故．死者 73 名
8.14　三井物産，三井（名）鉱山部，麻生商店，貝島鉱業の四者間で「プール計算規約」調印	
10.－　（株）嘉穂銀行，資本金を 44 万円に減資（払込資本金 31 万円）	
	12.4　（株）飯塚栄座設立．本店嘉穂郡飯塚町飯塚 1364 番地 2．資本金 30,000 円．目的「定劇場を建設し，演劇興業をなし，又は演芸の用に供する為，定劇場を貸附くるを以て営業の目的とす」．取締

西暦（年号） 麻生太吉年齢	麻　生　家	麻　生　太　吉
1911 （明治 44） 55		
1912 （明治 45・ 大正 1） 56	8.23　義太賀（麻生義之介・ヨネ夫妻の長男，太吉孫）誕生 12.16　賀一郎（麻生八郎長男，太吉甥）誕生	3.20　佐々田懋貴族院議員の紹介で親睦団体同気倶楽部に入会 6. －　嘉穂郡笠松峠の県道開鑿，開通式挙行．太吉 15,000 円寄付 8. －　韓国併合記念章授与
1913 （大正 2） 57	9.17　太介（麻生義之介・ヨネ夫妻の二男，太吉孫）誕生 11.28　ツヤ子（麻生太郎・夏子夫妻の長女，太吉孫）誕生	6.23　九州水力電気(株)取締役 10.17　貝島太助銅像除幕式に出席．来賓総代として祝辞朗読

麻生太吉の企業活動関係	地 域 社 会
＊嘉穂電灯(株)，飯塚・菰田・穂波地区への送電開始	役麻生太七，木村順太郎，瓜生長右衛門，藤森善平ほか 12.16　三井(名)鉱山部独立，三井鉱山(株)設立．本社東京，資本金 2,000 万円
1. −　麻生・貝島，三井物産と筑豊炭プール販売実施 3.25　太吉，坑区（嘉穂郡庄内村，128,285 坪）の減区願許可 3. −　豆田炭坑，新坑および第二坑終掘 4.27　太吉，坑区（嘉穂郡庄内村，98,062 坪）の増区願許可 5.20　太吉，坑区（嘉穂郡庄内村ほか，61,651 坪）の増区願許可 6.20　太吉，坑区（嘉穂郡稲築村，69,400 坪）の減区願許可 7.3　太吉，坑区（嘉穂郡飯塚村ほか，2,146,143 坪）の合併願許可 7.25　太吉，坑区（嘉穂郡碓井村ほか，1,153,208 坪）の合併願許可 8. −　上三緒炭坑第三坑開坑（1913.2.10 第四坑，1913.8 第五坑開坑）	6.29　博多電灯軌道(株)，九州電気(株)と合併し九州電灯鉄道(株)と商号変更．松永安左エ門，同社常務取締役 7.30　明治天皇崩御．大正と改元 11.5　堀鉱業(株)設立．本店鞍手郡直方町直方 666 番地，目的「鉱物の採掘製煉及び販売」，資本金 50 万円，社長堀三太郎 12.25　浮羽水力電気(株)設立．本店浮羽郡田主丸町田主丸 467 番地，資本金 12 万 5 千円．1918.10.23 浮羽酸素(株)を合併し，九州電気酸素（株）と商号変更後，1923.9.15 筑後電気(株)と商号変更
3. −　吉隈炭坑下臼井二坑（吉隈一坑）開坑 7.10　(株)嘉穂銀行取締役・金光芳太郎死去 8. −　上三緒炭坑第五坑開坑 10. −　綱分炭坑八尺二坑開坑 11.3　麻生商店本店（飯塚町立岩）新築移転式挙行 11. −　嘉穂電灯(株)，碓井・鎮西・稲築村に供給区域を拡大 12.26　赤坂炭坑第一坑開坑（1914.1 第二坑開坑）	6.13　鉱山監督署の名称を鉱務署へ変更 9.14　嘉穂郡在郷軍人団解散．帝国在郷軍人会嘉穂郡連合会発足 11.3　博済貯金(株)設立．本店嘉穂郡大隈町 365 番地，目的「一定の会員に規定の積立金を為さしめ，之れに規定の貸附金を為し，其収入利息と支払利息との差額を収益す」，資本金 1 万円

西暦（年号） 麻生太吉年齢	麻　生　家	麻　生　太　吉
1914 （大正 3） 58		5.25　照憲皇太后御大葬に参列 8.1　博済貯金(株)取締役
1915 （大正 4） 59	1.12　八郎（太吉弟）と義之介（太吉養子）分家す 9.27　吉田九三郎（太吉姉・フユの夫）死去 11.11　典太（麻生太郎・夏夫妻の二男，太吉孫）誕生	1.20　別府山水園を共同で購入予定．その後，小宮茂太郎から単独で購入 9.20　大分水力電気(株)取締役．同社は1916.3 九州水力電気(株)へ合併 10.16　博済無尽(株)取締役社長（以後，死去まで在任） 11.10　大正天皇即位の儀．太吉，特旨をもって位記を賜わり正六位に叙せられる 11.11　賢所御神楽の儀，11.17　大饗宴の儀に参列 11.30　日本貿易協会より産業貿易上貢献により表彰
1916 （大正 5） 60		4.1　勲四等に叙せられ，瑞宝章を賜わる 4.12　嘉穂育英会の顧問に中野徳次郎・伊藤伝右衛門と共に推薦される

麻生太吉の企業活動関係	地　域　社　会
2. − 吉隈炭坑第二坑開坑（10. 五坑二尺坑開坑）	
	4.1 若松市制施行
	4.19 遠賀・鞍手・嘉穂3郡連合青年会発足
	4.30 伊藤伝右衛門，新手炭鉱(株)の本店を遠賀郡長津村中間7492番地へ移転し，商号を大正鉱業(株)と改称．古河鉱業(名)と共同経営
5.28 太吉，坑区（長崎県北松浦郡鹿町，116,500坪）の採掘願許可	5.23 筑豊石炭鉱業組合，出炭制限実施（1916.10.31制限解除）
7.27 太吉，坑区（佐賀県西松浦郡西山代村，186,165坪）の減区願許可	7.28 オーストリア，セルビアに宣戦布告（第1次世界大戦はじまる）．8.23日本，ドイツに宣戦布告
8.23 太吉，坑区（佐賀県西松浦郡西山代村，1,254,645坪）の増区願許可	
12. − 麻生商店本社社屋竣工	12.15 三菱方城炭坑，ガス炭塵爆発事故．死者667名
＊嘉穂電灯(株)，飯塚町以外の6ヶ村に供給開始	
＊佐伯商店（兵庫県神戸市）開設	＊三井物産，三菱，安川・松本，古河による筑豊炭四社協定成立
＊別府土地および温泉経営開始	
2. − 上三緒炭坑，坑夫昇降のためのランカシャー式百馬力捲揚機設置	
	4.1 電気事業法準用規則公布．九州電気協会設立
	7.16 （資）安川電機製作所設立．本店遠賀郡黒崎町藤田2346番地，目的「電気機械器具の製作並に売買の業を為し，その他これに関し必要又は有益なる他の事業を営む」，資本金25万円，代表社員安川第五郎
9. − 嘉穂電灯(株)，九州水力電気(株)と業務提携	9.1 元老井上馨死去．享年81
	9.23 伊藤伝右衛門，（財）伊藤育英会設立認可．出資金20万円
10.16 博済貯金(株)，博済無尽(株)と商号変更．本店は大隈町から飯塚町へ移転	10.22 福岡鉱務署と筑豊石炭鉱業組合の共同で安全灯試験場（鞍手郡直方町御館山）開設
10. − 太吉，吉隈炭坑水洗機設置を指示	
	11.10 大正天皇即位礼挙行
12. − 赤坂炭坑，小塊炭用2台，粉炭用3台の水洗機設置	12.2 石炭坑爆発取締規則公布
	2.27 柏木勘八郎死去．享年79

西暦(年号) 麻生太吉年齢	麻　生　家	麻　生　太　吉
1916 (大正 5) 60		4. －　明治神宮奉讃会福岡県支部評議員 6. －　大分紡績(株)取締役 7.26　早稲田大学基金に 1,500 円寄付 8.19　大日本農会より紅白綬有功章授与 11.1　貝島太助病気の急報に接し，貝島邸を訪問するも既に死去．叙位の件で内務部長へ電話 11.2　伊藤伝右衛門と福岡県庁へ貝島太助叙位の件で内談．叙位確定の電報来り 11.6　貝島太助葬儀に参列 11.12　大正天皇，特別大演習福岡地方御臨幸に付き，大演習陪観．大演習後の 11.15 大宴会に召される
1917 (大正 6) 61	6.26　辰子（麻生太郎・夏夫妻の二女，太吉孫）誕生	9.29　嘉穂銀行取付事情聴取 10.1　嘉穂銀行重役会出席．取付の始末協議 11.29　筑豊石炭鉱業組合常議員会出席．筑豊鉱山学校建設決定 11. －　東洋製鉄(株)取締役（以後，死去まで在任）

麻生太吉の企業活動関係	地　域　社　会
5. − 牛隈炭坑休業 7. − 瓜生長右衛門，麻生商店退店 10. − 吉隈炭坑第一坑，トムソン型汽缶一基竣工 11.28 永江純一，麻生商店相談役辞任	8.3 鉱夫労役扶助規則・鉱業警察規則改正公布（1916.9.1 施行） 9.1 工場法施行 11.1 貝島太助死去．享年 73．後日，従五位に叙せられる
4.21 太吉，坑区（嘉穂郡大隈町・熊田村，209,861 坪）の合併願許可 4. − 綱分炭坑，従来の自然通気法を機械通気法に改めるため，キャペル式扇風機設置 5. − 吉隈炭坑，第二坑より臼井駅までの馬匹運搬をエンドレス運搬に改める工事に着手 7.16 九州コーク(株)解散 7. − 長岐繁，麻生商店退店 9.27 嘉穂銀行に関し悪評流布，取付起こる 9. − 吉隈炭坑愛宕第一坑開坑 10.12 嘉穂銀行取付鎮静 12.9 麻生商店元監督および相談役・永江純一死去．享年 65 12. − 三井物産との筑豊炭プール販売契約を解除	2. − 筑豊石炭鉱業組合・福岡鉱務署との共同経営による直方安全灯試験場，農商務省石炭坑爆発予防調査所と改称 3.1 八幡・大牟田両町，市制施行．県下 7 市となる 3.10 日本工業倶楽部創立 3.29 貝島家，終業給費生徒内規を制定 6.6 烏尾峠（飯塚・田川間県道）開通式挙行 9.12 大蔵省，金貨幣・金地金輸出取締令を公布（事実上の金本位制停止） 11.1 東洋製鉄(株)設立（本社東京．資本金 3,000 万円．社長中野武営．八幡製鉄所戸畑作業所の前身） 12.13 九州産業(株)設立．田川郡後藤寺町大字奈良 1682 番地，目的「一．石灰，硅石温石等の加工及び売買に関する一切の事業，二．必要に応じ同種の目的を有する他の事業に資金を供給し，若しくは同事業会社の株式を所有すること」，資本金 10 万円

西暦(年号) 麻生太吉年齢	麻　生　家	麻　生　太　吉
1917 (大正 6) 61		**12.12**　永江純一葬儀に参列 ＊（財)帝国飛行協会特別委員 ＊日本工業倶楽部評議員
1918 (大正 7) 62		**1.27**　山内炭坑事故葬儀に参列 **3. −**　国産奨励会評議員 **4.14**　安川敬一郎引退園遊会に出席 **4.15**　貴族院多額納税者議員互選名簿に掲載される（福岡県告示第 221 号，地租 2,778.83，所得税［土地］1,756，所得税［商業］502，所得税［工業］6,0279.47，営業税 204.74，合計 65,521.04 円，互選名簿 15 名中 2 位） **5.31**　(株)麻生商店取締役社長（以後，死去まで在任） **6.10**　貴族院議員任期満了，再選．中野徳次郎危篤の急報に接し，中野邸訪問 **6.11**　中野邸にて火葬に参列 **6.15**　中野邸を訪問 **6.16**　中野徳次郎葬儀に参列 **8.10**　嘉穂郡貧民患者施療費 10 万円寄付

麻生太吉の企業活動関係	地　域　社　会
	12.21　貝島桐野第二坑ガス爆発事故，死者369名
1.26　山内炭坑坑内事務所で火薬爆発，即死9名，重軽傷13名	
3.－　吉隈炭坑大浦坑開坑	
	4.15　古河鉱業(名)鉱山部，独立して古河鉱業(株)設立
5.5　麻生農場第2回終了式，郡内各農会長推薦修習生に実施指導	5.1　三菱(資)鉱山部，炭鉱部所属の事業一切を継承して三菱鉱業(株)設立
5.31　(株)麻生商店設立．本店嘉穂郡飯塚町立岩1900番地，目的「鉱業，骸炭の製造，石炭その他物品の売買並びに委託売買，海上運送及びこれらに附帯して必要または有益なる事業」，資本金500万円（全額払込），取締役麻生太七・麻生太郎・野見山米吉，監査役有田広・木村順太郎	5.7　私立筑豊鉱山学校設立認可．1919.3鞍手郡頓野村に仮校舎建設，1919.5開校
6.－　大阪出張所設置（佐伯商店を麻生商店と改称）	6.10　中野徳次郎死去．享年60
7.5　麻生商店汚職事件判決．野見山米吉罰金250円，石川広成・長岐繁200円	7.15　飯塚区裁判所，福岡裁判所飯塚支部となる
8.9　麻生炭坑病院，社内診療開始（1920.8飯塚病院と改称）	8.1　中島鉱業(株)設立．本店福岡市蓮池町13番地，資本金1,000万円
8.23　綱分炭坑二坑開坑	8.2　政府，シベリア出兵を宣言
	8.3　米価の暴騰，富山県で米騒動発生．その後全国に波及
	8.17　峰地炭坑坑夫，賃金値上げ・米価値下げを要求して暴動．その後，県下の各炭坑に米騒動続発
9.1　麻生赤坂坑300余名，賃金3割増を要求し2日間罷業，上三緒炭坑，山内炭坑も不穏に付，警察，軍人出動を要請	
9.30　飯塚病院看護婦養成所設置	
	10.13　九州電気工業(株)設立．本店築上郡宇島町赤熊1359番地-2，目的「炭化石灰並びに炭素棒製造販売及びその他の化学工業を営むを以て目的とす」，資本金25万円
	10.－　友愛会会長鈴木文治，九州を巡遊．11.4三井田川の炭坑倶楽部で講演

西暦(年号) 麻生太吉年齢	麻　生　家	麻　生　太　吉
1918 (大正7) 62	**12.21**　八郎（太吉弟，山内鉱業所所長）死去．享年37	**11.1**　(株)幸袋工作所取締役（以後，死去まで在任） ＊筑後川上流大山川水利権問題で奔走
1919 (大正8) 63	**2.26**　加納久宜（麻生太郎妻・夏の父）子爵死去 **3.4**　太郎死去（太吉三男，麻生商店取締役），享年33 **4.30**　フヨ（太吉四女）分家届 **7.16**　太七郎（太吉四男），藤沢きみをと婚約成立．9.7 浜の町別邸において挙式	**2.17**　(財)理化学研究所評議員 **3.9**　旭日章を賜わる（1919.3.9 裁可．貴族院議員又ハ衆議院議員トシテ在職十年以上ニ及ヒ功績顕著ニ付憲法発布三十年記念ヲ機トシ此ノ際特ニ各同等旭日章加授） **3.26**　筑豊石炭鉱業組合総長辞任．後任に松本健次郎就任 **6.28**　九州産業鉄道（株）取締役 **7. －**　工業博覧会顧問

麻生太吉の企業活動関係	地　域　社　会
	11.1　(株)幸袋工作所設立．本店嘉穂郡幸袋町大字幸袋215番地，目的「機械製造販売，その他諸般の鉄工業並びに之れに附帯する一切の事業」，資本金10万円
	11.11　ドイツ，連合軍と休戦協定調印（第1次世界大戦おわる）
	12.20　光吉悦心・桑原忠太郎など友愛会後藤寺支部を結成
＊若松出張所，支店昇格	＊安川敬一郎，明治鉱業(株)社長を実子の松本健次郎に譲り，事業の第一線から引退
1.21　吉隈炭坑笹尾坑，立石坑開坑（7.5下り五尺坑開坑）	1.25　(資)幸袋工作所，(株)幸袋工作所へ合併のため解散
1. －　山内炭坑，選炭機設置	
	2.20　幸袋工作所付属職工学校創立
3.4　麻生義之介，(株)麻生商店取締役	
	4.1　明治鉱業(株資)，組織を変更し明治鉱業(株)となる．本店遠賀郡戸畑町戸畑4303番地，目的「鉱物の採掘売買並びに運搬その他之に関する必要又は有要なる他の事業を営む」，資本金1千万円
	4.26　筑豊電気軌道(株)，軌道特許状下付．発起人赤間嘉之吉ほか30名，遠賀郡折尾町より嘉穂郡飯塚町及び鞍手郡下境村より田川郡伊田町に到る軌道敷設
	5.1　筑豊鉱山学校開校（鞍手郡頓野村）
	6.1　炭券（採炭切符）使用禁止．4.29付福岡鉱務署より各坑へ達示
	6.28　九州産業鉄道(株)設立．本店田川郡後藤寺町大字奈良1682番地，目的「一．福岡県田川郡後藤寺町より同県嘉穂郡飯塚町に至る間に軽便鉄道を敷設し，旅客及び貨物の運輸を為すこと，二．石灰，硅石温石等の採掘加工及び売買に関する一切の事業」，資本金150万円
7. －　嘉穂銀行長尾支店設置	
9.20　九州産業鉄道(株)，船尾山買収	9.3　友愛会九州出張所新設．福岡県下7支部（八幡，幸袋，戸畑，門司，目尾，小竹，大牟田）および長崎支部を統轄
9. －　吉隈炭坑第四坑終掘	9.11　森本市左衛門死去，享年81（九州水力電気相談役）

西暦（年号） 麻生太吉年齢	麻　生　家	麻　生　太　吉
1919 （大正 8） 63		10.8　貝島太助墓参，鞍手郡百合野の本邸昼飯会に参列
1920 （大正 9） 64	1.7　スエノ（麻生太七六女，太吉姪），占部保と結婚 3. －　太賀吉（太吉孫），学習院入学試験合格 3. －　京都本派本願寺大谷墓地に麻生家の墓碑を建立 5.6　太七郎は分家し引っ越し，義之介は四軒社宅に引っ越し	1. －　（財）協調会評議員

麻生太吉の企業活動関係	地　域　社　会
10. −　飯塚病院産婦人科設置	10.1　明治鉱業(株)，労使協調機関として信和会を設立 10.14　貝島鉱業(株)設立．株主総会において資本金1,000万円へ増資を決議 10.28　貝島商業(株)設立．本店鞍手郡直方町直方720番地，目的「一．石炭売買業，一．貝島合名会社が関係せる事業の生産品及び需要品の売買業，一．運送業，一．前各項に掲げたるものに附帯する事業」，代表取締役貝島太市，資本金1,000万円 貝島(名)設立．本店鞍手郡直方町大字直方720番地．目的「一．営利事業に対する出資並びに有価証券及び不動産の取得利用．一．殖産業」．代表社員貝島栄四郎・貝島太市．資本金1,000万円
12. −　上三緒炭坑第六坑廃止 12. −　岡山出張員詰所設置 ＊太吉，坑区を住友に譲渡し炭坑業からの撤退を検討するも事業の継続を決定 ＊芳雄製工所のコークス部門廃止，精米所分離 ＊綱分炭坑八尺二坑終掘	12.21　(株)安川電機製作所設立．資本金125万円，取締役社長安川清三郎，常務取締役安川第五郎 12.30　九州土地信託(株)設立．1922.2.25九州土地(株)と商号変更
1.6　(株)麻生商店，資本金を1千万円（全額払込）に増資 2. −　吉隈炭坑大浦坑終掘	1.10　国際連盟発足 1.30　安川敬一郎，男爵授爵 2.5〜4.1　八幡製鉄所大争議（これにより20余年来不休の溶鉱炉の火消えようとする） 3.15　株式市場，株価暴落で混乱．戦後恐慌始まる
4. −　(株)嘉穂銀行，資本金を200万円に増資（払込資本金83万円） 4. −　太吉，坑区（田川郡後藤寺町・糸田村・川崎村，1,808,473坪）の採掘権設定 5. −　豆田炭坑にシガー式水洗機増設，綱分・上三緒坑間にエンドレス運炭道新設 6. −　赤坂炭坑二坑終掘，久原鉱業所休業 7. −　吉隈炭坑新一坑，綱分炭坑第三坑，上三緒炭坑第七坑開坑	
8.23　麻生炭坑病院を「私立飯塚病院」と改称，一般郡民に診療解放 9. −　神戸，鹿児島出張員詰所設置 10.17　私立飯塚病院開院式挙行 10. −　野田勢次郎，久原鉱業(株)退社，(株)麻生商店取締役として入店	8.2　銀行条例改正公布（銀行合同の手続を簡略化）．8.22施行 10.1　第1回国勢調査．県下の総人口218万8,249人（遠賀郡2万9,361人，鞍手郡7万4,973人，嘉穂郡11万7,344人，田川郡11万2,205人，糟屋郡7万5,428人） 10.20　全国坑夫組合・大日本鉱山労働同盟会・友愛会鉱山部，合同して全日本鉱夫総連合会設立

西暦(年号) 麻生太吉年齢	麻　生　家	麻　生　太　吉
1920 (大正 9) 64		**11.1**　「大正四年乃至九年事件ノ功ニ依リ」,賞勲局より金杯一個下賜 **12.18**　東洋製鉄(株)取締役（以後,死去まで在任）
1921 (大正 10) 65	**5.17**　義之介家（徳光）棟上げ,10.8 転宅祝い ＊フヨ（太吉四女）,安藤五郎を養子に迎える	**3.20**　皇后陛下福岡県行啓に際し,福岡県庁にて拝謁を賜わる **3. －**　日本海員掖済会特別会員 **6. －**　博多土地建物(株)社長（同社は 1921.8 九州水力電気(株)と合併のため解散） **7. －**　第 1 回国勢調査記念章を賞勲局より授与 **10.11**　石炭鉱業連合会会長に就任 **10.12**　賞勲局より紺綬褒章を賜わる（福岡県嘉穂郡慈善施療費金十一万五千円寄附ス依テ大正七年九月十九日勅定ノ紺綬褒章ヲ賜ヒ以テ之ヲ表彰セラル） **10. －**　国政研究会（代表者板倉勝憲）賛助員 **11.24**　(株)嘉穂貯蓄銀行取締役頭取（以後,死去まで在任）
1922 (大正 11) 66	**2.7**　ミネ死去（麻生太七妻）	**4.30**　太吉・ヤス夫妻,麻生家本邸内にて金

麻生太吉の企業活動関係	地　域　社　会
	11.21　九州鉱山学会設立
12. −　野見山米吉，(株)麻生商店常務取締役辞任 ＊山内炭坑第四坑，坑内一部馬匹運搬をエンドレスに改める ＊嘉穂電灯(株)，火力発電を休止し九州水力電気(株)より受電	
1. −　炭界不況による採炭制限のため，豆田炭坑常一番制となる．翌年，上三緒炭坑も追随 2. −　飯塚病院歯科新築工事中出火，本館，寄宿舎焼失，10 月再建 2. −　赤坂炭坑選炭機増設 3.31　飯塚病院規則制定 3. −　上三緒炭坑第七坑休業	
	4.12　郡制廃止法公布（1923.4.1 施行） 4.14　貯蓄銀行法公布（貯蓄銀行条例は廃止）．1922.1.1 施行
5. −　山内炭坑・芳雄積場間にエンドレス新設	
6. −　吉隈炭坑愛宕一坑，笹尾，立石坑休業	6.1　飯塚町に(株)中座創立（のち嘉穂劇場），社長麻生太七．1922.1 開場
9.5　吉隈炭坑新一坑開坑	9.16　石野寛平死去．筑豊石炭鉱業組合，若松築港(株)などの設立・運営に尽力
10. −　鹿児島，広島出張員詰所廃止，豆田炭坑第六坑開坑 10. −　吉隈炭坑下臼井二坑，第四坑，下り五尺坑終掘	10.11　石炭鉱業連合会設立（北海道石炭鉱業会など 5 団体で構成．出炭制限を開始） 10.22　伊藤燁子（白蓮），伊藤伝右衛門に絶縁状を発表．麻生太吉，堀三太郎は穏便解決に尽力 10.28　日本・中央・九州の三電気協会合同により，(社)電気協会設立
11.24　(株)嘉穂貯蓄銀行設立．本店嘉穂郡飯塚町飯塚 375 番地（嘉穂銀行内），資本金 50 万円（払込資本金 12 万 5 千円） 11. −　吉隈炭坑愛宕一坑終掘	
1.4　(株)嘉穂貯蓄銀行営業開始	
2. −　山崎誠八(株)麻生商店鉱務部長死去，野田勢次郎取締役兼任 2. −　九州産業鉄道(株)起行・船尾間開通 3. −　船尾石灰石工場竣工，八幡製鉄所と石灰石 6 万トンの納入契約締結 4.1　日本赤十字嘉穂郡委員部の嘱託により飯塚病	2. −　大分紡績(株)，富士瓦斯紡績(株)と合併

西暦(年号) 麻生太吉年齢	麻　生　家	麻　生　太　吉
1922 (大正11) 66		婚祝賀式挙行
	8.23　永富ウメ（太吉姉）死去	
		10.5　九州産業鉄道(株)取締役社長
		10. −　大日本農会より柴白有功章授与
	11.11　大浦新築引き続き立て方終わり，折詰，餅まき	
		＊日本経済連盟評議員および(財)電気協会評議員
1923 (大正12) 67		1. −　山東鉱業(株)創立発起人
		2. −　杖立川水力電気(株)創立発起人
	3.5　大浦（太右衛門家）二階家棟上げ	
	5.23　久邇宮殿下・同妃殿下，良子女王殿下，信子女王殿下，別府の山水園にお成り	5.14　(財)同仁会に既納金を含め1,500円寄付．同会より御紋章入銀盃一組授与
	6.8　さかゑ（太七六女，太吉姪）死去，大浦（太右衛門家）仏間棟上げ	
		7. −　師範教育調査委員（福岡県）
	8.5　大浦（太右衛門家）座敷棟上げ	
		9. −　筑後電気(株)取締役
	10.31　麻生五郎，お寺の下に分家．お祝い昼餐会	
	12.15　太右衛門（太吉長男），大浦新築移転につき親戚招待お祝い会	12. −　大分電気工業(株)取締役

麻生太吉の企業活動関係	地域社会
院に育児相談所開設（1924 廃止） **4.30** （株）麻生商店役員 20 年以上，労務者 10 年以上勤続者表彰式	
	6.26 関西電気（株），九州電灯鉄道（株）など 8 社を合併し，東邦電力（株）と商号変更．資本金 1 億 3,982 万円，副社長松永安左エ門
7.26 （株）麻生商店汚職事件に関し，野見山米吉と林田晋執行猶予満期につき慰労会 **8. －** 綱分炭坑，シュラムハーカー試錐機購入	
11. － 芳雄売店設置	**11. －** 三井山野，各坑に保育所を開設．麻生芳雄，明治などでも設置
12.28 （株）麻生商店，資本金を 1,500 万円（払込資本金 1,170 万円）に増資	
1.7 （株）麻生商店，野見山米吉常務辞任に代わって野田勢次郎取締役が常務就任．野見山米吉常務引退酒餐，重役・監査役など総勢 19 名	
3.28 （株）麻生商店所有の島根県銅金石坑区，高浪鉱山へ売却契約成立	**3.30** 工場法改正公布（15 歳未満適用を 16 歳未満に引上げ，雇用者の責任を加重） **3.30** 太吉の寄付（115,000 円）により，（財）嘉穂郡慈恵会設立 **4.23** 冷水峠開通式
	7.18 蔵内次郎作死去．享年 76
	9.1 関東大震災 **9.15** 九州電気酸素（株），筑後電気（株）と商号変更
12. － 吉隈炭坑下臼井甲坑終掘	**12.7** 飯塚町で九州炭坑夫組合設立．4 支部，1,150 名 **12.12** 杖立川水力電気（株）設立．資本金 500 万円（1927.7 本店は大分県大分市大字 2715 番地へ移転）
＊大刀洗飛行場建設のため（株）麻生商店筑後十文字出張所（農園）廃止	

西暦(年号) 麻生太吉年齢	麻　生　家	麻　生　太　吉
1924 (大正 13) 68	2.25　太三郎（太七二男），柏木花と結婚 4.5　カツ（麻生賀郎後妻）死去 9.14　ヤス死去（太吉妻）．享年 68 10.11　祖先累代の墓碑（飯塚立岩字峯の辻）を整理，改築	2. －　都市計画福岡地方委員会委員 5.31　勲三等瑞宝章を賜わる 6. －　杖立川水力電気(株)取締役社長(以降，死去まで在任) 12.10　皇太子殿下御婚儀記念品下賜
1925 (大正 14) 69		4. －　日本無線電信(株)創立委員(10.20 辞任) 5.9　九州送電(株)相談役 6.6　貴族院議員任期満了．次期推薦されるも固辞 8.13　石炭鉱業連合会，炭業救済調査委員会を設置．委員に麻生太吉，松本健次郎をはじめ 15 名 ＊大日本農会紫綬有功章授与
1926 (大正 15・ 昭和 1) 70	2.21　世界周遊船フランコニヤ号(キューナード汽船)，別府港に寄港．観光団，山水園を訪問．以後，外国人観光	

麻生太吉の企業活動関係	地　域　社　会
1.14　吉隈炭坑堤田上五尺坑，同下五尺坑開坑 1.25　吉隈炭坑立石八尺坑開坑 1. －　豆田炭坑第六坑休業 3. －　綱分炭坑，ジンマー選炭機（毎時 20 トン）および水槽 4 個を有するジッガー式水洗機の運転開始 3. －　無量義塔（招魂碑）を麻生家本邸内に建立．従業員殉職者の法要を営む 4. －　吉隈炭坑五尺坑終掘 6. －　綱分炭坑第二坑終掘 8. －　吉隈炭坑第二坑の 250 馬力電気捲揚機増設工事完了 10. －　吉隈炭坑，山内農場で従業員に園芸を指導 10. －　(株)麻生商店名古屋出張所設置	1.21　石炭販売協定機関「甲子会」設立（加盟会員，三井・三菱・古河・安川・貝島，のち麻生，帝国炭業参加） 3.4　和田豊治死去，享年 64．富士瓦斯紡績(株)社長，九州水力電気(株)相談役 4.28　延岡電気(株)設立．本店宮崎県東臼杵郡延岡町大字岡富甲 96 番地 2，資本金 350 万円 9.1　戸畑市制施行 10.5　セメント連合会設立（18 社で生産制限・販売協定を実施） 10.9　福岡県庁において資本金 500 万円の銀行を設立し，銀行合同を行うことを決議（不成立） 12.20　鉱山監督局官制を公布，鉱務署は鉱山監督局と改称
4. －　吉隈炭坑八尺坑開坑 5. －　吉隈炭坑立石五尺坑終掘 6. －　豆田炭坑第一坑休業 10. －　上三緒炭坑第七坑終掘 11.1　重役以下全従業員の協調機関として本社および各坑にそれぞれ「譲和会」を組織，本社に譲和会連合会を置く 12.4　九州産業鉄道(株)入水トンネル貫通 12. －　吉隈炭坑立石八尺坑終掘 ＊吉隈坑区 107,810 坪を中島鉱業に譲渡 ＊吉隈炭坑給水設備，千手川より引水，各所に共用栓を設けて給水	4.22　治安維持法（5.12 施行） 5.5　衆議院議員選挙法改正公布（男子普通選挙実現） 5.9　九州送電(株)設立．本店東京市京橋区南伝馬町 3 丁目 5 番地，資本金 1,000 万円 7.1　健康保険法施行

西暦(年号) 麻生太吉年齢	麻　生　家	麻　生　太　吉
1926 (大正 15・ 昭和 1) 70	客の周遊コースとなる **4.28**　立岩分家棟上げ **4.30**　中島分家棟上げ **7.16**　本家墓所改築竣工移転，方広寺派(静岡県)管長・間宮英宗禅師を招き本社員一同参拝 **10. –**　麻生家浜の町別邸学問所設立	**4. –**　大日本武徳会福岡支部顧問 **11.19**　陸軍特別大演習に付，佐賀県佐賀郡本庄村にて賜餐御召に預かる
1927 (昭和 2) 71	**5.12**　立岩分家移転 **7.23**　別府山水園焼失	**3. –**　日本産業協会評議員 **10.11**　亀川長生閣において久邇宮殿下より賜餐，御紋章附銀製花瓶一対を賜わる **11. –**　紺綬褒章飾板二個を授与 **12. –**　金宮鉄道(株)取締役社長 ＊嘉穂宏済会(仏教各宗派連合福祉組織)名誉顧問
1928 (昭和 3) 72	**5.27**　太吉座右銘「程度大切，油断大敵」を親族一同に言い渡す．本家大広間において，分家指定財産分与を行う	

麻生太吉の企業活動関係	地　域　社　会
4. －　本社勤労部新設 7.15　九州産業鉄道(株)船尾・赤坂間，後藤寺・起行間開通，後藤寺・芳雄間直通運転開始 7.18　九州産業鉄道(株)開通祝賀会 7. －　上三緒炭坑第五坑終坑 7. －　麻生青年訓練所（1927.6 麻生連合青年団）創立 10. －　吉隈炭坑診療所設置，以後各坑に及ぶ 12.21　麻生健康保険組合設立認可	4.9　労働争議調停法・治安警察法改正各公布（7.1 施行） 6.24　改正鉱夫労役扶助規則公布（1926.7.1 施行） 12.25　大正天皇崩御．昭和と改元
1. －　吉隈炭坑に煉炭製造工場設置 2. －　博済無尽(株)福岡出張所設置 3.14　飯塚病院歯科設置 3.23　安眠島（朝鮮忠清南道）を 82 万 3 千円で落札，のちに安眠島林業所設置 6.5　上三緒炭坑ガス爆発事故（死者 11 名） 6.30　九州産業鉄道(株)，資本金 500 万円に増資 ＊芳雄坑区のうち 178,620 坪を三井鉱山に譲渡	3.15　東京渡辺銀行・あかぢ貯蓄銀行の休業に端を発し，金融恐慌はじまる 4.5　(株)鈴木商店，新規取引中止を発表（7.31 閉店） 4.22　全国の銀行一斉休業（4.23 まで） 6.15　筑豊鯑業組合解散 7.22　伊藤伝右衛門別邸（福岡市），漏電のため焼失 10.25　石炭鉱業連合会，送炭制限を現行のまま 1 ヶ年継続決定 12.26　金宮鉄道(株)，金宮線の認可申請．1928.1.30 免許許可
1. －　岡山出張員詰所廃止，神戸出張所に吸収 3.6　綱分炭坑第三坑，ガス炭塵爆発事故（死者 7 名，重傷者 4 名） 3. －　吉隈炭坑大浦三尺二坑終掘 6. －　豆田炭坑出雲坑，旧二坑開坑 8. －　上三緒，綱分炭坑にそれぞれ水洗機 2 台増	1.1　銀行法施行．これにより銀行合同進む（年末の普通銀行 1028 行，前年末より 252 行減） 2.20　第 16 回総選挙（最初の普通選挙） 3.15　3.15 事件．福岡県下共産党取り調べをうけた者 400 名，公判に付された者 35 名 5.30　松永安左エ門，東邦電力(株)社長に就任

西暦(年号) 麻生太吉年齢	麻　生　家	麻　生　太　吉
1928 (昭和 3) 72	＊平尾別荘建築 ＊別府山水園再築	10.25　九州水力電気(株)取締役社長（以後，死去まで在任） 11.10　天皇即位礼に実業者功労者および勲三等受勲者総代として参列 11. －　竈門神社参拝や宝満山登山のため太吉寄贈のトンネル，太宰府に完成 12.27　藍綬褒章を賜わる（資性謹厳夙ニ株式会社麻生商店ヲ設立シテ石炭採掘事業ヲ創始シ又電気及銀行業ヲ経営シテ地方ノ開発ヲ図リ其ノ他交通機関ノ充実ヲ企図シ或ハ病院ヲ創設スル等洵ニ公衆ノ利益ヲ興シ成績著名ナリトス）
1929 (昭和 4) 73	4.19　太七死去（太吉弟，麻生商店取締役，嘉穂銀行取締役，嘉穂貯蓄銀行取締役，博済無尽取締役），享年 71 8.1　柳原塾舎棟上げ 9.7　正一位稲荷神社（麻生家本邸内，屋敷神）勧請，祠掌に祈願を乞う 10.19 ～ 23　閑院宮春仁王殿下，福岡別	3.20　紺綬褒章を賜わる（昭和二年一月財団法人皇典講究所国学院大学基本金トシテ金壱万円同年六月恩賜財団済生会へ金六万円寄附ス依テ褒章条例第三条第一項ニ拠リ曾テ授与セシ紺綬褒章ニ附スヘキ飾版弐個ヲ賜ヒ以テ之ヲ表彰セラル） 5.10　博多電気軌道(株)取締役（以後，死去まで在任） 5. －　九州鉱業(株)取締役社長 7.20　九州水力電気(株)定款改正により同社取締役社長から代表取締役（以後，死去まで在任）

麻生太吉の企業活動関係	地域社会
設	
9.10　吉隈炭坑大浦三尺坑終掘	9.1　鉱夫労役扶助規則改正公布．坑内労働10時間制，保護鉱夫の坑内労働禁止，深夜業禁止となり婦女子坑夫の整理はじまる
10.－　赤坂炭坑左二片馬匹運搬を50馬力電気捲揚機に改める	
	12.13　冷水トンネル（旧筑豊本線内野～山家間）開通
	2.1　金宮鉄道，金田～宮床間営業開始．2.5宮床駅開業祝賀式
	2.－　直方町立図書館，筑豊で初めての町立図書館として建設
4.－　飯塚病院隔離病棟竣工	4.－　九州水力電気(株)，本店を東京市麹町区丸の内3丁目2番地に移転，1929.7代表取締役制を採用
	5.10　博多電気軌道(株)設立．本店福岡市大字庄35番地，資本金200万円．九州水力電気(株)の子会社として福岡市内線，北筑電鉄線，不動産事業などを営業
6.1　九州産業鉄道(株)，金宮鉄道(株)を115万円で買収合併	
6.－　九州鉱業(株)設立．帝国炭業(株)の木屋瀬・起行小松両坑の事業を継承	
	7.1　改正工場法施行により婦女子および年少者の深夜業禁止
8.－　博済無尽(株)福岡出張所，支店昇格	
9.1　各炭坑で納屋制度廃止	
9.－　大阪出張所管下に東京出張所詰所設置	
10.－　吉隈炭坑愛宕二坑終掘	10.24　ニューヨーク株式市場大暴落（世界恐慌は

西暦(年号) 麻生太吉年齢	麻　生　家	麻　生　太　吉
1929 (昭和 4) 73	邸に御成り 11.5～6　東伏見大妃殿下，別府山水園に御成り ＊麻生家小笹庵（福岡市長尾）建築	12.1　九州産業鉄道(株)代表取締役社長 12. －　光寿会（大谷光瑞）終身会員
1930 (昭和 5) 74	2.19　稲荷神社（麻生家本邸内屋敷神）を京都伏見稲荷大社より勧請，神前の祓を執行 11. 23　柳原塾舎（福岡市下警固，学修室）建築工事を指示	3. －　日本産業協会評議員 4.4　松本健次郎欧米旅行送別会出席 4.5　九州水力電気(株)創立 20 周年祝賀会出席．祝賀並びに勤続表彰の挨拶 4.10　昭和電灯(株)代表取締役（以後，死去まで在任） 4.27　延岡電気(株)取締役社長（以後，死去まで在任） 5.6　撫順炭問題のため南満洲鉄道(株)千石貢総裁を大連に訪問，5.12 門司帰港 8. －　九州保全(株)取締役社長（以後，死去まで在任） 9.10　松本学県知事訪問．筑豊炭田合同の件で懇談（10.6 再訪） 10.8　九州電気軌道(株)取締役（以後，死去まで在任） 12.31　神都電気興業(株)取締役社長（以後，死去まで在任）

麻生太吉の企業活動関係	地　域　社　会
11.8　吉隈炭坑大浦新坑開坑 12.1　九州産業鉄道(株)の石灰石・砂利などの採掘，販売の営業権を継承して九州産業(株)設立，資本金 150 万円	じまる）
4.15　嘉穂電灯(株)，昭和電灯(株)に事業を譲渡し解散	4.6　嘉穂郡の中小炭坑主（野上辰之助・橋上保・田籠寅蔵等）の主唱によって上嘉穂鉱業会設立. 4.10　昭和電灯(株)設立．本店嘉穂郡飯塚町立岩 809 番地，資本金 110 万円
6. －　赤坂炭坑第一坑終掘	8.1　日本石炭礦夫組合，田川郡後藤寺町松竹館で発会式を行う（組合長光吉悦心） 8. －　九州水力電気傍系会社（証券保有会社）として九州保全(株)設立．資本金 200 万円（50 万円払込） 9.15　筑豊石炭鉱業互助会，直方町で総会を開催（筑豊の大手石炭 8 社を除く 56 の炭坑主は共同の利益擁護のため筑豊石炭鉱業組合を離脱．会長金丸勘吉，副会長野上辰之助）
10.11　九州電気軌道(株)松本枩蔵社長の 2,250 万円の背任事件発覚 10. －　豆田炭坑新五尺坑終掘 11.1　山内炭坑，婦女子坑内作業全廃，婦女子 378 名を解雇．その後，各坑にも及ぶ	10.20　石炭鉱業連合会，臨時評議員会で需要不振，炭価暴落により次年度送炭調整を決定 12.31　神都電気興業(株)設立．本店宮崎県宮崎市上野町 1 丁目 79 番地 ＊福岡県知事松本学，筑豊炭田および八幡製鉄所大合同計画提唱．麻生太吉，松本健次郎，貝島太市は賛成するも，三井の反対により不成立 ＊筑豊各炭鉱，事業縮小と稼動者解雇相次ぐ．1931 ～ 32 にかけて人員整理にともなう紛争・争議多発 ＊世界恐慌，日本に波及（昭和恐慌，不況状態はほぼ 1932 年頃まで続く）

西暦(年号) 麻生太吉年齢	麻　生　家	麻　生　太　吉
1931 (昭和 6) 75		1.15　博多電気軌道(株)代表取締役 1.30　麻生太吉と大田黒重五郎，関門鉄橋架設計画（関門連絡鉄道会社設立計画）発表 1. －　九州電気工業(株)取締役社長（以後，死去まで在任） 3. －　全国産業団体連合会委員および西部産業団体連合会常務委員会委員長 4. －　太吉の寄付金 10 万円により日本農士学校（埼玉県比企郡菅谷村）開校 5. －　帝都復興記念章授与 6. －　小国水力電気(株)取締役社長 ＊筑後電気(株)取締役社長（以後，死去まで在任） ＊九州土地(株)取締役（同社は 1932.9.24 九州電気軌道(株)へ合併）
1932 (昭和 7) 76	2.25　ヨネ死去（太吉末女，麻生義之介妻）．享年 42	1.5　九州産業鉄道(株)起行・船尾間開業 10 周年祝賀会開催に付，調査を命ず 3.6　團琢磨葬儀に付問い合せ，その後 3.8 の葬儀に参列のため上京 5.19　犬飼毅総裁遥拝式に参列（於立憲政友会福岡支部） 6.1　九州産業鉄道(株)新設釜場火入祭典式に出席 6.25　宇美八幡宮に参詣．太吉，貝島太市，中野昇，鳥居奉納に付，鳥居神納の祭典出席

麻生太吉の企業活動関係	地　域　社　会
	1.1　直方市制施行
	2.7「中座」，2 階建てで新築し，「嘉穂劇場」と改称
	4.1　重要産業統制法公布（8.11 施行）
5.－　吉隈炭坑大浦八尺二坑開坑	
6.1　赤坂炭坑中村坑開坑	6.24　九州水力電気(株)，本店を東京市麹町区丸の内 3 丁目 2 番地より福岡市大字庄 35 番地に移転
6.9（株）麻生商店，6 炭坑の婦女子坑夫約 1,500 名の整理完了	7.－　福岡農士学校創立（早良郡脇山村）
	9.18　満洲事変勃発
11.－　長崎県北松浦郡小佐々村に岳下炭坑開坑	
12.28　豆田炭坑坂本坑開坑	
	1.20　飯塚市制施行
3.4　赤坂炭坑丸尾坑開坑	3.1　満洲国，建国宣言発表
	3.5　團琢磨（三井合名会社理事長），三井本館で血盟団員に暗殺される
4.15　吉隈炭坑（二坑）ガス爆発事故．死者 3 名，重軽傷者 10 名	4.19　電力連盟成立(東京電灯(株)・日本電力(株)・東邦電力(株)・宇治川電気(株)・大同電力(株)の 5 大電力会社による電力カルテル)
	4.20　飯塚市において，市制記念産業博覧会開催(1932.5.16 まで)
5.6　綱分炭坑第四坑開坑	5.15　犬飼毅首相暗殺される（5.15 事件）
6.－　吉隈炭坑大浦新坑終掘	6.12　互助会，臨時総会で撫順炭輸入防止請願決議
	6.－　杖立川水力電気(株)，九州水力電気(株)へ営業譲渡
7.－　撫順炭問題にからみ事業縮小，上三緒坑坑内夫 244 名配転，坑外夫 76 名解雇，豆田炭坑 36 名配転	7.－　石炭不況により全国貯炭 280 万トンに達す

西暦(年号) 麻生太吉年齢	麻　生　家	麻　生　太　吉
1932 (昭和7) 76		10.3　九州土地興業(株)取締役（以後，死去まで在任）
1933 (昭和8) 77	3.9　麻生家二日市別荘屋敷神（稲荷祠）建設費350円神納	3.5　ロータリー倶楽部（福岡支部）発会式出席．太吉会員となる 3.18　貝島太市と北九州における製鉄所，鉄道，築港，筑豊炭田合同の件で懇談 3.23　日本赤十字社特別有功章授与 3. －　福岡県国防会参与 4.15　福岡県国防会，戦車命名式に参列 4.25　石炭鉱業連合会会長辞任，顧問に就任．後任会長松本健次郎 6. －　(財)協調会評議員 7.4　愛宕炭坑第一坑開坑式に出席 7. －　嘉麻興業(株)取締役社長（以後，死去まで在任） 9.30　産業セメント鉄道(株)設立臨時株主総会出席，取締役社長（以後，死去まで在任） 10.4　綱分鉱業所視察 10.13　愛宕第三坑の開坑にあたり吉隈鉱業所を視察 11.2～3　観菊宴（11.11）打合せ 11.3　『当用日記』，この日にて絶筆 11.7　病臥 12.8　午前4時10分，飯塚市柏森の麻生家本邸にて死去．在任中の各会社役職：(株)麻生商店社長，九州水力電気(株)社長，産業セメント鉄道(株)社長，(株)嘉穂銀行頭取，(株)嘉穂貯蓄銀行頭取，博済無尽(株)社長，博多電気軌道(株)社長，延岡電気(株)社長，昭和電灯(株)社長，神都電気興業(株)社長，九州

麻生太吉の企業活動関係	地域社会
8.14 麻生各坑の朝鮮人坑夫80名，日本石炭礦夫組合の指導で争議団結成，賃金3割引上げを要求，9.3解決	8. − 福岡県下失業者，不況深刻化とともに増加し総数4万人を超える
8. − 上三緒炭坑第一坑休業	
10.15 (株)麻生商店職制改革．部・課を廃止，部長を理事とする	10.3 九州土地興業(株)設立．資本金500万円(125万円払込)，不動産経営，小倉海面の埋立事業などを営む
11.24 豆田炭坑鶴田二坑開坑	11.26 昭和石炭(株)設立（社長松本健次郎，石炭の販売統制を目的）
12. − 東京出張所設置（丸の内野村ビル本館内）	
12. − 吉隈炭坑山の神坑開坑	
1. − 起行小松鉱業所弓削田炭坑開坑	
2.14 豆田炭坑第八坑開坑	
	3.20 筑豊石炭鉱業組合，次期総長に貝島太市を推挙
	3.26 直方商工会議所設立
	3.27 国際連盟脱退についての詔書
	3.30 九州石炭鉱業懇話会設立（会長貝島太市）九州地区の各鉱業組合，主要鉱業所参加
4. − 赤坂炭坑新選炭機完成	4.6 日本製鉄株式会社法公布（9.25施行）
	4.26 飯塚商工会議所設立
5. − 吉隈炭坑山の神坑古洞出水のため廃止	5.9 筑豊電気軌道(株)の軌道起業廃止許可（鉄道省，内務省）
6.25 豆田炭坑鶴田二坑終掘	
7. − 嘉麻興業(株)設立	
7. − 三元炭坑（嘉穂郡山田町）を野上鉱業に譲渡	
7. − 九州産業(株)セメント工場起工式	
9.6 吉隈炭坑下五尺二坑，七ヘダ坑開坑	9.1 婦女子入坑禁止実施
9.30 九州産業鉄道(株)と九州産業(株)合併．セメント製造を兼営，産業セメント鉄道(株)設立	
10.4 吉隈炭坑五尺三坑，八尺二坑開坑	
11.22 吉隈炭坑笹尾二坑，吉隈三坑開坑	
11.25 遠東金山（朝鮮江原道）買収	
	12.13 飯塚市，幸袋町，大隈町ほか32団体，太吉へ「感謝状」を贈呈
	12.22 麻生太吉死去にともない，(株)嘉穂銀行頭取に伊藤伝右衛門就任

西暦(年号) 麻生太吉年齢	麻　生　家	麻　生　太　吉
1933 (昭和 8) 77		電気工業(株)社長，筑後電気(株)社長，杖立川水力電気(株)社長，九州保全(株)社長，嘉麻興業(株)社長，九州土地興業(株)取締役，九州電気軌道(株)取締役，若松築港(株)取締役，(株)幸袋工作所取締役，東洋製鉄(株)取締役，九州送電(株)相談役．従五位に叙せられ 12 月 12 日特旨を以って位一級追陞 **12.13**　麻生家本邸にて葬儀（戒名巍徳院釈幸覚忠信太山居士）
1934 (昭和 9)		**12.2**　麻生太吉銅像除幕式挙行（麻生家本邸内） **12.8**　『麻生太吉伝』刊行．1935.3『麻生太吉翁伝』刊行

麻生太吉の企業活動関係	地　域　社　会
	＊三井山野，坑夫の呼称を廃し従業員と改称．社宅も従業員社宅と呼称
1.26　麻生太賀吉，(株)麻生商店社長	**1.29**　日本製鉄(株)設立（官営八幡製鉄所および釜石・輪西・三菱・九州・富士の5製鉄会社合併による＜製鉄大合併＞．資本金3億4594万円）
2.17　豆田炭坑第七坑終掘	**2.23**　筑豊石炭鉱業互助会，佐賀・長崎中小炭坑組合の加入承諾，九州石炭鉱業互助会と改称
4.15　産業セメント鉄道(株)，セメント開業式挙行	**4.11**　筑豊石炭鉱業組合，法人設立認可．「筑豊石炭鉱業会」と改称
5. －　赤坂炭坑中村坑終掘	
6. －　遠東金山事務所設置	
10.29　綱分炭坑ガス爆発事故，死者17名	
	11.30　安川敬一郎死去．享年86
12.2　従業員一同，麻生太吉銅像建設基金を醵出．麻生太吉芳名録記念碑を麻生家本邸内に建立．除幕式挙行	

参考文献一覧

青柳 隆『実録博多：資料が語る博多の歴史』櫂歌書房，2004 年
秋山六郎兵衛『福岡県人物篇』第一芸文社，1944 年
芦屋町誌編集委員会編『芦屋町誌』芦屋町役場，1991 年
麻生太吉翁伝刊行会編『麻生太吉翁伝』麻生太吉翁伝刊行会，1935 年
麻生太吉日記編纂委員会編『麻生太吉日記　第 1 ～ 5 巻』，九州大学出版会，2011 ～ 16 年
麻生百年史編纂委員会編『麻生百年史』創思社出版，1975 年
阿部暢太郎編『太田清蔵翁伝』東邦生命保険相互会社五十年史編纂会，1952 年
甘木市史編さん委員会編『甘木市史　下巻』甘木市，1982 年
荒井周夫編『福岡県碑誌　筑前之部』大道学館出版部，1929 年
飯塚市誌編纂委員会編『飯塚市誌』飯塚市，1952 年
飯塚市編さん室編『飯塚市誌』飯塚市，1975 年
飯塚地方誌編纂委員会編『地図と絵で見る飯塚地方誌』元野木書店，1975 年
五十嵐栄吉底本『大正人名辞典（復刻版）　上・下巻』日本図書センター，1987 年
行実正利編集『写真集 明治大正昭和 直方：ふるさとの想い出』国書刊行会，1985 年
石瀧豊美『玄洋社発掘：もうひとつの自由民権』西日本新聞社，1997 年
石田秀人編『在京福岡県人物誌』我観社，1928 年
医事時論社編『日本医籍録』医事時評社，1925 年
泉 彦蔵『麻生太吉伝』第一書房，1934 年
伊東尾四郎編『八幡市史』八幡市，1936 年
伊東尾四郎編『福岡県史資料　第 7 輯』福岡県，1937 年
伊東尾四郎編『大牟田市史』大牟田市役所，1944 年
糸田町史編集委員会編『糸田町史』糸田町，1989 年
井上馨侯伝記編纂会編『世外 井上公伝』内外書籍，1934 年
井上精三『博多風俗史　遊里編』積分館，1968 年
井上精三『福岡町名散歩』葦書房，1983 年
井上精三『博多郷土史事典』葦書房，1987 年
井上精三『博多大正世相史』海鳥社，1987 年
今村為雄『旧友会』今村為雄，1920 年
伊万里市市史編さん室『絵図・地図に見る伊万里：伊万里市史副読本』伊万里市，2007 年
井村圭壮「矢野嶺雄の実践を基盤とした別府養老院に関する歴史的事例研究」『中国四国社会福祉史研究』第 7 号，2008 年
岩波書店編集部編『近代日本総合年表（第 4 版）』岩波書店，2001 年
上野雅生編『九州紳士録』集報社，1914 年
内尾直二編『人事興信録』人事興信所，各年
エネルギー史研究会編『エネルギー史研究ノート』No.1，九州大学経済学部日本経済史研究室内エネルギー史研究会，1973 年

参考文献一覧

エネルギー史研究会編『エネルギー史研究ノート』No.2～9，西日本文化協会，1973～1977年
エネルギー史研究会編『エネルギー史研究：石炭を中心として』No.10，西日本文化協会，1979年
大分県警察史編さん委員会編『大分県警察史　第1巻（明治・大正・昭和前期編）』大分県警察本部，1986年
大分県警察本部『大分県警察史』大分県警察本部教養課，1963年
大分県政史刊行会編『大分県政史』大分県，1956年
大分県速見郡教育会編『豊後速見郡史（復刻版）』名著出版，1973年
大分合同新聞社編『大分県歴史人物事典』大分合同新聞社，1996年
大分合同銀行五十年史編纂委員会編『大分合同銀行五十年史』大分合同銀行五十年史編纂委員会，1943年
大分市史編纂審議会編『大分市史』双林社，1981年
大分放送大分百科事典刊行本部編『大分百科事典』大分放送，1980年
大分放送大分歴史事典刊行本部編『大分歴史事典』大分放送，1990年
大里浩秋「同仁会と『同仁』」『人文学研究所報』No39，2008年
大園純也『鹿児島の勧業知事：加納久宜小伝』春苑堂書店，1969年
大空社『昭和戦前財界人名事典　第1～4巻』大空社，1993年
岡本幸雄『地方紡績企業の成立と展開：明治期九州地方紡績の経営史的研究』九州大学出版会，1993年
荻野喜弘「日本石炭産業における独占の形成過程：販売市場の展開過程を中心に」『西南地域史研究』第1輯，文献出版，1977年
荻野喜弘『筑豊炭鉱労資関係史』九州大学出版会，1993年
荻野喜弘編『戦前期筑豊炭鉱業の経営と労働』啓文社，1990年
奥中孝三『石炭鉱業聯合会創立拾五年誌』石炭鉱業聯合会，1936年
小俣 愨『大分県人名辞書』小俣 愨，1917年
遠賀町誌編纂委員会編『遠賀町誌』遠賀町，1986年
頴田町史編纂委員会編『頴田町史』頴田町教育委員会，1984年
角田嘉久『或る馬賊芸者伝：「小野ツル女」聞き書きより』創思社出版，1980年
柏木昌之助「柏木勘八郎の系譜」『合本美夜古文化　第2集』美夜古文化懇話会，1981年
桂 芳男『総合商社の源流：鈴木商店』日本経済新聞社，1977年
「角川日本地名大辞典」編纂委員会編『角川日本地名大辞典　大分県』角川書店，1980年
「角川日本地名大辞典」編纂委員会編『角川日本地名大辞典　宮崎県』角川書店，1986年
「角川日本地名大辞典」編纂委員会編『角川日本地名大辞典　福岡県』角川書店，1988年
金子雨石『筑豊炭坑ことば』名著出版，1974年
嘉穂郡農会編『嘉穂郡誌』嘉穂郡農会，1908年
嘉穂郡役所編『嘉穂郡誌』嘉穂郡役所，1924年
嘉穂町誌編集委員会編『嘉穂町誌』嘉穂町教育委員会，1983年
川崎孝夫編『鉄輪の轟き』九州旅客鉄道株式会社，1989年
川田友之編『九州大観』大観社，1917年
香春町史編纂委員会編『香春町史　上巻』香春町，2001年

神崎義夫『明治大正小倉経済年表：小倉を中心とした北九州経済発展史』小倉郷土会，1954年
喜多貞吉編『和田豊治伝』和田豊治伝編纂所，1926年
北九州市産業史・公害対策史・土木史編集委員会産業史部会編『北九州市産業史』北九州市，1998年
北九州市史編さん委員会『北九州市史　近代・現代　教育文化』北九州市，1986年
北九州市立自然史・歴史博物館編『安川敬一郎日記　第1～4巻』，北九州市立自然史・歴史博物館，2007～12年
九州工業大学編『五十年』九州工業大学，1959年
九州産業鉄道株式会社編『沿革史』九州産業鉄道株式会社，1932年
九州産業鉄道株式会社編『九州産業鉄道株式会社十周年記念誌』九州産業鉄道株式会社，1932年
九州送電株式会社編『九州送電株式会社沿革史』東洋経済新報社，1942年
九州大学七十五年史編集委員会編『九州大学七十五年史　別巻』九州大学，1992年
九州帝国大学庶務課編『九州帝国大学職員録　大正3年』九州帝国大学庶務課，1914年
九州帝国大学庶務課編『九州帝国大学職員録　大正13年』九州帝国大学庶務課，1924年
九州帝国大学庶務課編『九州帝国大学職員録　昭和2年』九州帝国大学庶務課，1927年
九州日報社編『九州産業大観』九州日報社，1936年
九州日報社編集部編『田川産業経済大観』九州日報社，1954年
九州大学石炭研究資料センター編『エネルギー史研究：石炭を中心として』No.11～15，西日本文化協会，1981～1991年
九州大学石炭研究資料センター編『石炭研究資料叢書』No.5～7，10～15，19～20，24～25，九州大学石炭研究資料センター，1984～2004年
「高取伊好翁伝（稿本）」同上No.5，1984年，所収
「中島徳松翁伝　上下」同上No.6～7，1985～86年，所収
「貝島会社年表草案」同上No.10，1989年，所収
「鉱山借区一覧表（明治16年）」同上No.11，1990年，所収
「鉱山借区一覧表・同追加（明治19年）」同上No.12，1991年，所収
「筑豊五郡石炭鉱区一覧表（明治28・32・33・34年）」同上No.13，1992年，所収
「筑豊五郡石炭鉱区一覧表（明治35・36・37年）」同上No.14，1993年，所収
「筑豊五郡石炭鉱区一覧表（明治39・40・41年）」同上No.15，1994年，所収
「株式会社麻生商店二十年史」同上No.19，1998年，所収
「貝島太助伝（稿本）」同上No.20，1999年，所収
「筑豊五郡石炭鉱区一覧（明治43・44・45年）」同上No.24，2003年，所収
「特許採掘一覧（明治31年1月31日現在）」同上No.25，2004年，所収
九州大学附属図書館付設記録資料館産業経済資料部門編『石炭研究資料叢書』No.33～34，九州大学記録資料館，2012～13年
「麻生太吉書簡集（1. 電力業その1）」同上No.33，2012年，所収
「麻生太吉書簡集（1. 電力業その2）」同上No.34，2013年，所収
九州電力株式会社編『九州地方電気事業史』九州電力株式会社，2007年
清原陀仏郎編『藤金作翁』清原陀仏郎，1935年

清宮一郎『松本健次郎懐旧談』鱒書房，1952 年
近畿大学九州工学部図書館地域資料室編『筑豊近代化大年表（明治編）』近畿大学九州工学部図書館，1999 年
近畿大学九州工学部図書館地域資料室編『筑豊近代化大年表（大正編）』近畿大学九州工学部図書館，2000 年
近畿大学九州工学部図書館地域資料室編『筑豊近代化大年表（昭和戦前編）』近畿大学九州工学部図書館，2001 年
近代日本社会運動史人物大事典編集委員会編『近代日本社会運動史人物大事典 4』日外アソシエーツ，1997 年
草野真樹「商業登記公告のデータベース化とその概要：明治期における福岡県の株式会社を対象として」『九州産業大学商経論叢』第 56 巻第 3 号，2016 年
玖珠郡史編集委員会編『玖珠郡史』玖珠町役場，1965 年
隈部紫明・山下寛『福博の人物　第一輯』福岡出版協会，1935 年
鞍手嘉穂田川三郡聯合商工会『筑豊之実業案内』鞍手嘉穂田川三郡聯合商工会，1924 年
鞍手郡教育会編『鞍手郡誌』鞍手郡教育会，1934 年
警察協会福岡支部編『福岡県警察史　明治年代編』警察協会福岡支部，1942 年
KDD 社史編纂委員会編『KDD 社史』KDDI クリエイティブ，2001 年
憲政資料編纂会編『歴代閣僚と国会議員名鑑』政治大学校出版部，1978 年
小石原勇『九州金融変遷史』九州産業経済新聞社，1951 年
鉱山懇話会編『日本鉱業発達史　上中下巻』鉱山懇話会，1932 年
交詢社編『日本紳士録』交詢社，各年
幸袋工作所編『幸袋工作所百年史』幸袋工作所，1996 年
古賀良一ほか編『北九州地方社会労働史年表』西日本新聞社，1980 年
国士舘法学会編『国士舘法学』第 6 号，国士舘大学法学会，1974 年
国史大辞典編集委員会編『国史大辞典　1 ～ 15』吉川弘文館，1979 ～ 1997 年
小田部博美『博多風土記』海鳥社，1969 年
故団男爵伝記編纂委員会編『男爵團琢磨伝　上・下』故団男爵伝記編纂委員会，1938 年
古林亀次郎底本『明治人名辞典（復刻版）　上・下巻』日本図書センター，1987 年
小松 学『香春町郷土誌』田川郡香春町教育委員会，1956 年
斉藤泰嘉『佐藤慶太郎伝』石風社，2008 年
坂口二郎『野田大塊伝』野田大塊伝刊行会，1929 年
坂本敏彦編『資料博多湾築港史』博多湾振興協会，1972 年
咲山恭三『博多中洲ものがたり（前編・後編）』文献出版，1979 ～ 80 年
桜井督三編『九州水力電気株式会社二十年沿革史』九州水力電気株式会社，1933 年
笹渕 勇編『福岡商工会議所百年史』福岡商工会議所，1982 年
佐藤 巌『大分県人士録』大分県人士録発行所，1914 年
佐藤亀清『九州若松商工案内』若松商工会議所，1929 年
佐藤 豊『西部炭田名士選集』西部炭田名士選集刊行会，1936 年
沢田 謙・荻本清蔵『富士紡績株式会社五十年史』富士紡績株式会社，1947 年
重松順次郎・阿部暢太郎編『第一次（大正 5 年度）九州諸会社実勢』菊竹金文堂，1916 年
実業之世界社編輯局編『九州の現在及将来』実業之世界社，1916 年

篠原正一『久留米人物誌』菊竹金文堂，1981 年
渋沢栄一著･渋沢青淵記念財団竜門社編『渋沢栄一伝記資料』渋沢栄一伝記資料刊行会，1955 ～ 1971 年
渋谷隆一編『明治期日本全国資産家地主資料集成』柏書房，1984 年
紫村一重編『直方市史　補巻　石炭鉱業篇』直方市役所，1979 年
下中邦彦編『日本人名大事典　第 1 ～ 6 巻』平凡社，1937 ～ 38 年
社会経済史学会編『エネルギーと経済発展』西日本文化協会，1979 年
十七銀行六十年史編纂委員会編『株式会社十七銀行六十年史』株式会社十七銀行，1940 年
庄内町編『庄内町誌　下巻』庄内町，1998 年
聖福寺『聖福寺通史』聖福寺，1995 年
新九州新聞社『西日本風雪記』新九州新聞社，1961 年
新聞合同通信社編『日本国会七十年史　上・下巻』新聞合同通信社，1953 ～ 54 年
住友銀行行史編纂委員会編『住友銀行八十年史』住友銀行編纂委員会，1979 年
住友石炭鉱業株式会社社史編纂委員会編『わが社のあゆみ』住友石炭鉱業株式会社，1990 年
税田幸一『地方自治政の沿革と其の人物』自治通信社，1931 年
税田幸一『郷土発達史と人物及家』姓氏調査会郷土研究部，1940 年
西南地域史研究会編『西南地域の史的展開＜近代篇＞』思文閣出版，1988 年
全国地方銀行協会企画調査部編『全国地方銀行協会五十年史』社団法人全国地方銀行協会，1988 年
戦前期官僚制研究会編『戦前期日本官僚制の制度･組織･人事』東京大学出版会，1981 年
総理府賞勲局『賞勲局百年資料集　紅緑藍綬褒章名鑑　自明治十五年至昭和二十九年』大蔵省印刷局，1980 年
総理府賞勲局『賞勲局百年資料集　特別叙勲類纂（生存者）下』大蔵省印刷局，1982 年
第九回西南区実業大会編『大分県案内（復刻版）』文献出版，1976 年
大日本商工会編『大正拾四年版　公認大日本商工録』大日本商工会，1925 年
ダイヤモンド社編『銀行会社年鑑』ダイヤモンド社，各年
高野孤鹿編『貝島太市翁追悼録』貝島太市翁追悼刊行会，1967 年
高野孤鹿編『西日本新聞社史：創刊七十五年記念』西日本新聞社，1951 年
田川市史編纂委員会編『田川市史　中巻』田川市役所，1976 年
太宰府市史編集委員会編『太宰府市史　年表編』太宰府市，2004 年
多田茂治『玉葱の画家：青柳喜兵衛と文士たち』弦書房，2004 年
田中直樹『近代日本炭礦労働史研究』草風館，1984 年
谷元二底本『昭和人名辞典（復刻版）　第 1 ～ 4 巻』日本図書センター，1987 年
筑紫野市史編さん委員会編『筑紫野市史　下巻』筑紫野市，1999 年
筑紫野市史編さん委員会編『筑紫野市史　民俗編』筑紫野市，1999 年
築上郡豊前市教育振興会編『福岡県築上郡史　下巻』築上郡豊前市教育振興会，1956 年
筑豊石炭鉱業会編『筑豊石炭鉱業会五十年史』筑豊石炭鉱業会，1935 年
筑豊石炭礦業史年表編纂委員会編『筑豊石炭礦業史年表』西日本文化協会，1973 年
筑穂町編『筑穂町誌』筑穂町，1962 年
筑穂町誌編集委員会編『筑穂町誌　上巻』筑穂町，2003 年

帝国興信所編『帝国銀行会社要録：附職員録（大正 13 年度）』帝国興信所，1924 年
帝国法曹大観編纂会『日本法曹界人物事典　第 1 ～ 6』ゆまに書房，1995 ～ 96 年
逓信省電気局編『電気事業要覧　第 1 ～ 34 回』逓信省電気局，1908 ～ 43 年
東京興信所編『銀行会社要録：附役員録』東京興信所，各年
東邦電力株式会社編『九電鉄二十六年史』東邦電力株式会社，1923 年
東邦電力史編纂委員会編『東邦電力史』東邦電力史刊行会，1962 年
堂屋敷竹次郎『北九州の人物　巻上・下』金栄堂，1930 ～ 31 年
都甲貞雄『馬上金山志』都甲貞雄，1915 年
飛鋪秀一編著『愛国婦人会四十年史（復刻版）』日本図書センター，1996 年
富岡行昌・岩永 融『目で見る唐津・伊万里・松浦の 100 年』郷土出版社，2003 年
永江眞夫「戦前期地方中小銀行の経営組織と経営陣」『福岡大学経済学論叢』第 40 巻 3・4 号，1996 年
永島芳郎編『博多商工会議所五十年史』博多商工会議所，1940 年
長田義彦『福岡市案内』東亜勧業博覧会協賛会，1927 年
長田義彦『福岡市案内』博多商工会議所，1936 年
中野紫葉『伊藤伝右衛門翁伝』伊藤八郎，1984 年
長野民次郎『大福岡今昔人物誌』大福岡発展研究会出版部，1953 年
長野安太郎『躍進九軌の回顧』九州電気軌道株式会社，1935 年
中間市史編纂委員会編『中間市史　中巻』中間市，1992 年
中間市史編纂委員会編『中間市史　下巻』中間市，2001 年
中村十生『増補 新豊前人物評伝』新豊前人物評伝刊行会，1978 年
新鞍拓生『筑豊鉱業主 麻生太吉の企業家史』裏山書房，2010 年
西日本新聞社福岡県百科事典刊行本部編『福岡県百科事典　上・下巻』西日本新聞社，1982 年
西日本鉄道株式会社・株式会社井筒屋編『村上巧児翁伝』村上巧児翁伝刊行会，1965 年
西日本鉄道株式会社 100 年史編纂委員会『西日本鉄道百年史』西日本鉄道株式会社，2008 年
西日本文化協会編『福岡県史　通史編近代　産業経済（1）』福岡県，2003 年
西日本文化協会編『福岡県史　通史編近代　産業経済（2）』福岡県，2000 年
西日本文化協会編『福岡県史　近代史料編　筑豊石炭鉱業組合（1）』福岡県，1987 年
西日本文化協会編『福岡県史　近代史料編　筑豊石炭鉱業組合（2）』福岡県，1989 年
西日本文化協会編『福岡県史　近代史料編　福岡県地理全誌（1）』福岡県，1988 年
西日本文化協会編『福岡県史　近代史料編　福岡県地理全誌（2）』福岡県，1988 年
西日本文化協会編『福岡県史　近代史料編　福岡県地理全誌（3）』福岡県，1989 年
西日本文化協会編『福岡県史　近代史料編　嘉穂銀行（1）』福岡県，1991 年
西日本文化協会編『福岡県史　近代史料編　嘉穂銀行（2）』福岡県，1996 年
西日本文化協会編『福岡県史　近代研究編　各論（1）』福岡県，1989 年
西日本文化協会編『福岡県史　近代研究編　各論（2）』福岡県，1996 年
日鉄鉱業株式会社嘉穂鉱業所『嘉穂炭鉱史』日鉄鉱業嘉穂鉱業所，1967 年
日本勧業銀行調査部編『日本勧業銀行史』日本勧業銀行調査部，1953 年
日本経営史研究所編『創業 100 年史』古河鉱業株式会社，1976 年

日本興業銀行臨時史料室編『日本興業銀行五十年史』興業銀行臨時史料室，1957 年
日本国有鉄道編『日本国有鉄道百年史（復刻版）』成山堂書店，1997 年
日本赤十字社『赤十字福岡九十年史』日本赤十字社福岡県支部，1980 年
日本大辞典刊行会編『日本国語大辞典　第 1 ～ 10 巻』小学館，1972 ～ 76 年
日本電報通信社編『新聞総覧　昭和 7 年版』大空社，1994 年
日本図書センター編『新聞人名辞典　第 1 ～ 3 巻』日本図書センター，1988 年
直方市史編さん委員会編『直方市史　下巻』直方市，1978 年
能勢岩吉編『日本博士録（復刻版）　全 9 巻』日本図書センター，1985 年
延岡市史編さん委員会編『延岡市史』延岡市，1963 年
野見山雅博・野見山正三・香月靖晴・檜和田數俊『伊岐須　野見山家の歴史』野見山会，2005 年
博多商工会議所編『博多商工会議所報』博多商工会議所，1932 年
博多商工会議所編『福岡市商工人名録』博多商工会議所，1935 年
橋詰武生『小林作五郎伝』合名会社小林本店，1958 年
橋詰武生『渡辺与八郎伝』渡辺与八郎伝刊行会，1976 年
波多江五兵衛『大正の博多記　第 2 部』博多を語る会，1975 年
畠山秀樹「麻生家炭礦業の発展と家法」『大阪大学経済学』第 35 巻第 1 号，1985 年
畠山秀樹「筑豊麻生家の家法」『大分大学経済論集』第 36 巻第 6 号，1985 年
畠山秀樹「筑豊麻生家の店則」『大分大学経済論集』第 37 巻第 4・5 合併号，1986 年
原口呑海編『福博人事交友録　第 7 版』西日本新興クラブ，1961 年
日田市『日田市史』日田市，1990 年
秀村選三編集代表『九州石炭礦業史資料目録　第 7 ～ 10 集』，西日本文化協会，1981 ～ 84 年
百年史編集委員会編『百年誌：耕』福岡県立福岡農業高等学校，1978 年
平田勝政「1920 年代のハンセン病問題と社会事業」『日本社会福祉学会　第 58 回秋季報告』2010 年
広瀬梅次郎『豊前市産業百年史』広瀬梅次郎，1966 年
深町純亮『伊藤伝右エ門物語』旧伊藤伝右衛門邸の保存を願う会，2007 年
福岡銀行編『福岡銀行二十年史付編』福岡銀行，1970 年
福岡県『福岡県篤行録』福岡県，1929 年
福岡県教育会編『福岡県教育会五十年史』福岡県教育会，1939 年
福岡県教育百年史編さん委員会編『福岡県教育百年史　第 7 巻年表・統計編』福岡県教育委員会，1980 年
福岡県警察史編さん委員会編『福岡県警察史　明治大正編』福岡県警察本部，1978 年
福岡県警察史編さん委員会編『福岡県警察史　昭和前編』福岡県警察本部，1980 年
福岡県警察部編『福岡県警察職員録　昭和 3 年 8 月 1 日現在』福岡県警察部，1928 年
福岡県歯科医師会八十年史編纂部会編『福岡県歯科医師会八十年史』福岡県歯科医師会，1985 年
福岡県信用組合聯合会編『福岡県信用組合聯合会二十年史』福岡県信用組合聯合会，1939 年
福岡県知事官房編『福岡県職員録』福岡県知事官房，1928 年

福岡県弁護士会史編纂委員会編『福岡県弁護士会史　上巻』福岡県弁護士会，1989年
福岡県無産運動史刊行委員会編『福岡県無産運動史』宮崎太郎，1970年
福岡県立筑豊工業高等学校「樟陵七十年」編集委員会編『樟陵七十年：筑豊工業高校七十年のあゆみ』福岡県立筑豊工業高等学校，1988年
福岡鉱山監督局編『鉱政五十年』福岡鉱山監督局，1943年
福岡市医師会編『福岡市医師会史』福岡市医師会，1968年
福岡市賛助会『福岡市案内』福岡市賛助会，1910年
福岡市役所編『福岡市案内』福岡市役所，1916年
福岡市役所編『福岡市案内』福岡市役所，1930年
福岡市役所編『福岡市史　第1巻 明治編』福岡市役所，1961年
福岡市役所編『福岡市史　第2巻 大正編』福岡市役所，1963年
福岡時事社編輯部編『事業ト人：奮闘秘話』福岡時事社出版部，1929年
福岡中央電話局編『福岡電話番号簿:昭和11年10月15日現在』福岡中央電話局，1936年
福岡中央電話局編『福岡電話番号簿:昭和12年9月1日現在』福岡中央電話局，1937年
福岡日日新聞社編『西日本産業要覧』福岡日日新聞社，1937年
福岡毎朝新聞社編『市制五十年の福岡』福岡毎朝新聞社，1939年
福中福高七十年史編集委員会編『福中・福高七十年史』福岡県立福岡高等学校，1987年
ふるさと人物記刊行会編『ふるさと人物記』夕刊フクニチ新聞社，1956年
古田隆一『福岡県全誌　上・下篇』安河内喜佐吉，1906年
平凡社地方資料センター編『日本歴史地名大系　第41巻 福岡県の地名』平凡社，2004年
別府市編『別府市誌　第2巻』別府市，2003年
別府市教育会編『別府市誌』別府市教育会，1933年
別府史談会編『別府史談』第8·9号，別府史談会，1994年
別府市役所編『別府市誌』別府市役所，1973年
北海道炭礦気船株式会社編『北海道炭礦気船株式会社五十年史』北海道炭礦汽船株式会社，1939年
穂波町誌編集委員会編『穂波町誌』穂波町，1969年
益田孝著・長井 実編『自叙益田孝翁伝』長井実，1939年
松尾正紀『後藤寺町誌』九州時事新聞社，1931年
松尾昌英『筑前の長崎街道』みき書房，1992年
松田法子著・古城俊秀監修『絵はがきの別府：古城俊秀コレクションより』左右社，2012年
松本健次郎編集・発行『撫松余韻』1935年
松元 宏「日本資本主義確立期における三井物産会社の発展」『三井文庫論叢』第7号，1973年
三井鉱山株式会社『男たちの世紀：三井鉱山の百年』三井鉱山株式会社，1990年
三井文庫編『三井事業史　本篇第三巻上』三井文庫，1980年
三菱鉱業株式会社『三菱筑豊炭礦史年表』三菱鉱業株式会社，1964年
三菱鉱業セメント株式会社総務部社史編纂室編『三菱鉱業社史』三菱鉱業セメント株式会社，1976年
三菱社誌刊行会編『三菱社誌』各巻，東京大学出版会，1979～82年

三松荘一『福岡県先賢人名辞典（復刻版）』葦書房，1986年
宮川隆義編『歴代国会議員経歴要覧』政治広報センター，1990年
宮崎県編『宮崎県政八十年史』宮崎県，1967年
宮崎市史編さん委員会編『宮崎市史年表』宮崎市，1974年
村橋卓郎『九州電気事業発達史：附現況録』九州電気界新聞社，1933年
明治鉱業株式会社社史編纂委員会編『社史』明治鉱業株式会社，1957年
百瀬 孝『事典 昭和戦前期の日本：制度と実態』吉川弘文館，1990年
森川英正編著『牧田環伝記資料』日本経営史研究所，1982年
矢島嗣久「麻生太吉翁と川田十氏」『別府史談』No.14，別府史談会，2000年
矢野寛治『伊藤野枝と代準介』弦書房，2012年
八尋生男『御笠村小史』筑紫郡御笠村，1955年
山本四郎補訂・解説『立憲政友会史』日本図書センター，1990年
由井常彦・浅野俊光編集『日本全国諸会社役員録（復刻版第Ⅰ期・Ⅱ期）』柏書房，1988～89年
吉木義雄編『飯塚商工人名録（昭和8年版）』飯塚商工会議所，1933年
吉木義雄編『飯塚商工案内（昭和10年版）』飯塚商工会議所，1935年
吉田磯吉翁伝記刊行会編『吉田磯吉翁伝』吉田敬太郎，1941年
吉田祝重編『福岡県自治産業史』門司新報社，1937年
劉 寒吉『松本健次郎伝』松本健次郎伝刊行会，1968年
歴史学研究会編『日本史史料』岩波書店，1997年
歴代知事編纂会編『日本の歴代知事　第3巻』歴代知事編纂会，1982年
歴代知事編纂会編『新編 日本の歴代知事』歴代知事編纂会，1991年
六十周年記念事業特別委員会編『福岡市歯科医師会六十年史』福岡市医師会，1990年
若築建設株式会社編『七十年史』若松築港株式会社，1960年
若築建設株式会社編『若築建設百十年史』若築建設株式会社，2000年
若松市役所編『若松市誌』若松市役所，1917年
若松市役所編『若松市史（復刻版）』名著出版，1974年
若松石炭協会『社団法人若松石炭協会五十年史』若松石炭協会，1957年
渡辺澄夫『大分県の歴史』山川出版社，1997年
和田泰光『筑豊要鑑　前編』筑豊之実業社，1924年
和田泰光『創建三百年直方町記念誌』筑豊之実業社，1926年
和田泰光『伊田町誌』筑豊之実業社，1930年
和田豊治著・小風秀雅ほか編『和田豊治日記：実業の系譜 大正期の財界世話役』日本経済評論社，1993年

『官報』
『福岡日日新聞』
『福陵新報』（1898年5月10日より『九州日報』へ紙名変更）
『門司新報』

麻生家文書（九州大学附属図書館付設記録資料館）

参考文献一覧

香月家文書（直方市立図書館）
加藤大庄屋文書（直方市立図書館）
永江家文書（九州歴史資料館）
平岡浩太郎伝・稿本（国立国会図書館）
別府市石垣関係資料（大分県立図書館）
松本学文書（国立国会図書館）
三井物産社員録職員録（三井文庫）

鉱業データベース研究会「鉱業関係データサイト」
http://www.yamane-data.jp/（最終閲覧日：2015 年末）
神戸大学附属図書館「新聞記事文庫」
http://www.lib.kobe-u.ac.jp/sinbun/（最終閲覧日：2015 年末）
国立国会図書館「近代デジタルライブラリー」
http://kindai.ndl.go.jp/（最終閲覧日：2015 年末）
今日新聞「懐かしの別府ものがたり」
http://today.blogcoara.jp/natukashi/（最終閲覧日：2015 年末）
庄福 BIC サイト「堀池園の金山王　成清博愛翁」
http://www.geocities.jp/bicdenki/nayikiyohiroe.htm（最終閲覧日：2015 年末）
全国銀行協会「銀行変遷史データベース」
http://www.zenginkyo.or.jp/abstract/library/hensen/（最終閲覧日：2015 年末）
福岡県立図書館「福岡県関係人物文献検索」
https://www.lib.pref.fukuoka.jp/winj/opac/search-original-b.do?lang=ja（最終閲覧日：2015 年末）
別府歴史史料デジタルアーカイブ「電子図書館」
http://www.beppu.biz/（最終閲覧日：2015 年末）

索　引

『麻生太吉日記』索引凡例

この索引は『麻生太吉日記』全5巻に収録した「日記」に筆記された「人名」と「事項」(地名を含む)について，所在する巻号とページとを五十音順に掲載したものである．

⑴　掲載ページの表示は，収録されている巻号をローマ数字で，掲載ページをアラビア数字で示した．連続して3ページ以上続く場合は“–”を用いて表示した．「*」を付したページは当該項目に関する注記があることを示している．

例）　Ⅰ-1, 3*, 10 / Ⅱ-20, 31, 142 / Ⅲ-25*, 32–35

⑵　掲出した索引項目は検索の便宜を考慮し，適宜書き換えたり類似のものを含めたりしている．さらに派生的な項目をひとつの項目で処理したものもある．したがって各項目は必ずしも原文のままではなく，本文に記載されている語句が索引項目とは完全に一致しないことがある．

例）　営業上ニ付打合(原文)　→　営業打合(索引項目)
伊田[駅]　：地名の「伊田」および「伊田駅」を含む
株(株式，株券，株金)：「株」および「株式」「株券」「株金」を含む
集丸炭山(炭坑)　：「集丸炭山」および「集丸炭坑」を含む

⑶　企業名・団体名・地名など，同一のものを指して複数の表記がなされている場合はひとつにまとめて掲載し，必要に応じて原文の表記を付記した．一部に複数の項目を掲出し重複して掲載したものもある．

例）　筑豊石炭鉱業組合(鉱業組合，坑業組合，組合)
九州水力電気株式会社(九水，九水会社)
浜の町(浜ノ町，浜町，浜の町別荘)

⑷　索引項目の表記および字体は，現在一般に広く用いられているものを採用した．必要に応じ原文の表記を付記した場合もある．

例）　九洲　→　九州　　撰挙　→　選挙(撰挙)　　惣会　→　総会(惣会)
團琢磨　→　団琢磨

(5) 正確な読みが判明しない人名は便宜的に配列している．同じ姓で名の読みが確定できない人物がいる場合は，同姓の中での配列が順不同になっていることがある．また，苗字のみが記載されている人名で，同一人物であることが確定できないものは，別項目として複数掲載している．

例） 河野（かわの，こうの）　　健（たけし，たつる，まさる）

青柳　Ⅲ-136

青柳　Ⅲ-237, 238

青柳　Ⅲ-308

(6) 特定の人物を指す屋号や地名は，人名索引の該当する項目に注記して収録した．また，屋号および特定の家を指す地名は，注記して事項索引に収録した．

例） 人名：　麻生惣兵衛（酒屋）　麻生太右衛門（大浦）　藤田次吉（笹屋）

家　：　新宅（麻生多次郎家）　岩崎（野見山米吉家）　高山（吉田九三郎家）

(7) 外来語由来の仮名表記などで，現在の表記と異なるためそのままではわかりにくい項目は，現在一般に用いられている表記で掲出し，必要な場合は原文の表記を付記した．なお，不詳の項目についてはそのまま掲出している．

例） ホオリング（原文）　→　ボーリング（索引項目）

オートバイ（オウトハイ）　ガード（ガアード）　カルバート（コーヘト）

(8) 利用者の便宜のため，必要に応じて索引項目に注記を付した場合がある．ただし，地名や駅名への注記は行政区域や線区名等の変遷があるため，時期によっては異なっていることがある．なお，福岡県内の地名の注記には「福岡県」を省略して表示した

例） 勝（博奕の勝ち）　はやし（お囃子）　マテガラ（石炭層）

秋穂（山口県吉敷郡秋穂村）　相田（嘉穂郡二瀬村）

(9) 麻生太吉特有の慣習化した用字・表記等は，索引項目には本来の表記で掲出し，必要な場合には原資料の表記を付記した．

例） 自動車（自働車）　東邦（東望）　保険（保検）　綿勝（綿且）

人名索引

あ

相川　Ⅰ-54
鮎川義介　Ⅰ-226, 227* / Ⅱ-42, 43* / Ⅲ-140, 141* / Ⅳ-358, 359*, 373 / Ⅴ-32, 33*
相羽虎雄　Ⅰ-49*, 50, 60, 61, 130, 131*, 147, 220, 221*, 223, 329*, 339, 345*, 350, 355, 363 / Ⅱ-25*, 38, 62, 63, 72, 79, 85-87, 128, 129*, 138, 166, 182, 416, 417*, 421 / Ⅲ-9*, 20, 36, 44, 66, 80, 93*, 110, 137, 141, 158, 159*, 162, 163, 166, 169, 189, 193, 197, 198, 203-205, 207, 208, 212, 224, 253, 264, 265*, 266, 268, 269, 277, 284-286, 302, 305, 306, 317, 339, 342, 357, 364, 365*, 366, 369, 370, 373, 376, 396, 407, 409, 410, 419, 438, 454 / Ⅳ-8, 9*, 10, 30, 41, 44, 51, 66, 71, 79, 80, 130, 131*, 136, 142, 144, 150, 152, 156, 162, 202, 251*, 324, 325*, 326, 337-339, 345, 350, 352, 356, 362-367, 382 / Ⅴ-27*, 28, 29, 47, 50, 69, 86, 88, 91, 92, 94-98, 100, 102, 110, 111*, 118, 120, 122, 124, 128, 130, 132, 141, 144, 151, 170, 176, 179-181, 185-187
相羽雷介　Ⅱ-85*
青木　Ⅲ-130, 349, 418
青木勘二　Ⅲ-390
青木壮三郎　Ⅲ-440, 441*
青木信光　Ⅱ-136, 137*, 391* / Ⅴ-180
青木道雄　Ⅰ-129*, 130
青木康冨　Ⅲ-53
青柳　Ⅲ-136
青柳　Ⅲ-237, 238
青柳　Ⅲ-308
青柳郁次郎　Ⅱ-27*, 28 / Ⅲ-413 / Ⅳ-28, 29*, 36, 37, 76, 93, 158, 159*, 184, 225*, 226, 260
青柳市兵衛　Ⅲ-104, 169, 186
青柳卯之吉　Ⅳ-126, 127, 134, 137
青柳栄次郎　Ⅰ-307*, 381* / Ⅱ-38 / Ⅳ-386, 387*
青柳喜兵衛　Ⅳ-136, 137*
青柳兄妹　Ⅲ-444
青柳茂　Ⅲ-19*, 71, 88, 89*, 232, 233*, 404, 405* / Ⅳ-165*, 172, 178, 351*, 396 / Ⅴ-12, 13*, 22, 25, 36, 47, 48, 53, 70, 74, 90, 95, 99, 101, 132, 133*
青柳近太郎　Ⅱ-401 / Ⅲ-94, 95* / Ⅳ-351*, 355
青柳マサ(政子)　Ⅳ-126, 137
青柳六輔　Ⅲ-284, 285*
赤岩八郎　Ⅳ-284, 285*, 287, 320, 321*
赤尾元一　Ⅰ-240, 241*
明石元二郎　Ⅱ-239*
赤羽克己　Ⅲ-130, 286, 287*
赤間嘉之吉　Ⅰ-94, 95*, 124, 125*, 149, 156, 218, 219*, 231, 280, 281*, 288, 293, 297, 334, 370, 371*, 376 / Ⅱ-9*, 14, 30, 32, 34, 36, 38, 44, 86, 156, 157*, 167, 254, 255*, 256, 258, 259*, 267, 269, 271, 280, 284, 323*, 352 / Ⅲ-26, 27*, 48, 92, 93*, 104, 125, 190, 191*, 220, 221, 244, 264, 265*, 303, 312, 329, 330
赤間富次郎　Ⅱ-349* / Ⅲ-227 / Ⅳ-22, 23*, 392, 393*
赤松梅吉　Ⅱ-78, 79*
赤松健蔵　Ⅳ-357*
赤松治郎　Ⅱ-422 / Ⅲ-297* / Ⅳ-284, 285*, 306, 307*, 388
赤松連城　Ⅰ-76, 77*
秋月種英　Ⅲ-242
秋根昌美　Ⅳ-147*
秋本　Ⅰ-70

秋元春朝　Ⅱ-220, 338, 339*
秋山延蔵　Ⅳ-168, 169*
秋山武三郎　Ⅳ-328, 329*
浅尾新十郎　Ⅴ-84, 85*
朝倉文夫　Ⅱ-321*
浅田信興　Ⅰ-129*
浅野老人　Ⅲ-45
浅野惣一郎　Ⅰ-16, 17*
朝原　Ⅱ-62
浅原鉱三郎　Ⅳ-147*
旭憲吉　Ⅱ-332, 333*, 344／Ⅲ-109*, 110／Ⅳ-94, 95*, 221*
朝吹英二　Ⅰ-19*, 320, 321*
足利紫山　Ⅱ-308／Ⅳ-145*, 347*
芦田竹水　Ⅱ-322
芦津耕次郎　Ⅱ-416
芦津洗造　Ⅲ-367*
東桃園　Ⅳ-71*
阿曇　Ⅳ-172
麻生　Ⅱ-286
麻生賀一郎　Ⅱ-228, 229*／Ⅲ-438／Ⅳ-142, 143*, 347*
麻生和一郎　Ⅴ-92
麻生金市　Ⅱ-433*, 435
麻生観八　Ⅰ-218, 219*, 222, 233, 252, 253, 265, 267, 269, 270, 284, 285*, 304, 319, 320, 324, 332, 337, 339, 358, 359*, 362, 363, 368, 380, 384, 385, 390／Ⅱ-35*, 56, 62, 66, 73, 76, 88, 118, 119*, 128, 137, 143, 144, 146-150, 151*, 152, 158, 162, 164, 170-173, 178, 182, 185, 189-194, 197, 198, 263*, 268, 274, 285, 292, 354, 386, 387*, 394, 395, 409*, 422／Ⅲ-65*, 102, 103*, 106, 119, 160, 161*, 162, 202-204, 216, 251, 255, 349, 430, 431*, 433, 447, 451, 452／Ⅳ-17*, 20, 21, 27, 28, 36, 46-48, 52, 62, 69, 70, 76, 77
麻生きみを(君代・君生)　Ⅱ-295*, 298, 300, 359*, 427*, 433, 435／Ⅲ-74, 75*, 79, 147*, 152, 153, 260, 261*, 361*, 458, 459*／Ⅳ-106, 107*, 208, 209*, 213*, 294／Ⅴ-104, 105*-107
麻生清　Ⅱ-120, 140
麻生邦郎　Ⅱ-392
麻生五郎　Ⅱ-383*, 427, 434／Ⅲ-17*, 59, 68, 73, 79, 146, 147*, 152, 172, 173*, 190, 201, 206, 226, 257, 259, 261, 266, 267*, 268, 281, 360, 404, 405*／Ⅳ-9*, 16, 110, 111*, 130, 208, 212, 213*, 300, 301*／Ⅴ-47*, 64, 91, 92, 96, 166, 167*, 178, 180, 185
麻生サカエ　Ⅲ-36, 37*
麻生繁美　Ⅱ-346, 347*
麻生茂　Ⅰ-94, 95*／Ⅲ-114, 115*, 116, 336, 337*／Ⅳ-86, 87*, 174, 175*
麻生摂郎　Ⅱ-427*, 434, 435／Ⅲ-74, 75*, 79, 147*, 152, 160, 161*, 260, 261*, 361*, 458, 459*／Ⅳ-106, 107*, 208, 209*, 374, 375*／Ⅴ-104, 105*-107
麻生惣兵衛(酒屋)　Ⅰ-12, 13*, 14, 30, 58, 101*, 108, 122, 123*, 132, 133*, 134, 149, 244, 254, 268, 288, 289*, 299, 303, 307, 376, 381*, 382, 399／Ⅱ-33*, 79, 134, 135*, 203, 224, 225*, 237, 254, 255*, 256, 269, 279, 288, 387*／Ⅲ-116, 117*, 232, 233*, 278, 279*, 338, 400, 401*／Ⅳ-278, 279*, 384, 385*／Ⅴ-23*, 30
麻生太市　Ⅱ-264, 265*, 276
麻生太右衛門(大浦)　Ⅰ-15*, 124, 125*, 129, 234, 235*, 245／Ⅱ-50, 51*, 250, 251*, 295*, 298, 300, 359*, 427*, 433, 435／Ⅲ-74, 75*, 79, 142, 143*, 146, 152, 166, 167*, 259, 261, 282, 283*, 288, 360, 444, 458, 459*／Ⅳ-16, 52, 53*, 106, 118, 119*, 208／Ⅴ-103*, 105, 107, 144, 145*
麻生太賀吉　Ⅰ-224, 256, 257*, 260, 268, 276, 277*, 280, 297, 298, 310, 329, 333, 334, 340, 344, 345*, 348, 350, 357, 360, 372／Ⅱ-58, 59*, 68, 141*, 162, 174, 195, 205, 214, 230, 231*, 250, 256, 257*, 280, 284, 298, 316, 359, 366, 367*, 368, 376, 403, 433, 435／Ⅲ-6, 7*, 49, 50, 57, 60, 62, 74, 78, 103*, 118, 122, 125, 126, 141, 142, 146, 152, 168, 169*, 172, 210, 218, 227, 231, 259, 261, 264, 265*,

286, 287, 292, 333, 347, 352, 356, 361, 364, 365*, 368, 412, 422, 423, 428, 440, 458 / Ⅳ-4, 5*, 10, 18, 23, 33, 44, 46, 53, 57, 64, 83, 96, 103, 106, 110, 111*, 119, 123, 128, 130, 137, 149, 151, 159, 183, 192, 208, 212, 213*, 260-262, 280, 300, 301*, 316, 349, 369, 382, 384 / Ⅴ-4, 5*, 25, 54, 60, 84, 94, 104, 106, 107, 110, 111*, 112, 120, 122, 128, 132, 145, 158, 169, 170
麻生孝子(幸子・こを・おこを)　Ⅲ-261*, 361* / Ⅴ-104, 105*, 106, 107
麻生多喜子(たきよ)　Ⅱ-300, 301*, 359*, 427*, 433, 435 / Ⅲ-74, 75*, 79, 147*, 152, 260, 261*, 361, 458, 459* / Ⅳ-106, 107*, 208, 209*, 213*, 294 / Ⅴ-104, 105*, 106
麻生太三郎(麻生屋)　Ⅱ-390, 391* / Ⅲ-22, 23*, 96, 290, 291*, 324 / Ⅳ-201*, 376, 377* / Ⅴ-4, 5*, 65, 92, 95*, 102, 160, 161*
麻生太七(麻生屋)　Ⅰ-8, 9*, 10, 14, 18, 55, 56, 71*, 76, 98, 99*, 104, 126, 127*, 130, 137, 156, 166, 167*, 184, 185*, 192, 193*, 196, 200-202, 207, 218, 219*, 224, 225, 232, 234, 268, 382, 285*, 286, 288, 299, 322, 326, 334, 338, 376, 377*, 382, 399, 406 / Ⅱ-14, 15*, 32, 33*, 35, 38, 55, 62, 68, 88, 93-95, 105, 109, 118, 119*, 144, 146, 154, 158, 187, 204, 214, 216, 217*, 220, 228, 238, 269*, 273, 295, 298, 315*, 318, 325, 327, 328, 348, 352, 356, 370, 371*, 372-374, 390, 395, 398, 400, 402, 405, 410, 411, 422, 423 / Ⅲ-16, 17*, 18, 19, 21, 22, 26, 36, 39, 43, 79, 90, 91*, 93-95*, 96, 124, 137, 156, 157*, 162, 174, 192, 196, 197, 217, 222, 223, 226, 252, 253*, 266, 267*, 278, 279*, 290, 294, 307, 312, 322, 380, 381*, 410, 438 / Ⅳ-16, 17*, 90, 91, 139*, 140-143, 145, 174, 263*, 343*, 375*, 377
麻生太七郎　Ⅰ-172, 173*, 212, 213* / Ⅱ-232, 233*, 251, 295*, 298, 300, 359*, 360, 390, 391*, 427, 433, 434 / Ⅲ-25*, 31, 32, 63, 73, 79, 108, 109*, 146, 152, 172, 173*, 182, 226, 259, 261, 268, 269*, 270, 278, 288, 292, 300, 326, 360, 372, 373*, 404, 406, 407, 420, 423, 444, 458 / Ⅳ-8, 9*, 16, 26, 31, 32, 43, 66, 100, 110, 111*, 118, 208, 212, 213*, 262, 329* / Ⅴ-59*, 65, 78, 85, 88, 92, 144, 145*
麻生多次郎(新宅・太次郎)　Ⅰ-122, 123* / Ⅱ-52, 53*, 235*, 242, 246, 256, 257*, 260, 264, 266, 276, 278, 284, 288, 314, 315*, 318, 319* / Ⅲ-19*, 20, 56, 57*, 59, 66, 87*, 90, 117, 275*, 328, 338, 346, 353, 444, 445*, 446, 451, 452, 453*, 455, 456 / Ⅳ-14, 15*, 49*, 53*, 55, 58, 129*, 159*
麻生太介(太助)　Ⅱ-298, 299*, 300, 304, 305*, 316, 336, 359*, 378, 379*, 428, 434, 435 / Ⅲ-74, 75*, 79, 82, 144, 146, 152, 190, 217, 223, 242, 259, 261, 264, 265*, 332, 360, 361, 364, 365*, 380, 432, 455, 456, 458 / Ⅳ-6, 7*, 16, 42, 53*, 58, 62, 79, 81, 99, 106, 110, 111*, 116, 129*, 142, 159*, 165, 173, 176, 206, 207, 212, 213*, 233, 234, 255, 256, 340, 341*, 365, 374, 375 / Ⅴ-103*, 106, 107, 133*
麻生辰子(辰・たつ子・たつ)　Ⅱ-131*, 242, 243*, 244, 256, 257*, 298, 300, 359*, 394, 395*, 398, 423, 428, 433, 435 / Ⅲ-74, 75*, 78, 146, 147*, 152, 168, 169*, 259, 261, 361*, 372, 373*, 380, 458 / Ⅳ-4, 5*, 106, 107*, 208, 209*, 274, 275*, 276, 280, 306, 307*, 320, 326 / Ⅴ-78, 79*, 84, 104, 106, 107
麻生太郎　Ⅰ-10, 11*, 12, 56, 63, 79*, 80, 91, 111*, 126, 145, 166, 167*, 172, 173*, 178, 179, 181, 182, 192, 193*, 200, 253*, 256, 297*, 298, 316-318, 330, 334, 346, 347*, 348, 362, 377, 379, 384, 386, 387, 413, 415, 420 / Ⅱ-10, 11*, 44, 46, 50, 85, 108, 110, 121*, 122, 138, 187, 222, 223*, 224, 226
麻生忠二　Ⅱ-435* / Ⅲ-74, 75*, 79, 147*, 152, 260, 261*, 361*, 410, 411*, 458 / Ⅳ-106, 107*, 208, 209*, / Ⅴ-104, 105*-107

麻生長次郎　Ⅰ-114
麻生ツヤ子（つや子・つや・艶子）　Ⅰ-289*, 316／Ⅱ-257*, 298, 300, 359*, 428, 429*, 433, 435／Ⅲ-74, 75*, 78, 146, 147*, 152, 153, 192, 193*, 259, 261, 361*, 458, 459*／Ⅳ-4, 5*, 106, 158, 159*, 163, 208, 256, 257*, 267, 268, 302, 303*, 374
麻生鶴十郎　Ⅰ-10, 11*, 17–19, 21, 28, 62, 63, 135*
麻生貞山　Ⅱ-262, 263
麻生典太　Ⅰ-372, 373*, 386, 394／Ⅱ-35*, 36, 55, 136, 137*, 146, 185, 190, 242, 243*, 244, 256, 257*, 266, 276, 280, 298, 300, 304, 305*, 311, 316, 354, 359, 368, 369*, 376, 398, 400, 428, 429, 433, 435／Ⅲ-74, 75*, 78, 102, 103*, 126, 128, 146, 150, 152, 259*, 261, 264, 265*, 361, 364, 365*, 412, 418, 458／Ⅳ-4, 5*, 106, 122, 123*, 128, 183, 208, 265*, 370, 371*, 382／Ⅴ-28, 29*, 78, 104, 106, 107, 138, 139*
麻生藤七　Ⅱ-269*
麻生徳兵衛　Ⅰ-50, 51*
麻生直三郎　Ⅰ-227
麻生尚敏　Ⅰ-389*／Ⅱ-276, 277*, 314, 315*, 384, 385*／Ⅲ-25*, 26, 27, 90, 91*, 156, 157*／Ⅳ-28, 29*, 349*／Ⅴ-145*, 158
麻生夏（夏子）　Ⅰ-280, 281*, 297, 330, 362, 372, 373*, 394／Ⅱ-108, 109*, 141*, 214, 260, 261*, 282, 295, 298, 301, 324, 325*, 359, 368, 369*, 423, 425, 428, 433, 434／Ⅲ-58, 59*, 74, 78, 84, 85*, 88, 102, 108, 122, 125, 126, 128, 130, 146, 149, 152, 157*, 160, 165, 185, 192, 195, 227, 252, 259, 261, 272, 273*, 276, 286, 310, 333, 340, 351, 360, 400, 401*, 406, 408, 418, 422, 426, 458, 459／Ⅳ-4, 5*, 9, 31, 37, 44, 46, 52, 54, 55, 80, 84, 92, 98, 103, 106, 107, 179*, 183, 192, 196, 208, 241*, 246, 247, 261, 262, 265, 267, 268, 275, 369*／Ⅴ-11*, 28, 80, 82, 85, 89, 104, 106, 107, 116, 117*, 122, 128, 132, 136, 158, 174, 188
麻生ナツヱ　Ⅰ-234, 235*
麻生縫　Ⅰ-309*／Ⅱ-390, 391*, 427／Ⅲ-22, 23*, 39, 40, 43, 165*, 166, 329*, 438, 439*／Ⅳ-347*
麻生八郎　Ⅰ-8, 9*, 16, 18, 63, 81, 85*, 87, 90, 126, 127*, 137, 192, 193*, 200, 304, 305*, 309, 326, 334, 380, 381*／Ⅱ-195*, 204, 206, 207*
麻生花（花子）　Ⅲ-96, 97*／Ⅳ-347*
麻生彦三郎　Ⅰ-234, 235*, 322, 323*／Ⅱ-125*, 132, 137, 198, 233*, 278, 279*, 283, 388, 389*, 390, 412／Ⅲ-13*, 30, 96, 97*, 103, 106, 189*, 252
麻生広　Ⅱ-226, 227*, 314, 315*／Ⅲ-442, 443*／Ⅴ-28, 29*, 180, 181*
麻生フヨ　Ⅰ-386, 387*, 425／Ⅱ-108, 109*, 256, 257*, 282, 283*, 295, 298, 359, 427*, 434／Ⅲ-60, 61*, 74, 79, 120, 121*, 142, 147, 152, 214, 215*, 257, 260, 261, 361, 458, 459*／Ⅳ-106, 107*, 208, 209*／Ⅴ-81*, 104, 106, 107
麻生弁之介　Ⅲ-453*
麻生マサ（おまさ）　Ⅰ-15
麻生益良　Ⅳ-61*, 75, 145*, 146, 156, 187, 356, 357*／Ⅴ-42, 43*, 50, 78, 80, 100, 115*, 125, 126, 148, 151, 155, 164, 166, 175
麻生ミサヲ（操）　Ⅰ-263*, 314, 315*, 328, 425／Ⅱ-85*, 108, 141*, 281*, 295, 298, 300, 322, 323*, 324, 359, 368, 369*, 427, 431, 434, 435／Ⅲ-61*, 74, 79, 142, 143*, 146, 152, 158, 159*, 259, 261, 298, 299*, 344, 350, 357, 360, 380, 381*, 409, 458／Ⅳ-106, 107*, 208, 209*, 248, 249*, 323*／Ⅴ-94, 95*, 97, 99, 103, 105, 107
麻生ミネ　Ⅱ-373*
麻生ヤス（やす・ヤス子・家内）　Ⅰ-6, 10, 12–14, 57, 84, 109, 124, 135, 147, 186, 206, 257, 280, 290, 298, 304, 310, 313, 349, 379, 380, 403, 424, 425／Ⅱ-36, 44, 59, 88, 106, 108, 121, 139, 162, 187, 206, 214, 218, 242, 250, 284, 288, 294, 295, 297, 301, 313, 329, 359, 374, 390, 396, 427*, 432, 433, 435／Ⅲ-15, 17, 62, 63, 74, 75*, 79, 82, 100, 113, 114, 142, 143*

麻生義太賀　Ⅰ-192, 193*, 257*, 333*／Ⅱ-16, 17*, 57, 214, 298, 299*, 300, 352, 353*, 359, 378, 379*, 420, 428, 434／Ⅲ-62, 63*, 74, 79, 82, 83*, 123, 144, 146, 152, 190, 191*, 217, 228, 242, 259, 261, 264, 265*, 332, 360, 361, 380, 381*, 429, 432, 458／Ⅳ-42, 43*, 79, 99, 106, 110, 111*, 165, 173, 176, 178, 207, 212, 213*, 233, 256, 336, 337*／Ⅴ-19*, 103, 106, 107
麻生義之介　Ⅰ-192, 193*, 200, 201, 210, 236, 237*, 256, 258, 285*, 288, 307, 334, 338, 372, 373*, 375, 392／Ⅱ-42, 43*, 87, 132, 133*, 155, 183, 198, 223*, 250, 275*, 295, 297, 300, 308, 309*, 310, 311*, 320, 322, 326, 345, 348, 356, 359, 360, 383, 410, 433, 434／Ⅲ-25*, 26, 31, 38, 44, 56, 62, 68, 69, 73, 79, 89, 103, 107, 108, 121, 137, 142, 146, 152, 159*, 162, 172, 179, 181, 197, 206, 216, 223, 224, 226, 228, 230, 232, 234, 236, 238, 244, 252, 259, 260, 264, 265*, 268, 278, 283, 284, 292, 296, 302, 305, 314, 316, 320, 329, 332, 349, 352, 358–360, 364, 365*, 376, 396, 398, 399, 401, 408, 410, 416, 418, 422, 427, 430, 432, 434, 437, 441, 444, 446, 450, 454–456, 458／Ⅳ-4, 5*, 8, 9, 19, 23, 24, 26, 28, 32, 38, 47, 48, 52, 55, 56, 58, 63, 66, 69–71, 75, 77, 85, 90, 93, 96, 106, 110, 111*, 113, 125, 136, 139, 140, 142, 145, 148, 157, 159, 162, 164, 165, 168, 173, 174, 176, 191, 192, 200, 204, 207, 212, 213*, 214, 218, 220, 221, 226–228, 232–234, 243, 252, 254–256, 258, 260–262, 264, 274–276, 278, 285, 286, 289, 290, 295, 300, 301*, 311, 318, 326, 328, 329, 332–334, 336, 338–340, 347, 348, 350, 352, 356–358, 365, 367, 369, 374, 376, 382, 384, 385, 390, 393, 398／Ⅴ-8, 9*, 10, 14–17, 32, 47, 54, 63, 65, 68, 70, 77, 84, 92, 93, 94, 101, 102, 104–106, 112, 113*, 116, 122, 128, 133, 140, 144, 146, 148, 157, 161, 162, 166, 172, 181
麻生ヨネ(米・米子)　Ⅰ-82, 83*, 122, 123*, 192, 193*, 212, 370, 371*, 375, 379, 425／Ⅱ-12, 13*, 36, 101, 141*, 218, 219*, 295*, 298, 300, 332, 333*, 359, 360, 428, 429*, 433, 435／Ⅲ-74, 75*, 79, 146, 147*, 152, 158, 159*, 182, 183, 186, 188, 216, 242, 259, 261, 360, 361*, 404, 405*, 406, 458／Ⅳ-37*, 106, 173*, 207, 323*, 360, 379／Ⅴ-6, 7*, 21, 22, 103
安達文暢　Ⅱ-370, 371*
足立辺　Ⅳ-142, 143*／Ⅴ-49*, 180, 181*, 185
安達盛明　Ⅲ-291
阿野季忠　Ⅱ-338, 339*／Ⅲ-450, 451*
油屋熊八(亀ノ井)　Ⅲ-433*, 454／Ⅳ-4, 5*, 88, 89*, 196, 197*
阿部　Ⅰ-266
阿部　Ⅲ-438
安部　Ⅴ-57
阿部市兵衛　Ⅴ-91*
阿部伊之介　Ⅲ-274, 275*
阿部功一　Ⅳ-127*
阿部竹次郎　Ⅴ-52, 53*, 68
阿部暢太郎　Ⅰ-355*, 356, 401／Ⅱ-162, 163*, 178／Ⅲ-330, 331*, 333／Ⅳ-230, 367*／Ⅴ-55*
阿部兵四郎　Ⅳ-64, 65*, 87, 157*, 178／Ⅴ-22, 23*, 166, 167*
安保清種　Ⅳ-336
尼崎伊三郎　Ⅰ-210, 211*, 329*
天野寸　Ⅰ-412, 413*, 414／Ⅱ-4, 5*, 6, 10, 30, 34, 36, 42, 88, 128, 129*, 140, 141, 146, 152, 171, 200, 239*, 246, 326, 327*, 423*／Ⅲ-10, 11*, 50, 70, 86, 87*, 90, 409
鮎坂　Ⅲ-254
荒井マサキ　Ⅱ-426
新井(荒井)米男　Ⅳ-96, 97*, 318, 319*
荒木久米吉　Ⅰ-11–13
荒木精一郎　Ⅲ-89*, 90
荒木立太郎　Ⅱ-374, 375*
荒木典次郎　Ⅰ-125*, 126, 133, 177*, 178, 211／Ⅱ-40, 41*, 44
有住　Ⅰ-34

有田愛之介　Ⅱ-354
有田広　Ⅰ-192, 193*, 286, 287*, 289*, 290, 307, 314, 390, 391*, 395, 402 /Ⅱ-14, 15*, 55, 86, 108, 164, 165*, 209, 248, 249*, 264, 265*, 276, 278, 284, 316, 317*, 335, 426, 427*, 430/Ⅲ-19*, 37, 38, 67, 94, 95*, 110, 124, 126, 128, 139, 144, 191*, 196, 199, 200, 205, 207, 212, 232-234, 238, 249, 268, 269*, 278, 300, 301, 318, 323, 354, 386, 395-397, 439-441, 445/Ⅳ-18, 19*, 36, 54, 83, 117*, 120, 134, 171, 172, 185*/Ⅴ-100, 101, 145*, 158
有田操　Ⅲ-234
有馬秀雄　Ⅱ-330, 331*/Ⅲ-394, 395*, 442, 447, 451, 456/Ⅳ-16, 17*, 18, 29, 32, 72, 124, 125*, 128, 158, 196, 223*, 366, 367*/Ⅴ-134, 135*
有馬実　Ⅲ-307
有馬頼寧　Ⅲ-193/Ⅴ-91
有松清隆　Ⅳ-146, 147*
有松重隆　Ⅳ-146, 147*
有松滋三郎　Ⅰ-37*, 42, 90, 91*
有光武視　Ⅲ-220
有吉　Ⅰ-53, 54, 56
有吉　Ⅳ-189
有吉勝三郎　Ⅲ-402/Ⅳ-57*, 181*, 189, 240, 241*/Ⅴ-58, 59*
有吉栄　Ⅰ-147*
有吉三郎　Ⅰ-37*/Ⅱ-10, 11*
有吉乃次郎　Ⅴ-95*, 102, 183*
有吉半祐　Ⅳ-86
有吉又一　Ⅰ-30, 31*, 43, 64, 386
有吉実　Ⅲ-400/Ⅳ-313
有吉百郎　Ⅳ-150
有賀長文　Ⅰ-136, 137*
安藤　Ⅳ-190
安部熊之輔　Ⅱ-34, 35*
安藤貞子　Ⅲ-30, 31*, 92, 93*/Ⅴ-72, 73*
安藤丹二　Ⅲ-188
安藤友哉　Ⅳ-45
安藤平吾　Ⅲ-285/Ⅳ-174, 175*

い

飯田義一　Ⅰ-24, 25*, 184, 186
飯塚弥平　Ⅰ-84, 86, 98, 99*
飯野勇造　Ⅲ-234, 235*
家保友完　Ⅱ-91*, 92
生田徳太郎　Ⅴ-24
池上駒衛　Ⅱ-368/Ⅲ-130, 131*, 239*, 286, 287*, 373*, 378, 427/Ⅳ-52, 53*, 74, 75, 116, 117*, 138, 157, 224, 225*, 270, 386, 387*/Ⅴ-31*, 56, 72
池島正造　Ⅰ-39*
池島敏英　Ⅳ-272, 273*
池尻豊太　Ⅲ-59, 114, 115*
池田王佐　Ⅰ-11
池田一男　Ⅳ-379*
池田武志　Ⅳ-64, 65*/Ⅴ-36, 37*
池田常二　Ⅳ-246, 247*, 275, 283, 304, 305*, 371, 375, 386, /Ⅴ-26, 27*, 70, 95, 144, 145*, 150, 159, 164
池田成彬　Ⅲ-101*
池田昇　Ⅲ-292, 293*
石井　Ⅰ-28
石井　Ⅰ-146, 157
石井大造　Ⅱ-27
石井武志　Ⅳ-312, 313*, 314
石井保　Ⅲ-30
石井徳久次　Ⅲ-100, 101*, 354/Ⅳ-20, 21*, 176, 177*, 218, 219*, 240
石井良一　Ⅱ-132, 190, 191*
石川勝治　Ⅳ-242, 243*
石川種次郎　Ⅱ-92, 95
石川広成　Ⅰ-32, 33*, 41, 210, 211*, 276, 277*, 390, 391*/Ⅱ-44, 45*, 222, 223*, 384, 385*/Ⅳ-40, 41*
石崎　Ⅲ-104
石崎太郎　Ⅱ-272
石崎敏行　Ⅰ-414, 415*/Ⅱ-372, 373*/Ⅲ-50, 51*, 55, 58, 221*/Ⅳ-14, 15*, 302
石田亀一　Ⅲ-284, 285*, 286, 294, 295, 298, 300, 305, 306, 308, 311, 317, 344, 393*,

396, 400, 425／Ⅳ-6, 7*, 8, 22-24, 44, 70, 123*, 140, 144-147, 149-152, 168, 171, 172, 174, 175, 186, 188, 194, 202, 214, 215*, 216, 238, 295, 322, 323*, 324, 326, 327, 339, 342, 344, 345, 351, 356, 362-364, 374, 376／Ⅴ-180, 181*-183
石田久三郎　Ⅴ-170, 171*, 172
石田精一　Ⅲ-142, 143*
石田千之助　Ⅰ-6, 7*, 22-24, 50
石田虎雄　Ⅰ-120, 121*, 134, 246, 247*, 412
石田楪窗　Ⅰ-303
石塚滝蔵　Ⅳ-45
石野寛平　Ⅰ-196, 197*
石橋愛太郎　Ⅱ-404, 405*／Ⅲ-302, 303*
石橋卯之吉　Ⅱ-374, 375*, 404
石橋正二郎　Ⅴ-32, 33*
石橋徳平　Ⅳ-228
石橋彦十　Ⅱ-164, 165*
石原才助　Ⅲ-366, 367*, 416, 426／Ⅳ-9*, 19, 20
石渡信太郎　Ⅰ-226, 227*, 265, 266, 310, 311*／Ⅱ-177*／Ⅲ-447*／Ⅳ-35*, 54
泉鶴吉　Ⅴ-5*, 124, 125*, 134
いせ　Ⅰ-12, 13*, 59*
井関譲吉　Ⅱ-92, 93*, 128, 129*
井関善一　Ⅲ-182
磯沖菊蔵　Ⅰ-385／Ⅱ-129*
磯村豊太郎　Ⅲ-102, 103*, 108, 109*／Ⅳ-103*
磯山常吉　Ⅱ-152, 153*
板井勘兵衛　Ⅰ-320
伊高林　Ⅲ-214
板垣　Ⅰ-142
板倉勝憲　Ⅱ-170, 171*
伊丹弥太郎　Ⅰ-412／Ⅱ-60, 61*, 62, 317, 330, 331*, 378, 379*／Ⅲ-110, 111*, 127, 240, 241*
一井正典　Ⅰ-18, 19*, 20
一松定吉　Ⅰ-133*
一丸　Ⅰ-81, 89
一宮房治郎　Ⅱ-143*, 198, 330, 331*／Ⅲ-122, 123*, 204, 205*／Ⅳ-96, 97*, 326, 327*／Ⅴ-50, 51*
一本木清三　Ⅱ-270
井手　Ⅰ-195
井手佐三郎　Ⅰ-281, 346, 347*, 362, 379／Ⅱ-27*, 66, 84, 92, 188, 189*
井手仙吉　Ⅲ-90
井手大四郎(代四郎) Ⅰ-305*／Ⅲ-56, 57*, 63
井手武右衛門　Ⅰ-26, 27*
怡土勲　Ⅳ-150, 151*, 197
怡土東　Ⅲ-41*, 90, 91*／Ⅳ-73*
井戸泰　Ⅰ-387*／Ⅱ-184, 185*, 190, 206, 222, 223*
伊藤　Ⅰ-142
伊藤燁子(白蓮)　Ⅱ-352, 353*, 366, 367*, 375, 394, 395, 397, 415
伊藤英吉　Ⅳ-136
伊東尾四郎　Ⅲ-10, 11
伊藤吉太郎　Ⅰ-194, 195*, 258, 259*-262／Ⅲ-11*
伊東喜八郎　Ⅱ-345*, 380, 403*, 404, 414, 415*
伊藤金次　Ⅱ-415*／Ⅲ-385*
伊藤熊五郎　Ⅰ-96, 97*, 101, 104-106
伊藤茂松　Ⅱ-14, 15*
伊藤寿一　Ⅱ-270, 271*
伊藤俊市　Ⅱ-283
伊東祐彦　Ⅰ-256, 257*, 258／Ⅱ-16, 17*／Ⅲ-27*／Ⅴ-21*
伊藤善三郎　Ⅲ-88
伊藤隆　Ⅱ-236, 237*
伊藤常夫　Ⅰ-388, 389*
伊藤伝右衛門　Ⅰ-17*-20, 26, 31, 32, 55, 62, 65, 95*, 100, 110, 124, 125*, 134, 144, 145*, 148, 154, 155, 164, 165*, 166, 172, 173*, 177, 178, 186, 187, 209*, 211, 222, 223*, 224, 228, 230, 231, 242-244, 258, 259, 262, 265, 266, 277*, 279, 283, 285, 286, 288, 289, 293, 294, 296, 298, 302, 306, 312, 316, 323, 327, 331, 336, 348, 349*, 354, 355, 364, 366, 367, 369, 370, 372, 374, 376, 378, 380, 386, 390-392, 402, 407, 408／Ⅱ-6, 7*, 11, 16, 26, 28, 29, 32, 34, 35, 38, 57, 64, 68, 74, 78, 79, 84, 86, 87, 89, 94, 102, 103, 108,

122, 123*, 124, 126, 127, 136-138, 153, 155, 156, 160, 164, 165, 167, 169, 174, 176, 180, 188, 194, 199-202, 204, 217*, 221, 222, 236, 237, 239, 241, 242, 247, 254, 255*, 258, 259, 261*-263, 266, 268, 270, 271, 276, 277, 280, 284, 288, 290, 305*, 306, 310, 315, 317, 318, 323, 330, 331, 339, 342-344, 346, 347, 352, 353, 367*, 370, 375, 378, 382, 386, 392, 394, 397, 401, 413, 415-417, 419／Ⅲ-4, 5*, 8, 10, 14, 15, 24, 29, 34, 35, 37, 41, 43, 48, 50, 52, 55, 58-61, 66, 67, 70, 86, 87*, 88, 96, 98, 99, 104-106, 117, 119-121, 124, 125, 132, 134-136, 138, 139, 164, 165*, 166, 168, 171, 179, 184, 190, 199, 200, 209, 211-213, 215, 218, 220, 224, 230, 238, 250, 253, 270, 271*, 273, 274, 276, 280, 296, 298, 301, 320, 329, 330, 337, 350, 351, 355, 356, 358, 364, 365*, 366, 380, 383, 388-391, 393, 400, 424, 426-428, 434, 437, 446／Ⅳ-15*, 16, 20, 30, 48, 73, 90, 97, 102, 120, 121*, 124, 135, 138, 166, 181, 186, 199, 214, 215*, 222, 233, 236, 246, 252, 253, 261, 269, 294, 307*, 310, 322, 338, 354, 378, 379, 381, 387, 395／Ⅴ-10, 11*, 64, 88, 180, 181*
伊藤八郎　Ⅳ-102, 103*
伊藤ハル　Ⅰ-145*
伊藤久　Ⅲ-126, 127*, 253*, 271*, 272, 341／Ⅳ-150
伊藤潜　Ⅲ-182, 184, 200, 247, 248, 250
伊藤秀三郎　Ⅱ-415*
伊藤博文　Ⅰ-106, 107*／Ⅳ-280
伊藤浩逸　Ⅱ-388
伊藤昌庸　Ⅲ-432
伊藤基定　Ⅲ-28
伊東要蔵　Ⅰ-362, 363*
伊藤芳子　Ⅱ-127*
稲垣栄子　Ⅲ-219*
稲田龍吉　Ⅰ-80, 81*, 96, 147*, 148, 196, 197*, 212, 238, 239*, 247, 270, 291*, 297, 298, 326, 370, 371*, 390, 400／Ⅱ-77*, 122, 123*, 183*, 184
稲升安太郎　Ⅱ-390
犬養毅　Ⅴ-37*
犬塚駒吉　Ⅰ-21
犬塚三郎　Ⅱ-412／Ⅲ-84, 85*／Ⅴ-144, 145*
犬塚信太郎　Ⅰ-17*-19, 21-24, 44, 45, 54, 72, 73*, 244, 245*, 248, 252
犬塚輝子　Ⅰ-73
犬塚福子　Ⅰ-72
猪野鹿次　Ⅳ-87, 99
井上　Ⅰ-129
井上一郎　Ⅱ-386
井上馨　Ⅰ-17*, 21, 22, 24, 26, 28-32, 34-36, 41, 44, 62, 74-77, 86, 87, 150, 181, 200, 241, 248, 284, 294, 295, 323
井上勝之鈁　Ⅰ-106, 107*／Ⅲ-240, 241*
井上清致　Ⅳ-320
井上叩端　Ⅰ-78, 79*, 128／Ⅲ-245*／Ⅳ-39*
井上実継　Ⅰ-53
井上準之助　Ⅲ-171*, 182, 186, 196-199, 204, 215, 368, 369*, 383, 387, 406, 453, 455／Ⅳ-60, 61, 177*, 179, 277*, 321*／Ⅴ-22, 23*, 121*, 124
井上泰蔵　Ⅰ-321*
井上武　Ⅱ-147*, 178, 179, 184／Ⅳ-348, 349*, 381／Ⅴ-40, 41*, 59
井上定次　Ⅰ-108, 109*, 134, 135*, 214, 215*
井上鉄次郎　Ⅳ-68, 69*
井上富子　Ⅲ-444, 445*
井上秀太郎　Ⅲ-408／Ⅳ-276, 277*, 280
井上博通　Ⅲ-25, 181*, 231, 320, 321*, 374, 375*, 380, 382, 399, 445*／Ⅳ-36, 37*, 74, 164, 165*, 304, 305*, 360, 362, 363／Ⅴ-134, 135*-137,
井上義雄　Ⅳ-145*
井上良馨　Ⅳ-139
猪野毛利栄　Ⅴ-80
猪俣治六　Ⅳ-308, 309*, 398／Ⅴ-60, 61*
猪俣為治　Ⅰ-355*, 364, 406／Ⅱ-79*, 161*, 258, 259*, 284, 391*／Ⅲ-303*, 304
猪股喜藤　Ⅴ-123*, 160, 161
伊吹政次郎　Ⅰ-127, 141, 147, 150, 151, 186,

209*, 214, 222, 223*, 228, 235, 236, 244, 247, 251, 263, 268, 295*, 302, 310, 312, 313, 315, 322, 327, 331, 333, 338, 365*, 379, 385, 391, 397, 403, 404, 406, 408／Ⅱ-6, 7*, 12, 16, 30, 64, 68, 78, 87, 92, 93, 118, 119*, 125, 126, 128, 129, 144, 152, 154, 160, 163, 175, 177-179, 181, 190, 216, 217*, 223, 228, 234, 327*, 341, 350, 370, 371*, 372, 415／Ⅲ-6, 7*
今井　Ⅱ-318
今井五介　Ⅳ-312, 313*, 314／Ⅴ-142, 148, 149*
今井三郎　Ⅰ-362, 363*, 380／Ⅱ-72, 73*, 83, 126, 127*, 128, 142, 147, 170, 172, 173, 182, 192, 267*, 274, 354, 380, 381*, 384, 386, 421／Ⅲ-47*, 101*, 130, 131, 162, 163*, 175, 176, 203, 225, 328, 329*, 351, 382, 383*, 413, 430／Ⅳ-72, 73*, 76, 103, 118, 119*, 160, 164, 180, 181, 204, 216, 217*, 220, 221, 229, 230, 232, 236, 243, 244, 248, 260, 262, 266, 268, 270, 275, 280, 283, 295, 305*, 308, 314, 316, 378, 380, 386, 387, 389, 394／Ⅴ-14, 15*, 24, 25, 31, 34, 49, 50, 64, 66, 70, 71, 78, 82, 90, 94, 96, 99, 114, 115*, 119, 128, 131, 138, 142-144, 150, 166, 169, 174, 178, 179
今井長兵衛　Ⅱ-181*
今井貞次郎　Ⅳ-41*, 150, 151*
今井鼎三　Ⅰ-28, 29*, 38, 40
今井幸男　Ⅴ-28
今井新太郎　Ⅱ-228, 243*／Ⅴ-82, 83*
今井新兵衛　Ⅴ-82, 83*
今泉健三　Ⅱ-83*, 89-91
今淵恒寿　Ⅰ-212, 213*, 257*／Ⅱ-148, 149*／Ⅲ-88, 89*, 108
今村幸男　Ⅴ-186, 187*
入江亀太郎　Ⅲ-9
入江準吉　Ⅰ-198, 199*／Ⅱ-276, 277*
入江松太郎　Ⅰ-98, 99*, 108, 228, 229*, 333*／Ⅲ-62, 63*, 94, 95*
入江隆吉　Ⅲ-193
色部　Ⅲ-437
岩井智海　Ⅲ-222, 223*
岩尾昭太郎　Ⅳ-117*, 351*, 355
岩尾英甫　Ⅲ-226, 227*
岩城卯吉　Ⅰ-16, 17*
岩倉　Ⅰ-90
岩崎久米吉　Ⅰ-176, 194, 195*, 230, 231*, 244, 245*, 258, 260, 262／Ⅱ-26, 27*, 38／Ⅲ-38, 39*
岩崎小弥太　Ⅲ-86, 87*
岩崎重紀　Ⅱ-14, 15*
岩崎寿喜蔵　Ⅲ-11*, 310, 311*／Ⅳ-19*, 20, 27, 28, 83, 116, 117*, 152, 218, 219*, 220, 246, 248, 252, 269, 279, 300, 301*, 304, 324, 327-329, 332, 335, 336, 339, 342, 350, 352, 354, 356／Ⅴ-56, 57*, 165*, 171
岩崎槌太郎　Ⅲ-88
岩下清周　Ⅲ-388, 389*
岩田謙三郎　Ⅴ-98, 99*
岩田虎蔵　Ⅳ-219
岩田勇五郎　Ⅲ-28
岩永佐八　Ⅰ-272, 273*／Ⅱ-12, 13*
岩成自助　Ⅲ-7*, 84, 85*, 232, 233*, 398, 399*, 418-420, 426, 437, 438／Ⅳ-85*, 159*
岩村高俊　Ⅰ-16, 17*
岩本栄　Ⅳ-279*
岩本忠　Ⅴ-172, 173*

う

植木実　Ⅳ-332, 333*
上田穏敬　Ⅰ-6, 7*-9, 33, 42, 45, 50, 51, 64, 70, 71*, 90, 91*, 96, 97*, 108, 109*, 121*, 133, 140, 147, 156, 178, 179*, 199*, 200, 203, 204, 207, 208, 221*, 224, 227, 228, 232, 234, 235, 238, 261, 264, 280, 281*, 290, 294, 303, 318, 321, 322, 352, 353*, 376, 383, 385, 386, 390, 414／Ⅱ-34, 35*, 40, 42, 69, 78, 88, 124, 125*, 134, 149, 158, 199-203, 218, 219*, 221, 222, 235, 246, 247, 256, 257*, 260, 281, 286, 312, 313*, 327, 341, 352, 357, 371*, 374, 376, 384, 390, 416, 420／Ⅲ-18, 19*, 38, 54, 60, 63, 66, 67, 86, 87*, 90, 91, 94, 96, 103, 110,

116, 118, 137, 156, 157*, 178, 179, 197, 250, 285*, 300, 304, 310, 320, 325, 335, 357, 370, 371*, 372, 392, 437, 438, 444, 454／Ⅳ-4, 5*, 22, 32, 58, 71, 90, 140, 230, 231*, 331*／Ⅴ-142, 143*
殖田俊吉　Ⅳ-119, 120, 134, 135*
植田与六　Ⅲ-180, 182, 183*, 247, 248, 253
上田利七郎　Ⅲ-423／Ⅳ-152, 153*
植田和作　Ⅱ-386
上塚司　Ⅱ-342, 343*
上野英太郎　Ⅰ-40, 41*, 109*／Ⅱ-281*
上野定雄　Ⅲ-164, 165*, 170, 200, 236／Ⅳ-110, 111*, 225*
植野繁太郎　Ⅲ-346, 347*
上野甚四郎　Ⅰ-101*, 132, 133*, 172, 173*, 174, 329, 344, 345*, 350／Ⅱ-205*, 416, 417*
上野善五郎　Ⅲ-156, 157*
上野長之助　Ⅴ-54, 55*, 162
上野文雄　Ⅲ-62, 63*, 82, 83*, 101, 116, 118, 222, 223*, 238, 253, 332, 383*, 387, 398, 412, 424, 431, 444／Ⅳ-54, 55*, 58, 100, 104, 110, 111*, 115, 116, 156
上野弥一郎　Ⅰ-255*
上野美満　Ⅱ-388, 389*, 390／Ⅲ-96, 97*, 244, 290, 291*, 349／Ⅴ-27*, 28
上野山重太夫　Ⅰ-368, 369*, 380, 382-386, 390, 393, 402, 418／Ⅱ-44, 45*, 54, 56, 67, 69, 71, 74, 76, 118, 119*, 137, 142, 147, 148, 153, 156, 162, 163, 170, 178, 179, 185, 186, 192, 198／Ⅳ-217*, 341, 344
植村俊平　Ⅰ-32, 33*, 40, 41, 43-45, 88, 89*
宇垣一成　Ⅴ-4, 5*
宇木幸吉　Ⅱ-369
宇佐美桂一郎　Ⅱ-170, 171*, 224, 225*
宇佐美直人　Ⅴ-183
鵜沢総明　Ⅰ-179／Ⅱ-155*, 156, 378, 379*
牛島　Ⅰ-157
牛島　Ⅲ-9
牛島幸太郎　Ⅱ-420
氏原　Ⅰ-150
臼井喜代松　Ⅰ-25*
臼杵弥七　Ⅱ-400, 401*／Ⅲ-352, 353*, 398, 399*／Ⅳ-43*, 47, 60, 65, 67, 77, 82, 85, 96, 99, 111*, 118, 119, 135, 136, 139, 141, 158, 160, 162, 165, 178, 183, 189, 202, 205, 207, 237*, 240, 243, 249-251, 283-286, 289, 308, 309*, 324, 355, 388／Ⅴ-4, 5*, 38, 44, 68, 80, 100, 101, 125*, 129, 131, 133, 175
薄元茂夫　Ⅲ-346, 347*, 398, 399*
歌沢寅由喜　Ⅳ-33*, 53, 60, 63, 66
内田シゲ　Ⅲ-230, 235
内田亨　Ⅱ-346, 347*
内田良平　Ⅱ-26, 27*
内野辰次郎　Ⅲ-340
内間鳳逸　Ⅲ-327
内本浩亮　Ⅱ-163*, 164, 178／Ⅲ-176, 177*, 184, 185, 204, 225, 244, 251, 310, 311*, 313, 322, 331, 347, 353, 370, 371*, 372, 392, 420, 425, 430, 432／Ⅳ-17*, 31, 32, 36, 41, 54, 77, 78, 101, 144, 145*, 174, 175, 180, 277*, 312, 313*, 372, 377, 381／Ⅴ-42, 43*, 71, 143*, 146
内山　Ⅴ-18
内山福五郎　Ⅰ-11*, 33, 41, 42, 44, 56, 59, 64, 70, 71*
内山芳子　Ⅳ-48, 61
宇津宮　Ⅲ-372
宇都宮喜郎治　Ⅴ-122, 123*
宇都宮喜六　Ⅱ-144, 145*, 228
宇都宮則綱　Ⅱ-262, 263*
宇野　Ⅰ-339
宇美常吉　Ⅳ-135*
梅木　Ⅳ-396
梅崎栄次郎　Ⅲ-10
梅崎亮吾　Ⅳ-131
梅田百蔵(百三)　Ⅱ-163, 309
梅谷清一　Ⅰ-182, 183*, 219*, 232, 244, 252, 253, 262, 265, 267, 269, 278, 279*, 282, 288, 310, 317, 319, 326, 339, 362, 363*, 368, 381, 382, 384, 386, 396, 397, 400, 403, 410, 411, 413／Ⅱ-7*, 15, 46, 54, 56-58, 66,

71, 80, 87, 93, 120, 121*, 128, 137, 142, 148, 150, 153, 156, 163, 167, 168, 170, 172, 182-185, 188-192, 194, 196, 198, 218, 219*, 221, 224, 231, 232, 238-240, 244, 245, 262, 263*, 266, 274, 284, 292, 306, 307*, 308, 311, 314, 316, 318, 323, 326, 328, 332, 340, 351, 354, 357, 378, 379*, 381, 384, 386, 387, 393, 409, 410, 412, 421／Ⅲ-13*, 17, 30, 34, 48, 60, 64, 90, 91*, 96, 97, 100, 102, 108, 109, 114, 115, 119, 128, 129, 132, 133, 140, 160, 161*, 162, 170-172, 175, 194, 201, 202, 215, 216, 251, 253, 269*, 279, 283, 293, 299, 370, 371*, 384, 386
梅野栄　Ⅳ-327*, 361／Ⅴ-5*
梅村藤夫　Ⅰ-386, 387*／Ⅱ-99*, 147*, 227*, 230
浦英夫　Ⅰ-108, 109*
浦上皆渡　Ⅰ-30, 31*, 33, 297, 299, 319
裏地正生　Ⅱ-422, 423*／Ⅲ-6, 7*, 8, 35, 110, 111*, 164, 165*, 199, 200, 224, 230, 244, 249, 250, 252, 254, 255, 268, 269*, 301, 306, 379*／Ⅳ-12, 13*, 63, 71, 85, 162, 163*, 164, 173
浦田勇太郎　Ⅱ-167*, 239, 276, 342, 343*, 353, 373*, 404, 407
占部スエノ（末野）　Ⅱ-372, 373*
占部太平（改名，重光）　Ⅰ-90, 91*, 95*, 110, 118, 119*, 132, 188, 189*, 259／Ⅱ-65*, 87, 88
占部文蔵　Ⅲ-6
占部義夫（芳夫）　Ⅳ-41*, 83
裏松友光　Ⅲ-214, 215
瓜生　Ⅲ-190
瓜生愛造（愛蔵）　Ⅲ-130, 185, 438
瓜生和一郎　Ⅲ-214, 302
瓜生熊吉　Ⅲ-174, 428, 438／Ⅳ-8, 33, 38, 49, 58, 59*, 349*, 352／Ⅴ-92
瓜生小太郎　Ⅳ-170, 171*
瓜生才次郎　Ⅰ-108, 109*
瓜生茂一郎　Ⅱ-384／Ⅲ-18, 90, 102, 192, 249, 344, 367, 403*, 442, 453／Ⅳ-47, 66／Ⅴ-7, 134
瓜生新七　Ⅰ-120, 123, 124, 157
瓜生政五郎　Ⅱ-224, 225*／Ⅳ-92, 93*, 126, 127*, 357*, 388／Ⅴ-99*, 173*
瓜生長右衛門　Ⅰ-6, 7*, 8, 12, 33-35, 43, 49, 55-57, 59, 61, 63, 64, 73*, 94, 95*, 96, 100, 101, 107, 108, 111, 125*, 126, 130, 133, 134, 143, 146, 149, 163*, 166, 167, 178, 179*, 186, 188, 196, 197*, 207, 209, 218, 219*, 220, 226, 227, 229, 230, 232, 234, 236, 239, 246, 252, 255, 256, 260, 261, 282, 283*, 285, 294, 296, 299, 302, 303, 309, 312, 317, 322, 326, 327, 333, 334, 338, 344, 345*, 352, 354, 370, 377*, 379, 389, 400, 410, 416／Ⅱ-24, 25*, 38, 39, 47, 58, 60, 68-70, 78, 81, 82, 84, 86, 124, 125*, 132, 133*, 134, 145, 154, 244, 245*, 258, 259*, 269, 270, 280, 284, 286, 288, 295, 312, 313*, 314, 316, 348, 368, 369*, 384, 393／Ⅲ-9*, 12, 16, 19, 21, 23, 25, 32, 38, 40, 48, 53, 102, 103*, 104, 130, 131, 156, 157*, 158, 174, 181, 185, 196-198, 204, 211, 220, 222, 226, 228, 232, 238, 243, 246, 249, 254, 255, 264, 265*, 275, 277-279, 286, 292, 295, 298, 301, 302, 315, 320, 332, 336, 338, 344, 345, 347, 354-357, 374, 375*, 376, 380, 381, 391, 403, 408, 409, 412, 415, 421, 422, 428, 431, 438, 453, 454／Ⅳ-8, 15, 18, 26, 33, 36, 40, 46, 47, 51, 58, 62, 78, 86, 87, 96, 104, 116, 117*, 136, 142, 183, 200, 201, 217*, 222, 225, 352, 353*, 362, 363, 382／Ⅴ-6, 7*, 12, 28, 34, 82, 92, 134, 135*, 166
瓜生徳一郎　Ⅲ-179
瓜生直三　Ⅲ-376, 377*
瓜生満　Ⅴ-6
瓜生茂七　Ⅱ-264／Ⅳ-83
瓜生与九郎　Ⅱ-352, 384／Ⅳ-38, 40
瓜生与四郎　Ⅲ-130, 156
宇和川武夫　Ⅱ-270, 271*, 342, 343*／Ⅲ-54, 55*, 58-60, 62, 63

え

江頭康治　Ⅴ-99*
江木千之　Ⅴ-63*
奕野澄若　Ⅲ-180
江口定条　Ⅰ-81*
江崎　Ⅳ-77
江崎いし　Ⅲ-380, 381* / Ⅳ-92, 114, 115*, 126, 212, 213*, 236, 254, 274, 276, 319, 334, 335*, 345 / Ⅴ-147*
江藤儀平　Ⅰ-286-288
江藤甚三郎　Ⅱ-46, 150, 151* / Ⅳ-45*, 341*, 344
江藤鶴松　Ⅲ-403*, 424, 438
衛藤又三郎　Ⅱ-189*, 199, 201, 202, 232, 233*, 242, 244, 263*, 274, 333*, 334, 372, 373*, 386, 387, 396, 410, 412, 424 / Ⅲ-12, 13*, 30, 51, 161*, 162, 184, 296, 297*, 326, 327, 328, 330, 333-335, 340, 342
江藤義成　Ⅱ-230, 231*
江藤与太郎　Ⅳ-130
榎林与市　Ⅱ-136
榎本武憲　Ⅰ-400, 401*
遠藤洋人　Ⅰ-176
遠入鉄次郎　Ⅲ-35*, 94, 95*, 379* / Ⅳ-368, 369*
円仏七蔵　Ⅰ-256 / Ⅴ-62, 63*

お

おあい　Ⅰ-421 / Ⅱ-105, 108, 111, 227 / Ⅲ-24, 25* / Ⅴ-102, 103*
尾池秀雄　Ⅳ-364, 365*, 371
お梅　Ⅰ-270 / Ⅱ-61*, 92, 111, 200, 201* / Ⅲ-24, 25*, 206, 221*, 237, 282 / Ⅳ-306, 307*
大内暢三　Ⅱ-143
大岡育造　Ⅰ-26, 27*, 28
大音森太郎　Ⅳ-14, 15*
大賀　Ⅰ-30
大賀直次郎　Ⅱ-244, 245* / Ⅲ-213* / Ⅳ-270, 271*
大貝潜太郎　Ⅰ-240, 241*
大上　Ⅱ-325
大神亀太郎　Ⅳ-128, 129*
大神トモ(おとも)　Ⅱ-187*
大川平三郎　Ⅲ-387
大木遠吉　Ⅲ-82, 83*, 136, 137*, 280, 281*
大木俊輔　Ⅲ-33
大城谷良文　Ⅳ-134
大串　Ⅲ-356, 386, 418 / Ⅳ-164
大久保　Ⅰ-153 / Ⅱ-402
大久保留次郎　Ⅲ-229, 336, 342, 343*
大久保頼之助　Ⅱ-198
大隈　Ⅲ-421
大隈浅次郎　Ⅱ-160, 161*
大倉喜八郎　Ⅲ-274, 275*
大河内正敏　Ⅲ-323* / Ⅴ-48, 49*
大崎邦太郎　Ⅰ-12, 13*, 56, 58, 158, 159*, 167
大里　Ⅱ-385
大里広次郎　Ⅰ-326, 327* / Ⅱ-385 / Ⅲ-88, 89* / Ⅳ-99*, 120, 121*, 364, 394, 395*
大里利八郎　Ⅰ-201
大島直道　Ⅰ-166, 167*, 173*, 224, 225*
大島真厚　Ⅲ-216
大島亮治　Ⅳ-230, 231*
太田　Ⅰ-286
太田勘太郎　Ⅱ-12, 13*, 23, 136, 137* / Ⅲ-408, 409*
太田清蔵　Ⅱ-17*, 18, 21-23, 142, 143*, 266, 267* / Ⅲ-173*, 212, 214, 218-222, 252 / Ⅳ-264, 265*, 324, 325* / Ⅴ-52, 53*, 67*
太田大次郎　Ⅱ-18, 19*, 23, 135, 136, 200, 201*
太田達雄　Ⅲ-129
太田太兵衛　Ⅱ-23*
太田峰三郎　Ⅰ-206
大田黒重五郎　Ⅳ-36, 37*, 87, 89, 189*, 193, 260, 261*, 268, 305*, 310, 312, 333, 346, 347, 360, 366, 382, 383, 392, 396 / Ⅴ-14, 15*, 50, 66, 71, 86, 120, 121*, 141, 178
大竹勝一郎　Ⅰ-72, 73*, 74, 76, 77, 80, 183*, 226, 227*, 246, 263

大館義一　Ⅳ-338
大谷　Ⅰ-152
大谷浅太郎　Ⅳ-235*
大谷光瑞　Ⅳ-197*
大谷ひさき　Ⅱ-178, 179*, 429／Ⅲ-123*, 418, 419*／Ⅳ-4, 5*, 36, 45, 81, 167*, 171, 228, 229*, 247
大多和徳　Ⅳ-255*, 279
大塚　Ⅰ-40
大塚　Ⅰ-284
大塚惟精　Ⅲ-400, 410
大塚幸平次　Ⅲ-288, 289*／Ⅳ-222
大塚惟明　Ⅲ-293*
大塚仙達　Ⅰ-56, 57*
大塚彦三郎　Ⅰ-30
大塚文十郎　Ⅱ-125*, 273*／Ⅲ-22, 23*, 290, 291*, 370, 371*／Ⅴ-46, 180, 186, 181*, 47*
大塚万助　Ⅰ-30, 31*, 43, 128, 220, 221*, 265／Ⅱ-5, 9*, 16, 38, 127*, 132, 176, 229*／Ⅲ-21*, 38, 96, 97*, 167*
大塚三代作　Ⅳ-155*, 157, 173, 218, 219*
大塚与三郎　Ⅳ-60, 61*, 364, 365*
大砲万右衛門　Ⅰ-26, 27*
鳳　Ⅰ-330
大西重次郎　Ⅲ-175
大野　Ⅰ-327
大野仁平　Ⅰ-238, 239*, 300
大場鑑次郎　Ⅳ-348, 349*
大庭応雄　Ⅳ-10, 11*
大橋　Ⅰ-125, 126
大橋　Ⅳ-164
大橋　Ⅴ-182
大畑源一郎　Ⅳ-328, 329*
大原義剛　Ⅰ-212, 286, 334, 335*
大平　Ⅴ-39
大平賢作　Ⅴ-150, 151*
大町美種　Ⅲ-200, 201*, 205
王丸代吉　Ⅳ-252, 253*, 264, 272, 323*／Ⅴ-79*
大道良太　Ⅰ-413*／Ⅱ-6, 7*, 10, 11, 22, 38, 47, 50, 56, 62, 72, 76, 148, 149*, 152, 190, 220, 221*, 320, 321*／Ⅲ-32, 33*
大村　Ⅰ-52
大村　Ⅳ-60
大村欣次郎　Ⅰ-49*／Ⅳ-48, 49*
大村国太郎　Ⅴ-160, 161*
大村珪太郎　Ⅰ-49
大森嘉右衛門　Ⅲ-450／Ⅳ-18, 19*, 132, 133*, 138, 276, 277*
大森武雄　Ⅱ-134
大森林太郎　Ⅰ-9*, 334, 335*, 338, 340, 345*, 350／Ⅱ-8, 9*, 55, 85, 138, 139*, 208, 270, 271*／Ⅲ-124, 125*, 328, 329*／Ⅴ-99*, 128, 129*, 134, 180, 185, 186
大屋敦　Ⅴ-50, 51*, 178, 179*
大屋喜平　Ⅰ-390, 391*
大屋唯雄　Ⅰ-192, 193*, 286, 287*, 393*／Ⅲ-118, 119*
大屋昇　Ⅴ-88, 89*
大屋久　Ⅰ-90, 91*, 255*, 322, 323*, 393*／Ⅲ-441*, 445, 446／Ⅳ-382, 383*
大屋久松　Ⅰ-288
大藪房次郎　Ⅲ-405*
大藪守治　Ⅲ-203*, 392, 393*／Ⅳ-137*, 173, 216, 217*, 295, 344, 345*／Ⅴ-14, 15*, 18, 31, 32, 38, 44, 45, 52, 62, 64, 67, 68, 71, 76, 86, 150, 151*
大和田市郎　Ⅲ-175*, 399*, 419／Ⅳ-33*, 45, 54, 77, 91, 112, 113*, 126, 254, 255*, 271, 312, 313*, 318, 360／Ⅴ-41*
岡胤信　Ⅱ-91*, 94, 95
岡巳松　Ⅰ-30, 31*, 43, 59, 63, 78, 79*, 290
岡崎鶴吉　Ⅲ-200, 201*
岡田　Ⅰ-17
岡田　Ⅰ-52
岡田岩造　Ⅰ-365*, 397, 401, 404
岡田三吾　Ⅰ-111*
岡田忠彦　Ⅱ-415*
岡田治衛武　Ⅰ-175*, 176
岡田常吉　Ⅰ-49／Ⅱ-79*
岡田半江　Ⅰ-84
小方博正　Ⅳ-284

緒方稜威雄　Ⅰ-200, Ⅱ-155*
緒方氏子息　Ⅴ-148
緒方玉枝(おたま)　Ⅳ-312
緒方道平　Ⅰ-94, 95*, 99, 100, 102, 103, 108, 120, 121*, 164, 267*, 326, 327*, 346, 347*, 373 / Ⅱ-18, 19*, 82, 83*, 179*, 182, 224, 225* / Ⅲ-206, 207*
尾形善忠　Ⅲ-14
岡高　Ⅰ-135
岡野龍一　Ⅴ-79*
岡藤美之助　Ⅰ-78, 79*
岡部周太郎　Ⅴ-35*, 72
岡部新太郎　Ⅱ-244 / Ⅳ-385
岡部種実　Ⅱ-28, 29* / Ⅲ-50, 51*, 55, 58, 182, 183* / Ⅳ-124, 125*
岡松金次郎　Ⅰ-30, 31*, 44, 84, 85* / Ⅱ-349*
岡松直　Ⅱ-403*, 404, 406, 408 / Ⅲ-30, 31*, 32, 34, 74, 121*, 122, 137, 168, 169*, 211, 239, 240, 332, 333*, 344, 354, 407*, 429, 432, 440 / Ⅳ-52, 53*, 55, 85, 92, 114, 115*, 172, 180–182, 184, 185, 187, 200, 201, 265*
岡村六次郎　Ⅱ-422
岡本秋暉　Ⅰ-84
岡本季治　Ⅳ-118, 119*
岡本龍巳　Ⅰ-247, 262, 280, 326
岡本勧　Ⅰ-110, 111*
岡本豊彦　Ⅰ-98
おかよ　Ⅲ-206, 282
小河　Ⅲ-195
小川　Ⅰ-88, 154 / Ⅱ-103 / Ⅲ-51*, 176, 177*, 204, 205*, 252, 294, 295*, 372, 373* / Ⅳ-62, 63*, 82, 180, 181*, 187
小川嘉久蔵　Ⅱ-228, 229*
小河久四郎　Ⅰ-268, 269*, 278, 279*
小川武次郎　Ⅰ-241
小川ヒナ　Ⅲ-445* / Ⅳ-96, 97*, 103
小川平吉　Ⅲ-434, 435*, 436
お菊　Ⅰ-140, 164, 226 / Ⅱ-61*, 111
荻田(萩田)延治郎　Ⅱ-130, 131*
おきぬ　Ⅰ-51
沖野　Ⅰ-62
沖野忠雄　Ⅰ-226, 227*
荻野(萩野)勇　Ⅰ-43*, 64, 83*, 98, 99*
荻野清太郎　Ⅳ-104, 214, 215*, 294, 398, 399*
おきみ　Ⅳ-112, 220, 221*, 255, 334, 335*, 372 / Ⅴ-4, 5*
おきよ　Ⅰ-167, 421
おきよ(上野はな)　Ⅲ-129*
荻原将猷　Ⅲ-68
おきん(お金)　Ⅰ-36, 54, 55, 81, 102, 103, 226
おきん　Ⅳ-62
お金　Ⅳ-366
奥田正吉　Ⅲ-170, 171*, 173, 174
奥平昌恭　Ⅱ-376, 377*, 417
奥永宗造　Ⅴ-35
奥野　Ⅲ-189
奥野亀太郎　Ⅰ-234
奥野虎吉　Ⅰ-238, 239*
奥村　Ⅲ-4, 167
奥村茂敏　Ⅳ-348 / Ⅴ-125*, 155, 164, 164, 174, 176
奥村七郎　Ⅰ-79*, 98, 99*, 120, 121* / Ⅱ-29*
小倉正恒　Ⅳ-315*, 316 / Ⅴ-48, 49*
小栗一雄　Ⅴ-57*, 112, 113*, 116, 122, 129, 130, 136, 176
小河内(河内卯兵衛)　Ⅱ-19
尾崎　Ⅰ-246
尾崎　Ⅲ-190
尾崎教鳳　Ⅲ-320
お里　Ⅲ-88
小沢泰介　Ⅰ-105
小沢富熊　Ⅰ-54, 55*, 106, 107*
押川則吉　Ⅰ-263* / Ⅱ-86, 87*
お静　Ⅲ-150
おしん　Ⅲ-24, 25*, 313* / Ⅳ-169*
小曽根喜一郎　Ⅴ-183*
おその　Ⅰ-96
おそよ　Ⅳ-308, 309*
織田経二　Ⅲ-212, 213*, 221
小田　Ⅴ-51
小田清八　Ⅱ-270, 271*

小田利三郎　Ⅱ-152
おたか　Ⅰ-31
おたか　Ⅰ-76
小田柿捨次郎　Ⅱ-220, 221*
お竹（吉田竹子）　Ⅰ-72, 73*
お玉　Ⅳ-130, 131*, 306, 307*
小田原龍吉　Ⅱ-162
おちよ　Ⅱ-432
おちよ　Ⅲ-206
おちよ　Ⅳ-100, 101*
お常　Ⅰ-379
おとは　Ⅰ-226
おとも　Ⅰ-163
お豊（おとよ）　Ⅳ-22, 23*, 122, 123*, 170, 300, 301*, 318／Ⅴ-4, 5*, 60, 61*, 177*, 99
おなか　Ⅰ-12, 13*, 51
鬼倉重次郎　Ⅳ-54, 55*
鬼丸藤松　Ⅳ-180, 183, 258, 325, 326, 329
鬼丸平市（平一）　Ⅱ-372／Ⅲ-130, 131／Ⅳ-40, 49, 51, 53, 55, 58, 129, 180, 183, 258, 325, 326／Ⅴ-92, 92, 134, 160
鬼丸茂三郎　Ⅳ-230
鬼丸芳太郎　Ⅳ-66
小野英二郎　Ⅱ-400, 401*
小野駿一　Ⅱ-190, 191*
小野廉　Ⅲ-57／Ⅳ-68, 69*
小野隆助　Ⅲ-368, 369*, 392
小野隆徳　Ⅱ-168
小野政太郎　Ⅳ-146, 147*／Ⅴ-49*, 50, 55
小野実　Ⅴ-49*
小野保三　Ⅱ-78, 79*
尾上　Ⅰ-158
小野子醇　Ⅲ-409／Ⅳ-23, 34, 45, 59, 64
小野寺直助　Ⅱ-121*, 332, 333*, 380, 381*, 395, 396, 398／Ⅲ-15*, 49, 51, 62, 65, 116, 117*, 188, 189*, 245, 250, 286, 287*, 303, 310, 416, 417*／Ⅳ-47*, 52, 70, 75, 140, 141*, 203, 226, 227*, 379*／Ⅴ-18, 19*, 20, 97, 120, 121*
小野原　Ⅱ-72
小野山善三郎　Ⅳ-28, 29*, 174, 175*, 178
小野山伝　Ⅱ-38, 39*
小簱善　Ⅱ-270, 271*
お初　Ⅱ-251
お浜　Ⅳ-114, 115*, 220, 221*
小原直　Ⅲ-35, 36
お春　Ⅳ-220
お久　Ⅰ-174
お藤　Ⅲ-388
おふみ（フミ）　Ⅰ-120, 140
おまさ　Ⅳ-255*
おもん　Ⅰ-13
おも茶　Ⅴ-56
おゆき（ユキ・雪子）　Ⅳ-259, 319／Ⅴ-55*, 175*, 177
およね（米・ヨネ）　Ⅳ-255, 259, 319, 330, 366, 367／Ⅴ-26, 27*, 55, 174, 175*
折原巳一郎　Ⅰ-96, 97*, 120, 121*, 164, 165*, 206
おりん　Ⅰ-13*, 14, 55, 57,
お若　Ⅳ-113
温勢辰雄　Ⅳ-315

か

甲斐治平　Ⅰ-320, 321
甲斐豊　Ⅱ-390, 391*
貝島　Ⅰ-107／Ⅱ-41, 42, 330, 331*, 346
貝島　Ⅳ-133
貝島栄三郎　Ⅰ-130, 131*, 157, 210, 211*
貝島永二　Ⅲ-329*
貝島栄四郎　Ⅱ-26, 27*, 278, 279*, 281, 424, 425*／Ⅲ-318, 319*
貝島嘉蔵　Ⅰ-43*, 381*／Ⅱ-30, 31*, 36, 419*
貝島亀吉　Ⅱ-282, 283*
貝島慶子（内室）　Ⅰ-31, 224, 225*
貝島太市　Ⅰ-120, 121*, 244, 245*, 287*／Ⅱ-140, 141*, 354, 355*／Ⅲ-14, 15*, 70, 71*, 88, 219*, 230–232, 272, 273*, 283, 284, 292, 302, 314, 317, 318, 346, 426, 427*, 434, 450, 453／Ⅳ-6, 7*, 20, 27, 42, 93, 218, 219*, 222, 226, 277, 278, 334, 335*, 378, 383／Ⅴ-48, 49*, 50, 122, 123*, 135

貝島太助　Ⅰ-16, 17*, 19, 20, 22, 24-27, 29, 31, 32, 35, 44, 50, 51, 53-55, 58, 60-62, 65, 66, 72, 73*, 77, 82, 86-89, 95*, 102, 106, 109, 110, 120, 136, 137*, 148, 150, 154, 155, 163*, 164-166, 172, 173*-175, 186, 192, 193*, 194, 200, 202, 203, 209, 211, 213, 222, 223*, 224, 228, 230, 241, 248, 251, 284, 285*, 293, 294, 296, 302, 310, 312, 326, 327, 330, 337, 338, 349*, 369, 370, 381, 391, 398, 402, 407*, 408 / Ⅱ-236, 237*, 419* / Ⅲ-418
貝島百吉　Ⅱ-96, 97*
貝島六太郎　Ⅰ-121*
貝谷真孜　Ⅴ-121
海東要造　Ⅲ-127*, 303*, 304, 315, 316, 415*-417, 422, 425, 438, 439 / Ⅳ-32, 33*, 35, 39, 46, 48, 49, 59, 63, 74-76, 86, 87, 90, 92, 159*, 166, 168, 186, 238, 239*, 281, 282 / Ⅴ-146, 147*, 183, 184
改野耕三　Ⅰ-24, 25*, 26, 28
貝原益軒　Ⅲ-10, 11*
皆良田善太郎　Ⅳ-26, 27*, 85, 102, 184, 185*
各務幸一郎　Ⅲ-366, 367*, 368 / Ⅳ-76, 77*, 80-82, 86
角銅朝太郎　Ⅱ-124, 125*
蔭山巌　Ⅱ-279*
葛西徳一郎　Ⅰ-125* / Ⅱ-180, 181*
笠置雪治　Ⅲ-432
笠原鶩太郎　Ⅲ-175*, 198, 199
加治三嗣　Ⅳ-351*
加治三益　Ⅲ-247*, 248, 253, 254, 282, 283*
香椎秀一　Ⅴ-18
樫田三郎　Ⅲ-59, 82, 83*, 93, 130, 137, 139, 180
柏木勘八郎(二郎熊)　Ⅰ-278, 279* / Ⅱ-142, 143*, 171, 263*, 348, 349* / Ⅲ-213*, 221, 393* / Ⅴ-77*
柏木商治　Ⅲ-54, 55*, 138, 139*, 246, 247* / Ⅳ-278, 279*
柏木花(花子)　Ⅲ-40, 41*, 43
柏木真静(勘八郎)　Ⅰ-31*, 32, 35, 94, 95*, 102, 103, 110, 120, 121*, 135, 146, 153, 178, 179*, 251*, 252, 265, 280, 284, 309*, 326
柏木守三　Ⅲ-40, 41*, 96, 97*
梶原仲治　Ⅲ-239
春日とよ　Ⅴ-189*
粕屋　Ⅳ-396
粕谷義三　Ⅲ-32, 33*
加勢清雄　Ⅲ-160, 161*, 168, 178, 204, 205, 208, 214, 225, 226,
片岡　Ⅲ-50
片岡直方　Ⅱ-255*
片岡直温　Ⅲ-229*
片桐貞央　Ⅳ-340
片田　Ⅳ-27
片田豊太郎　Ⅰ-121*
片野滋穂　Ⅲ-41
片山　Ⅱ-390
片山貞松　Ⅳ-26
片山二郎　Ⅲ-228
片山正夫　Ⅱ-24, 25*
勝正憲　Ⅳ-4, 5*, 10, 12, 15, 164, 165* / Ⅴ-72
香月盈司　Ⅲ-14, 15* / Ⅳ-150, 151*, 314, 315* / Ⅴ-76, 77*
香月春蔵　Ⅲ-292
香月某　Ⅰ-53
勝野重吉　Ⅲ-180, 182, 314, 420 / Ⅳ-131*
勝部兵助　Ⅱ-206, 207*
且(勝)兵衛　Ⅰ-301
桂太郎　Ⅰ-154, 201*
葛城　Ⅱ-260
加藤　Ⅰ-44, 50, 58, 59
加藤　Ⅰ-195
加藤　Ⅳ-264
加藤伊三郎　Ⅴ-94, 95*
加藤寛一郎　Ⅰ-111*
加藤清　Ⅰ-238, 239*, 258, 259*
加藤敬輔　Ⅰ-11*, 12, 38, 51, 57, 60
加藤研一　Ⅰ-32, 33*, 51, 56, 57, 60, 63-65, 100, 101*, 124, 125* / Ⅱ-348, 349*
加藤称司　Ⅳ-283
加藤友喜　Ⅳ-242, 260, 261*, 264

加藤政光　Ⅳ-193-196
金生喜蔵　Ⅳ-54
金丸勘吉　Ⅴ-100, 101*
金山秀逸　Ⅴ-81*
金子　Ⅰ-62
金子喜右衛門　Ⅳ-225*
金子国雄　Ⅲ-26, 27*, 124, 125*, 370, 371*
金子国太郎　Ⅱ-209*
金子堅太郎　Ⅰ-17*, 18, 20, 21, 28, 31, 44, 62, 111* / Ⅱ-38, 39*, 40, 158, 159*, 375* / Ⅴ-76, 77*
金子辰三郎　Ⅲ-434, 435* / Ⅳ-170, 171*
兼子悌次　Ⅳ-68
金子廉次郎　Ⅳ-70, 71*, 72, 74 / Ⅴ-10, 11*, 18, 20, 187*
金光豊吉　Ⅰ-97*, 140, 141*
金光芳太郎　Ⅰ-192
金本三郎　Ⅴ-164, 165*, 166
鹿野　Ⅱ-332
狩野永真　Ⅲ-429*
狩野永徳　Ⅰ-66
狩野嘉市(加納嘉市)　Ⅱ-356, 357* / Ⅲ-292, 293*, 370, 371*, 390, 431*, 444, 454 / Ⅳ-13*, 26, 34, 38, 73, 76, 120, 121*, 134, 236, 237*, 239, 242, 246, 253, 261, 273, 278, 284, 286, 320, 321*, 350, 374, 375, 380, 381, 384, 386 / Ⅴ-8, 9*, 20, 31, 35, 63, 64, 102, 103*, 129*, 131, 133, 168, 173
狩野貞信　Ⅱ-383*
狩野探幽　Ⅰ-66
狩野周信　Ⅰ-98
狩野常信　Ⅰ-38
加納　Ⅰ-195
加納鎰子　Ⅱ-282, 283*, 316, 317*, 338, 368, 369* / Ⅲ-47*, 50, 56, 141*, 227*, 438, 440 / Ⅳ-157*, 179, 192, 258, 259*, 266, 267, 304, 305*
加納久朗　Ⅲ-114, 115* / Ⅳ-44, 45*, 192, 193*
加納久宜　Ⅰ-182, 183*, 210, 211*, 213, 236, 289*, 290, 385*, 393, 394 / Ⅱ-80, 81*, 129*, 168, 248, 249*, 250
壁屋亀吉　Ⅲ-174
壁屋伝六　Ⅱ-124, 125*
鎌城実　Ⅲ-162
鎌田栄吉　Ⅲ-28, 30
鎌田昌一　Ⅰ-254, 255*, 272, 273
蒲池辰治　Ⅳ-62
上枝　Ⅰ-106
上尾惣七(魚屋惣七)　Ⅰ-8, 9* / Ⅲ-190, 191*, 399* / Ⅳ-324, 325*
神尾光臣　Ⅰ-229*, 230
神作浜吉　Ⅱ-67
上山満之進　Ⅲ-388
亀井貫一郎　Ⅳ-112, 113* / Ⅴ-91*
亀永徳太郎　Ⅰ-39 / Ⅱ-104 / Ⅲ-103
カヨ　Ⅰ-122
辛島虎次郎　Ⅰ-238, 239*
河合鼇　Ⅱ-230
川上浩二郎　Ⅱ-83*, 84, 92, 93
川口　Ⅱ-333
川口譲涛　Ⅱ-395
川越壮介　Ⅱ-66 / Ⅳ-246, 254, 286, 389 / Ⅴ-114, 125, 126
川崎　Ⅱ-12
川崎圭三　Ⅴ-132, 133*
川崎保　Ⅳ-158
川崎友太郎　Ⅳ-320
河島醇　Ⅰ-18, 19*, 20, 27
川島七郎　Ⅰ-315*, 346, 347*, 380, 388 / Ⅱ-49*, 54, 249*, 292, 293*
川島慎二　Ⅱ-246
川島淵明　Ⅰ-266, 267*, 288, 316 / Ⅱ-28, 29*, 174, 176, 256, 257*, 316, 317*, 406, 407* / Ⅲ-16, 17*, 324 / Ⅳ-46, 47*, 391*, 396
川島義蔵　Ⅱ-372, 373*
川田十　Ⅰ-268, 269*, 279*, 299 / Ⅱ-127*, 410, 411*, 412, 432 / Ⅲ-13*, 140, 141*, 162, 163*, 294, 295*, 370, 371* / Ⅳ-34, 35*, 82 / Ⅴ-127*, 131, 133
川田紀夫　Ⅱ-347*, 410, 411*, 412 / Ⅲ-18, 19*, 280, 281*, 288
川谷福市　Ⅲ-22

河内卯兵衛　Ⅰ-184, 185*, 272, 273*, 362, 363*, 379／Ⅱ-12, 13*, 19, 20, 22, 28, 75*, 188, 189*, 375*／Ⅲ-68, 69*, 84, 85*, 104, 105*, 206, 207*
河内幸七　Ⅲ-10, 11*
河内野弘道　Ⅰ-107*, 128, 129*
川鍋　Ⅰ-28
河波荒次郎　Ⅳ-272
川波半三郎　Ⅰ-15*, 57, 58, 208, 209*／Ⅱ-45*, 277*, 278, 293, 387*
河西三九郎　Ⅱ-170
河野　Ⅳ-72
河野たき　Ⅴ-77
河野寿男　Ⅱ-172, 173／Ⅲ-251*
河野正男　Ⅲ-188
河野芦舟　Ⅱ-309, 333／Ⅳ-314
川原茂輔　Ⅱ-13*, 67, 83, 404, 405*／Ⅲ-452
川淵洽馬　Ⅴ-87*
河村　Ⅱ-262, 263*
河村永久　Ⅳ-308, 309*
河村幹雄　Ⅳ-130, 131*, 151, 261*, 262, 382, 383*
河村茂十郎　Ⅱ-270, 271*
河本亘(渡)　Ⅳ-348, 392／Ⅴ-178, 179*
河原林樫一郎　Ⅰ-113*
萱吉男　Ⅳ-314, 315*
閑院宮春仁　Ⅳ-190, 191*, 192, 195, 232–234, 336, 370, 373／Ⅴ-10, 74, 75*, 89*, 92
閑院宮妃　Ⅳ-370, 372
神崎勲　Ⅰ-364／Ⅳ-93*, 238, 239*
神埼慶次郎　Ⅱ-334, 335*
神沢又市郎　Ⅱ-201–203*, 218, 219*, 261*, 262, 387*, 389, 402, 417／Ⅲ-47*, 176, 177*, 372, 373*, 432／Ⅳ-34

き

喜久田又一郎　Ⅳ-118, 119*, 360／Ⅴ-66, 72, 73*, 100
菊竹嘉市　Ⅱ-60, 61*
菊竹淳(六皷)　Ⅱ-178, 179*／Ⅲ-183, 208, 209*, 303*／Ⅳ-93*, 126, 127*, 161, 163, 179, 184, 230, 231*／Ⅴ-115*
菊地　Ⅰ-52
菊池綾五郎　Ⅰ-41*, 42
菊地仙太郎　Ⅳ-244
菊池武幹　Ⅴ-24
菊地保次　Ⅰ-98, 99*, 371*／Ⅱ-99*
菊山嘉男　Ⅲ-36
喜三郎　Ⅰ-206
岸敬二郎　Ⅲ-191*
岸光憲　Ⅳ-227*／Ⅴ-20, 21*, 34
岸田牛五郎　Ⅰ-334, 335*／Ⅱ-27*, 32, 38, 162, 167, 270, 271*, 274
岸本　Ⅰ-6, 17, 18, 20, 50, 57
岸本　Ⅱ-58, 60
岸本熊太郎　Ⅲ-53*
岸本重任　Ⅱ-421*／Ⅲ-406, 407*／Ⅳ-94
岸本為雄　Ⅳ-15*
岸本正隆　Ⅰ-59*
喜多　Ⅲ-70
喜多又蔵　Ⅲ-179*
貴田猷一　Ⅱ-47*, 385*／Ⅲ-98, 99*, 174, 175*, 337*／Ⅳ-14, 15*
喜多川清次郎　Ⅰ-147*, 188, 189*
北崎久之丞　Ⅰ-184, 185*, 211*, 212, 288, 289*, 295, 302, 320, 362, 363*, 368／Ⅱ-84, 85*, 130, 131*, 188, 196, 200, 238, 239*／Ⅲ-84, 85*
北島マサ(おまさ・お政)　Ⅰ-51*, 359／Ⅱ-282, 283*
北島林平　Ⅳ-242
北代市治　Ⅴ-162, 163*
木谷義英　Ⅲ-8
北村勝蔵　Ⅰ-212, 213*, 259*, 297*, 298
吉川　Ⅱ-383
吉川　Ⅳ-63
吉川あき(おあき)　Ⅰ-99*
吉川幹次　Ⅰ-100, 101*, 124, 125*, 193*, 232, 233*
吉川監十郎　Ⅰ-12, 13*, 298, 299*, 387*／Ⅱ-88, 89*, 90, 137*／Ⅲ-245*, 308, 309*, 344／Ⅴ-34, 35*
吉川庄兵衛　Ⅱ-324, 325*／Ⅲ-167*, 201, 248／Ⅳ-63, 176, 177*, 332, 333*／Ⅴ-53*,

178, 179*, 180
吉川真之介　Ⅱ-130, 131*, 135-137 / Ⅲ-172, 173*, 308, 309*, 316, 405
吉川正夫　Ⅲ-344, 345*
木月マツ　Ⅰ-57* / Ⅱ-98
城戸一夫　Ⅰ-295
木戸健治　Ⅱ-283
木梨久太郎　Ⅴ-75
木下　Ⅰ-20
木下　Ⅰ-22
木下　Ⅳ-374
木下義介　Ⅴ-40
木下淑夫　Ⅰ-188
木下信　Ⅳ-340
木原　Ⅲ-354, 370
君島八郎　Ⅱ-83*, 84, 87, 90, 92, 94, 117*, 162, 231*, 393*
君鶴　Ⅱ-363
君勇　Ⅲ-154*
木村　Ⅰ-372
木村　Ⅱ-9
木村かつ　Ⅱ-144, 145*, 152, 159
木村久寿弥太　Ⅲ-428, 429* / Ⅳ-390
木村謙三郎　Ⅰ-162, 163* / Ⅱ-405*, 408, 433 / Ⅲ-197*, 322, 323*, 324, 420, 421*, 424, 446, 447* / Ⅳ-201*, 246, 247*, 263 / Ⅳ-246, 247*
木村孝太郎(幸太郎)　Ⅱ-394, 395*, 400, 410, 411 / Ⅲ-217*, 398, 399* / Ⅳ-230, 231*, 271*
木村重吉　Ⅲ-25* / Ⅳ-151*, 280, 281*
木村順太郎(森崎屋)　Ⅰ-104, 106, 124, 126, 132, 238, 225, 313, 322, 328, 362, 376, 377*, 389, 412 / Ⅱ-23, 32, 45*, 62, 136, 146, 160, 161*, 240, 280, 281*, 289, 314, 316, 317*, 356, 368, 369*, 393, 411 / Ⅲ-44, 45*, 48, 62, 82, 83*, 102, 116-118, 188, 189*, 223, 266, 267*, 312, 398, 399* / Ⅳ-134, 146, 148, 151*, 239*, 276
木村平右衛門　Ⅰ-362, 363* / Ⅱ-46, 150, 151*, 383* / Ⅲ-170, 171*, 201, 240, 299*, 308, 310, 319, 330, 354, 364, 365*, 366, 368, 375, 381, 387, 422, 424, 428, 436, 439, 440, 448, 450 / Ⅳ-34, 35*, 39, 45, 46, 75, 78, 79, 88, 91-93, 95, 96, 101-103, 114, 115*, 128, 130, 132, 137-140, 144, 154, 156, 160, 168, 170, 175, 178, 180, 182, 185, 187, 189, 192-195, 200, 202, 204, 216, 217*, 218, 224, 230, 231, 234, 236-238, 240, 244, 248-251, 258, 259, 261-264, 266, 269, 270, 274-276, 278-280, 283, 285-287, 295, 304, 305*, 308, 310, 312-318, 321-323, 328, 329, 334, 336, 338-341, 344, 347, 348, 351, 352, 355, 356, 358, 360, 362, 364, 370, 372-378, 380, 381, 383, 386, 389-391, 394-396 / Ⅴ-16, 17*, 24-26, 28, 30, 32, 33, 38, 40, 46, 48, 50, 51, 53, 57, 59, 66-68, 72, 73, 78-80, 82-84, 90, 93, 96, 97, 112, 113*, 116, 119-121, 124, 125, 132, 137, 138, 140, 142, 143, 146-148, 150-155, 157, 158, 162, 165, 169, 170, 172, 175-180, 182, 185, 187
紀本参次郎　Ⅳ-233
久四郎　Ⅰ-15
九八　Ⅰ-35
清浦奎吾　Ⅲ-82, 83*
吉良元夫　Ⅲ-340
金原亭馬生　Ⅰ-76
金次　Ⅰ-54, 72, 73*, 81 / Ⅲ-445* / Ⅳ-101*
金八　Ⅰ-8

く

釘宮　Ⅰ-174
日下部弁二　Ⅱ-91*, 94, 95
草刈雄治　Ⅴ-136, 137*
草野忠右衛門　Ⅳ-80, 81*
串田万蔵　Ⅴ-86
櫛橋岩太郎　Ⅰ-254, 255*, 256, 271, 272
串屋(櫛兵)　Ⅰ-247
九条　Ⅲ-410
楠田彰司　Ⅲ-388, 389* / Ⅳ-172, 173*
楠目省介　Ⅲ-294, 295*
楠本武俊　Ⅳ-364, 365*
久世庸夫　Ⅱ-236, 348, 349*, 355, 376, 377*,

380 / Ⅲ-12, 42, 394, 395* / Ⅳ-312, 364
工藤英一　Ⅰ-28, 29*
工藤覚次　Ⅱ-164
工藤茂一郎　Ⅴ-17
国武喜次郎　Ⅲ-49*
久邇宮　Ⅲ-30-34, 36, 342, 432 / Ⅳ-58, 340
国永正臣　Ⅰ-208, 209* / Ⅱ-54, 55*, 190, 191*
国見山悦吉　Ⅰ-180, 181*, 330
久原房之助　Ⅱ-44, 45*, 77*
久保猪之吉　Ⅱ-398, 399* / Ⅲ-50, 51*, 310, 311*, 420, 421*
久保益造　Ⅲ-176, 177*
久保勝之進　Ⅲ-30, 31*, 47
久保清四郎　Ⅳ-336
久保太郎　Ⅰ-261*, 302, 303*, 373* / Ⅱ-84, 85*, 140, 141*
久保豊四郎　Ⅰ-407
久保平吉　Ⅰ-20, 21*, 23, 28
久保田貞次　Ⅳ-50, 51*, 100, 118, 119*, 147, 151, 160, 164, 165, 170, 236, 237*, 238, 240, 252, 285, 320, 321*
久保田安平　Ⅱ-273
熊谷玄旦　Ⅰ-80, 81*
熊谷直太　Ⅲ-422, 423*
熊谷好衛　Ⅱ-234, 235*
神代護次　Ⅱ-390
熊手嘉久平　Ⅰ-144, 145*
熊本甚右衛門　Ⅰ-39*
熊本寿人　Ⅰ-182, 183*
組田鞆之助　Ⅲ-70, 71*, 120, 121*, 149, 158, 159*, 160, 162, 192, 213, 239, 240, 257, 266, 267*, 353, 428, 429* / Ⅳ-94, 95*, 146, 147*, 158, 160, 358, 359*, 394 / Ⅴ-54, 55*, 116, 117*, 124, 156, 160, 162, 173, 187
蔵内次郎作　Ⅰ-51*, 135*, 153, 154
蔵内保房　Ⅰ-268, 276, 277*, 280, 285, 313 / Ⅱ-149*
倉賀野保郎　Ⅲ-53
倉田恒蔵　Ⅱ-40
倉知　Ⅰ-128
倉智伊之助　Ⅰ-12, 13*, 33, 73*, 84, 142, 198, 199*, 207, 226, 227*, 255, 280, 281*, 305, 314, 329, 355, 370 / Ⅱ-14, 15*, 33, 231*, 257*, 276, 289, 398, 399* / Ⅲ-16, 17*, 123* / Ⅳ-120, 121*
倉冨　Ⅲ-394
倉冨龍郎　Ⅳ-184, 185*
倉富勇三郎　Ⅳ-179, 179*, 181
蔵原　Ⅱ-286
栗田　Ⅰ-17, 19, 62, 206, 226 / Ⅱ-36
栗野慎一郎　Ⅰ-20, 374, 375* / Ⅱ-380, 381*
栗原与一　Ⅳ-382, 383* / Ⅴ-43, 43*, 99, 124, 125*, 133, 157, 182
栗本武三　Ⅳ-362
久留米屋(江藤)平右衛門　Ⅰ-8, 9*, 10, 122, 123*, 128, 130
黒岩休太郎　Ⅱ-140, 144
黒木佐久馬　Ⅲ-45*, 114, 115*, 124, 125, 140, 168, 169*, 266, 267*, 299, 313-315, 331, 347, 353, 374, 375*, 412, 413, 416, 417, 425, 448-451 / Ⅳ-31*, 32, 39, 50, 51, 59-61, 71, 87, 114, 115*, 126, 137-139, 158, 160, 180, 192, 204, 207, 212, 213*, 215, 216, 221, 224, 230, 231, 236, 237, 240, 261-263, 275, 278, 280, 283, 295, 314, 315*, 316, 318, 332, 344, 347, 349, 355, 359, 370, 372, 374, 376, 396 / Ⅴ-10, 11*, 42, 44, 46, 51, 66, 67, 71, 82, 98, 120, 121*, 125, 137, 142-144, 146, 148, 151-154, 170, 179, 183, 185, 187
黒崎　Ⅱ-84
黒沢覚治　Ⅳ-348, 349* / Ⅴ-40, 41*, 152, 153*
黒瀬保　Ⅱ-20, 21*, 101
黒瀬元吉　Ⅰ-66, 67*, 79*, 84, 85, 90, 98, 99*, 120, 121*, 128, 134, 136, 150, 154, 172, 173*, 186, 193*, 195, 199, 202, 212, 234, 235*, 246, 248, 250, 258, 270, 278, 279*, 282, 289, 298, 301, 302, 304, 308, 315-317, 350, 351*, 354, 356-358, 372, 376, 412, 415, 420, 422, 423, 426 / Ⅱ-4, 5*, 6, 8, 14, 21, 36, 40, 44, 57, 59, 78, 84, 100, 101, 104-109, 111-113, 133*, 136, 139*, 141, 212, 213,

222, 223*, 248, 299*, 318, 319*, 347, 356, 361, 375*, 377, 381, 383, 408, 429, 431／Ⅲ-4, 5*, 6, 16, 24, 30, 34, 38, 58, 70, 74-77, 84, 85*, 93, 94, 99, 105, 112, 120, 137, 140, 143, 151, 153, 183*, 233-235, 254, 280, 281*, 284, 285, 292, 342, 345, 347, 354, 364, 365*, 370, 374, 378, 382, 390, 392, 397, 410, 429, 439, 443, 449, 455／Ⅳ-14, 15*, 29, 39, 62, 66, 72, 74, 77, 81, 82, 86, 120, 121*, 126, 130, 133-135, 155, 167, 168, 181, 182, 185, 205, 222, 223*, 242, 243, 259, 284, 285, 287, 288, 330, 331*, 365, 388／Ⅴ-50, 51*, 73, 74, 77, 78, 80, 89, 123*, 145, 150, 156, 174, 175
黒田　Ⅳ-45
黒田長敬　Ⅱ-375*, 381
黒田長成　Ⅱ-158, 159*, 375*, 376, 380／Ⅲ-122, 123*, 214, 222, 306, 408, 409*, 410, 411／Ⅳ-372, 373*
黒田長和　Ⅱ-375*／Ⅴ-140, 141*
黒田長礼　Ⅰ-411*／Ⅱ-380, 381*／Ⅴ-80, 81*, 83, 84
黒田稔　Ⅳ-269*
桑田半八　Ⅲ-288, 289*
桑原一郎　Ⅱ-325*, 326
桑原エン（おゑん・お苑）　Ⅰ-292, 293*, 295, 314, 375*, 419／Ⅱ-233*, 417*／Ⅲ-296, 297*, 334, 418, 419*／Ⅳ-101*, 167*, 350, 351*／Ⅴ-28, 29*, 150, 151*, 162, 163*
桑原宗重　Ⅲ-318, 319*
桑原芳樹　Ⅲ-206

こ

小池慎蔵　Ⅱ-95*, 170
小石源蔵　Ⅱ-264, 265*, 273
小泉又次郎　Ⅳ-236, 237*
小出太右衛門　Ⅰ-186, 187*, 393*／Ⅱ-31*, 41, 45, 122, 123*
小今井本次　Ⅳ-172, 173*
郷誠之助　Ⅱ-122, 123*
高壮吉　Ⅰ-370, 371*／Ⅲ-61*／Ⅳ-192, 193*
黄道周　Ⅱ-213*
幸三郎　Ⅱ-388
皇太后　Ⅲ-364／Ⅳ-4, 110, 212, 300／Ⅴ-4
皇太子　Ⅱ-268
皇太子妃　Ⅲ-264
紅田小一　Ⅲ-180, 182, 183*, 184, 238, 247, 248
高野江基太郎　Ⅰ-222, 223*, 228
神喜久男　Ⅱ-417*
合原（郷原）サカエ　Ⅲ-257*／Ⅳ-87
合屋利吉　Ⅰ-30, 31*, 98, 99*, 101, 104, 124, 208, 209*, 238／Ⅲ-255*
郡茂徳　Ⅴ-120, 121*
古賀　Ⅰ-28
古賀　Ⅰ-88
古賀　Ⅱ-403
古賀　Ⅳ-24
古賀収蔵　Ⅲ-93
古賀重一　Ⅱ-432
古賀甚四郎　Ⅱ-196, 197*
古賀壮兵衛　Ⅰ-231*, 272
古賀敏雄　Ⅰ-158
古賀春一　Ⅰ-268, 269*, 281*, 282／Ⅱ-397*
古賀庸蔵　Ⅰ-153*, 154, 231, 242, 243*, 246
国部　Ⅰ-106
小久保喜七　Ⅱ-354, 355*, 388, 389*
小三　Ⅴ-150
小塩熊次郎　Ⅳ-167*
児島　Ⅲ-322
児島健爾　Ⅳ-343
児島善一郎　Ⅲ-213*
巨島定山　Ⅱ-344
小染　Ⅳ-97*, 103
小平保蔵　Ⅱ-334, 335*, 345
小滝　Ⅴ-150
小竹　Ⅲ-376
小竹茂　Ⅳ-30／Ⅴ-164, 165, 165*, 177
小谷清　Ⅳ-132, 133*
小田部博美　Ⅳ-81*
小玉　Ⅲ-324
児玉　Ⅰ-364

児玉　Ⅲ-327, 329, 332
児玉恒次郎　Ⅰ-408, 409* / Ⅳ-118, 119*, 120, 134, 156, 166, 181
後藤新平　Ⅰ-152, 153*, 155 / Ⅱ-33* / Ⅲ-215*, 339*
後藤寛一　Ⅱ-228
後藤清一　Ⅱ-421
後藤ハマ(お浜・浜子)　Ⅰ-140, 141*, 295 / Ⅱ-6, 7*, 89 / Ⅲ-334, 335*, 418, 445 / Ⅳ-84, 85*, 101*, 167*, 255
後藤治子　Ⅱ-340, 341* / Ⅴ-158, 159*
後藤文夫　Ⅱ-245*, 341*, 340 / Ⅲ-30, 31*, 174, 175*, 227*, 416, 417* / Ⅳ-12, 13*, 160, 161*, 172, 302, 303*, 304, 393 / Ⅴ-157*
後藤龍蔵　Ⅱ-73*, 178, 179*, 196
小徳　Ⅱ-111, 287 / Ⅲ-333* / Ⅴ-28, 29*, 150
小西久遠　Ⅴ-120, 121*, 144
小西春雄　Ⅲ-385*
許斐　Ⅱ-385
許斐清彦　Ⅰ-38
許斐健　Ⅲ-423 / Ⅳ-157*
許斐鷹介　Ⅰ-32, 33*, 58, 59
許斐友次郎　Ⅲ-230, 374, 375*, 376, 385, 386
許斐寛　Ⅰ-255*, 280, 322, 323* / Ⅳ-16, 17*, 58, 100
許斐安太郎　Ⅰ-322, 323* / Ⅲ-24, 25*, 54, 63 / Ⅳ-54, 55*, 58, 100 / Ⅴ-14, 15*, 22, 112, 113*
小橋一太　Ⅲ-354, 404, 405*
小橋藻三衛　Ⅱ-241
小林　Ⅰ-89, 107, 206, 402
小林猪八(武田伊之吉改名)　Ⅲ-89*
小林梅吉　Ⅰ-212
小林作五郎　Ⅰ-102, 103* / Ⅱ-331* / Ⅲ-454, 455* / Ⅳ-368, 369*, 374, 376, 378, 391 / Ⅴ-12, 13*, 30, 31, 52, 53, 67, 75
小林重威　Ⅰ-33*
小林新三郎　Ⅰ-164, 222, 223*, 236, 237, 262 / Ⅱ-132, 133*, 353*
小林英男　Ⅱ-372, 373* / Ⅲ-234, 384, 385*, 386, 394
小林正直　Ⅰ-41*, 42, 44, 63, 174, 175*, 178, 183, 226, 227*, 245, 265, 285*, 294, 302, 310, 367*, 395-397, 413 / Ⅱ-49*, 52, 80, 81*, 226, 227* / Ⅳ-380, 381*, 396
小林森吉　Ⅱ-142, 143*, 243*
小林要次郎　Ⅰ-11*, 42, 50, 56, 60
古筆了信　Ⅲ-8, 9*, 10, 12
小堀遠州　Ⅲ-241*
小堀月州　Ⅳ-146, 147*
駒山伴蔵　Ⅱ-172, 173*, 400, 401* / Ⅲ-396, 397* / Ⅴ-164, 165*
小宮茂太郎　Ⅱ-191* / Ⅲ-48, 49*
米谷　Ⅲ-300
小柳多市　Ⅱ-283 / Ⅳ-36, 37*
小山　Ⅰ-106
小山　Ⅲ-329
小山敦志　Ⅲ-423
五郎　Ⅰ-54
権藤貫一　Ⅰ-232, 233*
近藤幸作　Ⅲ-233*, 235, 236

さ

西園寺公望　Ⅰ-23*, 228, 229*, 238, 246 / Ⅱ-220 / Ⅳ-104, 105*
西園寺八郎　Ⅱ-219*, 220
斎田耕陽　Ⅱ-12, 13*, 145*, 159 / Ⅲ-89, 284, 287 / Ⅳ-102
斉藤　Ⅲ-302
斉藤　Ⅲ-306
斉藤英一　Ⅲ-323 / Ⅳ-161* / Ⅴ-131*
斎藤行三　Ⅱ-281*, 284, 289*
斉藤俊次　Ⅲ-372
斎藤虎太郎　Ⅰ-214, 215*
斉藤守圀　Ⅲ-425, 434 / Ⅳ-16, 17*, 18, 28, 74, 94, 122, 123*, 148, 273
佐伯梅治　Ⅰ-44, 45*, 49, 56, 86, 87*, 205*, 210, 240, 241*, 328, 329* / Ⅱ-52, 53*, 76, 78, 208, 244, 245* / Ⅲ-70, 71*, 111*, 172, 173*, 226, 241, 323*, 354
五月女　Ⅱ-404
佐賀経吉　Ⅰ-178, 179*, 209*, 239*, 388, 389* / Ⅱ-22, 23*, 28, 29, 68, 70, 71, 84, 86, 145*, 230,

231* / Ⅲ-43*, 84, 85*, 298, 299*, 334, 446, 447* / Ⅳ-24, 25*, 163*, 237*
酒井栄藏　Ⅴ-88
酒井正吉　Ⅱ-306
坂井大輔　Ⅲ-199*, 303, 342, 343*, 354 / Ⅳ-81*, 93 / Ⅴ-59*
酒井武雄　Ⅳ-312, 314 / Ⅴ-90
酒井忠正　Ⅳ-234, 235*
榊保三郎　Ⅰ-129*, 130, 150, 212, 213*
榊原円次郎　Ⅳ-130, 131*
坂口　Ⅲ-353
坂口覚　Ⅱ-272
坂口栄　Ⅰ-28, 29*, 62, 90, 91*, 198, 199*, 221*, 238, 280, 281*, 322, 323, 334, 395 / Ⅲ-328, 329*
坂口正義　Ⅱ-88
坂下新　Ⅲ-327
坂田貞臣　Ⅳ-177* / Ⅴ-78, 79*, 80
阪谷芳郎　Ⅰ-19*
坂本一饗　Ⅲ-184, 185*
坂本猛　Ⅴ-34, 35*
酒屋夫人　Ⅳ-183
崎川才四郎　Ⅱ-22, 177
崎山克治　Ⅲ-190, 191* / Ⅳ-25, 25*, 93
桜井高尚　Ⅰ-96, 97*, 110, 120
桜井督三　Ⅳ-302, 303* / Ⅴ-10, 11*, 70, 93, 170, 171*, 172
桜井敏雄　Ⅲ-353
桜木亮三　Ⅲ-251*, 392, 393*
桜田寿　Ⅳ-398, 399*
佐々木　Ⅲ-376
佐々木正蔵　Ⅰ-26, 27*, 28
笹原　Ⅰ-395
笹原丈助　Ⅱ-421
笹山駒二郎　Ⅰ-320
佐多貞熊　Ⅳ-18, 19*
佐竹義文　Ⅰ-407, 401*, 414
貞永恭一　Ⅰ-35*, 39
佐谷道哉　Ⅰ-145*, 165* / Ⅲ-186, 187*
佐藤　Ⅰ-17, 19, 62
佐藤　Ⅰ-56
佐藤　Ⅱ-36
佐藤　Ⅱ-142, 202
佐藤　Ⅱ-157
佐藤　Ⅲ-176, 184
佐藤　Ⅲ-190
佐藤計造　Ⅳ-310
佐藤慶太郎　Ⅰ-388, 389* / Ⅱ-218, 219*, 308, 309* / Ⅲ-201*, 208, 385* / Ⅳ-250, 251*, 264 / Ⅴ-77*
佐藤重鎰　Ⅳ-316, 317*
佐藤正吉　Ⅳ-181
佐藤長太郎　Ⅲ-175*, 206 / Ⅳ-17*, 378, 379*, 380
佐藤勧　Ⅰ-120, 121*, 148, 164, 165*
佐藤虎雄　Ⅱ-142, 148, 149*, 172 / Ⅲ-14, 15*, 140, 141*, 229* / Ⅳ-122, 123*, 133, 159, 172, 184, 236, 237*, 308, 309*, 371
佐藤寅二　Ⅳ-220
佐藤延吉(円吉)　Ⅱ-164, 165*
佐藤秀男　Ⅲ-224
佐藤平太郎　Ⅰ-120, 121*, 222, 223*, 231, 239, 242, 255, 256, 262, 271, 272
佐藤正俊　Ⅳ-359*, 360, 361
佐藤峯次郎　Ⅱ-244, 245*
佐藤実　Ⅰ-51
佐藤雄之助　Ⅰ-90
実岡半之助　Ⅲ-403*, 424 / Ⅳ-15*, 100, 104, 110, 111*, 154, 157, 255*, 331*, 335, 368 / Ⅴ-12, 13*, 16, 18, 20, 22, 112, 113*, 185
佐野英　Ⅳ-80
佐柳藤太　Ⅰ-192, 193*, 206
沢崎弥十郎　Ⅴ-79*
沢田　Ⅴ-79
沢田牛麿　Ⅱ-421* / Ⅲ-7*, 12, 20, 27, 28, 40, 42, 50, 55, 58, 61, 64, 190, 191*, 303*, 404, 405*
三条　Ⅳ-394

し

塩井松太郎　Ⅱ-264, 265*
塩沢政明　Ⅱ-262

塩月学　Ⅱ-262, 263
塩谷　Ⅰ-183
塩谷五郎　Ⅰ-261* / Ⅱ-147*, 148, 170, 172, 184, 185
志賀　Ⅰ-52
重岡篤　Ⅰ-282, 283*, 386, 387* / Ⅱ-23*, 39, 185*, 195, 196, 200, 368, 369*
茂田つや　Ⅱ-256, 257*, 296, 316, 317*, 326 / Ⅲ-123*, 137, 202, 203*
紫山禅師　Ⅱ-308
次介　Ⅰ-230
志田伝　Ⅰ-295*
志田順　Ⅲ-30, 31*
品川信健　Ⅰ-262, 266
篠木　Ⅴ-79
篠木真造　Ⅰ-80, 81*, 408, 409*
篠崎　Ⅰ-267, 302 / Ⅱ-160, 356
篠崎金太郎　Ⅲ-370, 371* / Ⅳ-84, 85*
篠崎昇之助　Ⅰ-402, 403* / Ⅱ-343
篠崎団之助　Ⅰ-98, 99*, 105*, 124 / Ⅱ-28, 29*, 31, 37, 122, 123*, 128, 270, 271*, 272, 280, 288 / Ⅲ-190, 191*, 197, 238, 249, 253, 255, 278, 279*, 292, 295, 301, 302, 304, 336, 339, 345, 353, 409, 412, 413*, 421, 424, 431 / Ⅳ-18, 19*, 26, 38, 51, 75, 104, 110, 111*, 114, 118, 154, 331*, 335 / Ⅴ-12, 13*
篠崎孫六　Ⅲ-389*, 391
篠崎与四郎　Ⅰ-50, 51, 122
篠田　Ⅰ-406, 234
篠田珍木　Ⅳ-65*, 326, 327*, 330 / Ⅴ-20, 21*, 58, 92, 102, 160, 161*, 168
篠原　Ⅰ-98
篠原　Ⅱ-234
篠原孫六　Ⅰ-286, 287*, 300 / Ⅱ-34, 35*, 220, 221*, 255*, 277, 278, 387*
芝尾喜多夜叉　Ⅰ-233*
柴尾与一郎　Ⅳ-112, 113*
柴垣清松　Ⅲ-273, 276 / Ⅳ-62, 63*
柴田　Ⅰ-129
柴田勝平　Ⅲ-305
柴田清松　Ⅲ-68
柴田善三郎　Ⅲ-106, 107*, 132, 138, 140, 158, 159*, 181, 182, 192, 205, 208, 209, 235, 248, 267*, 269, 287, 297, 311, 313, 314, 336, 344, 399 / Ⅳ-21*
柴田宗太郎　Ⅲ-10
柴田徳次郎　Ⅱ-237*, 342, 343* / Ⅲ-193*, 216, 320, 449* / Ⅳ-6, 7*, 9, 10, 12, 280, 281*
柴田直敏　Ⅱ-272, 273*
柴田百城　Ⅰ-56, 57*, 59, 70, 71* / Ⅱ-287*
柴山全慶　Ⅳ-248, 249*
渋沢栄一　Ⅲ-86, 87*
渋田見登　Ⅲ-374, 375*
渋谷喜次郎　Ⅳ-112, 113*
島田　Ⅰ-54
島田吉右衛門　Ⅰ-376, 377* / Ⅱ-413* / Ⅲ-32, 33*, 37, 38, 40, 52, 54, 56, 114, 115*, 116, 118
島田俊雄　Ⅲ-32, 33*
島田寅吉　Ⅳ-142, 143* / Ⅴ-91, 99*
島田弥栄　Ⅲ-284
島津隼彦　Ⅱ-390, 391*
島村　Ⅲ-442
島本徳三郎　Ⅲ-229*, 234, 318, 319*
清水栄次郎　Ⅲ-370, 371*
清水壮左(佐)久　Ⅰ-145*, 153 / Ⅳ-336, 337*, 349
志村良光　Ⅴ-24
下位春吉　Ⅲ-238
下川　Ⅲ-10
下川久市　Ⅳ-254, 255*
下沢善右衛門　Ⅰ-237*, 238 / Ⅱ-75*, 332, 333*
下条　Ⅰ-21, 426
下条　Ⅲ-192
下田　Ⅱ-47
下田光造　Ⅲ-288, 289*, 305, 438, 439* / Ⅳ-52, 53*
下田守蔵　Ⅱ-74, 75*
執印宮夫　Ⅲ-296, 297*–300, 305, 307, 312, 325, 326, 342, 343 / Ⅳ-198, 200, 269*, 270, 272, 273, 332, 333*, 346, 354, 376 / Ⅴ-150, 151*, 156–

158,
荘清次郎　Ⅰ-246, 247*
松旭斎天勝　Ⅳ-212, 213*, 214, 295, 300, 301*
昭憲皇太后　Ⅰ-247*／Ⅲ-82／Ⅳ-110, 212, 300／Ⅴ-4
城島春次郎　Ⅲ-141*, 324, 325*, 327, 328
荘田　Ⅳ-372
荘田平五郎　Ⅰ-16, 17*, 112, 113*
丈太郎　Ⅰ-12
庄野金三郎　Ⅰ-59
庄野金十郎　Ⅰ-167*, 247*, 261, 364, 365*, 378, 402, 406／Ⅱ-246, 247*, 266, 267*, 404, 405*, 418／Ⅲ-303*, 333, 334, 340, 390, 391*／Ⅳ-78, 79*, 80
白井元太郎　Ⅲ-130
白石直治　Ⅰ-348, 349*／Ⅱ-42, 43*
白石久雄　Ⅳ-60, 61*
白坂栄彦　Ⅲ-122／Ⅳ-167*
白杉政愛　Ⅱ-153*
白土　Ⅰ-177
白土純一　Ⅰ-38, 39*, 40, 65*, 79*, 80
白土清四郎　Ⅰ-49*, 393*／Ⅱ-24, 25*, 38, 41, 45
白土善太郎　Ⅰ-134, 135*／Ⅱ-65*, 169*／Ⅳ-121*
白土千秋　Ⅰ-133*
白土正種　Ⅱ-41*, 45*
白土正尚　Ⅰ-50, 51*／Ⅱ-45*／Ⅲ-54, 55*, 63
白土稔　Ⅱ-283
白仁武　Ⅱ-318
白藤誠三　Ⅲ-366, 367*, 378, 380, 396
白水憲一　Ⅲ-129
白水重雄　Ⅳ-242, 243*, 260, 264, 307*
城丸　Ⅰ-30
沈石田　Ⅱ-104, 105*
進一　Ⅲ-272, 273*
真貝貫一　Ⅱ-340, 341*／Ⅲ-168, 169*, 184, 185, 225, 266, 267*, 316, 353, 380, 381*, 382, 412, 413／Ⅳ-121*, 200, 266, 267*, 378, 379*, 380／Ⅴ-14, 15*, 94, 96, 100, 142, 143*, 144, 170, 179
新開富太郎　Ⅲ-293*
新庄祐次郎　Ⅳ-56, 57*
新吉　Ⅰ-374
心光院　Ⅲ-172, 173*
進藤喜平太　Ⅰ-232, 233*, 373*／Ⅱ-18, 19*, 21, 22, 157, 355*, 404, 405*／Ⅲ-306, 307*
進藤甲兵　Ⅱ-432, 433*
新原テル（おてる）　Ⅳ-182, 183*
新保　Ⅰ-52
新保広吉　Ⅱ-229*, 246, 247*, 260, 261*, 264, 265, 268, 273／Ⅲ-255*
甚四郎　Ⅰ-174

す

すえ　Ⅰ-59*
末次　Ⅲ-185*／Ⅳ-120, 121*, 153, 368, 369*
末次　Ⅳ-133
末次ミツギ　Ⅲ-342, 343*
末綱陽和　Ⅱ-334, 335*
末永　Ⅰ-35
末永伊礎夫　Ⅲ-201*
末永邦彦　Ⅲ-397
末永節　Ⅲ-306, 307*／Ⅳ-122, 123*, 128
末延　Ⅰ-16
末弘粲一　Ⅱ-244
末広清次郎　Ⅰ-74, 75*
末広唯信　Ⅳ-39
末広忠介　Ⅱ-320, 321*, 383
末松　Ⅰ-240
末松由承　Ⅲ-129
末村武平　Ⅲ-342, 345／Ⅳ-82, 83*
菅田和園　Ⅳ-238
菅村鈍平　Ⅴ-163
菅原伝　Ⅱ-258, 259*
杉浦倹一　Ⅲ-237
杉浦芳太郎　Ⅱ-66
杉蔵　Ⅱ-326
杉田定一　Ⅰ-28
杉原惟敬　Ⅲ-454
杉村俊吉　Ⅲ-368, 392
杉本　Ⅰ-246

杉本源吾　Ⅱ-174, 175*, 180, 200, 202
杉本政夫　Ⅲ-234, 235*, 243
杉山茂丸　Ⅱ-12, 13*, 160, 161*
杉山松太郎　Ⅱ-138, 139*／Ⅲ-279*
杉山盛利　Ⅳ-380, 381
図師民嘉　Ⅰ-131*
筋田可荘　Ⅰ-140, 142*
鈴木　Ⅲ-131
鈴木　Ⅲ-295
鈴木　Ⅳ-359
鈴木喜三郎　Ⅲ-35, 36, 453／Ⅳ-93*, 124, 125*／Ⅴ-79*, 80
鈴木敬一　Ⅲ-166, 167*, 225*
鈴木憲太郎　Ⅳ-244, 245*, 260, 328, 329*, 332／Ⅴ-40, 41*, 60, 68, 79, 83-85, 114, 115*, 137, 138, 140
鈴木保　Ⅰ-314, 315*
鈴木富治　Ⅴ-78, 79*
鈴木彦政　Ⅲ-206
鈴木正夫　Ⅴ-180, 181*, 183
鈴木馬左也　Ⅱ-231*
鈴木万次郎　Ⅰ-261*
須藤　Ⅱ-404, 405*, 406
須藤功　Ⅳ-348／Ⅴ-178, 179*
首藤三作　Ⅰ-249*, 256／Ⅱ-168, 169*, 191, 233*, 307*, 313, 386, 387*, 390, 410, 412／Ⅲ-106, 107*
すまこ　Ⅰ-226／Ⅲ-180, 395
角不為生　Ⅰ-58, 59*
須山正躬　Ⅳ-186

せ

関成章　Ⅳ-347*
関口高次　Ⅳ-282, 283*
関根善作　Ⅲ-275
関場偵次　Ⅰ-363*
勢田　Ⅲ-421
雪舟　Ⅱ-114*
摂政宮　Ⅲ-4, 82, 156, 264
妹尾万次郎　Ⅳ-396, 397*
芹沢　Ⅰ-145
芹田寛一　Ⅴ-60, 74
仙厓　Ⅲ-10, 11*, 22, 188, 189*
仙鶴院　Ⅳ-26, 27*, 82, 130, 131*, 333*／Ⅴ-136, 137*, 145
仙石亮　Ⅰ-58, 66, 67*, 84, 85*, 101*, 108, 138, 139*, 155
仙石貢　Ⅰ-24, 25*, 30-32, 40, 62, 64, 88, 89*, 152, 284, 285*, 287／Ⅱ-22, 23*／Ⅲ-192, 193*／Ⅳ-192, 193*, 222, 223*, 241, 333*
千田　Ⅲ-440
千田精一　Ⅲ-394, 395*
仙波太郎　Ⅱ-185*, 220, 221*

そ

宗勝政　Ⅲ-432
宗湛(丹)　Ⅰ-366
副島鎮雄　Ⅲ-394, 395*
副島廉治　Ⅲ-340, 341*
添田寿一　Ⅰ-19*, 21, 28, 120, 121*
副田仁平　Ⅰ-174, 175*
添田雷四郎　Ⅴ-68, 69*
副地英吉　Ⅱ-237
曽我蕭白　Ⅰ-38
曽木晋　Ⅱ-158, 159*, 242, 410, 411*, 412
曽根　Ⅲ-57
征矢野半弥　Ⅰ-22, 23*, 24, 28, 120, 121*, 148
孫文　Ⅰ-209*

た

代準介　Ⅳ-36, 37*
大工原銀太郎　Ⅲ-394
大正天皇　Ⅲ-4, 82, 380
代次郎　Ⅴ-95
多賀憲　Ⅳ-233
高尾正蔵　Ⅱ-192, 193*, 204
高垣イチ　Ⅲ-388
高木　Ⅰ-164
高木乙熊　Ⅳ-309
高木一雄　Ⅲ-426, 427*
高木兼寛　Ⅰ-406, 407*
高木繁三郎　Ⅱ-181, 182

高木忠雄　Ⅰ-60, 61*, 62, 73*
高木陸郎　Ⅴ-31*
高倉寛　Ⅳ-328, 329* / Ⅴ-22, 23*
高崎勝文　Ⅱ-24, 25*, 151*, 152
高崎正戸　Ⅳ-81*
高階瓏仙　Ⅰ-348, 349*
高島市次郎　Ⅱ-46, 47*, 77, 127*, 229*, 265*, 268, 281, 287 / Ⅳ-263*, 368, 369* / Ⅴ-88, 92–95, 99, 112, 113*, 118, 120, 128, 166, 178, 180, 185, 187
高島京江　Ⅰ-372, 373*, 404 / Ⅲ-45*
高島平五郎　Ⅴ-168
高巣庄太郎　Ⅲ-227*, 243
鷹巣盛蔵　Ⅳ-398
高瀬　Ⅳ-92
高田　Ⅰ-52
高田早苗　Ⅰ-185*, 364
高田保　Ⅳ-312, 313* / Ⅴ-82
高谷旺男　Ⅲ-88
高千穂宣麿　Ⅲ-450 / Ⅳ-40, 41*
鷹取行蔵　Ⅰ-232, 233*, 314, 315*,
高取九郎　Ⅴ-85*
高取伊好　Ⅰ-174, 175*, 268, 269*
高取盛　Ⅳ-42, 43*
高取新七　Ⅰ-124, 198
高野　Ⅰ-96, 98
高橋　Ⅳ-60
高橋あさゑ　Ⅴ-77
高橋欽哉　Ⅱ-261* / Ⅲ-255*, 372, 373*
高橋是清　Ⅱ-414, 415 / Ⅲ-191*, 192
高橋達　Ⅰ-87*
高橋善五郎　Ⅰ-172, 173*, 204, 205*, 344, 345*, 370
高橋琢也　Ⅱ-322, 323*, 332
高橋伝次郎　Ⅳ-337, 339
高橋正順　Ⅰ-388
高橋光威　Ⅲ-255*
高橋衛雄　Ⅱ-244, 262
高橋義雄　Ⅴ-167*
田上文次郎　Ⅳ-54
高宮乾一　Ⅲ-122, 198, 392 / Ⅳ-167*
高山　Ⅰ-107, 156, 199, 203, 205, 207, 254, 265
高山真剣禅　Ⅱ-307
財部彪　Ⅲ-92, 93*
田川秋吉　Ⅱ-200, 201*, 202
田口　Ⅰ-186
田口環　Ⅲ-176, 177*, 203, 204, 205, 207, 216, 269*, 292, 302, 304
宅野田夫　Ⅲ-306, 307* / Ⅴ-6, 7*
武井正雄　Ⅳ-239*
武石理一　Ⅱ-382, 383* / Ⅳ-62, 63*
竹内　Ⅳ-114
竹内善造　Ⅲ-192 / Ⅴ-16, 44, 45*
竹内勅　Ⅲ-388, 389*
武内徳馬　Ⅰ-43*
竹内万吉　Ⅰ-198, 199*
竹岡吉太郎　Ⅳ-47*, 48
竹岡陽一　Ⅱ-330, 331*
嶽釜武助　Ⅰ-30, 31*
武田綾太郎　Ⅱ-189, 243
武田伊之吉　Ⅰ-42, 43*, 56, 128, 129* / Ⅲ-89
武田三郎　Ⅰ-181*, 357* / Ⅱ-266, 267*
武田敏信　Ⅳ-100, 136
武田星輝　Ⅱ-17, 349*, 384, 385* / Ⅲ-43*, 44, 56, 92, 93*, 168, 169*, 250, 289*, 328, 330, 370, 371*, 407, 456 / Ⅳ-14, 15*, 43, 45, 48, 50, 54, 61, 65, 66, 116, 117*, 126, 140, 160, 229*, 264, 274, 278, 330, 331*, 341, 355, 358, 377 / Ⅴ-28, 29*, 65, 92, 128, 129*, 176
竹中ノブ　Ⅲ-246, 247
竹中米蔵　Ⅱ-321
竹本津太夫　Ⅳ-191*
武谷　Ⅰ-63
武谷広　Ⅱ-332, 333* / Ⅴ-162
田子四郎治　Ⅱ-230
田崎知俊　Ⅴ-74, 75*
田崎二三次　Ⅱ-84, 85*, 86, 92, 93
田島　Ⅰ-167
田島　Ⅰ-182
田島　Ⅱ-310
田島勝太郎　Ⅴ-9*, 76, 102, 112, 113*, 116, 130, 135, 136, 139, 142, 188

田島信夫　Ⅰ-35*, 36
田尻藤太郎　Ⅲ-224
田代　Ⅰ-28
田代丈三郎　Ⅰ-362, 363* / Ⅱ-83*, 88, 92, 357* / Ⅲ-6, 7*, 291*, 292, 305, 306, 314, 317, 318, 327, 346, 450, 451* / Ⅳ-20, 21*, 124, 125*, 218, 219* / Ⅴ-44, 45*
多田　Ⅱ-286
多田勇雄　Ⅲ-374, 375*-377, 385, 386, 394 / Ⅳ-93*, 385*
多田作兵衛　Ⅰ-22, 23*, 24, 26, 28, 156, 157* / Ⅲ-89
多田鉄男　Ⅰ-228, 229*, 314, 315* / Ⅱ-138, 139*, 288, 289* / Ⅲ-298, 299*, 354 / Ⅳ-340, 341*
太刀山　Ⅰ-330
立花寛治　Ⅲ-61
立花節　Ⅰ-8, 9*
龍居松之助　Ⅳ-88, 89*
立石鉄蛇　Ⅳ-134, 135
田中　Ⅰ-35
田中　Ⅰ-76
田中　Ⅰ-238
田中　Ⅰ-361
田中　Ⅰ-384
田中　Ⅱ-58
田中　Ⅱ-152
田中一二　Ⅰ-336
田中市郎　Ⅴ-164, 165*
田中伊之助　Ⅰ-238, 389 / Ⅱ-280, 281* / Ⅳ-16, 17*
田中義一　Ⅲ-178, 179*-190, 192, 302, 303*, 304
田中幸太郎　Ⅲ-264, 265*, 266, 335, 356, 357
田中精右衛門　Ⅰ-280
田仲仙次　Ⅴ-171*
田中武雄　Ⅳ-157
田中唯一郎　Ⅰ-364, 365*
田中千里　Ⅱ-355*, 388, 389*, 412 / Ⅲ-30, 31*, 47, 56
田中冑二　Ⅰ-8, 9*, 71*, 104, 111*, 128, 129*, 132, 319*
田中徳次郎　Ⅰ-267*, 279*, 349*, 410 / Ⅱ-43*, 56, 60, 61, 68, 82, 87-90, 96, 170, 171*, 188, 200, 228, 229*, 241, 259*, 326, 327*, 332, 343, 344, 367*, 378, 384, 397*, 413 / Ⅲ-392, 393* / Ⅳ-168, 169* / Ⅴ-150, 151*
田中豊三　Ⅱ-58, 59* / Ⅲ-435*, 447 / Ⅳ-74
田中正夫　Ⅳ-76, 77*, 119*, 138, 312, 313*, 386 / Ⅴ-26, 27*, 30, 86, 138, 139*, 165
田中保蔵　Ⅱ-408, 409* / Ⅲ-88, 89*, 228, 229*, 254, 332, 333*, 336, 337, 339, 396, 397*, 407, 412, 421, 422, 428, 438, 454 / Ⅳ-14, 15*, 18, 64, 87, 201* / Ⅴ-14, 15*
田中安太郎　Ⅲ-104, 105*
田中隆三　Ⅱ-332, 333*
田中家内　Ⅳ-330
田中妻女　Ⅳ-327, 330
棚橋琢之助　Ⅰ-219*, 220, 231, 232, 253, 258, 261, 262, 265, 267, 269, 278, 279*, 290, 295, 299, 304, 310, 314, 315, 317, 319, 320, 323, 324, 331, 336, 337, 353*, 362, 368, 370, 380-382, 384, 386, 390, 393, 395, 397, 398 / Ⅱ-24, 25*, 46, 52, 54, 56, 62, 74, 76, 82, 83, 122, 123*, 144, 148, 153, 161, 163, 166, 170, 183, 198, 239*, 240, 242, 243, 254, 255*, 272, 274, 276, 292, 306, 307*, 310, 314, 318, 320, 325, 330, 340, 342, 345, 350, 354, 356, 366, 367*, 378, 380, 386, 387, 395, 396, 402, 412, 414, 421, 422, 424 / Ⅲ-4, 5*, 13, 33, 35, 40, 47, 51, 64-66, 86, 87*, 95, 96, 98, 101-103, 106, 108, 111, 112, 115, 119-121, 127-131, 135, 137, 138, 160, 161*-164, 170, 172, 174-176, 186, 193, 198, 201-204, 206, 212, 215, 216, 218, 236, 237, 242-244, 251, 266, 267*, 268, 270, 276, 279, 293, 299, 303, 305, 308, 309, 314-316, 318, 319, 321, 324, 328, 330, 331, 340, 346, 347, 349, 351, 354, 364, 365*, 368, 371, 372, 374, 375, 380-382, 391, 392, 399, 404, 413, 417, 422, 425, 430, 433, 440, 447, 448, 452 / Ⅳ-11*, 20, 29, 31, 39, 46, 49-51, 54,

59, 61, 69, 71, 72, 74–76, 80–82, 89, 92, 99, 101–103, 113*, 125, 126, 128, 130, 136–140, 143, 146, 148, 160, 162, 163, 171, 177, 185, 187, 193, 194, 204, 214, 215*, 216, 236–238, 244, 248, 257, 262–265, 268, 270, 274, 278, 279, 287, 294, 295, 310, 311*, 312, 314–316, 318, 321, 327, 329, 338, 344, 346, 355, 362, 364, 366, 369, 370, 373, 377, 388, 394 / V-14, 15*, 24
田辺　Ⅱ-331
田辺音吉　Ⅲ-247* / Ⅳ-182, 183*, 380, 381* / V-64, 65*
田辺加多丸　Ⅲ-188, 225*, 239, 351* / Ⅳ-22, 23*, 28–31
田辺勝太郎　Ⅰ-332, 333*, 396, 397* / Ⅱ-52, 53*, 177*
田辺唯司　Ⅳ-140, 141*
田辺為三郎　Ⅳ-140, 141*
田部武一　Ⅲ-50
谷茂平　Ⅰ-56, 57*
谷勇次郎　Ⅱ-244, 245*
谷保馬　Ⅰ-100, 133, 135 / Ⅲ-132, 133*
谷口熊雄　Ⅲ-394, 395*
谷口源吉　Ⅰ-220, 221*, 223, 261, 350, 351*, 404 / Ⅱ-46, 47*, 63, 65, 87 / Ⅲ-36, 37*, 110, 111*, 128, 138, 234, 235*
谷口留五郎　Ⅰ-250, 251*, 263, 264, 296, 334, 346, 347*, 358, 378, 407 / Ⅱ-6, 7*, 20, 46, 71, 92, 157*, 175, 177, 184
谷田信太郎　Ⅲ-276, 277*, 308, 309, 321, 324, 332, 333, 341, 342, 346, 354, 355, 376, 377*, 378, 389, 390, 394, 417, 420, 439, 439, 451 / Ⅳ-8, 9*, 11, 46, 54, 61, 62, 70, 79, 114, 115*, 124, 128, 134, 135, 138–143, 146, 229*, 241, 245, 257, 262, 353*, 356, 394 / V-52, 53*, 58, 70, 138, 139*, 142, 148, 150, 166, 174, 184
田生正次　Ⅰ-90, 91*, 104, 105*, 186, 187*, 230, 231*, 235, 236 / Ⅱ-28, 29*, 32
田能村竹田　Ⅰ-78, 84 / Ⅲ-130, 131*
玉井磨輔　Ⅳ-18, 19*, 20, 83, 266, 267*, 268
玉木諮夫（懿夫）　V-78, 79*
田村　V-32
田村秀雄　Ⅱ-232
田山クマ　Ⅰ-178, 179*, 308, 309*, 358, 359*, 382, 420 / Ⅱ-4, 5*, 40, 46, 54, 100–102, 104, 108, 264, 265*, 297, 326, 327*, 339 / Ⅲ-67*, 90, 91*, 162, 163*, 257, 407* / Ⅳ-6, 7*, 191* / V-80, 81*
俵孫一　Ⅳ-198
団琢磨　Ⅰ-20, 21*, 60, 61, 136, 137*, 181*, 185, 186, 266, 306, 307*, 368, 369*, 373–375 / Ⅱ-26, 27*, 35, 38, 48, 49, 51, 102, 103, 292, 293*, 306, 307*, 416, 417* / Ⅲ-32, 33*, 34, 104, 105*, 109, 113, 118, 126, 127, 240, 241*, 443* / Ⅳ-36, 37*, 138, 139*, 230, 231* / V-25*, 61, 78

ち

チエコ　Ⅰ-120
近角常観　Ⅱ-125* / Ⅲ-434, 435*
力石雄一郎　Ⅰ-337, 360, 372, 382, 384, 385, 410
秩父宮雍仁　Ⅳ-258, 259*, 260
千葉　Ⅲ-235
千葉千一　V-143
千原与一　Ⅰ-84, 85, 88, 90
長網好勝　Ⅰ-65*, 82, 83*
長延連　Ⅱ-66
長兵三　V-46, 49*, 51, 97, 145
長七　Ⅰ-35
長七　Ⅰ-146

つ

塚本栄太郎　Ⅲ-140
辻　Ⅰ-130 / Ⅲ-45
辻勇夫　Ⅳ-56, 57*
津末良介　Ⅰ-320 / Ⅳ-67*, 68
津田秋（お秋）　Ⅱ-312
津田寿七郎　Ⅰ-30, 60, 61*, 82
津田利夫　Ⅲ-122, 123*, 142 / Ⅳ-167*, 181
津田如広　Ⅱ-228, 229*

津田練太郎　Ⅰ-30
筒井省吾　Ⅲ-177*
堤真一　Ⅱ-395
堤達三郎　Ⅲ-114, 115*, 118, 119
堤尚彦　Ⅰ-10, 11*, 33, 79*, 80, 91, 135*
恒久清彦　Ⅱ-151*, 152, 201, 422, 423* / Ⅲ-22, 23*, 162, 163*, 224 / Ⅳ-128, 129* / Ⅴ-181*, 183, 188
椿井啓太郎　Ⅲ-440, 446 / Ⅳ-286, 287*
つや子（ツヤ子・艶子）　Ⅲ-206, 207* / Ⅳ-100, 101*, 381 / Ⅴ-28, 29*
鶴沢探山　Ⅲ-103*
鶴田　Ⅰ-80
鶴田多門　Ⅰ-31*, 123*, 238, 239* / Ⅱ-75*
鶴田正義　Ⅰ-30, 31, 62, 78–80, 84
靏破（靏葉）　Ⅰ-36, 81
鶴原定吉　Ⅰ-188, 189*
鶴丸卓市　Ⅲ-215* / Ⅳ-10, 11*, 136, 137*, 190, 192, 212, 213*, 226, 244, 260, 300, 301*, 311, 343, 348, 380 / Ⅴ-70, 71*, 72, 77, 98, 100, 131*, 132, 137, 146, 170, 172, 174, 183

て

手島孫一郎　Ⅳ-69*
手塚太郎　Ⅱ-412
寺坂勝右エ門　Ⅰ-165, 209* / Ⅴ-116, 117*
寺島　Ⅰ-39
寺島天園　Ⅱ-284
寺島久松　Ⅲ-36 / Ⅳ-155*
寺原長輝　Ⅰ-120, 139, 149, 164, 194
寺本金太郎　Ⅱ-12, 13*
照山滋　Ⅱ-323, 353 / Ⅲ-280

と

土井　Ⅰ-52
土居貞弥　Ⅰ-181
土斐崎三右衛門　Ⅱ-144, 145*, 181, 182 / Ⅲ-4, 5*, 61, 110, 111*
藤勝栄　Ⅲ-310 / Ⅳ-48, 49*, 68, 354, 355*, 364, 366, 373, 374, 376, 380 / Ⅴ-15*, 18, 30, 44, 45, 61, 62, 67, 76, 82, 116, 117*, 119, 120, 142, 144, 148, 149, 160, 161, 169, 170, 175, 176
藤金作　Ⅰ-22, 23* / Ⅱ-83*, 85, 88, 90–93, 95, 164, 177 / Ⅲ-442, 443*
峠延吉　Ⅰ-72, 73*, 74, 77, 120, 121*, 155, 186, 187*, 248, 249*, 251, 287*, 294, 295, 313, 367*, 368 / Ⅱ-12, 13*, 42, 51, 96, 198, 199*, 236, 237*, 322, 323* / Ⅲ-219*, 234, 272, 273*, 283, 284, 297, 318, 416, 417*, 434, 447 / Ⅳ-19, 20, 124, 125*, 223*, 347*
東条虎輔　Ⅴ-177*
桃中軒雲右衛門　Ⅰ-32, 33*
頭山円之助　Ⅳ-166
頭山満　Ⅰ-21* / Ⅱ-18, 19* / Ⅲ-297* / Ⅴ-158, 159*
戸川虎雄　Ⅲ-14, 15*
時枝元会　Ⅲ-341
時枝満雄　Ⅲ-403*, 450 / Ⅳ-103*, 168, 169*, 199, 228, 229*, 352, 353*
徳川光圀　Ⅰ-38
時実秋穂　Ⅲ-400
徳乗院　Ⅱ-224, 225* / Ⅲ-286, 287* / Ⅳ-272, 273*, 325* / Ⅴ-6, 7*
徳蔵　Ⅰ-167
徳田文作　Ⅲ-434 / Ⅳ-378
徳富蘇峰　Ⅲ-59*
徳永勲美　Ⅲ-212, 213*, 321*, 322 / Ⅳ-320, 321*
徳永安兵衛　Ⅰ-35*, 54, 55
床次竹二郎　Ⅰ-364, 365* / Ⅱ-17* / Ⅲ-409, 409*, 452 / Ⅳ-76, 77*, 373* / Ⅴ-14, 15*
利国静意　Ⅳ-197*
土洲山　Ⅰ-330
戸田健児　Ⅰ-198
戸田大叡　Ⅱ-80
戸田一　Ⅲ-371
戸塚九一郎　Ⅴ-144, 145*
戸早幾太郎　Ⅰ-147*, 270, 271*, 307*
土肥松之助　Ⅳ-181*, 394, 395*
富隆明　Ⅱ-203*, 330, 331*
富田亥三七　Ⅳ-384

冨田幹三郎　Ⅴ-72
冨田七郎　Ⅳ-136
冨田太郎　Ⅱ-312, 313* / Ⅲ-443*
富安保太郎　Ⅰ-51*, 132, 133*, 148, 153, 179*, 182, 183*, 185, 334, 335*, 364, 365*, 383, 384 / Ⅱ-13*, 22, 266, 267* / Ⅲ-86, 133*, 134, 135, 171*, 190, 211, 230, 348, 349* / Ⅳ-21*, 24, 25, 391*
友枝梅次郎　Ⅰ-276, 277*, 278, 280, 284, 285, 313
友枝茂平　Ⅱ-181*
友原長兵衛　Ⅰ-64
豊川良平(良川)　Ⅱ-82, 83*, 89
豊竹呂昇(永田仲子)　Ⅰ-403* / Ⅱ-71*, 146, 147*, 171*, 374, 375* / Ⅲ-133*, 410, 411*
鳥田　Ⅱ-8

な

内藤新吾　Ⅰ-64, 65*
内藤蘇南　Ⅳ-134
内藤弘見　Ⅱ-164
中井俊蔵　Ⅱ-10, 11*
中井励作　Ⅲ-194
長井於菟四郎　Ⅱ-369, 370
永井　Ⅱ-318
永井菅治　Ⅲ-168, 169*, 290, 291*, 316, 322, 324-326, 347 / Ⅳ-56, 57*, 188, 189*, 219*-221, 243, 268, 279, 280, 296, 308, 309*, 314, 317, 318, 323, 328, 329, 337, 352 / Ⅴ-38, 40, 41, 57, 68, 82, 99, 114, 115*, 119, 128, 131, 138
永井作次　Ⅲ-354, 355*
長井卓夫　Ⅳ-182
長井村太　Ⅲ-28, 29*
中江　Ⅰ-319
永江純一　Ⅰ-15*, 41, 43, 58, 61, 70, 71*, 77, 79, 87, 119*, 120, 142, 154, 155, 185*, 201*, 244, 245*, 277*, 294, 295 / Ⅱ-96, 97*
永江真郷　Ⅲ-70, 71*, 82, 83*, 84, 96, 100, 101, 104, 109, 112, 113, 116, 118, 120, 121, 126-128, 134-136, 140, 186, 187*, 199, 338, 339*, 376, 377*, 385 / Ⅳ-36, 37*
中尾エイ　Ⅱ-256, 257*
中尾敬太郎　Ⅰ-158, 159*
長尾半平　Ⅰ-158, 159*, 313, 325*, 332, 334, 335, 365*, 367*, 413
中尾要之助　Ⅰ-28, 29*
中尾義三郎　Ⅱ-384, 385*, 387, 394, 424
中尾老人　Ⅲ-30
中垣直人　Ⅰ-10, 11*, 43 / Ⅱ-88, 89*
中上　Ⅱ-84
仲上　Ⅰ-259
中川喜次郎　Ⅲ-424
中川健蔵　Ⅲ-184, 185*
中川友次郎　Ⅱ-318, 345
中川信　Ⅱ-159*
長岐繁　Ⅰ-10, 11*, 41, 49, 51, 63, 80, 81*-83, 100, 101*, 108, 110, 126, 127*, 175*, 198, 199*, 202, 205, 208, 210, 249*, 285*, 287, 304, 340, 347*, 348 / Ⅱ-88, 89*, 120, 121*, 122, 192, 226, 227* / Ⅲ-246, 247*, 248, 250 / Ⅳ-310, 311*
中倉万次郎　Ⅰ-261*, 264, 364, 365* / Ⅱ-282, 283*
仲小路廉　Ⅱ-20, 21*, 22, 24
良子女王　Ⅲ-34, 82, 156
中里丈太郎　Ⅱ-309*, 378, 379*, 394
中沢勇雄　Ⅱ-22, 23*, 30, 41, 45, 85, 328, 329*, 378, 379* / Ⅲ-194, 195*, 428, 429* / Ⅳ-38, 39*, 54, 134, 135*, 334, 335*
中島　Ⅲ-185, 186, 289, 409
中島　Ⅲ-420
中島久万吉　Ⅱ-66, 67*, 88, 116, 117*, 122 / Ⅲ-230, 231*
中島順次郎　Ⅱ-148
中島末男　Ⅲ-340, 341*
中島徳松　Ⅱ-42, 43*, 47, 82, 357 / Ⅲ-12, 13*, 139*, 160, 161*, 162, 164-166, 182
永島勝太郎　Ⅲ-371*
長島はるの　Ⅲ-323
長崎　Ⅱ-345
永末　Ⅰ-229

永末利光(利一郎改名)　Ⅰ-122, 123*／Ⅱ-55*／Ⅲ-90, 91*
仲田又次郎　Ⅴ-152
長田幸四郎　Ⅲ-111*
永田仲子(豊竹呂昇)　Ⅰ-403*／Ⅱ-71*, 146, 147*, 171*, 374, 375*／Ⅲ-133*, 410, 411*
長田義陽　Ⅳ-178, 182
長田義彦　Ⅲ-408／Ⅴ-180, 181*
中谷桂邪　Ⅱ-306
永冨　Ⅰ-38, 42
永冨　Ⅰ-328
永富ウメ(いめ)Ⅱ-396, 397*, 407*, 428
永富貞平　Ⅳ-200, 201*, 362, 363*, 375／Ⅴ-148, 149*
永富宗兵衛　Ⅲ-196, 197*, 332, 333*
永冨兵太　Ⅴ-168
中西　Ⅲ-219
中西　Ⅲ-387
中西四郎平　Ⅰ-64, 65*, 228, 229*, 290, 291*, 400, 401*／Ⅱ-20, 21*, 32, 33, 37, 48, 58, 62, 68, 71, 72, 76, 78, 82, 92-94, 96, 109, 122, 123*, 124, 138, 144, 154-156, 171, 192, 233*, 235, 254, 255*, 389*, 398, 400, 408, 410, 411, 422, 423／Ⅲ-10, 11*, 16, 21, 22, 106, 130
中西壮三郎　Ⅱ-10, 11*
中西用徳　Ⅳ-53
中根寿　Ⅰ-15*, 39, 40, 54, 108, 109*, 111, 136, 137*, 181*, 222, 223*, 224, 244, 278, 279*, 286, 335, 339, 352, 353*, 364, 366／Ⅱ-32, 33*, 64, 177*, 180, 200, 224, 225*, 237, 277*, 281, 282, 322, 323*, 324, 330, 392, 393*, 419／Ⅲ-84, 85*, 108, 190, 191*, 202, 210, 218, 220, 226, 230, 235, 237, 253, 306, 307*, 322, 323, 356, 404, 405*, 423, 427, 430, 440, 448／Ⅳ-28, 29*, 60, 70, 71, 84, 137*, 140, 164, 175, 182, 193, 198, 279*
中野啞蟬　Ⅲ-188, 189*, 442, 443*
中野景雄　Ⅲ-306, 327-329*, 330, 333, 338, 340, 388, 389*, 440／Ⅳ-118, 119*, 134, 156／Ⅴ-146
中野金次郎　Ⅱ-282, 283*
中野敬吉　Ⅴ-52, 53*, 60-62, 68
中野敬三郎　Ⅰ-254, 255*, 272, 273*
中野次郎　Ⅴ-10, 11*, 168, 169*
中野正剛　Ⅱ-18, 19*-22／Ⅳ-66, 67*, 321*, 322, 381／Ⅴ-79*
中野節朗　Ⅲ-208／Ⅳ-307, 310, 311*, 315, 320, 324, 362, 374, 381, 395, 398／Ⅴ-38, 39*, 56, 146, 160, 161*, 174, 186
中野致明　Ⅱ-60, 61*
中野徳次郎　Ⅰ-32, 33*, 48, 49*, 58, 78, 79*, 82, 88, 97*, 101, 104, 107, 109-111, 126, 127*, 144, 148, 156, 164, 165*, 166, 168, 172, 173*, 175, 176, 182, 184, 186, 187, 196, 197*, 198, 209, 211, 213, 222, 223*-225, 230-232, 238-240, 242-244, 248-250, 253, 258, 261, 262, 264, 268-270, 273, 277*, 280, 281, 283, 284, 286, 288, 289, 293, 294, 298, 300, 302, 304, 306, 309, 310, 312, 314, 316-318, 323, 324, 337, 346, 347*, 348, 354, 356, 358-364, 367, 369-372, 374, 380, 382, 384, 390, 398, 400, 402, 405, 410, 412-414, 422, 424／Ⅱ-6, 7*, 16, 18, 19, 26, 28, 30-32, 34, 36-40, 42-44, 46, 48, 51, 53, 58, 60-62, 74, 78, 82, 89, 92, 96, 103, 112, 121*, 122, 126, 130, 146, 148, 156, 157*, 158-160, 182, 188
仲野利荘　Ⅰ-134, 135*
中野昇　Ⅱ-174, 175*, 176, 188, 254, 255*, 258, 320, 326, 346／Ⅲ-8, 9*, 14, 15*, 31, 35, 38, 42, 82, 83*, 94, 132, 163*, 165, 167, 196, 220, 243, 352, 353*, 358, 379*, 380, 383, 412, 420, 421, 424／Ⅳ-14, 15*, 120, 156, 157*, 231*, 245, 356, 357*, 378, 381, 384／Ⅴ-10, 11*, 52
中野六郎　Ⅲ-138, 139*
永野　Ⅰ-292
永野清　Ⅳ-123, 124, 264, 265*, 283, 328, 329*, 330／Ⅴ-42, 80, 81*, 116, 117*, 143, 160
長野音治　Ⅱ-424, 425*
長野善五郎　Ⅰ-371*, 384／Ⅱ-56, 57*, 189*, 190, 243*, 274, 306, 307*, 325, 333, 334,

388, 389*, 394, 396 / Ⅲ-47*, 119*, 160, 161*, 203, 293*, 334, 447* / Ⅳ-395*
長野(改名, 永野)民次郎　Ⅳ-273*, 323* / Ⅴ-36, 37*, 68
長野松太郎　Ⅰ-292, 293*
長野安太郎　Ⅴ-46, 47*
中橋徳五郎　Ⅱ-382 / Ⅲ-445* / Ⅳ-397
中林竹洞　Ⅰ-238, 239*
中原太三郎　Ⅲ-10, 11*
中丸一平　Ⅰ-74, 75*, 100, 101*, 106, 136, 137*, 154, 163*
永水種次郎　Ⅴ-64, 65*, 156, 157*
仲道政治　Ⅴ-85*, 114, 115*
中村　Ⅰ-12
中村　Ⅰ-49
中村　Ⅰ-52, 63, 64
中村　Ⅰ-181
中村　Ⅰ-210
中村伊勢次　Ⅲ-149
中村堅太郎　Ⅱ-278
中村作五郎　Ⅲ-240
中村定三郎　Ⅰ-415* / Ⅲ-420, 421*
中村真太郎　Ⅰ-393
中村清三郎　Ⅱ-287*
中村精七郎　Ⅰ-415 / Ⅱ-75*, 218, 219* / Ⅲ-311* / Ⅴ-112, 113*
中村清造　Ⅱ-402 / Ⅲ-158, 159*, 178, 188, 212, 219, 220, 302, 303*, 306, 313, 327, 328, 332, 334, 336, 337, 341, 345, 348, 350, 389*, 411, 416, 427, 434, 435, 440, 448 / Ⅳ-6, 7*, 48, 93, 202, 203*
中村武治　Ⅰ-58, 59*, 98, 99*, 107, 108, 173*, 177, 204, 214, 215*, 223*, 240, 245, 266, 302, 310, 311*, 312, 317, 325, 332, 338, 339, 352, 353*, 357, 365, 366, 370, 372
中村武文　Ⅰ-166, 167*, 236, 237*, 279*, 283 / Ⅱ-200, 201*, 216, 217*, 226, 282, 283*, 290, 291, 304, 305*, 310, 366, 367*, 386, 399, 401, 413, 423 / Ⅲ-8, 9*, 94, 95*, 138, 139*, 164, 165*, 209, 379* / Ⅴ-162, 163*
中村俊雄　Ⅲ-205–207, 212, 217, 250, 270, 271 / Ⅳ-97*, 114, 152, 153* / Ⅴ-100, 101*
中村春三　Ⅲ-384 / Ⅳ-125
中村秀夫　Ⅴ-54
中村雄次郎　Ⅰ-26, 27*
中村是公　Ⅱ-152, 153*
仲矢虎一　Ⅰ-256
中山金三郎　Ⅰ-183
中山左之助　Ⅴ-50, 51*
中山柳之助　Ⅱ-222, 223*, 279*, 356, 357* / Ⅲ-16, 17*, 19, 130, 131*, 338, 339*, 372, 373* / Ⅳ-69*, 85, 150, 151*, 160
梨本宮　Ⅳ-191
七海兵吉　Ⅳ-126, 127*, 147, 148, 157 / Ⅴ-21, 21*, 62
鍋山伊之助　Ⅲ-192
納屋羊吉　Ⅰ-281*
成清信愛　Ⅰ-386, 387* / Ⅱ-149*, 162 / Ⅲ-30 / Ⅳ-10, 11*, 12, 96, 135*, 314, 315* / Ⅴ-33*, 36, 164, 165*, 166
成田栄信　Ⅱ-320, 321* / Ⅲ-51
成瀬澄三郎　Ⅰ-188, 189* / Ⅱ-211
名和朴　Ⅱ-372, 373*, 401* / Ⅲ-143*, 174, 175*, 224, 243, 244, 246, 248, 254, 264, 265*, 266, 269, 282, 287, 292, 301, 311, 323, 324, 339, 357, 385*, 396, 404, 406, 420 / Ⅳ-16, 17*, 41 / Ⅴ-30, 31*
南条覚　Ⅳ-152, 153*, 167, 232, 233* / Ⅴ-52, 53*
南部　Ⅰ-34
南部球吾　Ⅰ-81*

に

新妻駒五郎　Ⅱ-71*, 128, 129*, 142, 162, 167, 198, 261*, 262, 325, 329*, 333, 334 / Ⅴ-183*
西　Ⅰ-34, 96
西　Ⅱ-138
西硯南　Ⅱ-370, 371*
西権蔵　Ⅰ-128, 129*
西竈太郎　Ⅳ-396
西大路吉光　Ⅱ-404, 405* / Ⅲ-183, 222
西岡　Ⅰ-204

西川覚太郎　Ⅲ-59
西川虎次郎　Ⅳ-18, 19*, 242, 243*
西島連　Ⅲ-141*
西園磯松　Ⅰ-329*, 348, 349*／Ⅱ-9*, 32, 54, 98, 209*, 211／Ⅲ-16, 17*, 38, 56, 90, 91*, 104, 114, 116, 118, 196, 197*, 243, 249, 258, 268, 269*, 272, 274–276, 283, 301, 318, 332, 341, 347, 348, 376, 377*, 378, 386, 400, 401, 404, 406, 414, 436, 439, 441, 444／Ⅳ-16, 17*, 30, 32, 40, 58, 61, 82, 90, 96, 114, 115*, 157, 162, 201, 216, 217*, 225, 234, 241, 296, 319*, 351／Ⅴ-12, 13*, 35*, 74, 101
西園猪之吉　Ⅱ-426, 427*
西田熊吉　Ⅰ-197*, 198, 200, 202, 300, 301*／Ⅲ-345*, 398, 399*, 419, 420／Ⅳ-103*, 127*, 140, 152, 168, 173, 215*, 267, 295
西田得一　Ⅱ-338, 348, 349*, 371*, 404／Ⅲ-194, 195*, 281*, 282, 286–288, 420／Ⅴ-10, 11*, 94
西田稔　Ⅲ-411*, 412
西高辻信任　Ⅲ-409／Ⅳ-20, 23, 32, 37, 91, 98, 148, 149*／Ⅴ-72, 73*
西高辻信稚　Ⅲ-306, 307*
西野恵之助　Ⅱ-84, 85*, 88, 90, 91, 93, 116, 117*, 154, 155, 188, 268, 269*, 270／Ⅳ-74, 75*／Ⅴ-60
西野長五郎(改名，伊之吉)　Ⅰ-8, 9*, 15, 37, 38, 57, 59, 62, 73*, 98, 99*, 234, 235*／Ⅱ-46, 47*／Ⅲ-130, 131*
西端鎮次郎　Ⅳ-124, 125*
西原矩彦　Ⅱ-185
西松光次郎　Ⅲ-216, 217*
西村ヨネ　Ⅲ-90
西山　Ⅰ-362
西山信一　Ⅳ-263*, 264, 279, 284／Ⅴ-148, 149*, 170
西山保　Ⅳ-283
西脇三郎　Ⅱ-322
西脇吉久　Ⅱ-230
二宮　Ⅱ-394
二宮黿吉　Ⅲ-270
二部　Ⅳ-178

ぬ

布江清作　Ⅴ-52, 53*, 60, 68
沼田槌蔵　Ⅱ-57*

の

野上辰之助　Ⅴ-96, 97*, 98, 100, 102
乃木希典　Ⅱ-220
野口　Ⅱ-130
野口　Ⅳ-16
野口欣也　Ⅲ-30
野口サト　Ⅱ-370
野口遵　Ⅲ-321*, 381*, 388, 400
野崎広太　Ⅲ-240／Ⅳ-140, 141*
野田勇　Ⅰ-144, 145*, 147, 285, 307, 310, 388, 389*, 399, 402–404／Ⅱ-7*, 68, 70, 72, 152, 153*, 196／Ⅲ-9*, 408, 409*
野田卯太郎　Ⅰ-17*, 19, 20, 55, 58, 120, 121*, 131, 146, 148, 150, 151, 153, 154, 156, 157, 180–182, 183*, 186, 201*, 244, 245*, 250, 251, 284, 293–297, 322, 323, 406, 407*, 408, 411／Ⅱ-12, 13*, 23, 26, 27, 29–32, 35, 39, 74, 79, 96, 126, 127*, 159, 235*, 236, 238, 290, 305, 306, 329*, 414, 418, 419／Ⅲ-32, 33*, 50, 96, 97*, 104, 126, 140, 222, 223*, 239, 384, 385*–387*, 388, 389／Ⅳ-34, 35*, 112, 113*
野田健三郎　Ⅳ-318, 379／Ⅴ-44, 45*
野田俊作　Ⅲ-268, 269*, 341／Ⅳ-18, 19*, 76／Ⅴ-90, 91
野田四郎太　Ⅲ-49*
野田勢次郎　Ⅱ-310, 311*, 316, 320, 346, 352, 353, 356, 392, 393*, 397, 403, 404, 410, 419, 420／Ⅲ-4, 5*, 16, 21, 22, 26, 38, 46, 56, 58, 59, 62, 64, 66, 69, 82, 83*, 86, 90, 93, 96, 98, 100, 104, 112, 116, 120, 124, 137, 156, 157*, 162, 169, 178, 180, 181, 189, 194, 197–199, 202, 206, 208, 210, 217, 223, 224, 226, 229, 232, 236, 238, 240, 252, 255, 259,

261, 275*, 280, 283, 284, 286, 288, 290, 298, 305, 306, 310, 315-317, 320-322, 324, 325, 336, 341, 345, 346, 349, 352-356, 358, 360, 361, 364, 365*, 366, 370, 373, 374, 376, 378, 379, 381, 382, 384, 389, 391, 392, 394, 396-401, 415, 424, 426, 430, 434, 437, 439, 447, 450, 454, 456, 458 / Ⅳ-4, 5*, 8, 13, 16, 18, 40-42, 53-55, 58, 61, 62, 64, 66, 69, 72, 74, 75, 78-80, 82, 83, 85, 87, 88, 92, 96, 99, 104, 106, 118, 119*, 120, 125, 126, 128-130, 133-137, 139-152, 154-157, 159, 160, 168, 174, 176, 184, 186, 188, 190, 192, 194, 197, 208, 214, 215*, 216, 218, 222-226, 228, 230-232, 238-240, 242, 244, 245, 247, 249-252, 256, 258, 261-263, 266-268, 272, 274, 276, 277, 279, 281, 286, 289, 290, 295, 300, 301*, 302, 307, 311, 318, 322, 324, 329, 331, 332, 339, 343, 346-348, 350, 352, 354, 356, 359, 363, 372, 375, 376, 379, 382, 384, 385, 390, 395, 399 / Ⅴ-4, 5*, 14, 15, 19, 24, 28, 30, 46-48, 53, 56, 59, 62, 65, 66, 68, 69, 75, 84, 86, 87, 93-95, 100, 102, 104, 106, 107, 116, 117*, 121, 124, 130, 132, 134, 136, 139, 140, 142, 144, 146, 148, 151, 157-159, 160, 162, 166, 167, 170, 173, 176, 180, 182-184, 186-188
野田ツヤ子　Ⅳ-379* / Ⅴ-107*
野田八重子　Ⅲ-90, 91*, 436, 437*
野田和三郎　Ⅰ-320
野畠いし　Ⅱ-432 / Ⅲ-175, 206, 207*, 209, 211, 254 / Ⅳ-126, 127*, 312, 313*, 364 / Ⅴ-32, 33*
信子女王　Ⅲ-34
野見山醇造　Ⅲ-421*
野見山幡次郎　Ⅲ-21* / Ⅳ-331*, 335, 367, 376 / Ⅴ-10, 11*
野見山仙陸　Ⅰ-370, 371* / Ⅳ-302, 303*, 375 / Ⅴ-65*
野見山平吉　Ⅱ-270, 271* / Ⅲ-16, 141*, 210, 211*, 221, 238, 253, 332, 333*, 336, 345, 348, 354, 409, 412, 413*, 421, 424 / Ⅳ-75*
野見山八十吉　Ⅲ-56, 57*
野見山米吉　Ⅰ-4, 5, 8, 9, 12, 14, 15, 18, 32, 34, 37, 43, 50, 54, 56, 57, 59, 63-66, 77*, 78, 86, 98, 99*, 100, 108, 114, 126, 127*, 145, 146, 156-158, 163*, 172, 173*, 177, 178, 192, 193*, 196, 199, 200, 205, 206, 208, 209*, 212, 218, 219*, 220, 224, 235, 245, 252, 259, 260, 268, 280, 281*, 282, 285, 291, 300, 302, 312, 314, 321, 322, 326, 332, 334, 338, 352, 353*, 355, 362, 392, 398, 399, 408, 412, 413, 415 / Ⅱ-15*, 23, 26, 29, 36, 50, 52, 55, 59, 63-65, 77-79, 85, 88, 93, 94, 96, 97, 118, 119*, 132, 136, 154, 168, 169, 177, 183, 184, 187, 216, 217*, 235, 241, 256, 257*, 262, 263, 274, 300, 370, 371*, 384-386, 388, 399, 402, 404, 407, 410, 411, 420, 422, 425 / Ⅲ-4, 5*, 6, 26, 56, 246, 247*, 248, 254, 396, 397*, 414, 444, 451-453, 455 / Ⅳ-14, 15*, 51, 53, 55, 58, 79, 90, 157*, 158, 161, 167, 168, 201, 216, 217*, 278, 288, 296, 318, 319*, 326, 335, 351, 354, 356, 367, 389 / Ⅴ-12, 13*, 54, 76, 89, 95, 99, 102, 156, 157*
野村久一郎　Ⅰ-121*, 382, 383* / Ⅱ-66, 67*, 75*, 91, 93
野依秀一（秀市）　Ⅰ-358, 359*, 362 / Ⅳ-224, 225*, 239, 242, 314, 315* / Ⅴ-80, 81*, 125

は

榛原直次郎　Ⅰ-254, 255* / Ⅱ-8, 9*
芳賀茂元　Ⅴ-17*-19, 51, 80, 89, 92, 96, 173*, 175
萩原助太郎　Ⅴ-132
萩原弘　Ⅴ-132
橋崎清蔵　Ⅲ-390
橋爪　Ⅳ-98, 172
橋爪尋彦　Ⅴ-128
橋詰又三郎　Ⅳ-152, 153*, 197
橋爪安彦　Ⅳ-145*, 156, 162, 356, 357* / Ⅴ-39*, 50, 51, 78, 96, 100
橋本　Ⅰ-65
橋本　Ⅱ-176, 178

橋本　Ⅳ-348
橋本クニ　Ⅴ-4, 5*, 6
橋本圭三郎　Ⅰ-182, 183*
橋本善五郎　Ⅳ-324, 334 / Ⅴ-63*, 64, 164, 165*, 168
橋本辰二郎　Ⅰ-246 / Ⅳ-336, 337*, 340
橋本速男　Ⅲ-174
橋本秀ノ助　Ⅱ-199
橋本文吉　Ⅰ-12, 13*
橋本良資　Ⅳ-163*
橋本愛次　Ⅱ-390
土師山　Ⅰ-82
長谷弥太郎　Ⅳ-30
長谷川数衛　Ⅲ-126, 127*
長谷川菊太郎　Ⅲ-343*, 436 / Ⅳ-308, 309*, 311
長谷川謹介　Ⅱ-33*, 40, 41*
長谷川晋二郎　Ⅱ-74, 82
長谷川友吉　Ⅳ-21*
長谷川恭平　Ⅲ-442, 443* / Ⅳ-220, 221*
長谷場純孝　Ⅰ-26, 27*, 28
幡掛正木　Ⅳ-146, 308
畑中貞吉　Ⅰ-83
波多野承五郎　Ⅰ-42
畑生　Ⅰ-52
波津久剣　Ⅱ-162, 262
服部　Ⅱ-167
服部鹿次郎　Ⅱ-66
服部漸　Ⅱ-66, 67*, 84, 86, 149*
ハナ　Ⅰ-122
はな　Ⅰ-332
花　Ⅰ-209
花　Ⅲ-370
花ゑ　Ⅲ-370
花岡　Ⅳ-114
花田　Ⅰ-80
花田卯一　Ⅰ-150, 151*
花田政治　Ⅰ-151*, 167*
花田千代　Ⅳ-131*, 182
花田半助　Ⅲ-202
花田凌雲　Ⅳ-40, 41*, 120, 121*
花野吉三郎　Ⅲ-423
花村　Ⅲ-73
花村勇　Ⅲ-378, 379*, 388, 431 / Ⅳ-325*, 332 / Ⅴ-92, 93*, 95, 96, 98, 99, 180, 181*
花村永(栄)次郎　Ⅰ-221*, 254 / Ⅲ-5*, 48, 53, 62, 116, 117*, 425* / Ⅴ-78, 79*, 138, 139*, 184
花村勝太郎　Ⅰ-37, 38 / Ⅲ-425* / Ⅴ-7*, 174, 175*
花村久助　Ⅰ-11*, 14, 38, 51, 72, 73*, 78, 86, 88, 107-109*, 122, 123*, 140, 165*, 235*, 283* / Ⅱ-63*, 134, 135*, 204 / Ⅲ-10, 11*, 96, 97*, 118, 123, 242, 243*, 378, 379*, 425 / Ⅳ-103*, 116, 117*, 155, 202, 267*, 302, 303*, 326, 352, 355 / Ⅴ-12, 13*, 38, 60
花村久兵衛　Ⅰ-24, 25*, 28, 128, 129*, 352, 353* / Ⅱ-63*, 126, 127*, 150, 151, 225*, 229, 264, 265*, 274, 348, 349* / Ⅲ-22, 23*, 66, 123* / Ⅳ-4, 5*, 216, 217*, 353* / Ⅴ-12, 13*, 30, 88, 91, 96, 135*, 170
花村光太郎　Ⅰ-30, 113*
花村末吉　Ⅲ-367
花村徳右衛門　Ⅰ-10, 11*, 44, 90, 91*, 96, 97*, 279*, 301, 304, 357* / Ⅱ-356, 357*, 388, 389*, 390, 406 / Ⅲ-19*, 20, 56, 66, 92, 93*, 121, 130, 131, 156, 157*, 166, 169, 185, 199, 207, 245, 254, 276, 277*, 289, 300, 302, 319, 324, 328, 368, 369*, 378, 394, 407, 425, 431, 451 / Ⅳ-10, 11*, 13, 22, 28, 38, 50, 72, 120, 121*, 183, 236, 237*, 239, 273, 326, 327*, 329-332, 337, 341, 354 / Ⅴ-4, 5*, 70, 88, 98, 111*, 130, 138, 160
花村父子　Ⅲ-143
花村芳介　Ⅲ-404 / Ⅳ-382 / Ⅴ-160
花村与七郎　Ⅲ-279*
花村和市郎　Ⅰ-128 / Ⅲ-404, 405*
馬場　Ⅳ-78
馬場正健　Ⅲ-216
浜菊　Ⅰ-314 / Ⅱ-61
浜口雄幸　Ⅳ-160
浜口吉右衛門　Ⅰ-188, 189*

浜口儀兵衛　Ⅲ-119*
浜崎定吉　Ⅱ-56, 57*
浜崎義雄　Ⅲ-219, 380, 381*
浜田　Ⅰ-200
浜田　Ⅲ-84, 88
浜田市松　Ⅲ-336, 337*-379*
浜田国松　Ⅲ-190, 191*, 303*
早川　Ⅰ-57
早川千吉郎　Ⅰ-86, 87* / Ⅱ-416, 417*
早川徳太郎　Ⅰ-82
林　Ⅰ-51
林　Ⅰ-76
林　Ⅰ-134
林　Ⅲ-378, 379*, 414, 415, 427 / Ⅳ-58, 74
林繁夫　Ⅲ-61*
林省三　Ⅱ-306, 307* / Ⅲ-400, 401* / Ⅳ-360, 361*
林真一　Ⅰ-258, 259* / Ⅲ-271*, 273, 274 / Ⅳ-378, 379*, 387
林新作　Ⅳ-251* / Ⅴ-173*
林健　Ⅰ-23
林辰雄　Ⅰ-105
林徳太郎　Ⅱ-226, 227*
林嘉雄　Ⅰ-188, 189* / Ⅴ-19*, 83
林禎太郎　Ⅳ-324, 325*
林芳太郎　Ⅰ-105* / Ⅱ-26, 27*, 30
林田　Ⅲ-250, 251*, 376, 407 / Ⅳ-6, 7*, 40, 51, 61, 116, 117*, 160, 352, 353* / Ⅴ-167, 176
林田　Ⅳ-42, 390
林田晋　Ⅰ-82, 83* / Ⅱ-16, 17*, 120, 121*, 192, 268, 269*, 339*, 424, 425* / Ⅲ-26, 27*, 248, 249*, 250, 284, 285*, 444, 445* / Ⅳ-38, 39*, 113*, 241*, 331*, 378 / Ⅴ-36, 37*, 47, 138, 139*, 179
林田春次郎　Ⅲ-276, 277* / Ⅳ-221*, 242
林田正治　Ⅳ-180
早原　Ⅲ-73
原　Ⅱ-31, 32
原　Ⅲ-54, 55, 58, 63
原　Ⅲ-244, 266
原勝一　Ⅲ-106
原剛一　Ⅰ-16, 17*
原庫次郎　Ⅰ-220, 221*, 222 / Ⅱ-4, 5*, 30, 376, 377* / Ⅲ-11*, 442, 443*, 446
原敬　Ⅰ-19*, 25, 363*, 364 / Ⅱ-123*, 329*
原安太郎　Ⅱ-270 / Ⅲ-105 / Ⅳ-74, 75*, 148, 149*, 178, 182, 220, 226, 227*, 232, 389* / Ⅴ-44, 45*, 58
原嘉道　Ⅰ-28, 29*, 110, 131*, 144, 246, 247*, 332, 333* / Ⅱ-366, 386, 387* / Ⅲ-106, 107* / Ⅳ-155, 156
原口　Ⅱ-79
原口　Ⅲ-208, 209
原口克一　Ⅴ-155*, 164, 174, 176
原口初太郎　Ⅴ-18, 19*, 53, 76
原田維織　Ⅲ-30
原田幾次郎　Ⅲ-318
原田勝太郎　Ⅳ-130, 131*, 149
原田十衛　Ⅲ-104
原田辰十郎　Ⅱ-176
原田種憲　Ⅲ-16, 17*, 53, 300, 301*, 334
原田延雄　Ⅳ-48, 172, 173*, 236, 237*, 257, 263, 285, 291, 326, 327*, 378, 393 / Ⅴ-24, 25*, 71, 140, 141*
原田好夫　Ⅰ-22
原田義蔵　Ⅲ-386
半田　Ⅰ-370
伴東　Ⅳ-180

ひ

東　Ⅰ-380
東忠雄　Ⅴ-31*
東島　Ⅲ-26
東伏見宮妃　Ⅳ-195* / Ⅴ-32, 136, 137
疋田直太郎　Ⅱ-220, 221*
樋口典常　Ⅲ-449* / Ⅳ-4, 5* / Ⅴ-82, 83*
樋口昌弘　Ⅲ-302 / Ⅳ-264, 265*, 323*, 335, 339
久井為吉　Ⅲ-270
久田豊　Ⅰ-227
久恒貞雄　Ⅲ-355*, 356, 364, 365*, 366, 382, 383, 434, 436, 442, 450, 453, 455, 456 / Ⅳ-4,

5*, 18, 20, 26, 28, 46, 68, 69, 73, 99, 100, 104, 150, 151*, 190, 217*, 220, 222, 226, 308, 309*, 354 / Ⅴ-12, 13*, 16-18, 62, 63*, 65, 144, 145*
久留貞次郎　Ⅳ-334, 335*
久留幸吉　Ⅲ-135
久野五十志　Ⅳ-101*, 282, 283*, 306, 307* / Ⅴ-14, 15*
久野耕一　Ⅲ-226
久野昌一　Ⅲ-120, 121*
久野惣吉　Ⅲ-182, 183*
菱形重之　Ⅲ-92, 93* / Ⅳ-177*, 194, 222, 223*, 345* / Ⅴ-78, 79*, 80, 166
土方久徴　Ⅳ-61, 342, 343
菱山芳造　Ⅳ-189*
日高　Ⅳ-193, 196
日高栄三郎　Ⅰ-182, 183* / Ⅱ-143*, 150 / Ⅳ-286, 287*, 291
日高謙也　Ⅱ-341
日高民蔵　Ⅱ-290, 291* / Ⅲ-220, 221*, 237
日高伝造　Ⅴ-41*
日高日出東　Ⅱ-341*
秀子　Ⅰ-314
秀村健　Ⅲ-104, 105* / Ⅳ-222, 223*, 225
日野丈助　Ⅲ-255*
日比谷新次郎　Ⅱ-308
日比谷平左衛門　Ⅰ-237*, 238, 240 / Ⅱ-130, 131*, 306, 307*, 308
百丈韜光　Ⅲ-160
平井　Ⅲ-378
平井晴二郎　Ⅰ-141*
平尾与四郎　Ⅴ-91*
平岡浩太郎　Ⅰ-19*, 23, 25-27, 33, 54
平岡良助（介）　Ⅰ-88, 89*, 144, 145* / Ⅱ-48, 49*
平岡夫婦　Ⅳ-310
平賀義美　Ⅰ-144, 145*, 152
平嶋　Ⅰ-52
平島仲次郎　Ⅰ-63*, 64, 130, 131*, 132, 158, 205*, 227*, 266, 366, 367*, 411
平田貫一　Ⅳ-52, 53*, 60, 163*, 263*
平田学　Ⅲ-113*, 118, 120
平塚運吉　Ⅱ-348, 349*
平野市三　Ⅲ-288, 289*, 443*, 450 / Ⅳ-28, 29*, 128, 129*, 158, 222, 223*, 238, 274, 332, 333*, 359, 393 / Ⅴ-35*, 64, 74, 76, 129*, 130
平野国臣　Ⅰ-230, 231*-233*
平野幸吉　Ⅰ-212, 213*
平野弘介　Ⅲ-368
平野セン　Ⅳ-231
平山喜録　Ⅳ-76, 77*
平山成信　Ⅰ-388, 389*
平山茂八郎　Ⅳ-188, 321 / Ⅴ-174, 184
広方長七　Ⅰ-57*, 65, 114, 115*, 138, 139*, 257*
罷六　Ⅱ-73
広沢　Ⅱ-241
広沢泰　Ⅰ-150, 151*
広瀬　Ⅰ-246
広瀬淡窓　Ⅱ-73*
広瀬良知　Ⅳ-305, 383*

ふ

深沢伊三郎　Ⅰ-237*, 238
深見　Ⅲ-354
深見平次郎　Ⅱ-332, 333*
福井菊三郎　Ⅰ-324, 325* / Ⅱ-48, 49*, 50
福井長一郎　Ⅲ-390
福沢　Ⅰ-174, 175
福沢　Ⅰ-299, 300, 304, 307
福沢　Ⅰ-412
福沢夫人　Ⅲ-320
福沢謙治　Ⅲ-254, 255*, 268, 269*
福沢重俊　Ⅱ-122, 123*
福沢武雄　Ⅰ-104, 164, 195, 207, 256, 271, 297, 299-301, 304, 307, 329, 340
福沢辰雄　Ⅴ-182, 183*
福沢藤次郎　Ⅲ-12, 13*
福沢桃介　Ⅰ-179*, 182, 184-186 / Ⅱ-86, 87*, 330, 331* / Ⅲ-167*, 215, 313*, 345
福島嘉一郎　Ⅲ-182, 183*, 184, 187, 191, 196, 200, 202, 204, 206-208, 210, 212, 216, 220,

225, 226, 235, 236, 238, 245-250, 253, 254, 270, 271*, 273, 274, 279, 282, 299, 300, 314, 324, 324, 327-329, 334, 369, 369*, 430／Ⅳ-58, 59*／Ⅴ-66, 67*
福島貞次郎　Ⅲ-221*
福田　Ⅱ-297
福田梅之助　Ⅰ-146, 147*, 300, 301*／Ⅲ-186, 187*
福田慶四郎　Ⅲ-298, 299*
福田繁次郎　Ⅱ-290, 291*, 304, 305*, 310／Ⅲ-138, 139*, 140
福田信治　Ⅰ-198, 199*
福田勝　Ⅲ-22
福田基治　Ⅲ-35*, 455*／Ⅳ-19*, 23, 24, 63, 139*／Ⅴ-20, 21*, 38, 39*
福太郎　Ⅳ-203*
福永定治　Ⅳ-242
福之助　Ⅰ-164
福原栄太郎　Ⅰ-54, 55*
福原例　Ⅱ-390
福原鶴　Ⅱ-390, 391*／Ⅲ-208, 209*
福間　Ⅰ-147
福間　Ⅲ-16
福間勝次郎　Ⅰ-98, 99*, 108, 128, 129*, 130／Ⅱ-226, 227*
福間且太郎　Ⅱ-226
福間久市　Ⅰ-107, 108, 122, 123*, 312, 313*, 377*／Ⅱ-254, 255*, 273, 275, 280, 408, 409*
福間久一郎　Ⅰ-101*, 212, 213*／Ⅱ-24, 25*, 55, 58, 327*, 398, 399*／Ⅲ-23*, 62, 63, 66, 68, 167, 167*, 236, 249, 338, 339*, 341, 374, 375*, 389, 401, 409, 423, 443, 444／Ⅳ-218, 219*／Ⅴ-80, 81*
福間久三郎　Ⅰ-103
福間久米吉　Ⅰ-8, 9*, 10, 13, 128, 129*／Ⅲ-38, 39*, 292, 293*
福間五郎　Ⅰ-195, 200, 300, 301*／Ⅱ-283
福光太三郎　Ⅰ-322, 323*
藤井　Ⅰ-290, 381
藤井　Ⅱ-390
藤井甚太郎　Ⅴ-78, 79*
藤井誠助　Ⅰ-234
藤井誠造　Ⅱ-14, 15*, 48, 49*／Ⅲ-126, 127*, 178, 179*, 430, 431*
藤井善作　Ⅰ-208, 209*, 246, 247*
藤井善七　Ⅱ-314, 315*
藤井和三郎　Ⅰ-96, 97*
藤川惣兵衛　Ⅲ-246
藤崎信次郎　Ⅰ-89
藤沢幹二　Ⅱ-321*, 371*／Ⅲ-17*, 288, 289*／Ⅴ-35*, 80
藤沢良吉　Ⅰ-349*, 362, 383, 413／Ⅱ-16, 17*, 56, 69, 72, 120, 121*, 136, 150, 164, 192, 198-203, 218, 219*, 220, 232, 240, 388, 389*, 417／Ⅲ-57*, 228, 229*, 310, 311*, 320, 325, 370, 371*, 372, 391, 419, 444／Ⅳ-12, 13*, 187*, 188／Ⅴ-155*, 176, 186
藤沢老婦　Ⅴ-80, 81*
藤島伊八郎　Ⅰ-313*／Ⅱ-21*, 294, 295*／Ⅲ-117*, 246, 254, 342, 343*, 387*, 431／Ⅳ-83*, 87, 120, 121*, 143, 147, 157, 171
藤田　Ⅳ-31*
藤田軍太　Ⅴ-36
藤田健策　Ⅱ-201*, 202
藤田謙三郎　Ⅰ-85*, 265*
藤田虎力　Ⅰ-148, 149*, 154
藤田佐七郎　Ⅰ-405／Ⅱ-10, 11*, 61, 62, 71, 270, 271*／Ⅲ-39*, 43, 124, 125*, 446, 447*, 448
藤田貞平　Ⅱ-39*, 42, 160, 161*
藤田実造　Ⅲ-200
藤田次吉(笹屋)　Ⅰ-224, 225*, 377*, 405, 408／Ⅱ-10, 11*, 37*, 58, 61, 71, 372, 373*, 405, 408／Ⅲ-27*, 28, 39*, 40, 95*, 124, 125*, 196, 197*, 222, 322, 323*, 420, 421*, 446, 448, 449*／Ⅳ-179*, 242, 243*, 250
藤田四郎　Ⅰ-28, 75*, 76
藤田伴次郎　Ⅰ-405／Ⅳ-270, 271*, 280／Ⅴ-56, 57*, 83
藤田包助　Ⅲ-190, 191*, 303*
藤野　Ⅳ-164

伏見宮　Ⅳ-336
藤村源路　Ⅳ-236, 237*
藤村義朗　Ⅰ-163*
藤本乙次郎　Ⅱ-279*
藤本閑作　Ⅳ-270, 271*
藤本チカ　Ⅴ-4, 5*
藤森善平　Ⅰ-110, 111*, 112, 114, 118, 119*, 124, 130, 133, 134, 142, 146, 177*, 178, 225*, 235, 288, 289*, 322, 323*, 332, 344, 345* / Ⅱ-44, 45*, 56, 58, 120, 121*, 134, 174, 222, 223*, 234, 240, 246, 275*, 280, 285, 288, 314, 315*, 323, 341, 346, 368, 369*, 377, 384, 393, 398, 406, 408, 420 / Ⅲ-5*, 10, 23, 25, 27, 36, 42, 44, 46, 48, 53, 54, 56, 62, 66, 68, 82, 88, 94, 95, 98, 108, 179, 190, 191*, 211, 238, 244, 246, 279*, 304, 306, 311, 312, 315, 330, 332, 336–338, 340, 341, 376, 377*, 402, 403, 409, 442, 444, 446, 454 / Ⅳ-13, 16, 22, 26, 28, 64, 65*, 86, 116, 117*, 154*, 155*, 220, 221*, 223, 254, 255, 331*, 335, 352, 368, 382 / Ⅴ-12, 13*, 14, 16, 22, 34, 145*, 158, 167, 174, 184, 185, 188
藤山　Ⅰ-180
藤山竹一　Ⅱ-418, 419* / Ⅲ-432 / Ⅳ-6, 68, 69*
藤山常一　Ⅲ-60, 61*, 382, 383*
藤山雷太　Ⅰ-401* / Ⅲ-233*
藤原　Ⅲ-379
藤原銀次郎　Ⅴ-94, 95*
藤原兵六　Ⅱ-395*
二見直三　Ⅳ-68
二村久雄　Ⅲ-448
渕上　Ⅱ-125
淵上　Ⅳ-50, 51*
船越岡次郎　Ⅲ-424
舟田　Ⅲ-240
船田一雄　Ⅳ-42, 43*, 46, 50, 53
船津常吉　Ⅴ-24
豊丹生道敏　Ⅲ-88
古井由之　Ⅱ-259* / Ⅲ-132, 134, 390, 391*, 401, 402 / Ⅳ-44, 45*
古市　Ⅱ-400
古市公威　Ⅰ-310, 311*
古河　Ⅲ-435
古河虎之助　Ⅴ-72, 73*
古川　Ⅱ-56
古川沢太　Ⅲ-12, 13*, 52
古川誠治　Ⅴ-140, 141*
古川専之助　Ⅱ-52, 53*, 76, 150, 151*, 183, 184 / Ⅲ-223*
古川初雄　Ⅲ-404, 405* / Ⅳ-79*, 396, 397* / Ⅴ-6, 7*
古川晴一　Ⅰ-335*, 336
古川林吉　Ⅲ-341, 442
古沢好雄　Ⅰ-234, 235* / Ⅱ-78, 79*, 330, 331*
古田栄一　Ⅰ-16, 59 / Ⅱ-356, 357*
古田慶三　Ⅰ-268, 269*
古田茂蔵　Ⅰ-16, 59
古田義[一]郎　Ⅲ-68, 135*
不破熊雄　Ⅱ-159, 159*, 168, 352, 353* / Ⅴ-164, 165*
不破彦麿　Ⅰ-196
文作　Ⅰ-284

へ

兵八　Ⅰ-142
辺景昭　Ⅰ-38

ほ

帆足悦蔵　Ⅰ-379*, 384, 396 / Ⅱ-64, 65*, 73, 80, 130, 131*, 144, 147, 152, 159, 162, 163
帆足蔵太　Ⅱ-282, 388, 389*, 390, 411
帆足三郎　Ⅳ-370, 371*, 380
宝華院　Ⅲ-222, 223*
宝来市松　Ⅴ-186
星野礼助　Ⅱ-70, 71*, 75, 96, 118, 119*, 126, 133, 156, 177, 199, 201, 232, 233*, 256, 257*, 259, 276, 347*, 353, 355 / Ⅲ-6, 7*, 10, 20, 40, 41, 54, 55, 62, 64, 69, 104, 105*, 108, 118, 119, 122, 180, 181*, 198, 207, 234, 237, 252, 253, 268, 269*, 272, 274,

280, 353, 368, 369*, 374, 396, 435, 438 / Ⅳ-52, 53*, 55, 71, 85, 145*, 146, 150, 152, 158, 159, 224, 225*, 268, 283, 310, 311*, 336, 349 / Ⅴ-46, 47*, 49, 50, 57, 58, 100, 101, 114, 115*
細井岩弥　Ⅰ-310, 311*, 402, 403*
堀田正恒　Ⅲ-214, 215 / Ⅳ-342
堀　Ⅰ-202, 320
堀三太郎　Ⅰ-43*, 108, 109*-111, 131*, 134, 144, 164, 165*, 172, 173*, 175, 183, 184, 186, 192, 193*, 194, 210, 213, 219*, 222, 230, 240, 270, 293*, 294, 296, 297, 300, 302, 312, 314, 326, 327, 330, 331, 336, 346, 356, 357*, 362, 364, 366-369, 372, 374, 375, 378, 380-383, 387, 390-392, 400, 402, 406, 408, 415, 416, 421 / Ⅱ-6, 7*-9, 19, 22, 26-28, 30, 31, 34-40, 42, 43, 47, 53, 57, 58, 60-64, 68-70, 78, 82, 84-87, 93-97, 122, 123*, 134, 138, 142, 145-147, 156, 159, 160, 168, 170, 187, 189, 216, 217*, 231, 236, 254, 255*, 258, 259, 272, 290, 291, 304, 305*, 306, 310, 313, 315, 316, 318, 330, 331*, 332, 336, 342, 343, 346, 352, 357, 366, 367*, 368, 372, 374, 376, 378, 379, 381, 383, 385, 386, 392-395, 397, 401, 404, 407, 409, 410, 412-416 / Ⅲ-4, 5*, 6, 8, 12, 14, 24, 29, 35, 38, 40, 41, 45, 52, 55-58, 61, 66-70, 82, 83*-86, 88, 89, 91, 96-101, 104, 109, 112, 113, 116-118, 120, 121, 126-129, 132-136, 138, 139, 141, 156, 157*, 158, 160, 164-168, 173, 174, 178, 179, 181-183, 188, 190, 192, 193, 196-200, 209, 210, 212, 215, 218, 220, 221, 224-226, 228, 235-238, 240, 242, 243, 246-250, 252, 253, 272, 273*, 276, 278, 282-287, 290-292, 294-302, 305, 310, 311, 313, 316-318, 323-325, 330, 331, 333, 337, 340, 342, 344-346, 349-353, 355-358, 364, 365*, 366, 368, 376, 378, 379*, 388-394, 396, 397, 400-402, 404, 410, 414-416, 419, 421, 422, 425, 429, 437-439, 444, 446, 449, 452-455 / Ⅳ-4, 5*, 6, 16-25, 27-30, 37, 39, 48, 49, 54, 59, 64, 66, 69, 70, 72-76, 80, 81, 83, 86, 87, 90, 97, 102, 103, 112, 113*, 121*, 123, 124, 128, 130-134, 140, 144-147, 149, 150, 152, 155, 156, 159, 161, 165, 166, 168, 171, 172, 174, 178, 180, 184, 186, 188, 190-192, 194, 196, 202, 214, 215*, 216, 218, 220, 222, 224, 226, 228, 230, 233, 236, 238, 240, 242, 243*, 246-254, 260, 264, 265, 269, 272, 286, 294-296, 300, 301*, 304, 308, 310-312, 322, 324, 336, 339, 340, 344, 351, 354, 360-363, 366, 370-372, 374, 381, 384, 395 / Ⅴ-8, 9*, 14, 22, 30, 38, 57, 62-64, 67, 90, 92, 94-96, 102, 114, 115*, 116, 119, 120, 122, 128-130, 139, 146, 150, 159, 162, 165, 168, 169, 171, 175, 176, 180, 184, 187
堀又五郎　Ⅰ-176, 183
堀内　Ⅱ-383
堀内助治　Ⅰ-232, 233*
堀内敏尭　Ⅱ-149*, 164
堀内秀太郎　Ⅲ-374, 375*, 380
堀尾　Ⅱ-34
堀切善兵衛　Ⅲ-303*
堀口功　Ⅲ-225, 271*, 276, 299
堀口貫道　Ⅱ-48, 49*
堀本　Ⅳ-182
本荘　Ⅰ-156
本庄鹿五郎　Ⅱ-64, 65*
本田一郎祐　Ⅱ-397*
本間録郎　Ⅳ-22, 23*, 29, 318, 319*, 328, 343, 364, 369, 381, 390 / Ⅴ-10, 31*

ま

前田幸作　Ⅴ-94, 95*
前田利定　Ⅰ-377* / Ⅱ-136, 137*
前田米蔵　Ⅳ-373*
牧田(牧北)環　Ⅰ-11*, 61, 82, 83*, 148, 149*, 152, 194, 195* / Ⅱ-331*, 379* / Ⅲ-438, 439*, 440 / Ⅳ-197*, 198, 226, 227*, 338, 339*, 342, 343 / Ⅴ-21*

牧田芽枝子　Ⅱ-379*
牧野忠篤　Ⅰ-400, 401* / Ⅱ-415 / Ⅴ-143*
牧野伸顕　Ⅰ-138, 139*
馬越恭平　Ⅲ-240
政尾藤吉　Ⅰ-364, 365*
正木　Ⅰ-241
益田孝　Ⅰ-17*, 19, 150, 151*, 180, 181*, 183, 213*, 232, 233*, 317*, 348, 349* / Ⅱ-48, 49*, 50 / Ⅲ-240, 241*, 388, 389* / Ⅳ-140, 141*
増田力松　Ⅳ-182
桝谷音三　Ⅱ-142, 143* / Ⅳ-133*, 383*, 388, 390
増永元也　Ⅳ-130, 131*, 141, 159, 161, 166, 180, 188, 190, 196, 218, 219*, 221, 224, 254, 296, 304, 305*, 312 / Ⅴ-8, 9*, 17, 18, 24, 25, 90, 118, 119*, 142, 171
増野奭熊　Ⅰ-17-30, 178, 179*, 204, 205*
桝屋老婦　Ⅳ-302
松居甚一郎　Ⅲ-14, 15*, 243*, 404, 405*, 438
松浦　Ⅱ-70
松浦鎮次郎　Ⅴ-28, 29*
松尾　Ⅰ-212, 238
松尾謙三　Ⅲ-98, 99*, 332, 333*
松尾広吉　Ⅱ-320, 321*
松尾伴七　Ⅰ-60
松岡　Ⅱ-385
松岡　Ⅳ-38
松岡作次郎　Ⅱ-58
松岡俊三　Ⅲ-190, 191*, 192
松岡洋右　Ⅴ-149*
松岡芳右衛門　Ⅰ-119*, 140, 143, 164, 165*, 207, 220, 221*, 280, 281*, 357 / Ⅱ-5* / Ⅲ-18, 19*, 66, 168, 169*
松風嘉定　Ⅳ-179*
松方幸次郎　Ⅲ-170, 171* / Ⅳ-260, 261*
松方正義　Ⅰ-308, 309*
松川駒次郎　Ⅰ-320, 321*
松隈和四郎　Ⅲ-186
松隈三郎　Ⅱ-245-247*, 264, 265*, 266
松崎三十郎　Ⅰ-42, 43*, 71*, 145*, 149, 153, 166, 177*, 202, 203*, 214, 234, 235*, 239, 243, 256, 262, 264, 266, 286, 287, 288, 302, 304, 307, 314, 318, 321, 322, 326, 395* / Ⅱ-34, 35*, 42, 52, 200, 201*, 202, 203, 221*, 232, 242, 245, 256, 257*, 266
松下与太郎　Ⅲ-308, 315
松島謙三　Ⅲ-426, 427* / Ⅳ-23, 30
松印　Ⅳ-345*
松田　Ⅱ-334
松田　Ⅲ-207
松田　Ⅲ-335
松田　Ⅳ-163
松田源治　Ⅱ-35*, 36, 126, 127*, 232, 233*, 351*, 395*, 396 / Ⅳ-10, 11*, 238, 239*
松田昌平　Ⅲ-426, 427*
松田武一郎　Ⅰ-28, 29*, 32, 38-40, 44, 64, 66, 87*, 88, 136, 137, 138
松田正久　Ⅰ-24, 25*
松永安左衛門　Ⅰ-220, 221*, 252, 253, 267, 273, 278, 279*, 311, 362, 363*, 379, 387, 401, 410, 412, 413 / Ⅱ-24, 25*, 29, 39, 51, 62, 82, 83*, 87-91, 96, 116, 117*, 153, 171, 241*, 357*, 367* / Ⅲ-170, 171*, 240, 304, 305*, 313, 368, 369*, 387, 388, 392, 416, 426, 439 / Ⅳ-10, 11*, 47, 48, 168, 169*, 304, 305* / Ⅴ-147*, 148, 164
松野鶴平　Ⅲ-99*, 100, 247* / Ⅳ-88, 89*, 91-94, 397*
松林安熊　Ⅱ-149*, 256, 257*
松丸勝太郎　Ⅰ-331*, 337, 380, 381*, 421 / Ⅱ-56, 57*, 76, 168, 169*, 386, 387*, 424, 425 / Ⅲ-47*, 51, 140, 141*, 262*, 372, 373* / Ⅳ-34, 35*, 62 / Ⅴ-43*
松本修　Ⅲ-197
松本馨　Ⅳ-341
松本和　Ⅳ-48
松本勝太郎　Ⅲ-320, 321*, 330
松本健次郎　Ⅰ-88, 89*, 109*, 111, 142, 143*, 146, 154, 165*, 175*, 183, 196, 197*, 202, 233*, 284, 285*, 299, 309, 314, 315, 324, 352, 353*, 367, 391, 414 / Ⅱ-12, 13*, 21-23, 44, 56, 139*, 159, 167, 169, 177, 180, 199,

200, 206, 224, 225*, 226, 236, 259*, 270, 290, 309*, 328, 331, 380, 381*, 384, 415, 422 / Ⅲ-15*, 29, 32, 36, 42, 45, 50, 58-62, 66, 107*, 108, 121, 122, 125, 130, 131, 138, 165*, 172, 174, 175*, 187, 206, 208, 219, 221, 232, 240, 272, 273*, 275, 312, 342, 350, 374, 375*, 389, 408, 411, 421, 427, 428, 434, 435, 440 / Ⅳ-6, 7*, 14, 15, 25, 38, 46, 52, 54, 72, 75, 126, 127*, 135, 139, 142, 147, 148, 150, 152, 186, 220, 221*, 222, 224, 229, 233, 235*, 272, 334, 335*, 341, 344, 376, 383, 385, 388, 390, 394 / Ⅴ-18, 19*, 31, 45, 48, 52, 61, 62, 68, 140, 141*, 148, 158
松本純次郎　Ⅱ-151, 160, 188, 189*, 239
松本種次郎　Ⅳ-132, 133*, 134
松本学　Ⅳ-172, 173*, 197, 234, 235*, 264, 269, 271, 272, 273, 280, 302, 303*, 305, 338, 344, 346-348 / Ⅴ-28, 29*, 31, 51, 88
松本烝蔵　Ⅰ-353*, 398 / Ⅲ-120, 121*, 124, 166, 167*, 171, 202, 395* / Ⅳ-142, 143*, 222, 223*, 249, 315*, 338, 345*, 354, 370 / Ⅴ-82, 83*
間所鉄帚　Ⅲ-341*
的野顕三　Ⅳ-279
的野半介　Ⅰ-151, 193*, 300, 301*, 409*, 410 / Ⅱ-91*
的場中　Ⅰ-312, 313*
間野一　Ⅱ-73*, 143*, 167
真野文二　Ⅰ-330, 331*, 411* / Ⅱ-170, 171* / Ⅲ-104, 105*, 194, 195*
馬見塚金喜　Ⅱ-164
間宮英宗　Ⅱ-326, 327*, 350, 378, 379*, 400 / Ⅲ-296, 297*, 298, 320, 402, 403* / Ⅳ-94, 95*, 196, 197*, 389*, 390 / Ⅴ-88, 89*
丸尾円太郎　Ⅱ-136
マルチニ　Ⅴ-32, 33*
丸橋清平　Ⅲ-385*
丸山　Ⅳ-92
丸山繁次　Ⅳ-68, 69*, 94

み

三浦数平　Ⅲ-326 / Ⅳ-180, 181
三浦一　Ⅱ-76, 77*
三浦兵次　Ⅰ-132
三木松之助　Ⅳ-158
三沢寛一　Ⅲ-271, 289*, 336
水足慎太郎　Ⅰ-166, 167*
水上　Ⅲ-408, 442 / Ⅳ-76, 86
水上渡　Ⅰ-172, 173*
水島勝正　Ⅲ-220, 221*
水島頼二　Ⅲ-200, 201*
水田　Ⅰ-70
水谷八重子　Ⅴ-146, 147*
三隅忠雄　Ⅰ-326, 327*, 388, 389*
溝部信孝　Ⅱ-12, 13*
三谷一二　Ⅰ-81 / Ⅳ-38, 39*, 42, 157*, 246, 247*
三井元之助　Ⅰ-136, 137* / Ⅱ-31*, 48
三井米松　Ⅱ-177, 194, 206, 405*, 406, 418 / Ⅲ-20, 21*
三井八郎右衛門　Ⅱ-53*
光菊　Ⅰ-54
三土忠造　Ⅴ-159
三森栄次郎　Ⅲ-30
三山　Ⅲ-390
三戸助一　Ⅲ-339*
三苫寛一郎　Ⅱ-12, 13*
三苫惣吉　Ⅰ-186, 187*, 332, 333*
南弘　Ⅰ-226, 227*, 238
嶺要一郎　Ⅲ-129
箕浦勝人　Ⅰ-371
箕口臣也　Ⅴ-24, 25*, 71
御法川小三郎　Ⅰ-42, 43*, 44, 49, 56, 59-61, 64, 124, 125*, 130, 132, 147, 157, 158, 205*, 220, 221*, 224, 229, 259, 265, 267, 268, 305*, 334, 339, 350, 351*, 378, 396, 404, 406, 414 / Ⅱ-6, 7*, 9, 14, 30, 36, 38, 40, 42, 45, 58, 67, 72, 82, 85, 86, 93, 95, 96, 126, 127*, 128, 132, 150, 152, 187, 194, 206, 216, 217*

三原佐太郎　Ⅲ-412
三原正武　Ⅳ-182
美馬儀一郎　Ⅱ-211*
宮内観真　Ⅱ-136
宮内観八　Ⅳ-61*
宮川一貫　Ⅳ-8, 9*, 93, 247*, 354, 355*, 359／Ⅴ-20, 21*
宮河良一　Ⅰ-70, 110, 111*
宮城順　Ⅲ-394, 395*
三宅作太郎　Ⅱ-234, 235*／Ⅲ-199*, 316, 317*
三宅速　Ⅰ-113*, 194, 195*, 196-203, 205, 298, 299*, 301, 302, 309, 310, 326, 372, 373*／Ⅱ-12, 13*, 57, 118, 119*, 168, 223*, 224, 230, 312, 313*, 328, 381*／Ⅲ-17*, 62, 63, 65, 99*, 104, 227*, 229, 310, 311*, 340, 394, 395*, 436, 444／Ⅳ-31, 70, 72, 164, 165*
宮崎　Ⅲ-93
宮崎勇　Ⅱ-68, 69*, 70
宮崎儀一　Ⅱ-65*, 66, 68, 72, 83, 110
宮崎俊亮　Ⅲ-230
宮崎団作　Ⅱ-135, 136
宮島　Ⅰ-264
宮島重徳　Ⅲ-423
宮田兵三　Ⅲ-171*, 247, 346, 347*, 388, 389*, 395, 417, 422／Ⅳ-244, 245*, 248-252, 259, 264, 268, 270, 278, 280, 282, 305*, 310, 340, 341, 375
宮田光雄　Ⅰ-206, 207*, 278, 279*
宮柱喜代太　Ⅰ-83*／Ⅱ-295*／Ⅲ-167*, 309*
宮本岩吉　Ⅰ-224, 225*／Ⅱ-225*, 251, 316, 317*, 320, 341, 347, 377*, 378
みよ　Ⅲ-282
三好　Ⅱ-307
三好重道　Ⅰ-325*
三好力　Ⅱ-154, 155*／Ⅲ-44, 45*
三好徳松　Ⅰ-398, 399*, 402, 403*, 404／Ⅱ-26, 272, 273*, 280, 419*
美和　Ⅰ-412, 414
美和作次郎　Ⅱ-6, 7*, 342, 343*／Ⅳ-30, 31*
美和辰五郎　Ⅲ-449*
三輪十代二　Ⅱ-60, 61*, 84

む

向井倭雄　Ⅴ-8
牟田　Ⅰ-367, 404
村井吉兵衛　Ⅱ-60, 61*／Ⅲ-424, 425*
村岡清吉　Ⅱ-260
村上　Ⅰ-288
村上　Ⅰ-311
村上　Ⅲ-418, 426, 427
村上巧児　Ⅰ-339, 349*, 362, 367, 390, 401／Ⅱ-51*, 64, 66, 68, 93, 123*, 126, 128, 141, 144, 150, 152, 153, 156, 160, 162, 164-168, 170-174, 178, 179, 185, 186, 190-194, 196, 290, 291*, 292, 321*, 340, 344, 366, 367*, 370, 373, 381, 386, 395, 402, 403*, 407, 412／Ⅲ-37*, 46, 50, 57, 58, 60, 64-66, 86, 87*, 92, 96, 98-102, 106-108, 112, 120, 121, 124, 125, 128, 132, 158, 159*, 160, 162, 168, 176, 184, 185, 188, 192, 194, 202-204, 214, 215, 220, 225, 226, 236, 244, 246, 247, 251, 253, 266, 267*, 268, 280, 281, 286, 299, 304, 310, 313-316, 322, 325, 327, 328, 332, 334, 339, 342, 344, 346, 347, 349-351, 353, 374, 375*, 382, 386, 388, 392, 394, 395, 400, 404, 412, 413, 416, 417, 419, 420, 422, 424, 425, 428, 432, 436, 440, 447, 448, 450, 451／Ⅳ-17*, 18, 21, 26, 31, 34, 36, 41, 46-48, 52, 54, 59, 60, 63, 67-69, 72-81, 87, 88, 91, 92, 94, 101, 103, 114, 115*, 117, 123, 124, 131, 134, 136, 142, 144, 150, 154, 158, 161, 166, 170, 171, 174, 198-200, 202, 204, 212, 213*, 216, 220, 223, 224, 227, 230, 232, 238, 243-245, 248-251, 256, 259, 260, 264, 268-272, 277, 282, 295, 305*, 308, 310, 315, 316, 318, 320-322, 324, 326-329, 332, 334, 337-340, 345, 347, 349, 351, 353, 360, 362, 363, 366, 367, 370, 372, 375, 376, 380, 390, 396／Ⅴ-6, 7*, 14, 16, 24, 32-34, 42, 46, 48-50, 55, 58, 66, 67, 69, 71, 78, 82, 93, 96, 98, 115*, 132, 134, 136, 138, 141, 143, 146, 155, 156,

158, 164, 169, 175, 178, 185, 187
村上千次郎　Ⅳ-242
村上長次郎　Ⅲ-390
村上伸雄　Ⅱ-402, 403* / Ⅲ-199*
村上英　Ⅳ-382
村上義雄　Ⅰ-185
村上義太郎　Ⅰ-302, 303*
村瀬新十郎　Ⅰ-37*
村田卯次郎　Ⅱ-426
村田謙次郎　Ⅲ-129, 318
村田繁蔵　Ⅲ-388
村田経芳　Ⅰ-106, 107*
村地信夫　Ⅳ-16, 17*, 68, 69, 70, 220, 221*
村松　Ⅱ-411
室田義文　Ⅰ-14, 15*, 22-24, 26, 28, 31, 32, 35, 36, 42, 51, 54, 55, 106, 107*, 136, 137*, 180, 181* / Ⅱ-416, 417*

め

明治天皇　Ⅰ-179* / Ⅱ-304, 366 / Ⅲ-4, 82 / Ⅳ-110, 212, 279, 300 / Ⅴ-4
目黒末之丞　Ⅰ-204 / Ⅱ-65*, 69, 70
目貫　Ⅲ-338

も

毛利　Ⅳ-181 / Ⅴ-73
毛利男爵　Ⅰ-21, 22
毛里保太郎　Ⅰ-265* / Ⅱ-92, 93*, 180, 181* / Ⅲ-49*, 356, 357*, 366, 367*, 368, 382, 442, 450 / Ⅳ-280, 281* / Ⅴ-18, 19*
持田重夫　Ⅱ-386 / Ⅲ-198, 199*
望月　Ⅰ-30
望月　Ⅲ-109, 254
望月圭介　Ⅰ-378, 379* / Ⅱ-320, 321*, 416, 417* / Ⅲ-415, 419 / Ⅳ-10, 11*, 140, 141*
望月康太郎　Ⅲ-94, 95*
元田肇　Ⅰ-26, 27*, 28, 319*, 364, 365* / Ⅱ-336 / Ⅲ-436, 437*
本野久子　Ⅳ-234, 235*
本山彦一　Ⅳ-397*
本山文平　Ⅳ-180, 340
籾井政太郎　Ⅱ-416, 417*
籾井民平　Ⅲ-35
籾田喜三郎　Ⅱ-346, 347* / Ⅲ-370, 371* / Ⅳ-38, 39*, 44, 50, 52, 60, 94, 95, 178, 179*, 229*, 231, 236, 240, 247, 256, 330, 331*, 388 / Ⅴ-92, 93*, 140, 141*
森　Ⅰ-299, 300, 304, 307
森　Ⅱ-318
森采一　Ⅲ-356, 390, 391*
森慶造　Ⅲ-8, 9*, 10, 12 / Ⅳ-248, 249*
森作太郎　Ⅲ-51*
森早苗　Ⅱ-393, 396
森千蔵　Ⅰ-361*, 362 / Ⅱ-46, 147*, 156, 170, 185
森太郎　Ⅰ-56, 57
森恪　Ⅲ-190
森八治　Ⅴ-174, 175*
森文生　Ⅲ-448
森平太　Ⅳ-132, 133*, 355*
森祐三郎　Ⅰ-42, 43* / Ⅲ-180, 181*
森佳四郎　Ⅳ-331
森坂太郎平　Ⅲ-396, 397*
森崎欣太郎　Ⅲ-105*, 109, 219*, 292, 293*, 413*, 418
森蔵　Ⅰ-14
森田　Ⅰ-413
森田　Ⅲ-190
森田　Ⅳ-169
森田一雄　Ⅰ-261*
森田武　Ⅲ-354, 355*
森田正路　Ⅰ-157*, 293*, 295, 364, 365*, 368, 373, 378, 406 / Ⅱ-16, 17*, 20, 26, 27, 29, 32, 38, 101, 145, 156, 157*, 165, 231*, 258, 259*, 266, 284, 290, 296, 304, 305*, 310, 326, 355-357, 379*, 380, 391, 404, 415, 418, 422 / Ⅲ-11*, 24, 27, 41, 44, 55, 86, 87*, 94, 99, 100, 107, 121, 122, 124, 138, 140, 157*, 158, 166, 183, 188-190, 206, 209, 213, 224, 228, 247, 255, 283*, 298, 303, 442, 443*, 447, 450 / Ⅳ-25, 57, 81, 93, 124, 125*, 150

森田万太郎　Ⅰ-30
守永久吉　Ⅲ-384, 385*
守永平助　Ⅱ-329*, 334 / Ⅲ-243*
守永豊　Ⅳ-368
森部隆輔　Ⅳ-332, 333*
森松仁七郎　Ⅳ-147*
森村市左衛門　Ⅳ-388 / Ⅴ-46, 47*, 50
森村開作　Ⅲ-112, 113*, 178, 179*, 204, 216, 242, 281*, 382, 440, 441*, 451 / Ⅳ-63*
森本　Ⅰ-73
守屋寿三郎　Ⅳ-22, 23*, 29, 361*
森山健次郎　Ⅳ-320
森山繁喜　Ⅱ-178

や

八木　Ⅰ-412
八木岡春山　Ⅰ-38, 39*, 80, 81*, 85, 366, 367*
八坂甚八　Ⅱ-286, 287*
安井誠一郎　Ⅳ-84, 100, 158, 159*, 163, 164
安川　Ⅰ-266
安川伊三郎　Ⅲ-212
安川敬一郎　Ⅰ-27, 31*, 32, 40, 86, 87*, 106, 107*, 131, 138, 141, 143, 144, 150-152, 154, 155, 175*, 180, 182, 183, 186-188, 200, 201*, 204, 213, 222, 223*, 228, 230-233, 236, 238, 242, 243, 248, 262, 264, 268, 269, 282, 283*, 290, 293, 300, 302, 303, 334, 338, 364, 365*, 374, 402, 413, 414 / Ⅱ-6, 7*, 12, 17, 18, 20-23, 26-30, 38, 39, 48, 56, 57, 78, 92, 121*, 122, 136, 137, 142, 144, 156, 165, 166, 171, 186, 189, 190, 204, 205, 216, 217*, 218, 236, 266, 267*, 290, 331*, 346, 355, 376, 382, 390, 391, 402, 404, 405, 413-416 / Ⅲ-6, 7*, 8, 20, 28, 42, 84, 85*, 86, 107, 108, 122, 142, 156, 157*, 174, 176, 179, 188, 214, 274, 275*, 287, 341, 350, 412, 413*, 416 / Ⅳ-6, 7*, 10, 12, 30-32, 43*, 54, 182, 183*, 233*, 342, 343*, 358, 385 / Ⅴ-67*, 122, 123*, 158, 159
安川清三郎　Ⅰ-313* / Ⅱ-13*, 50, 148, 149*, 218, 219*, 226 / Ⅲ-341* / Ⅳ-270, 271*
安川第五郎　Ⅳ-277*
安川延(おのぶ)　Ⅲ-380, 381* / Ⅳ-228, 229* / Ⅴ-52, 53*
安国勝縁　Ⅳ-197*
安河内麻吉　Ⅱ-313*, 342, 347, 355 / Ⅲ-436, 437*
安河内政治郎　Ⅲ-298 / Ⅳ-150, 151*
安河内代吉　Ⅰ-14, 15*, 57 / Ⅱ-29*, 30 / Ⅳ-6, 7*, 9, 193*
安河内藤太　Ⅲ-436
安田　Ⅰ-351
安田　Ⅱ-236
安田　Ⅳ-31
安田憲太郎　Ⅱ-400, 401*
安田耕作　Ⅰ-332, 333* / Ⅱ-45*
安田震　Ⅲ-317*, 357 / Ⅳ-178, 179*
安永乙吉　Ⅰ-240, 241*
矢田保　Ⅳ-283
八塚秀二郎　Ⅲ-64, 65*, 98, 99*, 225*, 236, 239, 251, 296, 297*, 313, 328, 370, 371* / Ⅳ-274, 275*, 364, 365*, 380, 386, 390 / Ⅴ-121*
八代則彦　Ⅳ-316, 317*
八並　Ⅳ-348
八波(八並)　Ⅴ-68, 69*
八波儀助　Ⅳ-154, 155*
柳井千代(お千代・おちよ)　Ⅰ-54, 107, 226, 359 / Ⅱ-131, 227*, 262, 309 / Ⅲ-180, 234, 395 / Ⅳ-42, 43*, 113
柳井義男　Ⅱ-403*, 432
弥永克己　Ⅴ-139*
柳武亀太郎　Ⅲ-196, 197*
柳原才次郎　Ⅴ-25, 25*
柳原暢次　Ⅱ-158, 159*, 181, 199, 200, 202
柳原博光　Ⅱ-366, 367*
柳谷卯三郎　Ⅲ-239
矢野　Ⅰ-128, 151, 207
矢野梓　Ⅲ-103*, 121
矢野忠一　Ⅳ-88
矢野輝　Ⅴ-100, 101*
矢野嶺雄　Ⅲ-322, 323*
矢野美章　Ⅱ-270

矢幡昇　Ⅱ-197*
山内惇　Ⅳ-10, 11*
山内音次郎　Ⅲ-357, 398
山内嘉市　Ⅴ-12, 16
山内確三郎　Ⅲ-332, 333*, 337, 339-341, 348／Ⅳ-10, 11*, 254, 255*
山内繁夫　Ⅱ-426, 427*
山内高　Ⅴ-95
山内多門　Ⅳ-45*
山内剛　Ⅲ-140
山内範造　Ⅰ-364, 365*／Ⅱ-165*, 180, 184, 231*, 258, 259*, 374, 375*, 379, 380, 382／Ⅲ-41*, 44, 55, 100, 101*, 126, 133-135, 138, 140, 157*, 158, 164, 165, 182, 183, 186, 190, 197, 198, 209, 224, 296, 297*, 298, 303, 305, 306, 310, 337, 340-342, 350, 352, 353, 400, 401*, 402, 408, 410, 416, 425, 426, 437, 442, 445-448, 451／Ⅳ-4, 5*, 6, 10, 16, 18, 21, 25, 29, 30, 32, 34, 37, 44, 48, 55-57, 60, 64, 68-70, 72, 78, 82, 84, 93, 98, 101-104, 114, 115*, 124, 128, 135, 138, 144, 150, 151, 156, 161, 163, 164, 168, 171, 175, 181, 184, 185, 188, 189, 194, 196, 198, 200, 202, 203, 216, 217*, 222, 223, 225, 232, 236, 240, 242, 246, 247, 253, 254, 260, 267, 269, 272, 276, 284, 286, 296, 300, 301*, 304, 306, 308, 309, 318, 319, 322, 327, 330, 334, 336, 338, 339, 344, 345, 348, 352, 354, 355, 361, 363, 364, 366, 376, 380, 381, 387, 391, 393／Ⅴ-8, 14, 15*, 18, 30, 36, 37, 38, 45, 51, 52, 54, 58, 62, 63, 67, 76, 82, 116, 117*, 119, 120, 132, 140, 144, 147, 150, 156, 158, 160, 161, 168, 171, 175-177, 182
山岡国利　Ⅱ-175-177, 180, 220, 221*／Ⅳ-91, 113
山県伊三郎　Ⅰ-24, 25*
山形熊吉　Ⅱ-168, 169*
山県素介　Ⅲ-189*, 213, 234
山川　Ⅳ-122
山川健次郎　Ⅰ-194, 195*-197, 200, 202
山際永吾　Ⅰ-22, 23*, 28, 181*／Ⅱ-23*
山口　Ⅳ-283
山口喜三郎　Ⅳ-128, 129*
山口恒太郎　Ⅰ-51*, 156, 157*, 184, 220, 221*, 222, 258, 272, 378, 379*, 401*／Ⅱ-28, 29*, 31, 71, 88, 89, 91, 96, 143*, 145, 216, 217*, 227, 228, 233, 241, 329*, 334, 346, 409*, 419, 421, 422／Ⅲ-8, 9*, 40, 41, 84, 85*, 86, 88, 100, 104, 108, 127, 128, 131, 140, 158, 159*, 172, 174, 188, 192, 194, 197, 199, 205, 206, 268, 269*, 313-316, 344, 346, 350, 384, 385*, 419, 420, 427, 429, 437, 450／Ⅳ-6, 7*, 10, 81, 113, 191*, 196, 214, 215*, 216, 233, 236, 238, 246, 294, 295
山口修一　Ⅳ-270, 271*
山口孝　Ⅴ-63*, 88
山口良介　Ⅲ-22, 68, 98, 116, 180, 196, 242
山崎　Ⅱ-89
山崎　Ⅲ-342
山崎国彦　Ⅳ-54, 55*, 76, 172, 228, 229*
山崎精一　Ⅲ-53
山崎誠八　Ⅰ-338, 339*, 352, 353*, 370, 372, 399, 406, 412／Ⅱ-4, 5*, 6, 8, 16, 36, 44, 46, 63, 65, 68, 77, 89, 99, 128, 129*, 131, 229*, 234, 235, 270, 271*, 273, 314, 315*, 357, 374, 375*
山崎達之輔　Ⅲ-303, 412, 413*, 448／Ⅳ-175*, 176, 196, 280, 281*, 354, 355*, 373, 374／Ⅴ-8, 9*, 24, 82, 169*
山路広作　Ⅲ-16／Ⅳ-28, 29*
山地善七　Ⅱ-81*, 130, 131*
山下彬麿　Ⅱ-344, 345*, 373*, 386／Ⅲ-66, 372, 433／Ⅳ-88, 89*
山田尭扶　Ⅰ-310, 311*
山田邦彦　Ⅱ-159*
山田小一郎　Ⅱ-393*／Ⅲ-53
山田孝太郎　Ⅲ-284, 285*
山田耕平　Ⅱ-128, 129*, 189, 201, 202／Ⅲ-372, 373*
山田駒之輔　Ⅰ-147*, 294, 295*, 298, 307, 317, 355*, 388／Ⅱ-54, 55*, 71, 77, 126, 146,

206, 223*, 230, 337* / Ⅲ-57, 107*, 108, 128, 194, 195*, 286, 404, 405*, 406
山田大蔵　Ⅴ-149*
山田正隆　Ⅳ-266, 267*, 268, 281–283, 310, 311*, 328, 329
大和定五郎　Ⅳ-225*
大和直道　Ⅲ-288
大和利右衛門　Ⅲ-20
山中　Ⅰ-123
山中吉郎兵衛　Ⅴ-162, 163*
山中立木　Ⅰ-111* / Ⅱ-376, 377*, 380 / Ⅲ-42, 43*, 225*, 368, 369* / Ⅳ-344, 345*
山中恒三　Ⅲ-400, 411*
山中昇　Ⅳ-280
山中廉一　Ⅰ-54
山西残月　Ⅱ-309
山道繁一　Ⅲ-107*–114, 133, 134, 136, 139, 187, 187*
山村耕花　Ⅲ-441*, 442
山本　Ⅰ-177, 178, 195
山本勝次郎　Ⅲ-385
山本三郎　Ⅱ-281*, 283, 284, 288, 289 / Ⅲ-14, 15*, 274, 275* / Ⅳ-368, 369*
山本章一　Ⅲ-332, 333* / Ⅳ-64, 65*
山本唯三郎　Ⅱ-218, 219*
山本達雄　Ⅱ-320, 322, 323* / Ⅴ-51*
山本悌二郎　Ⅳ-19
山本豊吉　Ⅰ-402
山本百松　Ⅲ-28, 36
山本兵九郎　Ⅰ-90
山本兵介(助)　Ⅲ-386 / Ⅳ-199*, 368
山本多　Ⅰ-138, 139*, 214, 215*
山本弥右衛門　Ⅳ-313*
山本祐作　Ⅲ-30

ゆ

結城豊太郎　Ⅲ-387* / Ⅴ-36
湯地幸平　Ⅱ-282 / Ⅲ-349*
由布惟義　Ⅰ-28, 29*
湯元　Ⅲ-272
百合子　Ⅳ-23

よ

楊草仙　Ⅱ-419*
横井時敬　Ⅰ-139*, 185
横井直興　Ⅲ-432
横倉英次郎　Ⅰ-64, 65*, 78, 79*, 80, 211* / Ⅱ-167*, 224, 225* / Ⅲ-382, 383*, 384, 398, 401 / Ⅳ-100, 101*
横溝万吉　Ⅱ-343, 384, 385*, 387, 393, 396
横山近平　Ⅰ-8, 9*, 186, 187*, 280, 281*, 322 / Ⅱ-228, 229*
横山寅一郎　Ⅰ-364, 365*
横山寅次郎　Ⅰ-140
横山通夫　Ⅳ-168, 169*
吉井　Ⅰ-408
吉浦勝熊　Ⅰ-10, 11*, 40, 45, 64, 65, 97*, 132, 133*, 204, 205*, 234, 235*, 279*, 292, 294, 299, 310, 315, 316, 318, 351*, 382, 388, 409, 415, 422, 424 / Ⅱ-8, 9*, 12, 14, 21, 40, 44, 64, 80, 97, 100, 101, 104, 106, 108–110, 112, 118, 119*, 121, 141, 156, 212, 214, 230, 231*, 241, 248, 249, 256, 266, 267*, 285, 288, 325*, 339, 347, 348, 367*, 368, 374, 382, 390, 401, 408, 428, 433, 434 / Ⅲ-6, 7*, 44, 48, 53, 54, 68, 70, 74–76, 107*, 112, 120, 124, 134, 140, 153, 169, 185, 194, 198, 199, 213, 224, 238, 284, 285*, 342, 353, 366, 367*, 378, 387, 400, 421, 440, 449 / Ⅳ-22, 23*, 38, 40, 132, 133*, 182, 185, 224, 225*, 230, 244, 304, 305*, 324, 369 / Ⅴ-54, 55*, 64, 140, 141*, 173, 178
吉岡　Ⅳ-273
吉岡友愛　Ⅲ-272, 273*, 280
吉貝甚右衛門　Ⅰ-402, 403*
吉木光男　Ⅴ-79*
吉崎久　Ⅲ-374
吉田　Ⅲ-378, 386 / Ⅴ-168, 185
吉田磯吉　Ⅱ-15*, 60, 66, 82, 83* / Ⅲ-158, 159*, 194 / Ⅳ-28, 29*, 202, 203* / Ⅴ-162, 163
吉田嘉一郎　Ⅱ-198, 199*, 292

吉田和太郎　Ⅲ-290, 291* / Ⅴ-128, 129*
吉田九右衛門　Ⅴ-82, 83*, 128, 129*, 167
吉田清　Ⅴ-60, 61*, 68
吉田健三郎　Ⅴ-136, 137*
吉田三郎　Ⅴ-115*
吉田茂　Ⅳ-385*
吉田準一　Ⅲ-202, 356, 357*, 418, 419*
吉田竹子（お竹）　Ⅰ-72, 73*
吉田伝作　Ⅴ-184, 185
吉田藤吉　Ⅲ-14
吉田徳次郎　Ⅴ-184, 185*
吉田利彦　Ⅳ-104, 105*, 132, 133*
吉田鞆明　Ⅲ-198, 199*, 314, 315*, 334 / Ⅳ-203* / Ⅴ-132
吉田ハツ　Ⅲ-290, 291*
吉田久太郎　Ⅲ-238, 268, 269*, 337, 345, 357*, 421*, 429, 431 / Ⅳ-26, 100
吉田正春　Ⅰ-374, 375*
吉田三木　Ⅳ-41*, 69
吉田芳太郎　Ⅰ-269*, 278, 279*, 295
吉田良春　Ⅰ-107*, 223*, 327*, 332, 335, 338, 352, 353* / Ⅱ-70, 71*, 90, 126, 127*, 139*, 233*–235, 238, 384, 385* / Ⅲ-50, 51*, 230, 231*, 232, 382, 383*, 384, 428 / Ⅳ-24, 25*, 38, 134, 135*, 199, 334, 335*, 383 / Ⅴ-114, 115*
吉武吉之進　Ⅰ-78
吉冨開一　Ⅰ-35, 36, 106
吉永開　Ⅰ-118
吉野　Ⅲ-303
吉野港　Ⅰ-110, 111*
吉原敬助　Ⅰ-98
吉原哲造　Ⅱ-426, 427*
吉原正隆　Ⅰ-364, 365* / Ⅱ-79*, 171, 180, 284, 285*, 320, 321*, 330, 331*, 379*, 409, 422 / Ⅲ-41*, 55, 190, 191*, 210, 316, 317*, 318
吉原政道　Ⅱ-397*
吉弘素郎　Ⅰ-74, 75*, 136, 137* / Ⅱ-51*
吉末三郎　Ⅱ-46, 47*, 61, 78, 82, 87, 146, 147*, 192, 216, 217*, 245, 247, 260, 261* / Ⅲ-424, 425*
吉松ふみ　Ⅳ-132, 133*
吉村　Ⅱ-274, 325
吉村勝太郎　Ⅳ-233
吉村誠　Ⅲ-8, 9*
淀川良之助　Ⅰ-118, 119*, 126, 130, 133, 146, 178, 179*
米　Ⅳ-259
米村隆夫　Ⅲ-293, 294
米山　Ⅱ-56
米山梅吉　Ⅰ-331* / Ⅲ-84, 85*

ら

頼山陽　Ⅱ-431*

り

梁其興　Ⅰ-109
梁国泰　Ⅰ-109
林和靖　Ⅰ-38

わ

若木栄助　Ⅲ-190, 191*, 211, 221, 243, 348 / Ⅴ-64
若槻礼次郎　Ⅲ-213
分部資吉　Ⅲ-432, 433*
和才誠司　Ⅳ-171*, 357* / Ⅴ-56, 57*, 152, 153*
鷲塚正人　Ⅲ-311*
和田織衣　Ⅲ-100, 101*, 386, 436
和田喜三郎　Ⅰ-168, 169*
和田賛吾　Ⅰ-142, 143*, 389* / Ⅱ-14, 15* / Ⅲ-24, 25*
和田新一郎　Ⅳ-81
和田維四郎　Ⅱ-140, 141*, 159
和田豊秋　Ⅳ-311*, 374, 375 / Ⅴ-39*, 41, 64, 65*, 70, 124, 125*, 155
和田豊治　Ⅰ-236, 237*, 238, 253, 273, 323*, 358, 359*, 360–363, 384, 386, 401, 404, 405, 409–411, 418 / Ⅱ-72, 73*, 88, 95, 122, 123*, 130, 153, 173, 188, 194, 232, 233*, 275*, 282, 290, 305*, 306, 308, 336, 338, 366, 367*, 370, 377, 378, 387, 395, 399,

412, 416, 420／Ⅲ-9*, 13, 17, 30, 31*, 34, 46-48, 65, 86, 87*, 96, 105, 114, 216, 217*, 387*, 437, 440／Ⅴ-64
和田六太郎(和田屋)　Ⅰ-389*／Ⅱ-20, 21*, 45, 181*, 280, 281*, 289, 314, 315*, 368, 369*, 393／Ⅲ-44, 45*, 59, 220, 221*／Ⅳ-16, 17*, 148, 149*
渡辺　Ⅳ-9
渡辺　Ⅳ-297
渡辺　Ⅳ-380
渡辺　Ⅴ-26
渡辺　Ⅴ-48
渡辺華山　Ⅰ-38
渡辺禎次郎　Ⅳ-238, 239*
渡辺皐築　Ⅱ-340, 341*, 347, 352, 353, 356, 363, 366, 367*, 376, 380, 400, 402, 410, 412, 420, 422, 423*／Ⅲ-6, 7*, 8, 14, 16, 22-24, 26, 27, 35-37, 46, 52, 53, 56, 63, 64, 67, 69, 78, 88-90, 92, 93, 95-97, 99, 100, 106-111, 114, 117, 118, 124, 128, 132, 133, 135, 137, 138, 140, 156, 157*, 164, 165, 167, 170, 173, 174, 178, 180, 184, 189, 191, 195, 196, 199, 200, 207, 212, 216, 217, 220, 224, 226-228, 230, 232, 234, 236, 238, 240, 243-246, 248-256, 260, 264, 265*, 266, 270, 271, 274, 276-278, 280, 281, 283, 286, 287, 290, 292, 294, 296-298, 300-302, 306, 307, 309, 316, 318, 322-324, 327, 329, 332, 334, 336, 338-342, 346, 347, 352, 354-356, 366, 367*, 368, 370, 372, 374, 376, 379, 383, 387, 389, 390, 393, 394, 398, 400-404, 406, 411, 412, 414-416, 424, 429, 434, 439, 441-443, 445, 448, 450, 454, 456／Ⅳ-4, 8, 12, 15, 16, 20, 22, 28, 35, 36, 41, 43, 46, 48, 50, 58, 60, 62-66, 68, 69, 71-73, 79, 85, 88, 96, 102, 115*, 132, 134, 138, 139, 141, 144-146, 148, 152, 154-156, 159, 161, 162, 164-166, 172, 174, 178, 183, 186, 190, 194-196, 201, 204, 220, 221*, 232, 238, 241, 247, 252, 270, 272, 275, 276, 279, 281, 295, 302, 303*, 310, 321, 333, 346, 347, 354-356, 362, 367, 372, 376, 378, 381, 384, 390, 393／Ⅴ-6, 7*, 10, 12-14, 16-20, 22, 29, 30, 32, 35, 36, 38, 43, 44, 46, 54, 56, 62, 63, 65, 70, 76, 78, 81, 86, 87, 91, 93, 94, 97, 99, 101, 103, 120, 121*, 122, 128, 130, 132-134, 137, 138, 140, 144, 146, 150, 152-154, 158, 159, 161, 166, 172, 173, 180-182, 184, 187
渡辺治右衛門　Ⅰ-388, 389*, 390, 400
渡辺省二　Ⅲ-135*, 296, 297*, 323
渡辺素　Ⅳ-124, 125*, 126
渡辺綱三郎　Ⅰ-219*, 222, 228, 238-240, 255, 258, 269-272, 304, 317, 319／Ⅱ-80, 81*, 150, 151*, 170, 188, 198, 409*／Ⅲ-64, 65*, 120, 121*, 140, 168, 169*, 191, 299*, 321／Ⅳ-79*, 95, 122, 123*, 137, 173, 216, 217*, 344, 345*, 387／Ⅴ-42, 43*, 90, 143, 143*, 144
渡辺俊雄　Ⅳ-165*, 194／Ⅴ-40, 41*, 78
渡辺仁　Ⅳ-72, 73*, 88
渡辺福雄　Ⅳ-363*
渡辺融　Ⅰ-106
渡辺与三郎　Ⅰ-123*／Ⅱ-130, 131*, 161*
渡辺林太郎　Ⅱ-36, 37*
和智昴　Ⅱ-156, 157*

事項索引

あ

秋穂（山口県吉敷郡秋穂村）　Ⅳ-200, 201*
愛国婦人会福岡支部　Ⅴ-136, 137*
相田（嘉穂郡二瀬村）　Ⅰ-106 / Ⅴ-25*
相田炭坑　Ⅴ-91*
青島（宮崎県宮崎郡青島村）　Ⅳ-313* / Ⅴ-77, 153*
青柳方（大浜２丁目）　Ⅳ-56
青柳［自動車商会］　Ⅱ-382, 383* / Ⅲ-10, 11*, 24, 25*, 52, 224, 225*, 250, 274, 275*, 278, 296, 321, 347, 364, 365*, 397* / Ⅳ-6, 7*, 28, 90, 129*, 130, 140
青柳町（糟屋郡青柳村）/ Ⅴ-135*
青山　Ⅲ-125
赤坂［駅］（嘉穂郡庄内村）　Ⅰ-26, 118 / Ⅱ-315, 366, 367*, 416 / Ⅲ-156, 157*, 200, 224
赤銅葺　Ⅱ-311
赤坂学校　Ⅱ-127
赤坂坑（坑区・坑山・礦区）　Ⅰ-28, 118, 220, 221, 223, 224, 229, 230, 234, 265, 268, 329, 339, 340, 345, 350–352, 355, 356, 359, 363, 368, 369, 399, 404 / Ⅱ-6, 7*, 11, 32, 34, 48, 54, 63, 90, 127*, 144, 166, 167*, 169, 174, 176, 179, 182, 194, 197, 217*, 230, 237, 273, 275*, 281, 422 / Ⅲ-16, 21, 22, 224, 225*, 253, 254, 266, 267*–269, 280, 299 / Ⅳ-31, 128, 129* / Ⅴ-177*, 178, 185
赤坂線接続　Ⅲ-114, 115*
赤坂積入場　Ⅰ-230
赤坂不《ふ》毛《け》坑区　Ⅱ-422
赤坂本坑　Ⅰ-224
赤坂門（福岡市）　Ⅲ-397 / Ⅳ-242, 243*, 377
赤坂問題　Ⅱ-166
赤坂山　Ⅱ-366
明石町（益田孝邸，東京市京橋区）　Ⅰ-180, 183, 186, 187* / Ⅲ-77*, 240, 241*
赤司花屋　Ⅰ-328, 329* / Ⅲ-40, 41*, 183* / Ⅳ-230, 231*, 268, 391* / Ⅴ-74, 75*, 76
赤間（宗像郡赤間町）　Ⅰ-95* / Ⅲ-214, 215*, 238, 329 / Ⅳ-22, 23*, 24, 282, 334, 335*
赤間越　Ⅱ-62, 63*
赤松［尾］坑区　Ⅰ-410, 411* / Ⅲ-21*, 22, 32, 37
——買収　Ⅲ-32
秋月（朝倉郡秋月町）　Ⅱ-179* / Ⅳ-283
秋葉町（大分県速見郡別府町）　Ⅱ-199
秋山自動車　Ⅳ-104, 105*, 253*
秋吉　Ⅳ-330, 331*
悪炭　Ⅲ-82
悪道　Ⅲ-20
浅木（遠賀郡浅木村）　Ⅰ-377*, 405, 406 / Ⅴ-83*
朝倉街道　Ⅳ-94, 95*
浅野セメント門司工場　Ⅲ-67*
浅野旅館　Ⅲ-286
朝日ガラス　Ⅴ-54, 55*
朝日村（大分県速見郡）　Ⅱ-243*, 390, 391* / Ⅳ-283*
朝日家　Ⅲ-85, 168
麻布学農社　Ⅰ-27
足白（嘉穂郡足白村）　Ⅱ-385*
芦屋（遠賀郡芦屋町）　Ⅲ-318 / Ⅳ-202, 203*
預り金　Ⅱ-86, 107, 108
預ヶ金　Ⅰ-212, 420 / Ⅲ-133 / Ⅴ-188
預［入］　Ⅳ-10, 150, 165, 289, 336, 358
麻生清医院　Ⅴ-34, 35*
麻生太七郎屋敷　Ⅲ-292, 300, 406
麻生ツヤ子嫁入　Ⅳ-303
麻生酒屋　Ⅰ-218, 376
麻生商店（商店，本店）　Ⅰ-6, 7*, 18, 30, 45, 49, 51, 55, 58, 60, 63–65, 70, 71*, 78, 79,

81, 83, 94, 97, 99*, 111, 118, 119*, 124, 143, 144, 146, 148-150, 153, 157, 158, 162, 163*, 173*, 186, 196, 198, 199, 203, 208, 218, 221, 244, 267, 276, 277*, 288, 297, 301, 316-318, 322, 329, 330, 332, 347*, 348, 350, 399, 400, 402, 412 / Ⅱ-5*, 6, 8, 9, 12, 14, 16, 18, 20, 23, 24, 28, 32, 34, 36, 38, 40, 42-45, 47, 48, 52, 55, 58, 59, 61-63, 66, 67, 81, 90, 95, 97, 103, 116, 117*, 126, 127, 137, 140, 145, 150, 158, 164, 166, 174, 195, 202, 204, 208, 220, 222, 225, 226, 228, 237, 244, 246, 247, 249, 260, 261*, 264, 269, 272, 281, 304, 305*, 306, 314, 319, 324, 368, 388, 389*, 397, 406, 418 / Ⅲ-6, 12, 14, 17, 18, 37, 38, 44, 54, 62, 68, 78, 82, 94, 96, 110, 111*, 114, 129, 174, 189, 228, 248, 249, 264, 265*, 364, 365*, 391, 396, 401, 407, 444, 456 / Ⅳ-4, 5*, 8, 24, 25, 46, 49, 51, 64, 83, 91, 111*, 118, 126, 179, 194, 195*, 202, 212, 213*, 274, 316, 326, 328, 352, 364 / Ⅴ-64, 83, 91, 98, 99*, 101, 134, 135*, 137, 160, 175, 188
——本店移転　Ⅰ-218, 219*
——本店員　Ⅰ-111 / Ⅱ-132
——本店規定改正　Ⅰ-350
——本店交際費　Ⅱ-284
——本店就職　Ⅱ-264
——本店帳簿　Ⅰ-351
麻生五郎別宅　Ⅲ-301
麻生本家(本家)　Ⅰ-14, 48, 49*, 50, 53, 55-58, 60, 66, 78, 79*, 140, 149, 156, 178, 225, 259, 298, 299, 309, 340, 344, 345*, 370, 382, 402 / Ⅱ-4, 20, 61, 67, 100, 101, 103, 110, 118, 119*, 146, 148, 150, 227, 233, 239, 242, 276, 290, 405, 420 / Ⅲ-41, 53, 58, 60, 65, 164, 215, 250, 268, 340, 444 / Ⅳ-129, 180, 182, 253, 268, 283, 302, 308, 344, 386 / Ⅴ-6, 28, 45, 64, 88, 94, 95*, 99
麻生本宅(本宅)　Ⅰ-80, 84, 86-88, 90, 146, 176, 200, 236, 299, 316, 324, 404 / Ⅱ-12, 18, 43, 60, 90, 117, 153, 180, 205, 282, 326, 375, 383, 415 / Ⅲ-10, 139, 176, 179, 203, 204, 270, 326, 338, 411, 445 / Ⅳ-134, 140, 196, 234, 238, 254, 255, 256, 258, 281, 302, 326, 334, 342, 344, 347, 351, 371, 380, 389, 397 / Ⅴ-18, 38, 62, 67, 76, 113, 184
麻生屋　Ⅰ-8, 9*, 10, 14, 18, 55, 56, 71*, 76, 98, 99*, 104, 126, 127*, 130, 137, 143, 156, 166, 167*, 184, 185*, 192, 193*, 196, 200-202, 207, 218, 219*, 224, 225, 232, 234, 268, 285*, 286, 288, 299, 322, 326, 334, 338, 376, 377*, 382, 399, 406 / Ⅱ-32, 33*, 35, 38, 62, 68, 82, 88, 93-95, 105, 109, 118, 119*, 122, 144, 146, 154, 158, 187, 204, 214, 216, 217*, 220, 238, 240, 269*, 273, 295, 298, 332, 333*, 359, 360, 370, 371*, 372, 373, 390, 395, 398, 400, 402, 405, 410, 411, 422, 423 / Ⅲ-16, 17*-19, 21, 22, 26, 36, 39, 43, 91*, 156, 157*, 197, 217, 222, 223, 226, 252, 266, 267*, 278, 279, 290, 294, 300, 307, 312, 380, 381*, 410, 438 / Ⅳ-16, 17*, 90, 91, 139*, 140-143*, 145, 174, 263*, 343*, 375*, 377 / Ⅴ-95*
——祝会(祝儀)　Ⅲ-93, 94, 95*
——法事　Ⅲ-19, 380
——墓所　Ⅲ-279 / Ⅲ-380 / Ⅳ-343
遊ビ(博奕)　Ⅰ-18, 22-24, 26, 35, 42, 55, 61, 82, 97, 135, 142, 148, 164, 165, 180, 182, 184, 206, 209, 213, 218, 226, 231, 232, 268, 277, 278, 284, 289, 292, 305, 310, 312, 314, 318, 330, 338, 356, 366, 400 / Ⅱ-6, 55, 351* / Ⅳ-30, 64, 118 / Ⅴ-40
愛宕[坑・鉱]　Ⅴ-163*, 166, 167*, 168, 172, 173*, 178, 180, 183, 185-187
愛宕下　Ⅰ-118,
愛宕神社　Ⅰ-104 / Ⅲ-264, 265 / Ⅳ-4, 5*, 29, 92, 111*, 212, 213*, 280, 300, 301*, 384, 385*, 386, 390 / Ⅴ-110, 111*, 117
愛宕山　Ⅰ-192
悪漢　Ⅰ-34
集丸坑区　Ⅰ-32 / Ⅱ-6, 7*
集丸炭山(炭坑)　Ⅱ-287*
油絵具　Ⅲ-144

油田(飯塚町飯塚)　Ⅰ-235* /Ⅱ-392, 393* /Ⅲ-103*, 211, 330, 331*
阿部坑区　Ⅰ-105* /Ⅱ-65* /Ⅴ-93
安真木村(田川郡)　Ⅲ-196
甘木(朝倉郡甘木町)　Ⅱ-178 /Ⅲ-377 /Ⅳ-94, 95*, 370, 371*
天草無煙炭坑区　Ⅳ-133, 135
天照皇大神　Ⅲ-4, 82 /Ⅳ-110, 212, 300 /Ⅴ-4
天ノ岩戸　Ⅲ-175*
網島(大阪市北区網島町)　Ⅰ-154, 155*
青柳町(糟屋郡青柳村)　Ⅴ-135*
鮎漁・鮎狩　Ⅰ-396 /Ⅱ-183 /Ⅲ-322, 331 /Ⅳ-314
荒井商店　Ⅱ-264
新手坑[山]　Ⅰ-95, 109-111
新手坑山争訟事件　Ⅰ-110, 111
荒戸(福岡市)　Ⅰ-164, 165* /Ⅱ-380, 381* /Ⅲ-342, 343*, 430, 431*, 445 /Ⅳ-10, 11*, 23, 26, 32-34, 36-38, 42, 50, 52, 54, 56, 73, 79, 83, 87, 91, 93, 96, 98, 103, 104, 127*, 133, 136, 137, 147, 148, 153, 155, 158, 161, 163, 166, 171, 192, 193*, 203, 209
荒戸別荘　Ⅱ-152, 153*, 222, 223* /Ⅴ-129*
有井(嘉穂郡庄内村)　Ⅰ-104, 105*, 224, 225* /Ⅳ-324, 325*, 330, 332, 334
有井坑区　Ⅱ-45
有井山　Ⅲ-18, 19* /Ⅳ-330
有田家負債　Ⅲ-446
有安(嘉穂郡庄内村)　Ⅰ-6, 7*-9, 12, 147, 224, 225* /Ⅱ-24, 25*, 45*, 47, 230, 231* /Ⅲ-20, 21* /Ⅳ-324, 325*
有安坑[区]　Ⅰ-122, 234
安藤家　Ⅲ-201*
按摩　Ⅰ-12 /Ⅳ-78
安眠島(朝鮮忠清南道)　Ⅲ-400, 401* /Ⅳ-360 /Ⅴ-74, 122, 123*, 167

い

飯田町(嘉穂郡碓井村)　Ⅰ-352, 353*
飯塚[駅・町・市]　Ⅰ-4, 12, 13, 30, 39-41, 43, 44, 50, 52, 54-56, 61, 64, 86-88, 94, 96, 100-102, 104, 106, 110, 112, 114, 118, 128, 130, 132, 133, 136-138, 142-144, 146, 149, 151, 153, 156, 163, 166, 172, 176, 177, 192, 194, 198, 200, 201, 207, 208, 211-214, 229, 230, 233, 235, 236, 242, 245, 247, 256, 260, 264-267, 269, 283, 286, 294, 297, 299-301, 307, 309, 323, 324, 327, 330, 332, 335, 338, 339, 350, 359, 360, 366, 368, 371, 372, 377, 378, 390, 391, 393, 396, 399, 401, 404, 408, 409, 411, 413, 415, 416 /Ⅱ-6, 9, 12, 14, 16, 18, 20, 24, 32, 34, 38, 44, 45, 47, 50, 57, 63, 65, 66, 87, 88, 116, 118, 124, 131, 132, 134, 136, 138-140, 143, 148, 149, 157, 158, 160-162, 166, 167, 169, 170, 173, 175, 176, 181, 187, 192, 194, 218, 223, 224, 226, 234, 242, 255, 260, 268-271, 278, 280, 284, 285, 288, 290, 304, 310, 316, 318, 320, 323, 325, 327, 328, 334, 335, 337, 338, 343, 345-352, 357, 368, 369, 373-375, 382, 384, 385, 392, 393, 400, 407, 409-411, 414, 416, 420 /Ⅲ-10, 12, 24, 26, 29, 32, 36, 38, 44, 46, 52, 54, 56, 57, 60, 61, 67, 82, 84, 88, 92, 93, 108, 135, 179, 211, 228, 243, 246, 253, 254, 265, 268, 284, 312, 320, 335, 336, 338, 339, 341, 347, 371, 391, 402, 429, 436, 439, 454 /Ⅳ-6, 7*, 24, 61, 66, 69, 87, 118, 132, 134, 159, 160, 173, 174, 181, 190, 214, 216, 218, 231, 234, 240, 242, 254, 256, 274, 281, 294, 306, 329, 330, 334, 340, 344, 352-354, 356, 357, 362, 368, 371, 375, 383, 390, 393 /Ⅴ-18, 20, 26, 29, 30, 57, 58, 64, 70, 72, 74, 76, 78, 81, 94, 95*, 100, 113, 133, 142, 161, 162, 164, 166, 170, 176, 182, 186
飯塚埋立地　Ⅱ-416
飯塚浦(飯塚町)　Ⅰ-10, 172 /Ⅱ-218, 222, 384, 385*, 392 /Ⅲ-23, 246, 249, 287, 338, 401 /Ⅳ-218, 340, 352
飯塚浦公園　Ⅳ-330, 353, 354
飯塚浦山　Ⅲ-23, 287 /Ⅳ-344, 356
飯塚運輸株式会社　Ⅰ-235*, 238
飯塚駅拡張　Ⅱ-420

飯塚家政女学校　Ⅱ-393*, 407, 408, 420 / Ⅲ-17, 18, 88, 89
飯塚活動写真館　Ⅱ-374, 376
飯塚合併問題　Ⅰ-96
飯塚川　Ⅱ-285
飯塚眼科　Ⅲ-322
飯塚警察署　Ⅰ-58, 203, 245 / Ⅱ-283, 284, 348, 392 / Ⅲ-53, 330, 402 / Ⅳ-357
飯塚警察署主任警部　Ⅲ-402
飯塚警察署長　Ⅰ-245 / Ⅱ-283, 284, 348 / Ⅲ-53, 330 / Ⅳ-6, 69, 160, 173 / Ⅴ-20
飯塚公会堂　Ⅴ-166
飯塚高等小学校　Ⅰ-134
飯塚[区]裁判所　Ⅰ-42, 228, 288 / Ⅱ-240, 288, 323 / Ⅲ-23, 343 / Ⅳ-242
飯塚市制　Ⅳ-357
飯塚実科高等女学校(飯塚家政女学校, 家政女学校, 実科女子校)　Ⅱ-393*, 407, 420 / Ⅲ-17*, 18, 88, 89* / Ⅳ-64, 65*
飯塚支店(百十銀行)　Ⅰ-208
飯塚自動車　Ⅱ-401
飯塚事務所　Ⅳ-24
飯塚市役所　Ⅴ-176
飯塚借地主　Ⅲ-268
飯塚出張所　Ⅰ-266
飯塚小学校[長]　Ⅲ-402, 403*
飯塚商工会　Ⅰ-29, 194
飯塚商工会議所　Ⅴ-166
飯塚定席　Ⅰ-120
飯塚倉庫会社　Ⅰ-208, 209*, 212
飯塚駐屯兵　Ⅱ-181*
飯塚町会　Ⅲ-335, 336
飯塚町会議員　Ⅰ-102 / Ⅱ-281*, 283 / Ⅲ-320
飯塚町会議員選挙　Ⅱ-281*, 283
飯塚町政　Ⅲ-347, 391
飯塚町長　Ⅰ-30, 110, 128 / Ⅱ-134 / Ⅲ-36, 44, 179, 312 / Ⅲ-312 / Ⅳ-87
飯塚停車場　Ⅰ-7, 30, 37, 43, 63, 96, 146 / Ⅱ-161 / Ⅴ-81
飯塚電信局　Ⅱ-230
飯塚道路　Ⅳ-216, 218
飯塚橋　Ⅱ-48
飯塚病院(病院, 麻生商店飯塚病院)　Ⅰ-128, 129, 194, 195*, 199-203, 205-208, 230, 231*, 247, 270, 288, 289*, 299, 301, 303, 362, 363* / Ⅱ-127, 173*, 279*, 348, 349*, 356, 374 / Ⅲ-36, 214, 281, 282, 340, 392, 410, 412, 416 / Ⅳ-30, 31, 91, 170, 276, 285, 287 / Ⅴ-94, 95*
飯塚変電所　Ⅱ-197
飯塚外四ケ村長　Ⅰ-323
飯塚町商工会員　Ⅲ-29
飯塚町役場　Ⅰ-118, 146, 294 / Ⅱ-135*, 234
飯塚町有志　Ⅳ-66, 274
飯塚山　Ⅰ-403
飯塚郵便局　Ⅱ-234
委員贈与品　Ⅱ-76
家解キ　Ⅳ-60
家番　Ⅰ-150, 167 / Ⅳ-222, 290, 330, 372, 377, 396 / Ⅴ-26, 55, 63, 177
家引払　Ⅳ-336
遺骸　Ⅱ-416
医科学校　Ⅱ-332
医学士　Ⅰ-259 / Ⅱ-321
伊川(嘉穂郡二瀬村)　Ⅰ-106
伊岐須(嘉穂郡二瀬村)　Ⅰ-106 / Ⅱ-175 / Ⅲ-421* / Ⅳ-302, 375, 375*
生鯛　Ⅰ-166
育英会　Ⅲ-330
生吉銀行　Ⅲ-438
生吉・宮野銀行合併　Ⅲ-438, 439*
池浚　Ⅲ-177
池尻駅(豊州線)　Ⅱ-270, 274
活洲(料亭)　Ⅰ-110, 111*, 121, 139*, 140
活(生)洲会社　Ⅰ-110, 111*, 118, 119*, 132
池田(飯塚町立岩) / Ⅲ-456, 457*
池田病院　Ⅳ-379
遺骨　Ⅲ-316, 318 / Ⅳ-139
医師(医士)　Ⅰ-11, 19, 20, 118, 129, 135, 227, 234, 307, 317, 355, 388 / Ⅱ-71, 93, 101, 120, 126, 140, 146, 190, 203, 204, 230 / Ⅲ-322, 416 / Ⅳ-267 / Ⅴ-18

遺児　Ⅲ-322
石垣(構造物)　Ⅰ-96, 399 / Ⅱ-162, 311, 325, 329 / Ⅴ-31
石垣村(大分県速見郡)　Ⅰ-292, 293* / Ⅱ-240, 241*, 246, 282, 283* / Ⅲ-330, 331* / Ⅳ-34, 58, 59*, 283*
石垣村長　Ⅱ-189*, 388 / Ⅳ-34
石川県　Ⅲ-93
維持金(維持費)　Ⅰ-388 / Ⅱ-190 / Ⅲ-8, 29, 125 / Ⅴ-115
石工　Ⅳ-200, 256
石摺　Ⅲ-18
石田屋旅館　Ⅱ-328
石灯籠　Ⅱ-380, 381 / Ⅳ-40, 92, 163, 172
石場　Ⅳ-256
石橋氏工場(日本足袋株式会社)　Ⅴ-32, 33*
維持法　Ⅳ-64
移植　Ⅳ-297, 334 / Ⅴ-92, 133
石類注文　Ⅲ-111
泉ヶ谷(嘉穂郡庄内村有井)　Ⅰ-73*
泉亭(料亭)　Ⅴ-126, 127*, 153, 154 / Ⅳ-312, 313
出雲　Ⅲ-306
伊勢　Ⅰ-182
伊勢合宿所　Ⅳ-166
伊勢大神宮参拝　Ⅲ-172
伊勢大廟　Ⅱ-116
伊勢屋　Ⅳ-316
井堰　Ⅰ-195, 305 / Ⅱ-17, 24, 31, 54, 56, 58, 133, 154
遺族　Ⅴ-61
伊田[駅](田川郡伊田町)　Ⅰ-180, 309*, 337* / Ⅱ-120, 121*, 149, 164, 218, 270, 271*, 352, 353*, 411* / Ⅳ-221*
委託(依托)　Ⅰ-52, 128 / Ⅲ-420 / Ⅳ-124, 390 / Ⅴ-138
委託経営　Ⅴ-38, 48, 66, 119, 149, 169, 184
委託掘　Ⅴ-173
板場　Ⅴ-174
板橋　Ⅰ-159
イチゴ　Ⅲ-186
移地静養　Ⅰ-273
一ノ瀬川電力　Ⅲ-107
市間(市ノ間, 飯塚市鯰田)　Ⅴ-93*, 95, 97, 102, 116, 118, 129
市間坑[業所]　Ⅴ-95-97, 99, 110, 111*, 129
一番採掘　Ⅰ-132
一手払受人　Ⅰ-352
一手販売　Ⅰ-86, 88, 286
一方亭(料亭)　Ⅰ-40, 41*, 82, 83*, 163*, 166, 172, 173*, 175, 176, 184, 187, 192, 193*, 194, 202, 206, 209, 222, 223*, 230-232, 237, 239, 243, 246, 252, 258, 267, 270, 277*, 278, 288, 294, 295, 310, 312, 314, 324, 329-331, 336, 340, 346, 347*, 348, 354, 356, 361, 363, 364, 366, 368, 372, 373, 379, 380, 390, 400-402, 405, 410, 411, 414, 415, 421 / Ⅱ-4, 5*, 6, 10, 16, 18, 19, 21, 22, 26-29, 31, 39, 40, 42, 43, 48, 49, 51-53, 56, 57, 60-62, 64, 66, 74, 78, 81, 82, 84, 87, 89, 92, 94, 96, 98, 111, 122, 123*, 130, 138, 142, 156-159, 161, 165, 166, 168-170, 177, 186, 188-190, 199, 200, 205, 209, 216, 217*, 222, 236, 258, 259*, 266, 267, 281, 282, 290, 310, 311*-313, 318, 324, 326, 329, 331, 336, 339, 342-344, 346, 352, 355, 367*, 368, 375, 376, 379, 390-392, 394, 397, 400, 401, 404, 405, 413, 414, 416, 418, 419, 421, 422 / Ⅲ-7*, 8, 20, 24, 28, 29, 34, 40, 50, 55, 58, 84, 85*, 86, 91, 94, 104, 108, 109, 112, 113, 133, 142, 160, 161*, 178-180, 188, 192, 198, 202, 206, 210, 211, 214, 218, 220, 228-230, 235, 237, 266, 267*, 270, 272, 274, 280-282, 284, 303, 306, 313, 317, 322-324, 343, 344, 350, 356, 374, 375*, 404, 408, 412, 416, 423-427, 430, 431, 436, 440, 445, 447, 448, 453 / Ⅳ-8, 9*, 14, 27-29, 32, 38, 60, 70, 71, 84, 91, 98, 112, 113*, 120, 130, 136-138, 140, 144, 146, 150, 151, 164, 166, 172, 175, 176, 182-185, 188, 191, 193, 198, 200, 203, 214, 215*, 226, 235, 248, 254, 260, 276, 279, 281, 294, 304, 305*-307,

311, 318, 327, 342, 348, 358, 367, 372, 387, 391 / Ⅴ-9*, 28, 71, 80, 84, 88, 89*, 114, 115*, 136, 139, 144, 146, 148
一本木[井堰](飯塚町上三緒)　Ⅰ-305 / Ⅱ-17*, 24, 31, 54, 56, 58, 132, 133*, 154, 280, 281*
五馬[水力](大分県日田郡)　Ⅱ-190, 191*, 192 / Ⅲ-186, 187*
移転家屋　Ⅲ-130
移転費　Ⅱ-68
伊藤伝右衛門関係坑区　Ⅳ-347
伊藤伝右衛門別荘(天神)　Ⅱ-124, 271*, 352, 353*, 366, 377 / Ⅲ-34, 35*, 59*
伊藤伝右衛門別府別荘　Ⅱ-242, 243*, 278, 279*, 305*, 306, 316, 394, 395*, 397
伊藤伝右衛門宅(幸袋)　Ⅰ-38, 39* / Ⅱ-235 / Ⅲ-138 / Ⅳ-124, 307*
伊藤白蓮事件　Ⅱ-346, 347*, 353, 366, 375-378, 383, 392, 394, 395, 397, 415, 416
糸田(田川郡糸田村)　Ⅰ-64 / Ⅲ-28, 402 / Ⅴ-124, 125*
糸田小学校　Ⅲ-402
糸田村長　Ⅱ-382
井戸掘[下・賃]　Ⅲ-181 / Ⅳ-189, 274, 345
引佐郡(静岡県)　Ⅱ-344
稲築(嘉穂郡稲築村)　Ⅲ-254
因幡町(福岡市)　Ⅱ-266, 267*
稲荷神社　Ⅰ-76, 77*, 246 / Ⅳ-102, 180, 181*, 228, 229* / Ⅴ-132, 133*, 153*, 154
委任状　Ⅱ-84, 177 / Ⅲ-130 / Ⅳ-302
犬　Ⅱ-192 / Ⅲ-57
井上馨侯爵凶事　Ⅰ-323
井上準之助邸　Ⅴ-22, 23*, 124
遺髪　Ⅲ-172
遺髪塔　Ⅳ-340
今井神社　Ⅲ-217*, 369*
今川橋(早良郡)　Ⅱ-83*, 227*, 368, 369*
今宿(糸島郡今宿村)　Ⅱ-228, 229* / Ⅲ-183*
今津(糸島郡今津村)　Ⅲ-440, 441*
今町(長崎市)　Ⅳ-35
伊万里(佐賀県西松浦郡伊万里町)　Ⅰ-157, 158, 206
伊万里警察署長　Ⅰ-158
伊万里坑区　Ⅱ-38, 82, 84, 183*, 235*
伊万里製塩株式会社　Ⅱ-45*
鋳物師　Ⅱ-374
慰問金　Ⅱ-198
入水(嘉穂郡入水村)　Ⅲ-19*, 132, 133*
入水越　Ⅱ-416, 417* / Ⅲ-174, 175*, 189
入水トンネル　Ⅲ-200
衣類送付　Ⅳ-274, 330
入歯　Ⅱ-190, 219 / Ⅲ-300 / Ⅳ-200, 354
慰労　Ⅰ-34, 66, 242, 255, 256, 324 / Ⅱ-400 / Ⅳ-16, 40, 244, 246, 260, 364
慰労[宴]会　Ⅰ-34, 242, 255, 256, 324 / Ⅲ-315 / Ⅳ-364 / Ⅴ-52, 90, 152
慰労金[問題]　Ⅰ-242, 256, 271, 272, 351 / Ⅱ-52, 98, 140, 250, 394 / Ⅲ-167, 247, 358, 454 / Ⅳ-16, 40, 120, 244, 260, 362 / Ⅴ-14, 24, 162
祝会　Ⅳ-302, 303*
祝金　Ⅱ-214
岩城商会　Ⅰ-157*
岩国(山口県玖珂郡岩国町)　Ⅰ-35, 36
岩国停車場　Ⅰ-36
岩権[家](骨董店)　Ⅰ-98, 99*, 140, 141*, 142
岩崎(嘉穂郡稲築村)　Ⅰ-291*, 399 / Ⅱ-400, 401* / Ⅲ-294, 295* / Ⅳ-90, 91*, 167*, 389* / Ⅴ-89, 156, 157*
岩崎(野見山米吉家)　Ⅰ-148, 149* / Ⅲ-294, 295*
岩崎片ノ小坑区　Ⅰ-220
岩崎家　Ⅲ-171
岩崎坑区　Ⅰ-220, 224, 227, 258, 261 / Ⅳ-345*, 350, 352, 356, 382 / Ⅴ-84, 85*, 86, 102
岩田村(三池郡岩田村)　Ⅲ-49*
院外団　Ⅲ-228, 229*
印紙　Ⅰ-23, 234 / Ⅱ-200
引水　Ⅰ-22, 356
引水埋管　Ⅱ-390
隠退　Ⅴ-82
院長　Ⅰ-12, 194-196, 198, 200 / Ⅱ-412 / Ⅲ-18,

412
院長選挙　Ⅰ-195
印籠　Ⅰ-399

う

ウイスキー　Ⅰ-55
植木[駅](鞍手郡植木町)　Ⅰ-41*, 51, 64, 405* / Ⅲ-38, 39*, 214, 288, 289*, 299, 439* / Ⅴ-74, 131, 133, 176, 177*
植木[類]　Ⅰ-27, 41, 51, 236, 362 / Ⅲ-18, 300, 397, 443 / Ⅳ-73, 228, 230, 297, 330, 332
植木移植　Ⅱ-292 / Ⅳ-330
植木買入　Ⅰ-27 / Ⅳ-95, 183, 230, 268, 272, 273, 306, 330, 391, 393
植木商(屋) / Ⅳ-228, 242
植木代　Ⅳ-45
植木橋(鞍手郡植木町)　Ⅳ-116, 117*
植木販売店　Ⅳ-306
植木掘　Ⅳ-334
植付　Ⅰ-370 / Ⅳ-55, 183, 311, 393 / Ⅴ-92, 182
植付鉢　Ⅰ-301
上野駅(東京市)　Ⅲ-240
上野公園　Ⅰ-23
上ノ別荘　Ⅳ-284, 285*
上野屋(上野家，旅館)　Ⅱ-91* / Ⅳ-134, 336, 337*
魚市場　Ⅳ-267
伺書　Ⅳ-58, 59
浮島丸　Ⅰ-35
浮羽郡　Ⅳ-328
浮舟　Ⅰ-35
受負　Ⅰ-63, 122, 221 / Ⅲ-35, 67, 200, 230, 233, 266, 330–332, 376 / Ⅳ-68, 256, 337
受負株　Ⅰ-63
受負口　Ⅱ-77
受負債　Ⅰ-122
受負人(受負者)　Ⅰ-221 / Ⅱ-142, 243, 404 / Ⅲ-35, 200, 216, 230, 233, 294, 331, 376 / Ⅳ-337
受負掘　Ⅱ-423 / Ⅲ-266
受取勘定　Ⅱ-21 / Ⅲ-149
受取証　Ⅰ-149, 150, 174, 175, 186, 278, 399, 422 / Ⅱ-35, 40, 251, 382 / Ⅲ-88, 322 / Ⅳ-104, 118, 253 / Ⅴ-156
受掘　Ⅲ-264
受持替　Ⅴ-79
受持人　Ⅱ-260
宇佐(大分県宇佐郡)　Ⅰ-102 / Ⅲ-217
兎[狩]　Ⅰ-10, 101, 132, 172, 329, 403
宇佐神社　Ⅲ-369
氏神(負立八幡宮)　Ⅰ-118 / Ⅱ-134, 341, 366 / Ⅲ-4, 82, 137*, 156, 157*, 190, 226, 249, 264, 265*, 275*, 276, 338, 344, 364, 365*, 372, 406, 407, 410, 428, 429, 432, 434, 438, 443, 450, 451, 454 / Ⅳ-4, 5*, 67, 82, 110, 111*, 155, 168, 199, 212, 213*, 234, 300, 301*, 346, 349, 354, 393 / Ⅴ-17*
——石段　Ⅲ-406, 407
——改築　Ⅲ-432, 434, 443, 451
——工事　Ⅲ-438
——社殿　Ⅱ-341 / Ⅳ-354
——昇格　Ⅲ-249
——新築(建築)　Ⅲ-338, 372, 410
——大修繕　Ⅲ-276
——棟上式　Ⅳ-349
牛隈坑[区](嘉穂郡大隈村)　Ⅰ-340, 347*, 348 / Ⅱ-241* / Ⅲ-176, 177*, 204, 207*, 292, 295*, 301, 302, 304, 306, 355*, 356, 366, 367*, 368, 383
牛隈・大分共同坑区　Ⅲ-292, 302
牛隈炭脈　Ⅲ-207
氏子　Ⅱ-134
牛湯祭り　Ⅳ-253*
臼井[駅](嘉穂郡碓井村)　Ⅰ-26, 267*, 359*, 399* / Ⅱ-5*, 20, 50, 57, 87, 124, 125*, 138, 143, 149*, 158, 197, 270
臼井坑区　Ⅰ-128, 212, 213*, 223, 228 / Ⅱ-19*, 196
臼井地所交換　Ⅱ-197
碓井坑　Ⅰ-94, 95*
碓井村長　Ⅲ-186
内祝　Ⅰ-192 / Ⅱ-120 / Ⅲ-120 / Ⅳ-364 / Ⅴ-102, 176

内海(宮崎郡青島村)　Ⅴ-77*
内ケ磯(鞍手郡頓野村)　Ⅰ-13*, 370, 371* / Ⅱ-87* / Ⅳ-176, 177* / Ⅴ-34, 35*
内野(嘉穂郡内野村)　Ⅰ-84, 85* / Ⅲ-140, 357* / Ⅴ-95*
うどん　Ⅲ-16, 190 / Ⅳ-227 / Ⅴ-16, 168
ウナ電　Ⅰ-271, 272
ウニ塩カラ　Ⅳ-314
宇野沢組製工所　Ⅰ-26, 27*
宇島駅(日豊本線)　Ⅴ-188, 189*
宇島鋼業会社　Ⅳ-238, 239*
宇島鉄道株式会社　Ⅰ-241*, 265, 278, 279*
宇部(山口県宇部市)　Ⅳ-270
宇部坑区　Ⅲ-352
宇部塩浜売　Ⅴ-72
宇部石炭買入　Ⅳ-380
宇部鉱業(石炭)組合　Ⅳ-270, 271*
馬之瀬(下三緒)　Ⅱ-315 / Ⅲ-20
馬見(嘉穂郡足白村)　Ⅰ-280, 281* / Ⅱ-276, 277*
宇美(糟屋郡宇美村)　Ⅰ-102, 103* / Ⅱ-128, 129* / Ⅲ-247, 454 / Ⅳ-23*, 368, 391 / Ⅴ-12, 75*
宇美坑区　Ⅱ-36, 37*, 68, 92, 96, 235*
宇美八幡宮鳥居　Ⅴ-31*
宇美八幡神社　Ⅳ-374, 394, 396, 397 / Ⅴ-13*, 31*, 52, 53*
海狩・海猟　Ⅰ-313 / Ⅳ-371
梅か枝餅　Ⅳ-50
梅田駅(梅田停車場)　Ⅰ-74, 154
埋立[地・願]　Ⅰ-151, 158, 235, 280, 367, 394 / Ⅱ-46, 64, 65*, 77, 93, 132, 204, 266, 285, 342, 343*, 355-357, 403*, 416 / Ⅲ-55, 58, 60, 246, 328, 407 / Ⅳ-6, 7*, 8, 13, 64, 74, 114, 116, 126, 135, 138, 166, 199, 218, 364, 380 / Ⅴ-44, 47, 50, 58, 138
埋立許可　Ⅱ-365*
埋立計画　Ⅳ-8
埋立調査　Ⅰ-151
梅の木　Ⅳ-284 / Ⅴ-131
梅屋　Ⅰ-324 / Ⅲ-86
浦田(飯塚町鯰田)　Ⅰ-344, 345*
浦ノ谷(飯塚町立岩)　Ⅰ-279*, 301
浦の畑地　Ⅰ-362
売掛金　Ⅲ-118
売込石灰　Ⅴ-87
売込炭　Ⅰ-108, 198, 267, 347 / Ⅱ-339 / Ⅴ-56
売込電力　Ⅳ-380
売込問題　Ⅱ-378
瓜生貸金　Ⅱ-316
瓜生長右衛門負債　Ⅳ-62
漆生(嘉穂郡稲築村)　Ⅲ-21*
潤野(嘉穂郡鎮西村)　Ⅰ-329*
温州蜜柑　Ⅲ-262
運送(輸)店(芳雄運送店)　Ⅲ-90, 91* / Ⅳ-138, 139*, 346, 347* / Ⅴ-94, 95*
運炭　Ⅰ-40, 44, 221 / Ⅱ-18, 137, 196, 219, 324 / Ⅴ-185
運炭線　Ⅱ-137, 196, 324 / Ⅴ-128, 186
運炭[道]路　Ⅰ-221 / Ⅴ-183
運炭取調表　Ⅰ-40
運賃　Ⅰ-32, 88, 98, 112, 114 / Ⅱ-50, 51, 58, 152, 327 / Ⅲ-42 / Ⅳ-138, 182
運賃[引]下[請願]　Ⅰ-32, 88, 112, 114 / Ⅱ-327
運賃協議　Ⅰ-98
運賃割引　Ⅳ-138
運転　Ⅰ-33 / Ⅱ-224 / Ⅳ-12, 259 / Ⅴ-141, 165
運転課長　Ⅲ-53
運転手　Ⅱ-370, 432 / Ⅲ-84, 238, 251 / Ⅳ-259 / Ⅴ-42
運動　Ⅰ-24, 25, 32 / Ⅳ-10, 252, 284 / Ⅴ-135
運動会　Ⅱ-293 / Ⅲ-410
運動費　Ⅰ-327 / Ⅱ-35 / Ⅲ-124, 166, 268, 337, 372 / Ⅳ-147, 252 / Ⅴ-131*
運搬　Ⅰ-6, 335, 345, 350, 358 / Ⅲ-67, 156 / Ⅴ-74, 93, 128
運搬工事　Ⅰ-350
運搬線　Ⅱ-124
運搬道路　Ⅰ-345 / Ⅱ-124 / Ⅲ-156 / Ⅳ-63
運輸事務所　Ⅲ-53

え

影響調査　Ⅴ-67
営業打合　Ⅰ-351／Ⅱ-149
営業規約　Ⅰ-70, 71
営業区域　Ⅳ-71
営業権　Ⅲ-453
営業所[長]　Ⅰ-384, 385*／Ⅱ-118, 119*, 126, 132, 163, 170-173, 189-191, 193, 194, 197, 198, 224, 226, 238, 239, 266, 274, 276, 319, 320, 339, 340, 354, 370, 378, 386, 402, 405, 409, 424／Ⅲ-12, 14, 37, 50, 64, 86, 88, 105, 111, 120, 206, 216, 244, 245, 293, 299, 319, 424, 447, 451／Ⅳ-76, 77, 79, 84, 87, 101, 104, 110, 131-133*, 149, 150, 158, 160, 176, 179, 181, 182, 184-187, 190, 192, 202, 212, 213*, 214, 219, 220, 224, 226, 235, 236, 244-246, 250, 256, 257, 261, 262, 264, 266, 272, 275, 277, 281-285, 294, 296, 300, 301*, 302, 304, 305, 312, 314, 318, 341, 344, 348, 373, 377／Ⅴ-9, 34, 114, 118, 126, 155, 176
営業所員　Ⅱ-132, 224
営業所主任　Ⅳ-370
営業所[所]長[会・会議]　Ⅲ-105／Ⅳ-110, 294／Ⅴ-9, 114
営業譲渡　Ⅱ-121
営業成績　Ⅲ-429
営業停止　Ⅲ-270
営業日誌　Ⅱ-138
営業部長　Ⅱ-126
営業報告書　Ⅴ-163
営業方針　Ⅰ-28, 128-130, 132, 281, 319, 350／Ⅱ-378／Ⅲ-16, 126, 132, 139, 316, 425／Ⅳ-45, 318／Ⅴ-101, 143
営業予算　Ⅱ-402
叡山(京都)　Ⅳ-87*, 89
英字雑誌　Ⅲ-384
衛生　Ⅳ-306, 320
衛生課　Ⅳ-306, 309
営繕　Ⅱ-44
営繕主任　Ⅳ-38
栄養研究書　Ⅱ-402
永楽　Ⅰ-26
営利　Ⅳ-98
駅計画　Ⅳ-139
駅長　Ⅰ-132／Ⅱ-64／Ⅳ-72
江崎支店　Ⅳ-212
枝国浦(嘉穂郡穂波村)　Ⅰ-218, 219*
枝国山　Ⅰ-132
枝郷　Ⅱ-256
枝郷区民[会]　Ⅰ-146／Ⅳ-40, 41*
枝光駅(鹿児島本線)　Ⅲ-172, 173*
江浦眼科病院　Ⅰ-192, 193*
エバンスポンプ　Ⅰ-60, 64
恵比須神社　Ⅲ-137, 190, 191*, 214, 238, 351
恵比須大黒　Ⅰ-109
恵比須祭　Ⅳ-98, 99*
海老津(遠賀郡岡垣村)　Ⅱ-10, 11*
獲物　Ⅰ-10, 162, 329, 403
撰手間　Ⅰ-205
宴会[費]　Ⅰ-20, 28, 32, 33, 54, 66, 71, 81, 88, 98, 139, 140, 144, 153, 156, 174, 182, 192, 194, 206, 218, 222, 225, 288, 309-311, 330, 331, 344, 346, 354, 360-362／Ⅱ-4, 6, 66, 72, 80, 136, 148, 162, 182, 195, 226, 242, 258, 298, 312, 336, 370, 420, 430／Ⅲ-8, 47, 176, 178, 198, 237, 240, 301, 315, 320, 352, 395／Ⅳ-187, 194, 233, 281, 324, 370, 374／Ⅴ-28, 40, 55, 71, 86, 100, 102, 116, 126, 136, 153, 169, 170
援護会　Ⅳ-197*
援護[方]申入　Ⅱ-149／Ⅳ-100
延寿館(旅館)　Ⅳ-394, 395*
援助(援介)　Ⅰ-194／Ⅱ-71, 177, 232, 241, 242, 284, 277, 308, 370, 372, 388, 410, 420, 424／Ⅲ-10, 40, 61, 86, 212, 235, 306, 318, 341, 345, 346, 374, 388, 422, 440, 442, 445／Ⅳ-20, 36, 89, 91, 100, 125, 128, 134, 147, 166, 184, 201, 226, 234, 286, 295, 320, 321, 335, 383／Ⅴ-18, 19, 79, 95, 100
塩水選種紀念　Ⅰ-139
演説(演舌)[会]　Ⅰ-153／Ⅱ-238／Ⅲ-244,

246, 253, 255
縁談　Ⅰ-94, 99, 100, 102, 136–138, 149, 224, 225, 234 / Ⅲ-22, 39, 40, 43, 124 / Ⅳ-151, 158, 182, 257, 258, 259*, 267, 338, 339 / Ⅴ-122, 128, 170
塩田(津屋崎塩田)　Ⅰ-83, 151*, 188
塩田黒川関係　Ⅰ-236
塩田整理　Ⅳ-234
煙筒[建設]　Ⅰ-112, 128, 142
煙道修築　Ⅰ-128
エンドレス[工場・線]　Ⅰ-334 / Ⅱ-44, 45*, 77, 125*, 127, 324, 325*, 327 / Ⅲ-290, 291* / Ⅳ-160, 161*, 162 / Ⅴ-27*, 29, 93, 97
園遊会　Ⅱ-319* / Ⅲ-29, 31*

お

おいし茶屋　Ⅱ-412, 432 / Ⅲ-306, 307* / Ⅳ-64, 65*, 110, 111*
負立八幡宮　→氏神(p.131)を見よ.
往診[費]　Ⅱ-77, 138 / Ⅲ-250, 281
応接[間・所]　Ⅰ-199, 133, 238 / Ⅲ-184 / Ⅴ-32, 33, 52, 146
欧米視察　Ⅱ-383, 384
お苑亭　Ⅰ-376, 379 / Ⅱ-88, 89*, 233*, 238, 284, 285*, 326, 327*, 332, 380, 381*, 417 / Ⅲ-27*, 32, 40–42, 44, 61, 64, 67, 68, 85*, 86, 88, 94, 109, 122, 126, 127, 129, 135, 140, 154, 160, 161*, 168, 178, 185, 188, 190, 192, 193, 205, 206, 209, 215, 225, 226, 228, 229, 233, 247, 248, 253, 271*, 296, 297, 311, 313, 321, 333, 445
大字組替　Ⅰ-203
大石　Ⅴ-93
大分[県・駅]　Ⅰ-324, 337, 360, 361, 372, 374, 375, 380, 384, 400, 409, 416, 417, 424 / Ⅱ-44, 46, 56, 71, 76, 118, 132, 142–144, 148, 153, 161–163, 167, 170, 171, 183, 190, 197, 198, 242, 274, 308, 321, 326, 339, 362, 373, 378, 384, 387, 391 / Ⅲ-14, 33, 36, 56, 101, 102, 115, 133, 162, 172, 184, 188, 218, 229, 250, 251, 274, 309, 319, 333–335, 372, 422, 430, 432 / Ⅳ-6, 10, 59, 63, 68, 92, 94, 96, 133, 162, 163, 180, 187, 237, 243, 248, 257, 308, 312, 371 / Ⅴ-33, 34, 36, 42, 50, 51, 59, 78, 82, 84, 125, 126, 134, 141
大分会館(大分新聞社)　Ⅳ-248
大分会議　Ⅱ-160
大分亀川電鉄　Ⅴ-84, 85*
大分川　Ⅲ-186, 187*
大分共進会　Ⅱ-395*
大分銀行　Ⅱ-190, 424, 425* / Ⅲ-90, 91*
大分県警察部長　Ⅴ-134
大分県知事　Ⅰ-372, 375, 380, 400 / Ⅱ-325, 395, 412 / Ⅲ-48, 56 / Ⅳ-6
大分県庁　Ⅱ-149, 152, 167, 170–172, 390 / Ⅲ-432 / Ⅳ-68, 180 / Ⅴ-33
大分県電灯問題　Ⅳ-257
大分県内務部長　Ⅱ-66 / Ⅲ-36
大分県理事官　Ⅱ-432 / Ⅲ-33
大分公会堂　Ⅳ-187
大分合同銀行頭取　Ⅴ-36, 37*
大分裁判所(才判所)　Ⅲ-30
大分市会議員　Ⅴ-50
大分市長　Ⅴ-82
大分市役所　Ⅳ-180
大分商業銀行　Ⅱ-390
大分商業校長　Ⅲ-30
大分商工会々長　Ⅳ-312
大分新聞　Ⅱ-163*, 244, 262, 263* / Ⅳ-248, 249*
大分水力電気株式会社　Ⅰ-295*, 299, 300, 314, 315, 320, 323, 324, 331, 337, 354, 355*, 384, 385* / Ⅱ-15*, 76, 274 / Ⅲ-447
大分セメント株式会社　Ⅱ-199*, 217*, 242, 243, 410, 411*, 412 / Ⅲ-52, 53*, 65, 67, 381, 381* / Ⅲ-179 / Ⅲ-184 / Ⅴ-174, 175*
大分築港　Ⅰ-374
大分電灯　Ⅳ-258
大分銅坑(宇藤木銅山)　Ⅱ-34, 35*, 44
大分日日新聞[社長・理事]　Ⅱ-263 / Ⅲ-142, 143*, 184, 185*, 327, 328, 330, 342 / Ⅳ-118, 314
大分発電所　Ⅳ-67

大分物価新聞社　Ⅲ-327
大分紡績株式会社　Ⅰ-409／Ⅱ-44, 45*, 158, 163, 214, 242, 243*, 251, 268, 269*, 274, 277, 285, 308, 309*, 321, 325, 336, 338, 343, 356, 386, 387*／Ⅲ-434／Ⅳ-79*
大浦(麻生太右衛門家)　Ⅲ-68, 69*, 111*, 156, 157*, 259*, 261, 360, 361*, 378, 400, 408, 438, 458, 459*／Ⅳ-4, 5*, 16, 74, 107, 208, 209*, 288, 289*, 290, 378, 379*, 399／Ⅴ-8, 9*, 85*, 92, 103, 105, 106, 174, 175*
大浦(飯塚市栢森)　Ⅲ-230, 231*, 234, 245, 249, 379*／Ⅳ-41, 326, 327*
大浦ノ祝　Ⅴ-8
大浦垣　Ⅲ-378
大浦屋敷　Ⅲ-156, 157*
大久保百人町(東京)　Ⅲ-228
大隈[町](嘉穂郡大隈町)　Ⅰ-98, 151, 167*, 307*／Ⅱ-58, 59*, 372／Ⅲ-95, 117, 436／Ⅳ-14, 15*, 147*／Ⅴ-20, 21*, 74, 75*, 160, 161*
大隈警察署長　Ⅲ-436／Ⅴ-74
大隈支店　Ⅲ-117／Ⅴ-101
大隈町長　Ⅳ-14, 15*, 26
大隈町坑区　Ⅰ-167
大蔵省　Ⅰ-339, 363／Ⅱ-14, 48／Ⅲ-180, 183, 186／Ⅳ-58, 124, 128
大蔵省官員　Ⅰ-363*
大蔵省検査官　Ⅲ-437／Ⅳ-124, 128
大蔵大臣　Ⅰ-19／Ⅳ-177
大阪(大坂)[駅]　Ⅰ-4, 16, 74, 76, 77, 154, 155, 158, 222, 253, 329, 370／Ⅱ-159, 183, 184, 222, 238, 248, 255, 258, 285, 334／Ⅲ-70, 111, 168, 171–173, 223, 226, 250, 346, 354, 370, 371, 384, 388, 389, 406, 434, 442／Ⅳ-16, 46, 49, 76, 100, 125, 136, 189, 194, 229, 230, 279, 282, 315–318, 328, 334, 340, 348, 375, 392／Ⅴ-28, 36, 46–48, 67, 82, 83, 92, 162, 178
大阪朝日新聞　Ⅲ-384／Ⅳ-125, 328
大阪うずら　Ⅰ-76
大阪急行電車　Ⅲ-434／Ⅳ-32, 33*
大阪工業高等学生　Ⅰ-4
大阪交通株式会社創立　Ⅲ-406, 407*
大阪参宮鉄道　Ⅳ-8, 9*, 11
大阪時事新報　Ⅲ-388, 408, 409*／Ⅳ-76, 86
大阪市役所員　Ⅰ-158
大阪出張所(麻生商店)　Ⅲ-223, 226
大阪商船会社　Ⅲ-47
大阪停車場　Ⅰ-155／Ⅲ-354
大阪鉄株　Ⅳ-46
大阪店(産鉄石灰販売)　Ⅲ-111
大阪ホテル　Ⅲ-172, 173*
大阪毎日新聞[社長]　Ⅳ-315, 397
大阪屋商店　Ⅳ-136
大酒　Ⅰ-54, 291
大貞駅(豊州本線)　Ⅱ-384, 385*
大鯛　Ⅳ-324／Ⅴ-16
大田黒重五郎別荘　Ⅳ-89
大谷(嘉穂郡大谷村)　Ⅰ-134, 135*, 283*
大谷(溜池)　Ⅴ-97*, 99, 112, 113*
大谷墓所　Ⅲ-172, 241*
大津　Ⅲ-215
大辻坑　Ⅳ-124
オートバイ(オウトハイ)　Ⅲ-436
大西坑区　Ⅰ-414
大野川　Ⅰ-354, 355*
大浜(福岡市)　Ⅳ-56, 57*
大広間　Ⅰ-199／Ⅳ-56, 303
大船《おおふな》　Ⅰ-182
大船渡セメント　Ⅲ-70, 71*
大保ゴルフ　Ⅳ-25*
大牟田[駅]　Ⅳ-226／Ⅴ-32, 78, 121, 164, 169, 172
大牟田運動費　Ⅲ-268
大牟田港　Ⅰ-148
大牟田工場(電化)　Ⅴ-87*, 91, 94
大牟田市役所　Ⅴ-155*
大牟田染料工場　Ⅴ-164
大牟田問題　Ⅱ-15*
大森(野田卯太郎邸, 東京市外荏原郡大森町)　Ⅰ-180, 181*
大森　Ⅱ-392
大門　Ⅴ-138

大山川　Ⅱ-64, 65* 66, 76, 118, 119*, 120, 128, 142, 148, 149, 150, 158, 159, 162, 163, 167, 170, 173, 185, 188, 189*, 190, 193, 198 / Ⅲ-185*, 316

大山川取入口　Ⅱ-185

大山[川]発電所　Ⅱ-58, 59*, 189

大山村[会](大分県日田郡)　Ⅱ-147*, 148, 150, 152, 164, 165, 167

大雪　Ⅰ-80 / Ⅱ-8 / Ⅲ-168, 169, 256 / Ⅳ-315 / Ⅴ-120

大淀川水力電気株式会社　Ⅳ-243*

大和田市郎邸　Ⅳ-295

岡垣村長　Ⅲ-129

小賀玉　Ⅴ-126

岡ノ浦　Ⅰ-221, 254

岡森養水路　Ⅰ-60, 61*

岡山無煙炭　Ⅳ-10, 11*

興津(井上馨別荘長者荘, 静岡県庵原郡興津町)　Ⅰ-74, 75*, 76, 87, 295* / Ⅳ-104

小国水力電気株式会社　Ⅱ-344, 345* / Ⅲ-280, 281* / Ⅴ-44, 45*

小国峠　Ⅲ-185

奥山村(静岡県引佐郡)　Ⅱ-344

御越(大分県速見郡)　Ⅱ-243*

小笹[別荘](福岡市平尾)　Ⅲ-406, 407*, 408, 432 / Ⅳ-37*, 59, 242, 243*, 260, 307* / Ⅴ-95

小笹建築場所　Ⅲ-432

和尚　Ⅲ-397

おちか(料理屋)　Ⅳ-24, 25*, 172, 173*, 351*

乙種農学校　Ⅰ-138, 139*, 207*

御手植松　Ⅲ-432

女子畑発電所(中央開閉所)　Ⅰ-385*, 386 / Ⅱ-73*, 76 / Ⅲ-86, 87* / Ⅳ-132, 133* / Ⅴ-178, 179*

鬼木醤油株式会社　Ⅲ-230, 231*, 232

――常務取締役　Ⅲ-230

小野田セメント　Ⅳ-79

おのぶ茶屋(安川茶屋)　Ⅳ-212, 213*, 227, 334, 335*

小野家工場　Ⅳ-189

帯　Ⅰ-289

帯地注文　Ⅲ-133

おふく(料理屋)　Ⅱ-332, 333*, 422, 423*

覚書　Ⅰ-198, 262 / Ⅱ-373 / Ⅲ-114, 116, 309, 448 / Ⅴ-114

御堀際屋敷　Ⅳ-244

お政(おまさ, 相政)　→満佐(p.235)を見よ.

折尾[駅](遠賀郡折尾村)　Ⅰ-30, 51, 63, 65, 74, 107, 109, 112, 121, 196, 201, 202, 209-211*, 214, 226, 246, 256, 258, 261, 265, 266, 289, 299, 304, 313, 323, 329, 364, 365, 367, 370, 386, 400, 403, 408, 411, 416 / Ⅱ-10, 44, 52, 66, 68, 86, 131, 143, 163, 167, 168, 171, 192, 194, 217, 224, 266-268, 270, 277, 282, 304, 310, 312, 317, 318, 322, 343, 345, 348, 354, 356, 369, 384, 385, 394, 397, 402, 422, 424 / Ⅲ-36, 44, 45, 53, 54, 56, 60, 70, 84, 86, 88, 92, 104, 105, 129, 209, 251, 281, 293, 318, 332, 352, 354, 438, 454 / Ⅳ-38, 53, 90, 116, 121, 320, 334, 341, 363, 372, 376, 394, 395 / Ⅴ-10, 11*, 45, 66, 142

折尾町長　Ⅲ-129

卸シ　Ⅰ-90

遠賀[郡]　Ⅰ-30, 65, 120, 228, 260, 287, 293, 402, 406 / Ⅱ-26, 28-30, 76, 192, 357 / Ⅲ-55, 99, 318, 332, 336 / Ⅳ-20, 54, 124, 220, 324 / Ⅴ-92

遠賀川　Ⅳ-90, 96

遠賀川駅(鹿児島本線)　Ⅰ-120, 121*, 299, 405* / Ⅱ-10 / Ⅲ-395* / Ⅳ-90, 96

遠賀川改修　Ⅰ-15, 22-24, 26-28, 31, 34, 40, 55, 62, 96, 146, 305, 309 / Ⅱ-132, 134

遠賀川橋梁　Ⅰ-96

遠賀銀行　Ⅱ-272, 273* / Ⅲ-50, 51*, 55, 57, 58, 129, 129*, 180, 181*, 182, 208, 292, 293*, 305, 314, 317, 318, 327, 346

遠賀郡坑区　Ⅱ-192

遠賀郡長　Ⅰ-30 / Ⅲ-180, 182, 314

遠賀坑区　Ⅰ-260 / Ⅱ-20, 48, 72, 76, 78, 254 / Ⅲ-284, 285*, 364, 365* / Ⅳ-30, 31*, 202, 212,

213*, 233
遠賀炭田　Ⅰ-65
恩給[令]　Ⅱ-135, 237
温習会見物　Ⅳ-386
温泉　Ⅳ-187, 319, 320
温泉主任　Ⅳ-306
温泉熱度　Ⅳ-187, 320
温泉浴場新設協議　Ⅲ-13
温泉鉄道　→別府温泉回遊鉄道(p.231)を見よ.

か

ガード(ガアード)　Ⅱ-124
カーバイド　Ⅲ-203 / Ⅳ-388 / Ⅴ-86, 87
買上　Ⅱ-384 / Ⅲ-63, 66, 344 / Ⅳ-162 / Ⅴ-14
買上地交渉　Ⅲ-63
買受希望　Ⅴ-102
買入　Ⅰ-32, 36, 39, 53, 55, 79, 82, 84, 85, 87, 96, 98, 105, 120, 130, 132, 140, 143, 148, 157, 166, 172, 177, 192, 226, 234, 235, 238, 240, 246, 248, 270, 286, 289, 298, 315, 316, 335, 371, 382, 383, 398, 401, 405, 412, 420, 425 / Ⅱ-8, 9, 14, 20, 47, 56, 57, 63, 69, 73, 132, 140, 145, 149, 168, 191, 196, 198, 200, 201, 233, 236, 244, 260–262, 266, 268, 282, 285, 286, 292, 306, 307, 311, 318, 326, 352, 356, 357, 368, 372, 374, 376, 381, 384, 389, 412 / Ⅲ-21, 65, 103, 158, 164, 176, 186, 198, 213, 253, 275, 276, 286, 288, 301, 336, 344, 353, 354, 370, 374, 381, 384, 441, 443, 444 / Ⅳ-8, 13, 30, 36, 40, 45, 51, 56, 60, 66, 71, 81, 85, 125, 133, 161, 187, 226, 240, 243, 244, 257, 262, 263, 284, 288, 297, 306, 314, 322, 323, 326, 329, 347, 350–352, 358, 365, 380 / Ⅴ-7, 16, 29, 34, 52, 74, 76, 78, 116, 130, 131, 148, 184
買入株　Ⅱ-236 / Ⅳ-8 / Ⅴ-52
買入機械　Ⅰ-157
買入契約　Ⅰ-98
買入地所　Ⅳ-350
買入書類　Ⅰ-316
買入相談　Ⅰ-120
買入代金　Ⅰ-315, 420, 425
買入米　Ⅰ-130
買入綿代　Ⅱ-285
買入物　Ⅰ-98, 298 / Ⅴ-78
会員　Ⅰ-187, 194, 312
会員招待会　Ⅰ-187
買受　Ⅰ-38, 49, 188, 290 / Ⅱ-228, 242 / Ⅲ-67, 90, 206, 276, 300, 354, 374, 376, 391 / Ⅳ-258, 339, 350, 363 / Ⅴ-35, 98, 102, 183
買受順序　Ⅴ-183
買受相談　Ⅳ-193, 326
買受値段　Ⅲ-67
買受申出　Ⅲ-376
海外　Ⅳ-128, 170, 247
海外研究　Ⅳ-128
海外視察　Ⅳ-247
開会ノ辞　Ⅰ-312
海外旅行　Ⅱ-383 / Ⅲ-199
買替　Ⅴ-170
海岸埋立　Ⅱ-355, 356
海岸芥捨　Ⅴ-58, 59*
会議(会儀)　Ⅰ-108, 124, 164, 174, 196, 249, 276, 278, 310, 354, 357 / Ⅱ-16, 17, 41, 56, 77, 126, 168, 178, 262, 312 / Ⅲ-42, 115, 119, 237, 358, 359* / Ⅳ-176, 188, 194, 374 / Ⅴ-22, 52, 55, 187
開業式(大分セメント株式会社津久見工場)　Ⅱ-243*
海軍　Ⅰ-266, 372, 373*
海軍紀念碑　Ⅳ-236
海軍大佐　Ⅱ-390
海軍大臣　Ⅳ-336
海軍炭鉱　Ⅰ-373*
会計　Ⅱ-357, 366 / Ⅴ-134
会計掛　Ⅰ-153
会計主任　Ⅳ-76
開月(料亭)　Ⅰ-61*, 62, 113*, 137 / Ⅳ-64, 65*, 176, 177*
解雇　Ⅰ-64, 286 / Ⅲ-35, 325
廻行　Ⅰ-62
開坑　Ⅰ-9 / Ⅳ-251 / Ⅴ-102, 112, 138, 163

開坑式場　Ⅴ-163
開口場所　Ⅱ-127
会合　Ⅱ-6, 14, 27, 31, 43, 48, 64, 78, 82, 85, 87, 89, 96, 128, 134, 137, 156, 161, 167, 182, 186, 190, 199, 200, 216, 221, 236, 240, 242, 247, 259, 277, 290, 291, 318, 326, 330, 331, 334, 388, 389, 391, 392, 396, 404, 405, 413, 414, 416 / Ⅳ-4, 6, 18, 48, 49, 54, 70, 86, 103, 112, 123, 124, 131, 139, 152, 161, 164, 176, 186, 190, 194, 200, 218, 276, 296, 305, 329, 352, 355 / Ⅴ-12, 28, 49, 158, 175
外交問題　Ⅲ-136 / Ⅴ-149
外国　Ⅳ-394
外国借入金　Ⅲ-354
外国社債　Ⅳ-128
外国人　Ⅰ-411 / Ⅱ-130 / Ⅲ-392
解雇申渡　Ⅰ-286
開鑿　Ⅱ-138, 175, 337, 344, 345, 394 / Ⅳ-382
改鑿道路　Ⅱ-54
解散　Ⅰ-183, 201 / Ⅱ-262, 304, 386, 387, 394 / Ⅳ-322 / Ⅴ-11
解散慰労金　Ⅱ-394
解散手当　Ⅱ-386, 387
外資　Ⅰ-55, 57 / Ⅲ-244, 276
外資借入　Ⅰ-57
貝島[鉱業株式会社]　Ⅰ-62, 154 / Ⅱ-41, 42, 64, 198, 199 / Ⅳ-222, 223, 266-268, 270
貝島　Ⅱ-310*
貝島一件　Ⅱ-372 / Ⅲ-229
貝島別荘　Ⅰ-392
貝島方(貝島宅，貝島本宅)　Ⅰ-42, 62, 64, 153, 163, 223, 240, 244, 251, 306, 324, 338, 348, 357, 368, 407, 408 / Ⅱ-236
貝島埋立問題　Ⅱ-77
貝島[家・坑山・営業]電力　Ⅳ-264, 268, 270
貝島大浦坑長　Ⅲ-318
貝島会社　Ⅰ-277, 286 / Ⅱ-372 / Ⅲ-45, 134, 229, 231, 232, 318, 348, 366, 367*, 416, 426, 435 / Ⅳ-266
貝島家　Ⅱ-290 / Ⅳ-8, 9*, 19, 20, 27, 83, 112, 220, 264, 388, 395 / Ⅴ-20, 21*, 102
――一同招待会　Ⅳ-8, 9*
――新年宴会　Ⅳ-112
――従事者　Ⅳ-388
貝島[関係]坑区(坑山)　Ⅰ-30, 64 / Ⅱ-81 / Ⅳ-267, 268
貝島合名会社社長　Ⅲ-231
貝島叙位　Ⅰ-407
貝島弔詞　Ⅰ-408
貝島戸畑積入場　Ⅲ-435
会社　Ⅰ-136, 151, 221, 236, 273, 288, 307, 331, 337, 339, 349, 374, 386, 386 / Ⅱ-14, 24, 150, 164, 167, 178, 182-184, 189, 200, 228, 307, 308, 310, 322, 344, 345, 368, 370, 374, 386, 412, 422, 423 / Ⅲ-12, 30, 64, 66, 100, 105, 160, 230, 334, 335, 414, 448 / Ⅳ-15, 48, 58, 131, 164, 194, 253, 276, 278, 304, 320, 344, 374, 388 / Ⅴ-16, 48, 115, 146, 158, 188
――合併　Ⅱ-232, 314, 315, 412, 422
――重役会　Ⅴ-146
――整理　Ⅲ-160
――設立(創立)　Ⅰ-151, 386 / Ⅱ-137, 185, 344, 345* / Ⅲ-66 / Ⅳ-140
――組織　Ⅱ-126, 199, 200, 246, 370 / Ⅲ-12, 105, 169 / Ⅳ-58, 276
――代表者　Ⅳ-164
――登記者　Ⅰ-307
――認可願　Ⅰ-339
――分離　Ⅲ-230
会社員　Ⅱ-258, 370
会主　Ⅰ-372
改修工事　Ⅱ-134
会食(会喰)　Ⅰ-17, 22, 42, 56, 57, 60, 125, 133, 143, 145, 147, 185, 234, 247, 336, 362, 364, 392 / Ⅱ-81, 156, 162, 165, 263, 281, 282, 316, 339, 342-344, 391, 419 / Ⅲ-183, 202, 316, 321, 425, 427, 437 / Ⅳ-60, 94, 123, 132, 140, 176, 191, 193, 240, 265, 344, 358 / Ⅴ-30, 150
解職　Ⅱ-283 / Ⅲ-137 / Ⅳ-286
海水館(旅館)　Ⅰ-94, 95*

改正配置数　Ⅰ-44
会葬[者]　Ⅰ-50, 58, 59, 120, 128, 210, 224, 236, 246, 314, 370 / Ⅱ-269 / Ⅲ-252, 364 / Ⅳ-31, 166 / Ⅴ-22
廻送　Ⅳ-366
改造　Ⅱ-173, 228
改造設計　Ⅰ-358
改造費　Ⅱ-173
頴田(嘉穂郡頴田村)　Ⅱ-272, 273*
塊炭　Ⅰ-127 / Ⅱ-20, 77, 230 / Ⅴ-178
改築　Ⅰ-203 / Ⅲ-429, 432, 434, 443, 451 / Ⅳ-278
懐中　Ⅰ-60, 65, 84, 91, 124, 134, 136, 150, 153, 174, 177, 186, 200, 210, 222, 296, 316, 356, 388, 419, 420, 422-425 / Ⅱ-98-103, 106, 107, 109-112, 114, 208, 210, 212, 213, 250, 252, 296, 297, 299, 358, 362, 363, 425, 428, 429, 431, 433 / Ⅳ-47, 106, 112, 141, 169, 207, 208, 275, 278, 325, 342, 382 / Ⅴ-6, 43, 58, 124, 152, 165, 168
会長　Ⅰ-139 / Ⅳ-178 / Ⅴ-72, 148, 152
——辞任　Ⅴ-72, 73*
——祝詞　Ⅰ-139
——席　Ⅰ-398 / Ⅳ-149, 178
——問題　Ⅳ-178
開通[式]　Ⅰ-386 / Ⅱ-382 / Ⅲ-28, 36, 298, 301*, 318, 320 / Ⅴ-182, 183*
買付米　Ⅰ-124
開店[式]　Ⅰ-94, 172, 192, 218, 292, 379 / Ⅱ-4, 5, 216, 254, 304 / Ⅲ-4, 5*, 82, 156, 264, 333, 364, 455 / Ⅳ-4, 212
会費　Ⅱ-107
会費補助　Ⅰ-28
回報書面　Ⅰ-74
買米　Ⅰ-124
買増土地　Ⅳ-55
外務省　Ⅱ-406 / Ⅰ-108
海面[埋立]　Ⅰ-158, 335 / Ⅱ-84, 132 / Ⅳ-364
買物　Ⅰ-22, 24, 35, 36, 50, 65, 66, 84, 120, 124, 134, 150, 154, 199, 200, 278, 298, 301, 304, 317, 354, 357, 358, 372, 376, 422, 425 / Ⅱ-4, 36, 44, 51, 78, 84, 100, 101, 104, 106, 107, 109, 111-113, 133, 136, 139, 146, 212, 248, 318, 320, 347, 361, 363, 401, 429, 431 / Ⅲ-4, 6, 30, 38, 70, 93, 94, 112, 113, 120, 140, 150, 153, 186, 240, 254, 439, 455 / Ⅳ-14, 72, 77, 81, 82, 132, 134, 139, 205, 259, 278, 285, 332, 358, 393, 394 / Ⅴ-26, 50, 54, 73, 74, 77, 78, 80, 82, 123, 124, 150, 156, 172, 174, 187
——整理　Ⅳ-132, 133 / Ⅴ-7
買物帳　Ⅱ-432
買物目六　Ⅰ-415
廻遊自動車営業　Ⅲ-454
海陸連繋(連続地)　Ⅰ-155 / Ⅱ-266
返り証　Ⅰ-228
家屋　Ⅰ-98, 128 / Ⅱ-188, 275, 311, 322, 323 / Ⅲ-216 / Ⅳ-49, 51, 53, 60, 114, 240, 236
——移転　Ⅳ-60
——境界　Ⅳ-236
——建築(建設)　Ⅱ-275, 322 / Ⅲ-314 / Ⅳ-10, 11*, 23, 34
——引受　Ⅳ-49
家屋[敷]買受(買収)　Ⅰ-98 / Ⅳ-114, 180
画家・画工・画師　Ⅰ-303 / Ⅱ-152 / Ⅲ-306, 327 / Ⅳ-136
画会　Ⅱ-144, 152
家外運動　Ⅰ-291
価格　Ⅰ-154 / Ⅳ-139
化学営業　Ⅴ-87
化学教授所　Ⅴ-126
掛員　Ⅰ-220 / Ⅱ-74, 76, 370 / Ⅲ-342 / Ⅳ-42
花卉　Ⅰ-77
柿　Ⅰ-268, 279 / Ⅱ-127 / Ⅲ-156 / Ⅳ-334
柿右衛門姫鉢　Ⅰ-301
書留　Ⅰ-221, 320 / Ⅱ-47, 118, 372, 387, 390, 399, 402, 410 / Ⅲ-88, 96, 99 / Ⅴ-116
書抜旨意　Ⅰ-309
柿畑　Ⅰ-299, 303, 316
架橋　Ⅰ-312 / Ⅲ-211, 330
過金受取　Ⅰ-174 / Ⅳ-284
家具　Ⅳ-72, 168 / Ⅴ-89, 96, 164
額寄贈　Ⅲ-402

各坑打合会　Ⅱ-220
勧告　Ⅰ-15, 65, 138, 244, 287, 288 / Ⅱ-176 / Ⅲ-312 / Ⅳ-20, 114, 328 / Ⅴ-135
学士　Ⅰ-58, 90, 106, 201, 259, 408 / Ⅱ-95, 170 / Ⅴ-49
学士倶楽部　Ⅱ-170
学習院　Ⅲ-122
学資金融通　Ⅲ-174
学生　Ⅰ-4, 70, 112, 181 / Ⅱ-350 / Ⅳ-15, 38, 130, 254, 332
学生総代　Ⅲ-125
学生会　Ⅰ-28
学生寄宿舎　Ⅲ-8, 9*, 272, 273*
拡張　Ⅰ-87, 158, 159, 174, 175, 177, 220, 269, 353, 354 / Ⅲ-56, 268 / Ⅴ-91, 178
学長　Ⅱ-66
拡張工事　Ⅰ-269, 353, 354
拡張願　Ⅱ-275
学頭(飯塚町立岩)　Ⅰ-203*, 329*
学費(学資)　Ⅰ-28 / Ⅲ-174, 353 / Ⅳ-38, 376
学務部長　Ⅳ-167, 180 / Ⅴ-13, 33, 40, 120
学問　Ⅰ-212 / Ⅲ-39
学友　Ⅳ-256
景清廟　Ⅴ-126, 127*
鹿毛馬(嘉穂郡頴田村)　Ⅲ-219*
掛物　Ⅰ-66, 85, 98, 132, 172, 234, 240, 246, 248, 254, 270, 358, 362, 424, 425 / Ⅱ-249 / Ⅲ-84, 102, 103, 114, 143, 146, 160, 180, 213, 214, 223, 227, 266, 282 / Ⅳ-62, 74, 94, 148, 185, 247 / Ⅴ-42, 82, 116, 155, 173, 175
——整理　Ⅰ-234, 248, 254 / Ⅲ-102, 180
——調査　Ⅲ-102 / Ⅴ-173
家憲　Ⅲ-20, 21*
鹿児島　Ⅰ-136, 203, 249 / Ⅳ-44
鹿児島電気会社　Ⅲ-308, 309*, 321, 354, 364, 365*, 371, 375, 376, 378
鹿児島病院　Ⅰ-203
火災(火事)　Ⅰ-62, 66, 76, 101, 232, 270, 346 / Ⅱ-38, 118 / Ⅲ-67, 140, 218, 219*, 428, 429* / Ⅳ-54, 398 / Ⅴ-39
——見舞　Ⅰ-66, 232 / Ⅲ-140 / Ⅳ-398 / Ⅴ-39
火災保険会社　Ⅰ-76
笠松(嘉穂郡笠松村)　Ⅰ-5, 30, 100, 101*, 104 / Ⅲ-336, 337*-340 / Ⅳ-330, 357*
笠松県道　Ⅰ-104
笠松村長　Ⅰ-30
笠松峠　Ⅰ-5
家産[贈与・分与]　Ⅳ-52, 55, 56, 367
菓子　Ⅰ-59, 106, 180, 289 / Ⅲ-246, 448 / Ⅳ-34 / Ⅴ-188, 189
香椎[駅](糟屋郡香椎村)　Ⅰ-212, 239* / Ⅱ-10, 11*, 83, 84, 86, 89, 90, 92-94, 122, 123*, 130, 145, 152, 160, 162, 164 / Ⅲ-29*, 84, 85*, 254, 255*, 264, 265, 274, 364, 365*, 382
香椎宮 / Ⅲ-29*, 84, 85*, 254, 255*, 264, 265, 274, 364, 365*, 382 / Ⅳ-4, 5*, 84, 98, 102, 110, 111*, 214, 215*, 294, 300, 301*, 311 / Ⅴ-158
香椎敷地　Ⅱ-84, 86, 89, 90, 92, 94, 122, 123*
香椎山　Ⅳ-96
貸金[元簿]　Ⅰ-8, 212, 228, 268, 276, 282, 285, 308, 421 / Ⅱ-316 / Ⅲ-40, 52, 54, 56, 126, 132, 189, 271, 273, 274 / Ⅳ-66, 367, 369 / Ⅴ-145
貸座敷　Ⅲ-320
貸[切]自動車　Ⅰ-366, 292 / Ⅳ-73 / Ⅴ-29
貸席　Ⅰ-28
貸出　Ⅰ-44 / Ⅲ-182, 184, 268
貸付[金]　Ⅰ-7, 80, 84, 90, 166, 168, 210, 264, 278, 308 / Ⅱ-60, 104, 226 / Ⅲ-16, 38, 110, 118, 126, 153, 227, 243, 253, 254, 271, 274, 353, 445 / Ⅳ-14, 100, 168, 199 / Ⅴ-54, 56, 57
貸付掛　Ⅲ-271
貸付証書　Ⅴ-56
下賜品　Ⅲ-432
樫木　Ⅲ-30
鹿島丸　Ⅰ-263*
加島屋(旅館)　Ⅰ-42, 43*, 104, 105*, 114 /

Ⅲ-98, 343* / Ⅳ-334
貨車　Ⅰ-38, 44, 77, 38 / Ⅲ-282
——惣高　Ⅰ-44
——積　Ⅳ-72
——積量　Ⅱ-22
——配置　Ⅰ-38, 49, 77
——配置変更　Ⅰ-38,
貸家　Ⅱ-368 / Ⅲ-328
——建築　Ⅲ-328
鍛冶屋　Ⅰ-100, 172, 192
果樹　Ⅰ-77 / Ⅲ-18
過上金　Ⅳ-207, 315
柏木家　Ⅰ-108, 310 / Ⅲ-40
貸渡　Ⅲ-188
ガス(ボタや廃石)　Ⅰ-211, 339, 380 / Ⅲ-23*, 200, 201* / Ⅳ-8, 9* / Ⅴ-47*
春日原(筑紫郡大野村)　Ⅳ-79*
ガス研究所　Ⅰ-380
ガス(瓦斯)爆発　Ⅰ-205* / Ⅱ-97* / Ⅲ-412, 413*
粕屋鉱業組合　Ⅴ-56, 57*
糟屋郡[長]　Ⅰ-406 / Ⅱ-93, 353 / Ⅲ-284
糟屋郡ノ炭田　Ⅰ-406
糟屋郡役所　Ⅱ-353
糟(粕)屋坑区　Ⅰ-412 / Ⅱ-14, 30, 31*, 32, 34, 41, 62, 230 / Ⅲ-285*, 286, 295, 298, 300, 302, 305, 306, 308, 316, 317, 366, 367*
糟屋鈴木坑区　Ⅲ-286, 287*
粕屋山田坑区　Ⅱ-31*, 32
風邪　Ⅰ-184 / Ⅱ-122, 195, 254, 256–258 / Ⅲ-272, 290, 378 / Ⅳ-116, 215–217, 226, 230, 274–276, 295, 296 / Ⅴ-8, 9, 13, 98, 101
家政　Ⅰ-225, 322, 390, 403 / Ⅱ-286 / Ⅲ-104, 237, 238, 255, 268, 276, 277, 280, 290, 307, 332, 357, 415, 441 / Ⅳ-44, 76, 184, 230, 384, 385 / Ⅴ-132, 138
家政主旨書　Ⅲ-268
風廻竪坑　Ⅰ-5
河川ノ土　Ⅳ-6
下層　Ⅱ-68, 79, 127, 230, 314
下層坑口開鑿　Ⅱ-127
下層採掘　Ⅱ-314
下層炭採掘　Ⅴ-88, 91, 185
下層買収　Ⅲ-306
下層四尺　Ⅴ-96
火葬[場]　Ⅰ-144, 224 / Ⅱ-157, 206, 207, 373 / Ⅲ-252, 330, 340, 367, 384 / Ⅳ-31, 250, 260, 265, 150, 142 / Ⅴ-81, 99
火葬場移転　Ⅲ-330, 340
火葬場工事　Ⅲ-367
火葬場道路　Ⅴ-99
家装品　Ⅰ-147 / Ⅳ-33 / Ⅴ-92
家族　Ⅰ-57, 150 / Ⅱ-208, 230, 247, 383, 366, 400 / Ⅳ-31, 94, 260 / Ⅴ-136, 39
家族保養　Ⅲ-326
ガソリン(カスリン)ポンプ　Ⅱ-368
堅粕(福岡市堅粕)　Ⅳ-52, 53*
堅粕町長　Ⅱ-372
片倉食堂　Ⅴ-52, 53*
片島(嘉穂郡二瀬村)　Ⅱ-134, 135*, 246, 247*, 256, 257* / Ⅴ-179*
片島合併　Ⅱ-134, 246, 256
片島公園　Ⅳ-142, 143*
片シ[シ]ンドル　Ⅱ-125*, 132
刀　Ⅰ-357, 358 / Ⅲ-291
片盤　Ⅴ-132, 133*
帷　Ⅰ-96
片巻エンドレス　Ⅱ-132,
形見掛物　Ⅲ-114
勝(博奕の勝ち)　Ⅰ-184, 185, 421
課長　Ⅰ-310, 395 / Ⅱ-132, 140, 167, 178, 198, 345, 383, 401, 404 / Ⅲ-53, 58, 208, 209, 225, 231, 241, 299, 339, 371, 372, 425 / Ⅳ-100, 180, 182, 309, 372 / Ⅴ-36, 58, 142, 178
科長　Ⅰ-188 / Ⅱ-153, 173, / Ⅲ-276 / Ⅳ-320, 341
学校　Ⅰ-39, 44, 82, 83*, 105, 124, 128, 133–135, 138, 139, 207, 247, 312, 362, 364, 388, 399 / Ⅱ-51, 58, 64, 67, 68, 88, 90, 93, 95, 127, 135, 136, 140, 169, 178, 216, 228, 237, 332, 349, 350, 366, 376, 378, 383, 404, 407,

408, 420 / Ⅲ-6, 8, 9, 17, 18, 44, 68, 88, 122, 142, 174, 192, 198, 206, 222, 238, 243, 380, 382, 383, 402 / Ⅳ-15, 26, 86, 88, 96, 122, 128, 172, 229, 234, 242, 268, 274 / Ⅴ-10, 20, 21, 24, 83, 89, 92, 157, 172
学校委員会(筑豊鉱山学校)　Ⅱ-157, 159
学校寄付[金]　Ⅰ-124, 128 / Ⅱ-95 / Ⅲ-206, 383* / Ⅳ-64
学校講堂建設　Ⅴ-83
学校敷地(筑豊鉱山学校)　Ⅱ-135, 136, 140, 159
学校設立(筑豊鉱山学校)　Ⅱ-95
活動[写真]館(永楽座)　Ⅱ-374, 376 / Ⅳ-87*
勝野[駅](鞍手郡勝野村)　Ⅰ-82, 83* / Ⅱ-97, 149
勝野坑山(古河目尾炭鉱)　Ⅱ-64, 65*
合併　Ⅰ-96, 101, 104, 182, 184, 185, 232, 253, 262, 265, 267, 273, 295, 310, 311, 320, 374, 378, 387, 401, 410–412, 418 / Ⅱ-151, 160, 192, 204, 224, 225, 227, 233, 246, 278, 314, 357, 424 / Ⅲ-30, 90, 97, 126, 127, 211, 240, 269, 283, 303, 336, 344, 350, 394, 402, 403, 416, 417, 444
合併付帯約定　Ⅰ-411
合併問題　Ⅰ-96, 185, 202, 212, 232, 265, 295, 300, 310, 311, 332, 339, 378, 388, 390, 401, 411, 412, 414 / Ⅱ-5, 7, 56, 58, 59*, 347, 367, 378, 380, 381*, 384, 420, 421*, 422, 424 / Ⅲ-97, 180, 201, 336, 344, 346, 347, 364, 402, 444 / Ⅳ-10, 21, 333
合併問題委員調査　Ⅲ-402
家庭教師　Ⅲ-142
我田引水論　Ⅰ-134
廉書　Ⅰ-308, 318 / Ⅱ-124, 148, 384, 420 / Ⅳ-24, 326 / Ⅴ-78
家督譲渡　Ⅴ-121*, 122
廉付帳　Ⅰ-200
金池(飯塚市立岩)　Ⅲ-207*, 214, 227, 230, 234, 236, 245, 249, 254, 265*, 268, 277, 287, 288
――工事場　Ⅲ-288
――土取工場　Ⅲ-214
――屋敷　Ⅲ-227
金川村長　Ⅲ-68
金田[駅](田川郡神田村)　Ⅰ-102, 103* / Ⅱ-411*
金田坑　Ⅰ-54
金森(旅館)　Ⅰ-16, 17*, 74, 76, 77*, 154, 155* / Ⅲ-354, 355* / Ⅳ-49*, 272, 273*, 282, 316, 317*, 340, 358
銅ノ鳥居　Ⅳ-40
加納家借地　Ⅲ-137
加納氏祝義　Ⅱ-250
画伯　Ⅲ-411
家費　Ⅰ-12, 13, 172, 200, 289, 422 / Ⅱ-100, 104, 108, 109, 141, 171, 300, 316, 326, 361, 377, 428, 429 / Ⅲ-93, 149, 162, 308, 326, 370 / Ⅳ-32, 135, 179, 290, 308, 377, 394, 396 / Ⅴ-6, 122, 156, 168, 177
家費外預金　Ⅱ-428
株(株式, 株券, 株金)　Ⅰ-49, 123, 125, 228, 231, 238, 242, 256, 283, 374, 386, 398, 400, 401, 417, 418 / Ⅱ-14, 60, 69, 88, 132, 150, 189, 199, 228, 236, 254–256, 259, 284, 316, 357, 368, 374, 375, 405, 410, 421 / Ⅲ-7, 20, 35, 39, 42, 60, 66, 88, 133, 134, 184, 190, 237, 245, 274, 275, 278, 280, 283, 285, 300, 313, 314, 326, 345, 350, 355, 366, 377, 378, 380, 417, 422, 437, 439, 441, 450 / Ⅳ-10, 15, 16, 32, 46, 50, 51, 54, 136, 139, 140, 144, 146, 158, 214, 216, 222, 257, 262, 263, 274, 295, 310, 318, 384 / Ⅴ-44, 101, 150, 166, 184
株売渡　Ⅲ-378
株買入(買受)　Ⅰ-18, 400 / Ⅱ-14, 69, 132, 357, 368 / Ⅲ-280, 305, 354, 371, 375 / Ⅳ-140, 144, 146, 249, 257, 262, 310, 384, 390 / Ⅴ-166
株買受申込　Ⅲ-376
株券募集　Ⅰ-386
株代差益金　Ⅳ-158
株貸与　Ⅳ-274

株担保　Ⅰ-49／Ⅲ-308, 355
株値上法　Ⅳ-136
株売却　Ⅱ-88, 256／Ⅲ-378／Ⅳ-79／Ⅴ-101
株買収　Ⅰ-314／Ⅲ-98, 100, 364／Ⅳ-114, 128
株[金]引受　Ⅰ-123, 283
株申込　Ⅱ-60, 316
株割宛　Ⅳ-15
株主　Ⅰ-4, 8, 98, 136, 157, 186, 211, 255, 333, 362, 382／Ⅱ-75, 228, 242, 353, 355／Ⅲ-92, 118, 205, 268, 313, 354, 414, 419, 448, 450／Ⅳ-10, 16, 283／Ⅴ-152, 163, 188
——質問　Ⅳ-10, 16
——集会　Ⅰ-4, 186
——総会　Ⅳ-283／Ⅴ-152
——総代　Ⅲ-354
——募集　Ⅱ-228, 242
株主会　Ⅰ-186／Ⅱ-289
歌舞伎座　Ⅰ-20
画幅　Ⅱ-182
加布里(糸島郡加布里村)　Ⅳ-239*, 361／Ⅴ-147*
嘉穂[郡]　Ⅰ-27, 34, 207, 287, 293, 294, 402／Ⅱ-26-28, 30, 31, 162, 272, 332／Ⅲ-99, 125／Ⅳ-217, 220, 226, 310
火防[組]　Ⅲ-428／Ⅳ-54
嘉穂学生会　Ⅰ-28
嘉穂学館[建設]　Ⅴ-112, 113*
嘉穂館(嘉穂郡公会堂)　Ⅰ-112, 118, 119*, 162／Ⅲ-222, 223*, 264, 265*
嘉穂銀行　Ⅰ-4, 6, 7*, 12, 13, 33, 38, 42, 52, 61, 78, 90, 94, 95*, 97, 98*, 103, 118, 119*, 132, 134, 140, 142, 144, 151, 162, 163*, 164, 168, 177*, 178, 194, 195*, 196, 198, 204, 208, 218, 219*, 227, 234, 241, 248, 251, 254, 255, 257, 263, 264, 266, 268, 276, 277*-279, 283, 285-287, 298, 300, 303, 305, 306, 314, 317, 318, 325, 330, 332, 333, 338, 344, 345*, 347, 349, 362, 372, 378, 381, 382, 389, 390, 394-396, 404, 410, 412, 416, 419／Ⅱ-4, 5*, 8, 9, 11, 28, 32, 36, 38, 46, 54, 55, 60, 70, 78, 82, 98, 99, 116, 117*, 118, 120, 140, 166, 176, 180, 186, 203, 209, 213, 216, 217*, 219, 222, 226, 228, 244, 245, 249, 254, 255*-257, 259, 264, 268, 276, 281, 283, 288, 289, 294, 298, 304, 305*, 310, 312, 315, 358, 366, 367, 367*, 370, 378, 386, 387, 396, 398, 399, 420, 422, 425, 429, 430／Ⅲ-4, 5*, 10, 12, 14, 18, 24, 31, 36, 38, 39, 42, 43, 49, 54, 56, 65, 70-73, 86, 87*-89, 91, 104, 108, 114, 117, 118, 124, 127, 132, 134, 143-145, 148, 159*, 162, 170, 179, 180, 184, 188, 189, 195-197, 199, 200, 204, 207, 216, 217, 234, 235, 243, 245, 249, 251, 253-256, 258, 260, 266, 267*, 268, 270, 272, 275, 281, 291, 300-302, 319, 321, 322, 333, 338, 346, 354, 358, 359, 368, 369*, 376, 384-386, 390, 391, 400-403, 405, 417, 419, 431, 434, 436, 445, 456, 457／Ⅳ-6, 7*, 8, 10, 40, 44, 46, 54, 59, 66, 68, 70, 102, 105, 114, 115*, 117, 124, 150, 161, 162, 165, 167, 170, 177, 185, 194, 199, 205, 206, 218, 219*, 249-251, 288, 296, 302, 303*, 308, 318, 358, 362, 368, 384, 386, 390, 395, 396／Ⅴ-10, 11*, 12, 22, 27, 47, 54, 67, 74, 84, 90, 94, 99, 101, 102, 104, 105, 113*, 118, 134, 161, 168, 172, 179, 189
——大隈支店　Ⅲ-89, 300／Ⅴ-102
——株式評価　Ⅲ-88
——監査役　Ⅲ-16
——規定草案　Ⅲ-386
——支配人　Ⅰ-280
——行員不始末　Ⅲ-89
——支店総会　Ⅲ-199
——十年祝　Ⅰ-33
——重役[会]　Ⅰ-338, 344, 347, 372, 378／Ⅱ-8, 11, 14, 16, 32, 38, 60, 70, 118, 140, 146, 176, 180, 186, 203, 222, 244, 245, 257, 260, 264, 268, 281, 283, 310, 315, 398, 422／Ⅲ-10, 18, 36, 39, 42, 49, 54, 70, 86, 87*, 117, 124, 124, 127, 132, 144, 159*, 170, 179, 188, 189, 200, 207, 245, 253, 266,

267*, 268, 281, 291, 302, 319, 321, 338, 358, 359*, 368, 369*, 386, 405, 417, 436, 445 / Ⅳ-6, 7*, 8, 68, 70, 114, 162, 170, 185, 249, 302, 303*, 358, 362, 384, 386 / Ⅴ-11, 67, 74, 84, 94, 101, 113, 172
——賞与金　Ⅱ-430 / Ⅲ-73, 143, 145, 256, 258, 358, 359, 456, 457 / Ⅳ-105, 205, 288, 368 / Ⅴ-168
——住友合同　Ⅲ-346
——[臨時]総(惣)会　Ⅰ-178, 196, 333, 349, 382 / Ⅱ-228 / Ⅲ-43, 91, 162, 199, 204, 322, 376, 419 / Ⅳ-10, 70, 115, 165, 251, 288, 296, 368 / Ⅴ-27, 54, 104, 118
——創立廿年紀念日　Ⅰ-362
——田川支店　Ⅲ-275, 276
——綱分代理店　Ⅲ-195
——積立金　Ⅰ-332
——手当　Ⅱ-425 / Ⅲ-72, 260
——定款改正　Ⅳ-161
——土地掛　Ⅳ-117
——年賀会　Ⅲ-4
——報酬　Ⅳ-206
嘉穂医師組合　Ⅰ-270
嘉穂郡医師会長　Ⅲ-89
嘉穂郡小学校長会　Ⅰ-207
嘉穂郡長　Ⅰ-27 / Ⅲ-180, 199, 226
嘉穂郡有志者　Ⅱ-162
嘉穂郡参事会員　Ⅱ-332
嘉穂坑山　Ⅴ-122
嘉穂青年会[長]　Ⅲ-412, 413*, 421, 422 / Ⅳ-14, 15*, 18, 178, 179*
嘉穂政友会　Ⅱ-258
嘉穂政友青年党　Ⅲ-413*, 422, 423 / Ⅳ-15*
嘉穂代理店(有隣生命保険)　Ⅳ-310
嘉穂中学校　Ⅱ-350, 351* / Ⅳ-86
嘉穂中学校紀念図書館建設 / Ⅳ-86
嘉穂中学校長　Ⅲ-243
嘉穂貯蓄銀行　Ⅰ-234, 250, 251 / Ⅱ-366, 398, 399*, 430 / Ⅲ-70, 71*, 72, 91*, 118, 143-145, 162, 163*, 256, 257*, 258, 270, 271*, 275, 318, 319, 358, 359*, 369*, 414, 417-419, 456, 457 / Ⅳ-8, 9*, 70, 105, 165*, 167, 177, 178, 205, 206, 218, 219*, 250, 251, 302, 303*, 308, 368 / Ⅴ-12, 13*, 27, 54, 104, 118, 119*, 162, 168, 179, 189
——移転　Ⅲ-414
——株　Ⅳ-178 / Ⅳ-177
——重役会　Ⅲ-72, 319, 417 / Ⅳ-8, 70, 206
——賞与金　Ⅲ-71, 72, 144, 258, 417, 456, 457 / Ⅳ-105, 206
——総会　Ⅲ-91, 118, 162 / Ⅳ-10, 368 / Ⅴ-168
——日当　Ⅳ-302
嘉穂電灯株式会社(電灯会社, 電気会社)　Ⅱ-224, 225*, 272, 273* / Ⅲ-112, 113*, 417* / Ⅳ-186, 187*, 190, 191*, 228
嘉穂農学校　Ⅲ-383*
嘉穂有志者会　Ⅰ-294
嘉麻川受持　Ⅱ-432
嘉麻川橋　Ⅱ-48 / Ⅲ-64, 65*
鎌倉(神奈川県鎌倉町)　Ⅰ-182 / Ⅳ-39
竈門神社　Ⅲ-364, 365*, 409 / Ⅳ-23 / Ⅴ-147
蒲鉾　Ⅰ-206 / Ⅴ-188
上境(鞍手郡直方町)　Ⅰ-30 / Ⅳ-41*
上須恵(糟屋郡須恵村)　Ⅲ-436, 437*
剃刀　Ⅰ-55
上高雄炭坑　Ⅱ-272, 273*
上谷(飯塚町立岩)　Ⅱ-119* / Ⅲ-20, 21*, 174, 175* / Ⅳ-56, 57*
髪摘　Ⅳ-284, 285*
上部落　Ⅰ-313*
上辺春(八女郡辺春村)　Ⅳ-135
上穂波(嘉穂郡上嘉穂村)　Ⅰ-84, 85*, 105, 376, 377* / Ⅱ-88, 272, 273*
上穂波村長　Ⅰ-376, 377* / Ⅴ-172
上町(長崎市)　Ⅰ-112
上三緒[駅・村](飯塚町上三緒)　Ⅰ-296, 297*, 305, 350, 351* / Ⅱ-315 / Ⅲ-20-22, 32, 38, 48, 56, 57*, 62-64, 66, 92, 93*, 96, 103-105*, 108, 110, 116, 156, 157*, 158, 167, 342, 412, 413*, 415
上三緒浦(飯塚町)　Ⅰ-162, 163*
上三緒区[長]　Ⅰ-305 / Ⅲ-32, 62, 63, 66, 92,

103, 110, 116, 156, 157*
上三緒区総代倶楽部　Ⅲ-66
上三緒坑　Ⅰ-4, 5, 8, 32, 34, 43, 49, 53, 60, 72, 73, 84, 86, 118, 147, 220, 329 / Ⅱ-25, 32, 44, 63, 179, 208, 228, 229, 230, 420 / Ⅲ-21, 38, 104, 105*, 158, 412, 413* / Ⅳ-389 / Ⅴ-184, 185*
――ガス爆発　Ⅲ-412, 413*
――坑口場　Ⅲ-104, 105*
――災難　Ⅲ-413
――第二坑　Ⅰ-32
――第三坑　Ⅰ-43
貨物車故障　Ⅳ-94
上山田［駅］（嘉穂郡熊田村のち山田町）　Ⅰ-229* / Ⅱ-270, 271* / Ⅲ-176, 177*, 203-205, 207, 208, 212, 216, 224, 249, 255, 264, 265*, 409, 410, 442 / Ⅳ-62, 63*, 70, 324, 325*
上山田坑［区］　Ⅰ-7 / Ⅲ-176, 177*, 203-205, 207, 224, 249, 409, 410 / Ⅳ-70 / Ⅴ-69*, 75, 96, 102
上山田筑紫坑　Ⅲ-212, 213*, 216, 264, 265*
上山田古河坑区　Ⅲ-205, 207, 208, 216, 255, 264, 265*, 442
亀川［駅］（大分県速見郡御越町）　Ⅰ-174 / Ⅱ-120, 121*, 128, 129*, 262, 263*, 389* / Ⅲ-12, 13*, 34, 218, 219*, 335*, 371*, 432, 433 / Ⅳ-76, 77*, 150, 151*, 375* / Ⅴ-124, 125*
亀川長生館 / Ⅲ-432
亀井別荘　Ⅳ-78
亀ノ井旅館　Ⅱ-322, 323*
亀の井ホテル（亀井食堂）　Ⅲ-326, 327*, 334, 335*, 370, 371*, 372, 433, 454, 456 / Ⅳ-4, 5*, 34, 35*, 88, 118, 119*, 196, 244, 245* / Ⅴ-32, 33*, 34, 42, 125*
亀ノ甲（嘉穂郡稲築村）　Ⅲ-178, 179*
亀山坑山（亀山炭坑）　Ⅱ-128, 129*
鴨　Ⅰ-94 / Ⅳ-218, 296
鴨生［駅］（嘉穂郡稲築村）　Ⅲ-21*
鴨生坑区　Ⅱ-48, 49*, 52 / Ⅲ-22, 23*
鴨生炭坑　Ⅰ-138
家門　Ⅳ-204
火薬　Ⅰ-352, 356
火薬払問題　Ⅰ-352
栢森（飯塚町）　Ⅰ-126, 129, 280, 281* / Ⅱ-135*, 136, 254, 255*, 275, 288, 314, 315*, 319, 348, 368, 369*, 372, 374, 385, 423 / Ⅲ-18, 68, 95, 103, 330 / Ⅳ-8, 9*, 33, 43, 48, 49, 61, 103, 326, 327* / Ⅴ-78, 138, 139*, 160
栢森区　Ⅰ-129 / Ⅱ-254, 275 / Ⅲ-276, 277*, 319
栢森区長　Ⅲ-6, 7*, 66, 92, 93*, 220, 221*, 319, 398, 425 / Ⅳ-8, 9*, 33, 103 / Ⅴ-78, 160
栢森区寄合　Ⅳ-49, 326, 327*
栢森村社　Ⅰ-195
烏尾峠　Ⅱ-54, 55*, 382, 383* / Ⅲ-28, 29*, 215* / Ⅴ-70, 71*, 145*
唐津町（佐賀県東松浦郡）　Ⅲ-374
唐津焼　Ⅳ-62
唐戸町（下関市）　Ⅱ-244
借上げ　Ⅲ-63
借入　Ⅰ-55, 129, 132, 150, 196, 211, 232, 328, 383 / Ⅲ-10, 14, 63, 88, 96, 96, 124, 130, 167, 197, 238, 240, 242, 246, 251, 255, 270, 282, 355, 356, 366, 376 / Ⅳ-69, 76, 249, 338, 339, 345, 364, 386, 388, 390, 395, 396 / Ⅴ-10, 78, 181
――不足　Ⅲ-251
――利子　Ⅲ-282 / Ⅳ-69, 345
借入金　Ⅰ-39, 232, 383 / Ⅱ-60, 405, 422 / Ⅲ-57, 63, 96, 124, 178, 235, 255, 354 / Ⅳ-30, 58, 362 / Ⅴ-10
借受　Ⅲ-205 / Ⅴ-87, 93 / Ⅳ-134
仮運転　Ⅱ-77
借越金　Ⅰ-64
仮小家　Ⅴ-95
仮事務所　Ⅰ-268
仮停車場　Ⅰ-246
仮橋　Ⅱ-10 / Ⅴ-124
仮道切払　Ⅳ-357 / Ⅴ-97
火力　Ⅰ-380 / Ⅱ-120, 128, 198, 340, 344 / Ⅲ-47, 162, 380, 382 / Ⅳ-100, 222, 378 / Ⅴ-

123, 142
火力及水力電気　Ⅱ-128 / Ⅳ-180, 181*-183*
火力設備　Ⅳ-100
火力発電所　Ⅱ-319, 340, 344, 420, 421* / Ⅲ-4, 5*, 47, 292, 293*, 353 / Ⅳ-96, 97*, 332, 333*, 339, 378 / Ⅴ-176, 177*-179*, 187
火力発明者賞与　Ⅴ-142
カルバート(コーヘト)　Ⅱ-99*, 132, 133*
家令者　Ⅰ-231
枯木　Ⅳ-273
河合ダンス　Ⅳ-42, 43*, 126, 127*
川卯(旅館)　Ⅰ-15*, 16, 36, 41, 42, 51, 74, 75*, 102, 103*, 106, 135*, 176, 177*, 178, 251*, 265, 285*, 322, 334, 339, 369*, 409, 413*, 415 / Ⅱ-84, 85*, 91, 187*, 221*, 224, 378, 379*, 403 / Ⅲ-206, 207*, 452, 453* / Ⅳ-42, 43*, 44
川岸工事　Ⅱ-57
川口駅(埼玉県)　Ⅲ-240
川崎市(神奈川県)　Ⅳ-128
川崎銀行　Ⅲ-390, 391*, 393, 394
川浚費　Ⅱ-185
川島(飯塚町)　Ⅰ-10, 11*, 118, 156, 157*, 178, 399 / Ⅴ-133*
川島下(飯塚町川島)　Ⅱ-286, 287*
川島橋　Ⅰ-283*, 297, 309, 316 / Ⅱ-420, 421*
為替　Ⅰ-278, 422 / Ⅳ-228, 263, 274 / Ⅴ-56
為替手形　Ⅰ-278
川底浚え　Ⅳ-13
川棚温泉(山口県豊浦郡川棚村)　Ⅰ-34
川土手　Ⅰ-100
川西峠(大分県速見郡)　Ⅳ-94, 95*
川端町(福岡市)　Ⅲ-246, 247
川端屋敷　Ⅰ-114
川船入場　Ⅰ-335
川船運賃　Ⅱ-152
川辺郡山本(兵庫県川辺郡長尾村)　Ⅰ-77*
川南駅(日豊本線)　Ⅴ-42, 43*
香春[町](田川郡香春町)　Ⅲ-278, 279*, 334, 335* / Ⅳ-62, 63* / Ⅴ-124, 125*, 164, 188
香春鉱業株式会社(香春炭坑)　Ⅴ-134, 135*-137*, 138, 141*, 151, 187
香春炭坑重役会　Ⅴ-151
瓦葺　Ⅴ-58
川猟・川漁　Ⅰ-36, 372 / Ⅱ-132, 280
観海寺(大分県速見郡石垣村)　Ⅱ-191*, 198, 292, 293*, 411* / Ⅲ-30
感化院　Ⅱ-80
漢学私塾　Ⅳ-18
観菊宴　Ⅴ-188, 189
勧銀支店　Ⅲ-238
歓迎会　Ⅰ-144, 148, 152, 175, 209, 371 / Ⅱ-22, 158, 238, 330, 336 / Ⅲ-213, 214, 303, 343, 411, 434, 436, 445 / Ⅳ-93, 155, 180, 198, 236, 370 / Ⅴ-80, 81, 83, 159
関係会社　Ⅳ-170, 266, 282, 318, 364 / Ⅴ-28, 38, 48
関係会社重役　Ⅳ-341
関係会社総会　Ⅳ-277
関係事業　Ⅳ-384
関係人民　Ⅱ-224
関係調査　Ⅳ-280
看護　Ⅲ-15, 185 / Ⅳ-141, 142, 176 / Ⅴ-22, 128
看護婦(看護手)　Ⅱ-291, 311 / Ⅲ-136, 137, 185, 186, 195, 237, 238, 281, 289, 323, 409 / Ⅳ-58, 74, 87, 153, 176, 181 / Ⅴ-73
関西・九鉄合併　Ⅱ-370, 371*
関西地方　Ⅲ-96 / Ⅳ-136
関西電気株式会社　Ⅱ-357, 367*, 370, 371*
監査役(麻生商店監査役)　Ⅱ-316, 317*
監(検)査役　Ⅰ-254 / Ⅱ-46, 139, 140, 147, 170, 330-332 / Ⅲ-16, 110. 196, 204, 216, 251 / Ⅳ-341, 354, 392 / Ⅴ-10, 86, 93, 100
幹事　Ⅰ-186, 235, 268, 295, 302, 310, 313, 327, 379, 408 / Ⅱ-11, 16, 26, 125, 126, 152, 177, 181, 190, 216, 341 / Ⅲ-416, 435, 447 / Ⅳ-74, 238 / Ⅴ-30
監事　Ⅰ-127, 395 / Ⅱ-264, 426 / Ⅲ-24, 212, 249, 431, 445, 457 / Ⅳ-46
幹事会　Ⅳ-44
幹事長　Ⅱ-246 / Ⅳ-36, 37*, 44, 76 / Ⅴ-18, 44, 61, 62, 67, 76, 116, 169

官舎(官邸)　Ⅰ-250／Ⅱ-172, 191, 281, 282, 342, 403／Ⅲ-7, 58, 126, 134, 138, 158, 180, 182, 208, 299, 410／Ⅳ-18, 25, 60, 68, 84, 250, 264, 272, 310, 347, 348／Ⅴ-34, 55, 74, 122
患者　Ⅱ-173, 174, 279／Ⅳ-30
願書　Ⅰ-76, 309／Ⅱ-58, 62, 64, 224, 357／Ⅴ-25, 26
勘定[書・済]　Ⅰ-128, 289, 354／Ⅱ-8, 21, 101, 110, 113, 160, 197, 212, 213, 248, 249, 296, 401／Ⅲ-60, 149, 449／Ⅳ-64, 227, 230, 313, 352, 355／Ⅴ-26, 43, 174
勧請　Ⅳ-180, 228
鑑定[書]　Ⅰ-38, 120, 202, 234, 318, 357／Ⅲ-10, 62, 106, 158, 253, 388, 435, 438／Ⅳ-55／Ⅴ-170
干拓事業資金　Ⅴ-114
神田松水　Ⅰ-28
神田橋旅館　Ⅳ-312／Ⅴ-41*, 42, 126, 127*
官地　Ⅰ-166, 188／Ⅱ-341
官地交換　Ⅰ-166
官庁　Ⅰ-96
間島(満州)　Ⅴ-31*
監督[官]　Ⅰ-78, 128, 195, 221／Ⅱ-135, 335／Ⅲ-16, 110, 94／Ⅳ-65, 308
監督署(福岡鉱務署・監督署)　Ⅰ-28, 194, 204, 209, 224, 225*, 263, 277*, 346, 347*
監督署員　Ⅰ-204, 277
監督書記　Ⅳ-308
監督署長　Ⅰ-147, 194, 195*, 209*, 263, 285
鉄輪温泉　Ⅴ-155*
観音　Ⅰ-412／Ⅳ-187
看病　Ⅰ-13／Ⅲ-192
幹部　Ⅰ-240／Ⅲ-4／Ⅳ-8
幹部会　Ⅳ-27
観富士寺　Ⅰ-75*
官幣小社　Ⅲ-409
官房　Ⅲ-282, 408／Ⅳ-308／Ⅴ-13
官房主事　Ⅲ-408
官民招待会・歓迎会　Ⅰ-363／Ⅲ-214, 436, 445／Ⅳ-236／Ⅴ-36
関門鉄橋　Ⅳ-308, 309*, 310, 312
関門[海底]トンネル　Ⅴ-142, 148
関門渡場　Ⅱ-130
勧誘　Ⅰ-284／Ⅱ-27, 89, 136, 231, 330, 332
含有炭　Ⅰ-8／Ⅱ-20, 40, 234, 235／Ⅲ-163, 164, 166, 169, 201, 204／Ⅳ-339, 350／Ⅴ-27, 29
肝要廉付[書・帳]　Ⅰ-213, 230／Ⅱ-32, 46
陥落地　Ⅱ-275
監理　Ⅰ-109
元利　Ⅲ-233
管理局長(鉄道院九州鉄道管理局長)　Ⅰ-230, 231*, 313, 367, 367*
監理部(九水)　Ⅲ-120
管理部室(三井物産)　Ⅰ-19
官林払下　Ⅰ-130, 156／Ⅲ-245

き

忌明　Ⅱ-224
議案　Ⅱ-93, 139／Ⅲ-117, 250, 318／Ⅳ-96／Ⅴ-22, 44
議員　Ⅰ-296, 372／Ⅲ-62, 88, 312, 385／Ⅳ-16, 24, 39／Ⅴ-17
——辞退　Ⅰ-372
——集会　Ⅲ-312
——選挙　Ⅳ-241／Ⅴ-17
義捐金　Ⅰ-230, 232, 233／Ⅳ-169
記憶帳　Ⅰ-237／Ⅱ-237
機械・器械[科]　Ⅰ-5, 38, 42, 70, 88, 157／Ⅲ-134／Ⅳ-377, 378／Ⅴ-26
議会　Ⅰ-22, 24, 131／Ⅳ-48／Ⅴ-11
議会解散　Ⅴ-11*
器具類　Ⅰ-255
着替　Ⅴ-110
汽鑵[場]　Ⅰ-6, 7, 53, 60, 70, 142, 378／Ⅲ-429／Ⅴ-76, 93, 172
汽鑵車　Ⅲ-282, 290
祈願　Ⅳ-180
機器主任　Ⅴ-168
帰宮(宮崎)　Ⅴ-128
帰京　Ⅰ-7／Ⅱ-84, 93, 144, 170, 174, 282, 322, 342, 358, 404／Ⅲ-63, 113, 128, 182, 227, 246, 298, 349, 368／Ⅳ-180, 304／Ⅴ-

32, 56, 137, 173
帰郷　Ⅱ-226／Ⅲ-206／Ⅳ-200
起業　Ⅰ-310／Ⅱ-188／Ⅲ-164, 168, 198, 283, 286, 334
起行[小松・小松坑・小松坑業所・鉱山・岩崎坑区]　Ⅴ-46, 47*, 92, 93*, 94, 96, 98–100, 102, 110, 111*–113*, 124, 128
起行排水　Ⅴ-94, 110, 124, 128
漁業組合　Ⅰ-388
漁業支障　Ⅱ-173
基金(正恩寺関連)　Ⅲ-222
菊　Ⅴ-76
企救郡　Ⅱ-27
菊地旅館　Ⅳ-244／Ⅴ-39, 42, 152, 154
菊の家(料亭)　Ⅳ-42, 43*
菊見　Ⅲ-438
菊屋旅館　Ⅲ-369, 371
器具類整理　Ⅰ-254
帰郡　Ⅰ-280／Ⅱ-31, 290, 307, 323／Ⅲ-68, 101, 102, 136, 248, 270, 324, 455／Ⅳ-19
帰県　Ⅰ-79, 268, 269, 322, 385／Ⅱ-26, 85, 87, 88, 99, 126, 186, 239, 245, 246, 292, 374, 401, 403, 413／Ⅲ-43, 66, 100, 102, 104, 116, 134, 135, 141, 188, 206, 242, 252, 270, 278, 294, 295, 302, 315, 316, 332, 385, 386, 389, 393, 398, 427, 428, 446／Ⅳ-15, 16, 23, 24, 48, 90, 140, 157, 164, 170, 207, 218, 221, 223, 236, 240, 252, 254, 261, 264, 275, 321, 356, 384, 389／Ⅳ-128／Ⅴ-14, 16, 30, 38, 44, 51, 97, 132, 134, 159, 168, 170, 172, 175
帰坑　Ⅰ-12, 35, 40, 42, 45, 71, 82, 84, 86／Ⅱ-235
揮毫　Ⅲ-298／Ⅳ-114
起工式　Ⅰ-173／Ⅱ-392／Ⅲ-182, 244／Ⅴ-166
銀行資本[金]　Ⅲ-101, 132
帰国　Ⅱ-211／Ⅲ-114／Ⅳ-194
器材買入　Ⅲ-243
帰寺　Ⅱ-400
記事　Ⅰ-108, 131, 317, 356／Ⅱ-22, 178, 184, 206／Ⅲ-20, 355／Ⅳ-310, 362／Ⅴ-54, 55, 68
雉子　Ⅰ-4, 10, 118, 218
技師[長]　Ⅰ-211, 310, 402／Ⅱ-64, 72, 92, 170／Ⅲ-53, 163, 174, 175, 206, 380／Ⅳ-24, 72, 182, 305／Ⅴ-26, 68, 94, 96
議事　Ⅰ-88, 292, 311／Ⅳ-362
議事堂　Ⅰ-139
汽車　Ⅰ-16, 17, 36, 54, 55, 58, 65, 70, 77, 78, 81, 95, 98, 98, 102, 108–110, 120–122, 142, 149, 152, 154, 155, 158, 166, 173, 179, 180, 184, 196, 206, 211, 224, 248, 284, 287, 332, 338, 357, 370, 372, 386, 401, 406, 408, 411, 413／Ⅱ-8, 12, 13, 24, 34, 50, 67, 71, 72, 76, 86, 120, 124, 143, 150, 167, 174, 284, 292, 305, 358, 374, 429／Ⅲ-36, 54, 61, 173, 240, 247, 364, 385, 447／Ⅳ-122, 147, 187, 256, 269, 304, 336, 388／Ⅴ-29, 36, 40, 45, 70, 124, 154, 172
――脱線　Ⅳ-304
――賃(代)　Ⅰ-16, 36, 77, 81, 155, 158／Ⅱ-284, 429／Ⅲ-12, 219, 220／Ⅳ-147, 256／Ⅴ-124
記者　Ⅰ-250, 262, 266
帰社　Ⅱ-422／Ⅳ-164, 321, 380, 381／Ⅴ-79, 137
帰若(若松)　Ⅱ-223
喜寿[祝・内祝]　Ⅴ-136, 137*, 162, 166, 173, 176
技手　Ⅱ-44
帰宿　Ⅰ-224, 328／Ⅱ-408／Ⅲ-348, 410
寄宿舎　Ⅲ-8, 9*, 272, 273*／Ⅳ-40, 254, 255*
喜寿亭(料亭)　Ⅴ-40, 152, 153*
議事録　Ⅲ-18
期成会会長　Ⅴ-41
帰省中　Ⅱ-4
期成[同盟]会(福博地方発展期成会)　Ⅱ-88, 89*–91
汽船(汽舟)　Ⅰ-30, 51, 335／Ⅱ-194, 220／Ⅲ-394／Ⅳ-35
帰倉(小倉)　Ⅱ-334
寄贈書籍　Ⅲ-227

規則　Ⅲ-46／Ⅳ-388
貴族院[議員・選挙]　Ⅰ-166, 167, 180, 246, 346／Ⅱ-136, 142, 144-146, 153, 157*, 237, 372／Ⅲ-14, 30, 85, 86, 88, 174, 183, 190, 206, 207, 210-212, 214, 220, 345／Ⅳ-342／Ⅴ-14, 18, 19, 31, 39*, 51, 52, 59, 60, 62, 63, 68, 71, 80, 142
貴族院議員候補[者・辞退]　Ⅲ-211, 212／Ⅴ-31, 39*, 52, 59, 60, 62, 63
貴族院議員辞任　Ⅲ-85, 86
貴族院食堂　Ⅰ-180
規則書類　Ⅰ-58
帰村　Ⅰ-43, 45, 85, 100, 103, 104, 108, 113, 131, 136, 137, 148-150, 167, 287, 385, 386, 401, 406／Ⅱ-319／Ⅲ-278, 296, 324
議題　Ⅳ-118, 158
北方(企救郡)　Ⅲ-117*
北釜　Ⅴ-44
北樺太石油株式会社　Ⅲ-275*
北九州　Ⅳ-226, 270, 354／Ⅴ-135
北九州商工業会　Ⅲ-325*
北九州鉄道　Ⅱ-404, 405*／Ⅲ-442, 443*
帰宅　Ⅰ-6, 8, 9, 14, 32-34, 37, 39, 43, 50, 51, 57, 70, 71, 73, 88, 90, 96, 98-101, 106-112, 118, 121-123, 125, 126, 133, 145, 147, 151, 155, 162, 164, 166, 188, 192, 194, 196, 198, 204, 205, 207, 208, 212, 213, 220-224, 228, 229, 232, 233, 237, 238, 241, 243-245, 249, 252, 253, 257, 259, 260, 263, 266, 268, 276, 277, 281, 283, 290, 292-294, 296, 298, 304, 306, 307, 309, 310, 312, 313, 315-317, 320, 322, 328, 330, 332, 334, 338-340, 344, 346, 347, 349, 350, 353-359, 365, 366, 368, 370, 372, 376, 380, 381, 384, 386, 388-390, 394, 396, 399, 400, 402, 405-410, 412-414, 264／Ⅲ-4, 8, 18, 20-22, 24, 27, 31-33, 35, 43, 44, 48, 52, 54, 56, 57, 59, 61, 64, 68, 70, 84-86, 91-93, 100, 111-114, 118, 120, 121, 123-126, 128, 131-133, 136, 137, 142, 143, 156, 158, 160, 162, 172, 178, 185, 189, 200, 202, 213, 220, 227, 230, 232, 236, 239, 240, 242, 245, 248, 253, 266, 271, 272, 274, 276, 283, 287, 288, 291, 292, 295, 298, 300-302, 305, 310, 312, 316, 322, 330, 332, 334, 336, 339, 341, 349, 353, 356, 364, 366, 368, 380, 382, 386, 387, 389, 390, 395, 396, 398, 401, 402, 404, 406, 408-410, 413, 414, 416, 417, 422, 424, 426-429, 431, 432, 434, 436-438, 440-442, 446, 447, 450-452／Ⅳ-6, 8, 10, 15, 20-24, 26-28, 30, 32, 41, 42, 48, 49, 52, 56, 62, 64, 65, 70, 72-74, 78, 80, 81, 84, 85, 92, 94, 96, 102, 110, 112, 119, 122, 141, 143, 161, 162, 164, 167-169, 171, 185, 226, 228, 234, 242, 243, 249-251, 254, 257, 259, 276, 277, 287, 294, 300, 302, 306, 362, 367, 375, 376／Ⅴ-11, 19, 34, 37, 53, 54, 64, 66, 73, 74, 88, 93, 96, 110, 118, 121, 129, 134, 136, 144, 146, 150, 156, 158, 166, 167, 169, 172, 180, 181, 185, 187
北浜(大阪)　Ⅰ-16, 74, 154
北伏見稲荷神社　Ⅰ-246
吉多里(広東省城売街)　Ⅰ-109
帰着　Ⅰ-14, 31, 34, 44, 55, 77, 80, 83, 121, 149, 203, 206, 210, 265, 268, 348, 380, 393, 397, 410／Ⅱ-46, 64, 153, 160, 222, 226, 230, 234, 235, 241, 268, 278, 286, 314, 326, 343, 414／Ⅲ-10, 67, 104, 138, 159, 217, 294, 300, 320, 327, 351, 376, 385, 395, 400, 433, 454／Ⅳ-8, 35, 50, 90, 102, 105, 116, 160, 182, 282, 285, 376-378, 391／Ⅴ-4, 25, 43, 46, 128, 163, 165
記帳　Ⅰ-425／Ⅲ-214
帰朝[祝]　Ⅱ-241, 341／Ⅴ-80
帰庁　Ⅳ-272
議長　Ⅰ-28, 88／Ⅱ-230／Ⅳ-42, 102, 390
貴重品整理　Ⅰ-315
帰直(直方)　Ⅲ-67, 247, 290, 400, 402, 455／Ⅳ-87, 149
杵築(大分県速見郡杵築町)　Ⅴ-152
気付　Ⅴ-173, 177
切符代　Ⅱ-425
規定[書]　Ⅰ-234, 264, 266, 350／Ⅱ-32, 254,

262, 276 /Ⅲ-16, 18, 108, 338, 386 /Ⅳ-166, 174, 308　Ⅴ-38
規定草案　Ⅰ-234 / Ⅱ-32 / Ⅲ-386
規定調査　Ⅲ-338
帰店　Ⅰ-10, 63, 126, 200 /Ⅲ-204, 216, 217, 255, 302, 409 / Ⅴ-179
帰途　Ⅰ-10, 28, 30, 51, 70, 72, 73, 77, 78, 94, 100, 103, 104, 109-114, 124, 130, 134, 135, 138, 140, 142-144, 146, 148, 154, 155, 158, 166, 182, 183, 196, 197, 202, 204, 206, 207, 209, 213, 223, 224, 226, 228, 238, 239, 241, 244, 246, 248, 250-252, 257, 260, 265, 267, 285, 291, 302, 304, 306, 308, 313, 314, 322, 330, 337, 339, 362, 367, 370-372, 376, 380, 382, 386, 392, 393, 396-398, 400, 403 /Ⅲ-90, 219, 300, 382, 390, 407 /Ⅳ-31, 34, 36, 38, 48, 50, 62, 69, 72, 78, 84, 150, 182, 196, 232, 233, 276, 317, 336, 340, 391 /Ⅴ-36, 41, 43, 83, 84, 90, 126, 126, 145, 156, 169
城戸(糟屋郡篠栗村)　Ⅱ-95*, 177*
軌道　Ⅰ-416 / Ⅱ-83, 416 /Ⅲ-64, 156
気動車(軌道車)　Ⅱ-224,　275, 420
軌道敷設費　Ⅰ-416
記入　Ⅲ-344, 446 /Ⅳ-88, 96, 236, 253 / Ⅴ-182
絹地幅物　Ⅳ-45
紀念　Ⅲ-4, 432
紀念家屋　Ⅰ-399
紀年号発会式　Ⅱ-163
紀念写真　Ⅲ-432
紀念祝賀　Ⅳ-237
紀念(記念)碑　Ⅰ-230, 231*, 232, 233* /Ⅲ-54, 55*, 63, 272, 280, 368, 392 /Ⅳ-330
記念碑寄付　Ⅲ-272, 280
紀念碑賛助員　Ⅲ-368
記(紀)念品　Ⅰ-338 /Ⅲ-31 /Ⅳ-28, 336, 340
茸狩　Ⅳ-96
帰博(博多)　Ⅰ-54, 128
帰阪(大阪)　Ⅰ-16 / Ⅱ-255 /Ⅳ-88
帰飯(飯塚)　Ⅰ-333 / Ⅱ-383 /Ⅲ-102, 118, 253, 311, 448 /Ⅳ-70, 94, 98, 251, 265, 342 / Ⅴ-124, 130, 132, 140, 145, 159, 160
寄付[金]　Ⅰ-39, 40, 64, 81, 82, 105, 124, 126, 128, 142, 150, 158, 185, 195, 200, 228, 230, 256, 261, 269, 288, 289, 297, 300, 320, 326, 332, 364, 365, 373, 376, 388 / Ⅱ-18, 20, 25, 30, 51, 57, 60, 74, 84, 88-90, 95, 107, 109-112, 134, 136, 146, 155-157, 162, 164, 165, 170, 173, 174, 176, 178, 179, 194, 198, 228, 230, 231, 245, 266, 293, 316, 332, 338, 339, 343, 344, 346, 352, 362, 368, 373, 378, 390, 395, 406, 416, 417, 428 /Ⅲ-13, 15, 23, 41-43, 54, 63, 108-110, 134, 160, 166, 188, 198, 202, 205, 206, 214, 216, 220, 243, 272, 280, 284, 287, 296, 298, 306, 312, 315, 320, 322, 330, 358, 368, 380, 383, 387, 388, 392, 408, 410-412, 425, 438, 440, 446, 450 /Ⅳ-6, 9, 10, 12, 18, 26, 30, 32, 40, 54, 56, 63, 64, 68, 82, 86, 88, 99-101, 103, 126, 144, 172, 181, 202, 203, 264, 267, 278, 283, 307, 312, 314, 318, 320, 327, 329, 347, 357, 368, 370, 381, 387 /Ⅴ-7, 20, 24, 34, 45, 50, 77, 78, 82, 92, 101, 112, 115, 119, 122, 140, 145, 156, 158, 182
帰府(長府)　Ⅰ-136
帰府(別府)　Ⅱ-285
帰福(福岡)　Ⅰ-166, 200, 258, 310, 326 / Ⅱ-22, 77, 184, 222, 223, 398 /Ⅲ-17, 24, 66, 130, 139, 218, 246, 297, 310, 328, 342, 352, 426, 428, 444 /Ⅳ-6, 22, 23, 30, 130, 140, 185, 220, 238, 244, 248, 318, 341, 351, 395 / Ⅴ-10, 38, 70, 80, 85, 114, 122, 186
騎兵中佐　Ⅱ-237
帰別(別府)　Ⅱ-322, 370, 409
気俣亭(料理屋)　Ⅱ-192, 193*
義務教育費増額建議書　Ⅱ-372
木村家　Ⅰ-166, 372 / Ⅱ-398 /Ⅲ-217*, 398
——事件　Ⅰ-166, 372
——整理　Ⅱ-398
着物類　Ⅲ-133
帰門(門司)　Ⅰ-285
客車　Ⅴ-32, 36

客人　Ⅳ-295
木屋町(京都)　Ⅰ-76
帰熊(熊本)　Ⅰ-80
旧笠松側分離[問題]　Ⅲ-336, 337*-340
休暇書　Ⅰ-206
休業　Ⅲ-218, 422／Ⅳ-84, 126／Ⅴ-87, 88, 94, 166
鳩居堂(東京)　Ⅴ-63*
休息　Ⅰ-193, 371／Ⅱ-337, 372／Ⅳ-194, 254, 340, 370／Ⅴ-153
急行[列車・電車]　Ⅰ-76, 120, 138, 266, 296, 315, 358, 365, 390, 406, 408／Ⅱ-10, 13, 40, 50, 51, 66, 117, 152, 188, 194, 227, 232, 290, 356, 398／Ⅲ-296, 298, 349, 354, 452／Ⅳ-6, 7*, 23, 57*, 73, 75, 89, 140, 197, 234, 235*, 393, 397／Ⅴ-86, 87*, 157*, 173
旧坑　Ⅱ-197／Ⅴ-118, 112, 120, 138
旧坑埋立　Ⅴ-138
旧坑口　Ⅴ-112
旧坑口調査　Ⅱ-128
救済　Ⅲ-208, 209, 390
救済絶縁　Ⅰ-184
給仕　Ⅰ-16／Ⅱ-209, 298, 430／Ⅲ-144, 258, 358, 359, 457／Ⅳ-105, 206, 218, 250, 285, 291, 296／Ⅴ-12, 105, 168, 189
九州朝日新聞社　Ⅱ-262
九州鉱業株式会社　Ⅳ-168, 169*, 172, 174, 176, 192, 194, 202, 238, 239*, 249, 258, 376, 377*／Ⅴ-47*, 50, 51, 53, 84, 160, 161*
——重役会　Ⅳ-176
——付近坑区　Ⅳ-258
九州鉱山　Ⅲ-355*
九州高等女学校　Ⅲ-9*
九州コーク株式会社　Ⅰ-138, 139*, 241*／Ⅱ-50, 51*, 59*
九州座(九州劇場)　Ⅱ-46, 47*／Ⅳ-212, 213*, 355*
九州産業株式会社　Ⅱ-199*-201*, 203, 216, 217*, 226
——重役[会]　Ⅳ-286, 356
九州産業鉄道株式会社(産鉄, 産業会社)　Ⅱ-228, 229*, 241, 278, 279*, 282, 326, 327*, 344, 347, 357, 366, 367*, 368, 376, 383, 392-394, 397, 399, 401, 407, 409*, 413-416, 418, 420, 422, 423／Ⅲ-4, 5*, 6-10, 12, 14, 16, 18, 19, 29, 35-39, 52, 53, 56, 59, 60, 64, 66, 69, 78, 82, 83*, 88-90, 93, 94, 96-98, 106-111, 114, 115*, 128, 132, 133, 137-139, 156, 157*, 164-167, 170, 173, 178-182, 184, 196, 197*, 199, 200, 224, 230, 234, 236, 238, 244, 247, 250, 252-255, 260, 266, 267*, 275, 282, 290, 298, 299*, 301, 306, 307, 312, 316, 318, 320, 322, 350, 352, 357, 366, 367*, 370, 372, 374, 379, 386, 396, 414, 417, 424, 429, 437, 441, 450, 454, 456／Ⅳ-12, 13*, 30, 35, 60, 64, 67, 96, 102, 134, 135*, 136, 139, 141, 144, 146, 149, 154, 155, 183, 186, 194, 196, 199, 202, 204, 205*, 232, 233*, 247*, 249, 252, 270, 279, 286, 354, 355*, 356, 368, 378, 395／Ⅴ-6, 7*, 16, 18, 22, 32, 36, 38, 43, 44, 46, 52, 65, 75, 87*, 92, 96, 99, 101, 102, 128, 159*, 172, 173, 177, 180, 181*, 182, 183*, 188
——会計　Ⅲ-250
——株　Ⅲ-182, 184, 290, 396
——決算　Ⅴ-101
——合同(合併)　Ⅳ-134, 136, 144／Ⅴ-87*, 180, 181*
——視察　Ⅳ-30
——十周年祝賀会　Ⅴ-6, 7*, 18
——社長　Ⅲ-322, 414
——重役[会]　Ⅲ-7-9, 94, 98, 107, 138, 164, 249, 250, 312, 350, 379, 454／Ⅳ-64, 96, 149, 186, 199, 202, 286, 356／Ⅴ-43, 44, 102, 181
——賞与金　Ⅲ-366, 414
——庶務規程　Ⅲ-106
——新線　Ⅲ-200
——設計認可　Ⅲ-165, 166
——接続　Ⅲ-56
——線路　Ⅲ-96, 230

——総会　Ⅲ-16, 110, 115, 254, 316, 357, 370, 386, 424 / Ⅳ-67, 194, 199, 202 / Ⅴ-188
——損益計算書　Ⅲ-374
——溜池問題　Ⅲ-133
——手当金　Ⅲ-260
——鉄道敷地　Ⅲ-96
——鉄道布設　Ⅲ-106, 108
——道路　Ⅲ-255
——道路線　Ⅲ-53
——買収　Ⅳ-155
——配当　Ⅳ-279
——報酬　Ⅲ-69
——補助[問題]　Ⅱ-409 / Ⅲ-178-180, 370, 372
——臨時総会　Ⅲ-370 / Ⅴ-183*
九州事業[視察]　Ⅲ-382 / Ⅴ-30
九州時事(時々)　Ⅲ-442
九州社　Ⅱ-333
九州証券株式会社　Ⅱ-288, 289*
九州人事相談所　Ⅲ-198
九州水力電気株式会社(九水, 九水会社)　Ⅰ-184, 185*, 218, 219*, 222, 228, 232, 233, 236, 237*, 238, 244, 260, 265, 269, 278, 279*, 282, 283*, 284, 288, 290, 294, 295, 300, 304, 310, 312, 317, 319, 326, 339, 346, 354, 355*, 361, 367, 368, 371, 372, 375, 379, 380, 382, 385, 387, 388, 390, 395, 400, 401, 409, 410, 412-414, 417, 418, 426 / Ⅱ-7, 9*, 14, 17, 24, 44, 46, 49, 52, 54, 56, 64, 66, 67, 69, 71, 73, 74, 76, 83, 93, 119*, 123, 126, 132, 142, 148, 150, 153, 158, 161-163, 178, 184, 185, 188, 193, 198, 204, 214, 218, 225, 227, 232, 238, 239*-242, 251, 264, 266, 268, 272, 274, 277, 290, 309, 317, 330, 332, 334, 339-342, 344, 350, 354-357, 368, 369*, 370, 373, 376, 378, 379, 381, 383, 385, 386, 395, 402, 404, 410, 422, 424 / Ⅲ-4, 5*, 12-14, 16, 17, 25, 34, 35*, 39, 40, 45, 46, 48, 50, 51*, 52, 54, 57, 60, 62, 64, 86, 88, 89, 92, 96, 98, 103, 105-108, 111, 112, 114, 115*, 119, 120, 125, 129, 131, 139, 140, 153, 161*, 162, 164, 166, 168, 171, 184, 185, 188, 194, 198, 202, 203, 212, 215, 230-233, 240, 242, 244, 245, 250, 251*, 253, 266, 267*, 269, 274, 283, 288, 290, 292, 293, 296, 299, 302, 304, 305, 308, 310, 313, 316, 319, 321, 326, 329-332, 334, 335*, 338, 351, 364, 365*, 375, 378, 380-382, 387, 391, 392, 394, 402, 404, 413, 417, 420, 422, 430, 440, 447, 448, 450-452 / Ⅳ-13, 17, 18, 20, 26, 28, 30, 33, 36, 42, 45, 50-52, 55, 56, 59, 65, 68, 71, 73, 75, 76, 77*-82, 86-89, 91-93, 95, 96, 98, 99*-105, 112, 113*, 114, 121-123, 126-128, 130, 131*, 134, 136, 138, 140, 146, 148-150, 153, 155, 156, 158, 159*-161, 163, 164, 171-177, 179-190, 192, 194, 197, 199, 200, 203, 212, 213*-215*, 216, 221, 222, 224, 226, 232, 234-236, 238, 240, 242, 245, 251, 252, 257, 259, 261, 264, 266, 269, 271, 272, 275, 277, 281, 283, 285, 291, 294, 295, 300, 301*, 302, 304, 305, 312, 314, 315, 320, 323, 326, 330, 332, 336, 341, 343, 344, 348, 356, 358, 360, 361, 364, 365*, 369-371, 373, 374, 377, 378, 380, 385, 387-393, 396, 398 / Ⅴ-4, 5*, 8-10, 16, 17, 20, 25, 26, 34, 38, 50-52, 60, 66-71, 76, 80, 82, 84, 86, 90, 98, 100, 114, 123, 124, 126, 128, 134, 137, 140-144, 146-148, 150, 152, 160, 162, 163, 166, 168, 170, 174, 176, 178, 179, 183, 184, 186, 187*
——慰労会　Ⅳ-55, 104, 232
——打合会　Ⅰ-317
——運転手　Ⅳ-291
——営業　Ⅳ-73, 75, 374
——営業所[長]　Ⅱ-119*, 163, 170, 172, 190, 191, 197, 198, 238, 266, 274, 276, 340, 378, 239, 386, 409, 424 / Ⅲ-64, 86, 88, 105, 108, 120, 206, 244, 245, 250, 299, 447, 451 / Ⅳ-76, 77, 79, 87, 101, 104, 111, 120, 131-133*, 149, 150, 158, 160, 176, 179, 181, 182, 184-187, 189, 190, 192, 202, 212,

213*, 214, 219, 220, 224, 226, 235, 236, 240, 244-246, 250, 256, 257, 261, 262, 264, 266, 272, 275, 277, 281-283, 285, 294, 296, 300, 301*, 302, 304, 305, 312, 314, 318, 341, 344, 348, 360, 373, 377 / V-9, 114, 118, 126, 155
——大分営業所　I-384, 385* / II-118, 119*, 173, 189, 193, 194, 197, 198, 339, 354, 370, 387, 402, 424, 405, 424 / III-12, 14, 37, 50, 162, 216, 250, 251, 293, 319 / IV-187 / V-34, 126
——大分支部長　V-125
——大分出張所　III-60, 119, 120, 139
——会計　V-140
——各営業所所長会　IV-214
——合併　I-265, 339, 379, 387, 388, 410, 414 / III-313
——合併延期契約　I-339,
——株　II-14 / III-16, 39, 321, 402 / IV-13, 82, 96, 114, 136, 138, 150, 181, 222 / V-148, 184
——株主　III-450
——株主総会　IV-251, 283
——株買収(買入)　IV-82, 96, 114
——歓迎会　IV-155
——関係会社　IV-277, 388
——監査役選挙　IV-80
——肝要録　IV-140
——給仕　IV-291
——九州重役会・協議会　I-228, 237*, 238, 282, 283*, 354 / II-142, 143*, 266, 267*, 285, 370, 371*, 402, 424 / IV-18, 42, 86, 98, 99*, 121, 127, 131*, 188, 214, 271, 326
——減配　III-448, 450 / V-71
——合同　IV-50, 186
——顧問[弁護士]　II-373 / IV-180
——採用　III-394 / IV-126, 130, 131
——自動車　IV-68, 126
——事務[所]　II-153 / III-233 / IV-283
——社長　IV-96, 78, 92
——就職　IV-332, 336
——重役　I-385 / II-158 / III-153, 244, 305, 452 / IV-26, 161 / V-50, 143
——重役会・重役協議会　I-237, 269, 288, 290, 312, 354, 367, 390 / III-4, 5*, 34, 35*, 50, 51*, 88, 114, 115*, 131, 139, 203, 212, 215, 230, 231, 232, 250, 251*, 274, 293, 313, 319, 326, 327*, 334, 335*, 338, 440 / IV-28, 30, 33, 36, 45, 52, 55, 59, 73, 76, 77*, 79, 81, 88, 93, 95, 102, 112, 146, 148, 153, 158, 159*, 161, 173, 179, 192, 197, 199, 200, 224, 226, 232, 242, 245, 252, 259, 266, 272, 277, 330, 344, 348, 356, 361, 364, 371, 378, 385, 392, 393 / V-17, 38, 60, 68, 76, 90, 98, 100, 134, 143, 152, 187
——重役選挙　III-305
——出張所　II-193 / III-119, 120, 188, 329, 330, 331, 440
——招待[会]　I-385 / III-296
——常務　III-422, 430
——賞与[金]　III-153 / IV-105, 200 / V-4
——職員　IV-212
——職責規約　III-430
——水利権買収問題　IV-68
——総会(惣会)　IV-101, 158, 251, 283, 304 / V-52, 100, 150, 165, 178
——創業時代　I-379
——積立金　IV-20
——電力故障　III-290
——答弁成案　IV-398
——独立経営　II-370
——内情確定　IV-96
——入社　III-25 / IV-302
——羽犬塚出張所[長]　III-97*, 98
——晩食会　IV-348
——福岡営業所　III-111 / IV-123, 175, 212, 213*, 301*
——福岡後援会　I-231*
——福岡支店　I-354
——福岡出張所　III-119, 120, 188
——別府営業所[長]　V-126, 155
——方針　IV-214, 215*, 294
——本社　III-60, 166 / IV-365*, 380, 390, 396 /

Ⅴ-8, 16, 25, 26, 52, 82, 86, 100, 114, 124, 134, 137, 140, 142, 146, 147, 152, 160, 170, 176, 178, 179, 186
——宮崎営業所　Ⅳ-104
——役員　Ⅳ-121
——雇入(雇用)　Ⅳ-102, 181, 189
——要録　Ⅳ-122
——利害調査　Ⅳ-113
——臨時総会　Ⅳ-251 / Ⅴ-150, 178
九水買入　Ⅳ-82
九水・九鉄合併　Ⅰ-387, 410, 414 / Ⅱ-376, 378, 383, 404
九水整理　Ⅱ-54
九水線借入　Ⅴ-186, 187*
九水・杖立重役[会]　Ⅲ-230 / Ⅳ-161
九水・東邦電力合併(合同)　Ⅲ-244 / Ⅳ-17, 50
九水問題　Ⅰ-372, 400
九水連　Ⅰ-368
九州製鋼会社　Ⅲ-29* / Ⅳ-54, 55*
九州送電株式会社(九送, 九送会社)　Ⅱ-316, 317*, 412, 413* / Ⅲ-130, 131*, 135, 174, 175*, 181, 184, 198, 206, 215, 279, 279*, 293, 320, 364, 365*, 374, 375, 380-382, 388, 399 / Ⅳ-36, 37*, 39, 68, 74, 75, 91-95, 101, 103, 168, 221*, 304, 305*, 311, 356, 372, 377 / Ⅴ-24, 25*, 26, 118, 119*, 123
——株　Ⅲ-184 / Ⅳ-221
——社長　Ⅲ-181
——就職　Ⅲ-380
——重役会　Ⅳ-91, 92, 94
——専務　Ⅳ-103
——入社　Ⅲ-374
——延岡線　Ⅳ-39
——宮崎県問題　Ⅳ-103
九送合同　Ⅳ-356
九送水力　Ⅴ-123
九送問題　Ⅳ-75, 95, 103
九州炭礦汽船株　Ⅲ-420
九州炭坑調査　Ⅱ-247, 284
九州炭田　Ⅰ-151
九州区域　Ⅲ-203*, 204, 215, 303, 305, 422 / Ⅳ-158, 166
九州地内供給区域拡張　Ⅳ-10
九州[帝国]大学(大学, 九大)　Ⅰ-194, 196, 197*, 297*, 298, 379, 411 / Ⅱ-57, 66, 204, 160, 170 / Ⅲ-14, 218, 219*, 233*, 281*, 344, 394, 404 / Ⅳ-192 / Ⅴ-183
九州帝国大学温泉治療学研究所(療養所)　Ⅴ-155*
九州帝国大学医科大学附属病院(大学病院)　Ⅰ-256, 297*, 298, 309, 326, 328 / Ⅱ-57 / Ⅲ-65, 88, 228, 229, 233*, 242, 281, 303, 404 / Ⅳ-48, 49*, 280, 300, 306, 320, 326 / Ⅴ-97*, 99, 162, 163*
九州帝国大学法文学部祝賀会　Ⅳ-30, 31*
九州帝国大学本部　Ⅰ-194, 196, 197*
九州鉄道株式会社　Ⅰ-36, 37*, 87, 135
九州鉄道管理局[長・員]　Ⅰ-200, 206, 313, 339 / Ⅱ-6, 22, 50, 56, 62, 63*, 64, 78, 152, 190, 191*, 383* / Ⅲ-42, 43*
九州鉄道訴訟事件　Ⅰ-135
九州電気軌道株式会社(九軌)　Ⅰ-353, 398, 399*, 401, 417 / Ⅱ-151*, 160, 163, 238, 239* / Ⅲ-120, 121*, 125, 140, 162, 163*, 166, 176, 194, 195*, 198, 202-204, 230, 266, 267*, 280, 286, 304, 382, 383*, 388, 394, 400, 412, 413, 417, 422 / Ⅳ-123*, 124, 128-130, 134, 135, 137-144, 147, 160, 182, 189, 192, 194, 195, 204, 214, 215*, 216, 221, 222, 224, 229, 230, 241, 248, 256, 257, 260-264, 266, 268-272, 273*-275, 277, 278, 280-283, 294, 295, 310, 311*, 314, 315*, 316, 322, 324, 334, 337-339, 344, 349, 354, 356, 358-360, 362, 363, 364, 369, 370, 372, 373, 375-377, 380, 383, 385, 387, 388, 390, 392, 395, 398 / Ⅴ-6, 7*, 14, 36, 44, 46, 47*-51, 55-59*, 66-68, 70, 71, 73, 80, 82, 85, 86, 90, 98, 120, 121*, 123, 132, 134, 137, 138, 141, 142, 146, 150, 151, 155, 156, 159, 161, 173, 180

——会長問題　Ⅳ-256
——株　Ⅰ-401 /Ⅳ-128-130, 135, 137-142, 144, 147, 160, 214, 216, 221, 224, 229, 230, 257, 261, 262, 275, 294, 295, 358 /Ⅴ-138
——株買収(買入)　Ⅳ-128, 138, 140, 141, 142, 144, 147, 160, 216, 224, 229, 230, 262, 358
——株引受　Ⅳ-214-216, 261, 294, 295
——火力　Ⅳ-270
——合同　Ⅳ-222, 224
——始末　Ⅳ-354
——社債　Ⅳ-362, 364, 369 /Ⅴ-159
——社長　Ⅳ-260, 383
——就職　Ⅳ-362, 368
——常任重役手当　Ⅴ-71
——重役　Ⅳ-277, 334, 358, 380, 385, 390
——重役会　Ⅳ-282, 363, 372, 376, 387, 392, 395 /Ⅴ-55, 59, 66, 70, 85, 132, 142, 151, 161, 180
——賞与　Ⅳ-269
——総会　Ⅳ-359 /Ⅴ-51, 70
——調査[書]　Ⅳ-123, 262
——値下問題　Ⅳ-324
——負債　Ⅳ-315, 337
——不正事件　Ⅴ-46, 47*
——本社　Ⅴ-142
——役員　Ⅳ-263
九軌・九水合同　Ⅲ-230 /Ⅳ-222, 224
九軌処分問題　Ⅴ-59*
九軌突発事件　Ⅳ-272, 273*, 275, 278, 314, 315*, 316, 337, 338, 364, 388
九軌買収(買入)　Ⅳ-204, 263
九軌不始末　Ⅳ-375
九軌問題　Ⅳ-280, 310
九州電気業新聞社　Ⅳ-126, 127*
九州電気工業株式会社(電気工業, 電化会社)　Ⅱ-24 /Ⅳ-153*, 187, 314, 315*, 388, 389* /Ⅴ-48, 49*, 166, 167*
九州電気工業日出工場　Ⅳ-187
九州電気(筑後電気株式会社)　Ⅲ-319*, 340
九州電気酸素株式会社　Ⅲ-108, 109*
九州電気事業社(電業社)　Ⅳ-163, 193
九州電気統制　Ⅳ-222
九州電灯鉄道株式会社(九鉄)　Ⅰ-30, 36, 37, 40, 49, 62, 64, 74, 153, 156, 222, 223*, 232, 237, 260, 262, 300, 301*, 313, 332, 349*, 387, 388, 390, 412, 417, 418 /Ⅱ-60, 61*, 68, 80, 81*, 83, 227, 238, 239*, 310, 311*, 317, 326, 330, 342, 344, 357, 366, 370, 371*, 376, 378, 380, 381, 383, 385*, 386, 432 /Ⅲ-170
——委員　Ⅰ-260
——運賃下　Ⅰ-36
——貨車配置　Ⅰ-49
——合併[問題]　Ⅰ-300, 332, 388, 390 /Ⅱ-366, 376, 378, 383, 404
——社長　Ⅰ-30, 412 /Ⅱ-317
——九水訴訟　Ⅱ-385*, 386
——主任　Ⅱ-432
——竣工式　Ⅱ-80
——招待会　Ⅰ-237
——本社　Ⅱ-60, 376
九州電力統一　Ⅱ-321 /Ⅲ-321 /Ⅳ-221 /Ⅴ-26
九州電力値下　Ⅴ-96
九州土地会社　Ⅴ-44, 45*
九州ニコニコ新聞社　Ⅱ-162
九州日報　Ⅰ-108, 109* /Ⅱ-22, 23*, 178, 343* /Ⅲ-130, 131* /Ⅳ-98, 99*, 236
九州評論　Ⅳ-76
九州保全会社　Ⅳ-275*, 364, 365*
救助(救介)　Ⅲ-226, 227*, 274, 279, 313 /Ⅳ-167, 201, 233
救助金　Ⅲ-226, 227*
休職　Ⅰ-11, 377 /Ⅳ-388
給水　Ⅰ-42, 43, 370 /Ⅱ-197, 230
給水工事　Ⅰ-42 /Ⅱ-197
久大線　Ⅰ-386, 387*, 416, 417 /Ⅲ-424, 425* /Ⅳ-16, 17*
久大線変更運動　Ⅲ-424
九大薬剤師　Ⅲ-14
旧宅　Ⅰ-188 /Ⅲ-304
九炭　Ⅴ-49*

九日新聞　Ⅳ-236, 237*
牛馬保険会社　Ⅰ-327
旧藩主　Ⅲ-193
級別廃止　Ⅱ-314
旧盆　Ⅱ-338, 360, 408 / Ⅲ-46, 218, 328, 422 / Ⅳ-83, 84, 168, 174 / Ⅴ-178
休養　Ⅳ-256 / Ⅴ-116, 184
救与金　Ⅱ-294
給料(給与)　Ⅰ-167, 177, 214 / Ⅱ-135, 226, 358 / Ⅲ-202, 272
教育　Ⅲ-103
教育学館(福岡県教育会館)　Ⅴ-83*
教育協会　Ⅳ-181
教育令発布五十年紀念　Ⅲ-4, 5*
教育力　Ⅰ-138
教員　Ⅲ-4, 6
饗応　Ⅰ-21, 30, 109, 162, 324, 372, 373, 406 / Ⅱ-394, 398, 420 / Ⅲ-7, 161, 181, 203, 208, 284, 284, 311, 319, 389, 390, 394, 400 / Ⅳ-34, 52, 58, 88, 159, 238, 246, 254, 256, 312, 314, 336, 344, 372, 373 / Ⅴ-22, 36, 52, 71
境界　Ⅰ-304 / Ⅱ-388, 411 / Ⅲ-6, 18, 19, 110, 207, 243, 295, 409, 410 / Ⅳ-126, 229, 238, 240, 270, 330, 350, 355
協会員選挙　Ⅳ-49
境界実測図　Ⅳ-126
教会設立　Ⅲ-320
教元寺　Ⅰ-147
協議委員長　Ⅳ-339
協議(義)会　Ⅰ-110 / Ⅱ-194, 195, 344, 354, 409, 424 / Ⅲ-12, 14, 31, 50, 102, 162, 203, 216, 250, 251, 274, 306, 309, 447 / Ⅳ-18, 19, 42, 86, 98, 101, 121, 124, 127, 131, 177, 188, 192, 214, 219, 224, 240, 271, 272, 282, 296
協議録　Ⅴ-26
共済会社(無尽共済貯金株式会社)　Ⅱ-48, 49*
共済貯金株式会社　Ⅰ-318, 319*, 325
協賛員　Ⅲ-12
協賛会(東亜勧業博覧会)　Ⅰ-288, 289 / Ⅲ-408, 409*, 411
行事予記　Ⅰ-77
共進会(九州沖縄八県連合共進会)　Ⅰ-139* / Ⅱ-395* / Ⅲ-300
共進亭(西洋料亭)　Ⅰ-151*, 375*, 379, 398, 406 / Ⅱ-20, 21*, 74, 174, 175*, 245*, 337* / Ⅲ-353* / Ⅳ-232, 233*, 256, 257*, 259, 273, 274, 276, 284, 304, 305*, 310, 321*, 322, 336, 342, 344, 349, 356, 364, 365, 368, 370, 373, 374, 378, 381, 385, 392, 396 / Ⅴ-28, 29*
行政　Ⅰ-242
行政裁判所　Ⅰ-28, 214
競争　Ⅲ-332, 382, 388 / Ⅳ-39, 40, 66, 222 / Ⅴ-160, 170
競争区域　Ⅲ-382
競争者　Ⅰ-167 / Ⅳ-66
競争入札　Ⅲ-332
協調会　Ⅳ-384, 385*
協定[区・区域]　Ⅰ-4, 112, 132, 137, 154, 207, 262, 316, 318, 320, 346 / Ⅱ-14, 18, 27, 28, 182, 247, 275, 314, 373, 384, 386, 394, 402 / Ⅲ-92, 212, 236, 388, 417 / Ⅳ-56, 66, 355 / Ⅴ-18, 96
協定書　Ⅲ-92
京都[駅]　Ⅰ-29, 155, 245, 246 / Ⅱ-34, 42, 181, 370 / Ⅲ-67, 108, 172, 216, 241, 242, 245, 300 / Ⅳ-89, 99, 129, 146, 150, 224-226, 232, 236, 237 / Ⅴ-82, 69
京都ガス会社　Ⅱ-76
京都滞在　Ⅳ-99
共同火災海上保険株式会社　Ⅱ-192, 193*
共同火力発電所[計画]　Ⅴ-178, 179*, 187
共同組合　Ⅲ-453
共同経営　Ⅲ-355
共同坑業　Ⅰ-226
共同坑区　Ⅱ-146, 147* / Ⅲ-277*, 278, 307, 382, 383 / Ⅳ-68, 69*
共同事業　Ⅴ-69
共同地所　Ⅲ-378
共同醤油醸造　Ⅰ-140

共同農作　Ⅲ-398 / Ⅳ-40, 43, 46-50, 61
共同[坑区]買収　Ⅲ-307, 382, 383
共同(協同)販売　Ⅰ-127, 131, 137, 142 / Ⅲ-284, 285*, 292
競売　Ⅰ-322, 323, 395 / Ⅲ-54, 347 / Ⅳ-114
業務打合　Ⅰ-350 / Ⅱ-138, 422
業務規定　Ⅳ-174
協約　Ⅲ-302
共有山林　Ⅲ-378
共有地　Ⅱ-240, 242, 246, 256, 385 / Ⅲ-338, 378, 418
共楽亭(料亭)　Ⅱ-394, 395* / Ⅳ-187*
橋梁　Ⅰ-96, 283 / Ⅴ-124
清川楼　Ⅰ-320
喜代吉地所　Ⅳ-352
局長　Ⅰ-148, 154, 206, 230, 313, 334, 335, 339, 365, 367, 413 / Ⅱ-10, 11, 22, 24, 38, 47, 50, 56, 58, 62, 64, 72, 140, 152, 179, 190, 194, 230, 236, 275, 325, 334, 345, 348, 379, 409 / Ⅲ-106, 170, 197, 209, 241, 404 / Ⅳ-126, 128, 194, 336 / Ⅴ-51
極東商事株式会社　Ⅳ-312, 313*, 314 / Ⅴ-90, 91*
玉宝堂　Ⅰ-23*, 39
清水寺　Ⅰ-246
切込炭　Ⅰ-127
桐野坑災害　Ⅱ-97*
伐払場所　Ⅴ-110
汽力　Ⅴ-29
金員援助　Ⅱ-270
金員寄付　Ⅳ-82
金員仕払方法　Ⅲ-345
近栄電気株式会社　Ⅴ-177*
銀貨　Ⅰ-423
金閣寺　Ⅰ-246
金宮鉄道　Ⅲ-455* / Ⅳ-15*, 16, 19, 23, 24, 26, 32, 43, 58, 63, 66, 71-73, 85, 117*, 124, 134, 136, 138, 141, 144, 155, 161 / Ⅴ-119*, 120, 122, 124, 130
——株　Ⅳ-16, 58, 161
——重役会　Ⅳ-66
——精算人　Ⅳ-155
——接続線　Ⅳ-73
——総会　Ⅳ-24
金鉱(金山)　Ⅴ-29, 31, 36, 37*, 180, 182, 185*, 188
金鉱視察　Ⅴ-36, 37*
金鉱(金坑・金山)調査　Ⅴ-180, 182, 188
銀坑山買入　Ⅰ-302
銀行　Ⅰ-8, 39, 72, 73, 78, 97, 122, 126, 149, 168, 176, 177, 194, 207, 226-228, 230, 232, 236, 254, 263, 267, 280, 283, 288, 314, 317-319, 325, 339, 344, 353-356, 363, 381, 382 / Ⅱ-32, 48, 54, 58, 78, 79, 86, 98, 100, 110, 137, 164, 166, 174, 187, 211, 226, 229, 244, 248, 257, 277, 284, 288, 290, 293, 304, 310, 334, 335, 358, 360, 398, 401, 423, 431, 432 / Ⅲ-16, 19, 25, 29, 57, 68, 69, 76, 77, 82, 84, 89, 90, 100-102, 104, 112-114, 120, 124, 126-132, 134, 136, 145, 149, 158, 160, 164, 165*, 170, 178, 180, 182-184, 186, 187*, 196, 197, 199, 200, 206, 208, 209, 220, 225, 226, 230, 235, 243-246, 253, 254, 264, 268, 273, 278-280, 289, 290, 296, 297, 300, 306, 313, 314, 322, 339-341, 347, 348, 354, 374, 376, 386, 390, 394, 397, 400, 402, 404, 406, 414, 417, 418, 430, 437, 439, 441, 444 / Ⅳ-37, 40, 44, 45*, 46, 48, 58, 61, 62, 73, 100, 128, 134, 156, 158, 161, 162, 165, 168, 199, 201, 203, 218, 224, 226, 241, 245, 260, 278, 288, 296, 302, 312, 338, 343, 344, 349, 353, 355, 356, 362, 368 / Ⅴ-36, 52, 54, 76, 90, 101, 132, 155, 156, 168, 175
——会議　Ⅰ-267
——課長　Ⅲ-208, 209
——合併　Ⅲ-82
——株売却　Ⅲ-439 / Ⅳ-245
——株引受　Ⅲ-132
——借入金　Ⅰ-39 / Ⅲ-57, 124, 178, 235 / Ⅳ-58, 362
——為替　Ⅰ-317
——勘定方　Ⅲ-90

——監督　Ⅲ-243
——休業　Ⅲ-402
——(金融)救済　Ⅱ-304, 310, 290 / Ⅲ-55, 129, 199, 208, 314, 390, 416, 418, 420
——経営　Ⅲ-347 / Ⅳ-288
——決議録　Ⅲ-124
——決算　Ⅰ-226 / Ⅱ-257 / Ⅲ-89, 196 / Ⅳ-356
——検査役　Ⅰ-254
——減資　Ⅲ-453
——減配問題　Ⅲ-199
——合同[委員会]　Ⅲ-69, 89, 129, 130, 132, 136, 158, 160, 164, 165*, 180, 186, 196, 313, 437 / Ⅳ-37, 45
——合同総会　Ⅲ-136
——支店長　Ⅰ-354
——集会所　Ⅲ-186, 187* / Ⅳ-44, 45*
——重役会　Ⅰ-236, 318 / Ⅲ-25, 29, 126, 296
——[重役]賞与金　Ⅰ-8, 314 / Ⅲ-77 / Ⅳ-165
——所有地(土地)　Ⅲ-347 / Ⅳ-54, 161, 162, 194, 441
——整理　Ⅲ-226, 228, 234, 276, 278, 279, 282, 318, 346, 354 / Ⅳ-201
——総会　Ⅰ-8, 126 / Ⅱ-334 / Ⅳ-73, 368
——[倉庫]調査(取調)　Ⅰ-319 / Ⅱ-288 / Ⅲ-210, 217, 234 / Ⅳ-48
——増設　Ⅰ-194
——創立　Ⅲ-129
——組織　Ⅲ-126
——代理店(嘉穂)　Ⅲ-195
——担保　Ⅰ-122
——手当　Ⅱ-293
——頭取選定　Ⅲ-127
——取付　Ⅱ-78, 79 / Ⅳ-156
——副頭取　Ⅳ-218
——負債　Ⅲ-246, 290 / Ⅳ-58
——不動産　Ⅴ-90
——振込　Ⅲ-253
——報酬　Ⅲ-70, 76
——持株　Ⅲ-136
——問題　Ⅲ-340, 354
——融通金　Ⅲ-406
——預金　Ⅰ-318, 325 / Ⅱ-48, 86, 431 / Ⅲ-112, 184, 348
——利子　Ⅲ-200
銀行員(職員・行員)　Ⅰ-8, 12, 64, 300, 305, 325 / Ⅱ-54, 116, 248, 254, 294, 304, 358, 366, 426 / Ⅲ-92, 115*, 181, 188, 189, 271, 272, 332, 419 / Ⅳ-216, 296, 343
銀行家　Ⅳ-163, 199, 226, 312, 343, 349, 353 / Ⅴ-36, 124, 155, 156, 175
銀行協会　Ⅳ-44, 45*
銀行局長　Ⅰ-339 / Ⅲ-170, 209, 197
銀行団総会　Ⅲ-186, 187*
銀行連　Ⅱ-244
金庫検査　Ⅰ-370
斤先掘　Ⅰ-239 / Ⅳ-99*
金山ケーブルカー(別府)　Ⅳ-118, 119*
禁酒日　Ⅳ-316
謹慎　Ⅲ-364
銀水村(三池郡)　Ⅲ-395
金銭　Ⅴ-103, 163
金銭出納録　Ⅰ-419 / Ⅱ-97, 208, 248, 293, 358, 425 / Ⅲ-71, 143, 256, 358 / Ⅳ-205, 288 / Ⅴ-103
勤続表彰(表賞)　Ⅲ-25*, 29*, 304, 355 / Ⅳ-47, 235
勤怠簿　Ⅰ-53
金時計　Ⅱ-68
金盃　Ⅰ-317
金融　Ⅰ-78, 176, 377 / Ⅱ-158, 272, 420 / Ⅲ-68, 40, 48, 86, 130, 181, 292, 340-342, 387, 402-404, 407, 417, 454 / Ⅳ-77, 80, 114, 129, 134, 150, 249, 262, 264, 318, 372, 381, 395 / Ⅳ-148, 176 / Ⅴ-16, 24, 26, 36, 54, 121, 150
金融問題　Ⅳ-176
金利問題　Ⅲ-334

く

区域　Ⅰ-158, 204, 307 / Ⅲ-106, 166, 278
区域拡張　Ⅰ-158
区域変更　Ⅰ-204

区員協義　Ⅲ-275
宮司　Ⅲ-306, 334, 367, 426 / Ⅳ-55, 130, 146, 163, 308 / Ⅴ-72
区会　Ⅳ-56
区画整理　Ⅳ-264
鵠沼(神奈川県高座郡)　Ⅳ-82, 83*, 86
区裁判所　Ⅰ-323 / Ⅱ-288
区裁判所昇格願　Ⅱ-288
区境　Ⅳ-330
草刈　Ⅳ-156
草木　Ⅴ-112
草屋　Ⅰ-268
櫛田宮(櫛田神社)　Ⅲ-254, 255*, 382, 383* / Ⅳ-136, 137*
区署　Ⅱ-332
楠　Ⅰ-111, 104 / Ⅲ-169 / Ⅳ-334 / Ⅴ-92, 98, 110, 116, 130
玖珠川　Ⅰ-368, 369* / Ⅱ-150, 151*
玖珠郡(大分県)　Ⅰ-387 / Ⅱ-148, 292 / Ⅲ-106 / Ⅳ-77, 82, 162
楠田病院　Ⅳ-190
薬　Ⅱ-135
区惣代　Ⅰ-305
口書　Ⅰ-264
口春(口原)(永富家)　Ⅱ-25*, 398, 406, 407* / Ⅳ-376, 377*
口春(嘉穂郡稲築村)　Ⅱ-398, 399* / Ⅲ-196, 197*
口開キ　Ⅰ-293
区長　Ⅰ-106, 126, 142, 207, 283, 286, 394 / Ⅱ-264, 314, 374, 423 / Ⅲ-118, 181, 190, 277, 298, 338, 381, 404, 456 / Ⅳ-46, 55, 56, 202, 238 / Ⅴ-7, 34, 35, 58, 182
区長代理　Ⅱ-264
掘進打合　Ⅳ-366
クヌ木　Ⅱ-292
久原(西松浦郡山代村)　Ⅰ-411 / Ⅱ-384, 385*, 402
久原地所整理　Ⅱ-384
久原塩田　Ⅰ-249*
久原君事業　Ⅰ-353
久原鉱業株式会社(佐賀関)　Ⅲ-270, 271*
久原鉱業所(久原坑)　Ⅰ-128, 129*, 130, 132, 157*, 158, 205*, 239*, 256, 266, 267, 314, 366, 367* / Ⅱ-42, 43*, 45, 46, 67, 144, 145*, 146, 184, 187, 208, 222, 223*, 244
亀浦(朝鮮)　Ⅰ-250 / Ⅱ-306
久保川製塩所　Ⅰ-227
熊谷村長　Ⅲ-330
球磨郡(熊本県)　Ⅱ-352
熊崎(飯塚市立岩)　Ⅰ-299, 300 / Ⅳ-48, 49*
熊崎支線　Ⅰ-300
熊本[県・市]　Ⅰ-70, 79, 85, 91, 212 / Ⅱ-200, 256, 332, 344, 352, 415 / Ⅲ-64, 99, 184 / Ⅳ-182, 227, 266, 267, 333 / Ⅴ-46, 48, 155, 160, 169, 186
熊本県警察部長　Ⅳ-123, 124
熊本県知事　Ⅱ-415* / Ⅲ-56 / Ⅳ-340
熊本県庁　Ⅳ-144
熊本裁判所　Ⅲ-36
熊本税務署　Ⅴ-46, 48
熊本大林区署長　Ⅱ-332
熊本逓信[管理]局[長]　Ⅱ-24, 58, 230 / Ⅳ-126, 182, 383 / Ⅴ-155*, 169
熊本電信局[長]　Ⅱ-234, 379
熊本城　Ⅲ-184
熊本城誌　Ⅲ-184
熊本電気株式会社　Ⅲ-387*, 394, 413 / Ⅳ-221*, 243, 380, 381*, 385, 390, 392 / Ⅴ-142, 143*
——株買入　Ⅳ-390
——買収　Ⅳ-385
熊本発起人訪問　Ⅲ-64
組合会　Ⅰ-295, 330 / Ⅱ-180, 181*, 370
組合組織　Ⅰ-268 / Ⅱ-314
組合方法改正(問屋組合)　Ⅰ-332
組合名義　Ⅰ-150
区民　Ⅲ-67, 156, 276
区持(栢森区共有地)　Ⅱ-384, 385*
区持買上　Ⅱ-384
供物　Ⅲ-238 / Ⅴ-64
悔[ミ]　Ⅰ-58, 144, 220, 222–224, 232, 374 / Ⅱ-61, 198, 208, 224, 352, 413 / Ⅲ-11, 27,

127*, 329*, 384*, 385*, 389, 404 /Ⅳ-30, 31, 76, 83, 103, 150, 166, 170, 250, 258, 260, 324, 354, 142 /Ⅴ-88, 98
悔電　Ⅲ-335, 367 /Ⅳ-78, 180 /Ⅴ-63, 64, 150
区有地　Ⅱ-261 /Ⅲ-275
区有林　Ⅳ-80
蔵　Ⅰ-234
蔵内貸金(貸付)　Ⅰ-276, 277, 280, 285
蔵内九鉄事件　Ⅰ-154
クラッシャー　Ⅱ-77, 228, 344 /Ⅲ-282 /Ⅳ-178, 179* /Ⅴ-36, 37*, 178, 179*
鞍手[郡]　Ⅰ-30, 44, 64, 287, 293, 296, 402 /Ⅱ-26, 28-30, 37, 228, 230 /Ⅲ-99, 100, 214, 324, 332 /Ⅳ-20, 226
鞍手銀行　Ⅲ-40, 41*, 54, 57, 182, 183*, 207, 316, 317*, 350, 351, 352, 354, 366, 367*, 390, 391, 393, 401, 416, 418, 420, 453, 455
——仕払停止　Ⅲ-401
鞍手郡候補者　Ⅲ-100
鞍手郡長　Ⅲ-324
鞍手中学校　Ⅱ-228, 229*
鞍手有志　Ⅰ-296
クラブ(九州産業鉄道倶楽部)　Ⅳ-64, 65*
倶楽部(麻生商店集会応接所)　Ⅰ-32, 88 /Ⅱ-126, 127*, 132 /Ⅲ-14, 15*, 42, 181*, 337*, 338, 339, 358, 454, 455* /Ⅲ-454, 455* /Ⅳ-46, 342 /Ⅴ-130
グランド　Ⅴ-158, 159*
栗尾(飯塚町鯰田)　Ⅰ-130 /Ⅳ-332, 333*
クリスマス　Ⅲ-254,
栗の木　Ⅳ-334
栗林　Ⅳ-278, 279
車賃　Ⅰ-44, 91
久留米[駅]　Ⅰ-10, 53, 84, 85, 179, 269, 416, 417 /Ⅱ-11, 60, 74, 147, 184, 186, 192, 204, 383 /Ⅲ-47, 49, 296, 300, 309, 342, 405, 435, 451, 456 /Ⅳ-6, 72, 228, 258, 273, 297, 366 /Ⅴ-18, 32, 38, 52, 60-62, 68, 164
久留米医専校長　Ⅴ-21
久留米植木共進会　Ⅲ-300
久留米植木組合　Ⅳ-45
久留米市長　Ⅲ-424
久留米大本営　Ⅰ-179,
クレー試験場　Ⅲ-414, 415*
クレー射撃(クレウチ)　Ⅲ-430, 431*
呉港　Ⅲ-59
黒川(佐賀県西松浦郡黒川村) /Ⅰ-224, 226, 261, 264
黒川塩田(製塩)　Ⅰ-224, 225*, 226, 261*, 264
黒崎(遠賀郡黒崎町)　Ⅲ-88, 94, 283*
黒崎越　Ⅴ-142, 143*
黒崎町長　Ⅲ-88
黒崎ノ弁債　Ⅲ-110
黒田家祭典(黒田家三百年祭)　Ⅱ-346, 347*
黒田公爵別邸(福岡市浜町)　Ⅱ-38, 39*, 380 /Ⅲ-306, 307*, 408, 409* /Ⅴ-76, 77*
黒元(飯塚町立岩)　Ⅳ-56, 57*
鍬入[式]　Ⅴ-112, 166
桑畑片付　Ⅳ-336
郡委員　Ⅱ-184
郡会　Ⅰ-136, 270 /Ⅱ-152, 196
——委員　Ⅱ-338
——議員　Ⅰ-136, 323
——議長　Ⅱ-196
郡会合　Ⅱ-14
郡関係者　Ⅱ-274
郡参事員　Ⅰ-224
郡参事会　Ⅰ-198, 224
郡市委員会　Ⅲ-239
郡集会　Ⅱ-178
郡書記　Ⅰ-30 /Ⅱ-352 /Ⅲ-249, 276
軍人　Ⅱ-174, 179 /Ⅲ-440, 441 /Ⅴ-38, 110, 86
軍人団組織　Ⅲ-181
郡勢之進運　Ⅰ-201
郡制廃止　Ⅱ-314
郡総代(郡代表)　Ⅰ-293 /Ⅲ-207
郡治　Ⅰ-238, 323 /Ⅲ-311
郡長　Ⅰ-28, 30, 31, 34, 60, 62, 64, 66, 79, 90, 100, 104, 106, 110, 124, 133-135, 142, 198, 250, 266, 270, 283, 288, 292, 309, 316, 365 /Ⅱ-28, 71-74, 76, 142, 144, 147, 148, 164,

172, 176, 178, 179, 181, 183, 184, 189, 190, 196, 228, 230, 256, 288, 316, 332, 339, 406, 410, 419 / Ⅲ-8, 26, 94, 129, 135, 189, 190, 206, 210, 212, 235, 238, 272, 277, 311
郡内協議会　Ⅳ-19
郡内村長会議　Ⅰ-108
郡内町村長　Ⅲ-190, 276
郡内平和　Ⅳ-18, 100
郡［内］有志者［集会・招待会］　Ⅰ-344 / Ⅱ-165, 280, 369 / Ⅲ-87, 266, 276, 278, 332 / Ⅳ-217, 302 / Ⅴ-112
郡廃止　Ⅲ-315
郡費補助　Ⅰ-304
郡補介　Ⅰ-227
郡民代表　Ⅱ-178
郡役所　Ⅰ-104, 110, 124, 134, 142, 198, 211, 266, 283 / Ⅱ-137, 174, 176, 178, 182, 184, 288 / Ⅲ-402
郡吏　Ⅰ-60

け

経営　Ⅰ-80, 130, 208, 344 / Ⅱ-4, 45, 317, 370 / Ⅲ-4, 39, 197, 264, 340, 392, 400 / Ⅳ-12, 118, 222, 278, 302 / Ⅴ-29, 56, 84, 172
経営困難　Ⅳ-172, 226
経営方針　Ⅰ-130 / Ⅱ-370
計画図面　Ⅰ-329
計画大方針　Ⅰ-61
経財談　Ⅰ-32
警察　Ⅱ-179 / Ⅲ-26, 30, 36, 143, 184, 205, 229, 238, 289, 292, 376, 380, 410, 412, 418 / Ⅴ-33, 40, 55, 95, 100, 155
警察員［講習会］　Ⅴ-100, 156
警察署［長］　Ⅰ-58, 112, 158, 203, 245, 375 / Ⅱ-71, 148, 164, 175, 176, 181, 220, 260, 283, 284, 348, 372, 392, 395 / Ⅲ-26, 28, 53, 238, 330, 378, 376, 380, 402, 412, 418, 427, 436 / Ⅳ-6, 54, 58, 102, 155, 157, 163, 173, 274, 278, 357 / Ⅴ-20, 60
警察電話　Ⅱ-177
警察図書館寄付　Ⅳ-99
警察部［長］　Ⅱ-73*, 142, 143*, 167, 175, 198, 220, 221*, 281*, 284, 289*, 325*, 326, 380, 381*, 418 / Ⅲ-30, 36, 184, 205, 229, 410, 432 / Ⅳ-68, 123, 124, 167, 180, 220, 364 / Ⅴ-33, 40, 55, 155
警察部長官舎　Ⅴ-55
警察奉職　Ⅴ-95
計算　Ⅲ-14, 318, 366, 439 / Ⅳ-160, 161, 192, 396 / Ⅴ-175, 176
計算項目　Ⅰ-273
計算書　Ⅰ-57, 403 / Ⅲ-14, 366, 387 / Ⅳ-192, 398 / Ⅴ-176
計算表　Ⅲ-13
警視　Ⅱ-392 / Ⅳ-58
芸者（芸妓）　Ⅰ-8, 102, 103, 249, 336 / Ⅱ-195, 200, 209, 220, 326, 368, 418 / Ⅳ-110, 386 / Ⅴ-58, 153
芸者祝義（花）　Ⅱ-195, 326
京城（朝鮮）　Ⅲ-426
桂川（嘉穂郡桂川村）　Ⅰ-32, 33* / Ⅱ-88, 95
桂川坑区　Ⅳ-193*
桂川村長　Ⅰ-14, 15, 57, 58 / Ⅱ-95
競馬場　Ⅲ-339
警部　Ⅰ-11, 12, 110, 126 / Ⅲ-396
警部長　Ⅰ-120, 148
軽便鉄道（鎮西軽便鉄道株式会社）　Ⅱ-170, 171*
警務課長　Ⅱ-178, 401
警務部長　Ⅰ-120 / Ⅲ-336
契約［証］　Ⅰ-8, 9, 12, 140, 239, 262, 339, 348, 349 / Ⅱ-74, 96, 190, 191, 196, 203, 208, 223, 227, 264, 288 / Ⅲ-46, 62, 71, 246, 250, 271, 272, 313, 330, 334, 391, 398 / Ⅳ-68, 71, 92, 126, 146, 224, 267 / Ⅴ-137, 138, 170
契約案　Ⅰ-239, 262 / Ⅳ-224
契約改正　Ⅲ-250
契約金　Ⅲ-46
契約証整理　Ⅰ-140
契約譲受　Ⅰ-339
契約成立　Ⅰ-262 / Ⅳ-267
契約炭　Ⅰ-348

経理課長　Ⅲ-241
経理部長　Ⅱ-345
外科　Ⅰ-202
外科医開業　Ⅳ-361
外科部長　Ⅲ-281
下女　Ⅰ-76, 96, 174 / Ⅱ-152 / Ⅳ-119 / Ⅴ-72
化粧室　Ⅱ-318
化粧道具(玩具)　Ⅰ-76
血圧　Ⅲ-63 / Ⅴ-56
結果打合　Ⅰ-234
結果報告　Ⅰ-297
欠陥地弁償　Ⅲ-116
決議[録]　Ⅰ-40, 165, 262, 295, 296, 311, 312 / Ⅱ-90, 152, 200, 262, 394 / Ⅲ-13, 16, 130, 203, 250 / Ⅳ-26, 95, 178, 222, 282, 302 / Ⅴ-14, 44
月給(月俸)　Ⅰ-50, 110 / Ⅱ-135, 306
結婚　Ⅰ-99 / Ⅲ-398 / Ⅳ-268
決算[書]　Ⅰ-184, 310, 381, 416 / Ⅱ-54, 55, 386 / Ⅲ-42, 106, 109, 196 / Ⅳ-54, 61, 246, 277, 281, 339 / Ⅴ-46, 53, 95, 96, 101, 159
決算委員会　Ⅰ-184
決算打合　Ⅴ-96
決算項目　Ⅰ-310
決算報告　Ⅴ-53, 95
欠落地[所]　Ⅰ-60, 374, 376 / Ⅱ-52, 260, 276, 278, 280, 284, 285, 318, 348, 371, 372, 348, 280, 314 / Ⅲ-18, 117 / Ⅳ-86 / Ⅳ-8
欠路地　Ⅲ-410
下男　Ⅱ-152 / Ⅲ-104, 401, 427 / Ⅳ-112
検見　Ⅰ-276 / Ⅲ-449
芥屋大門　Ⅴ-147*
下痢[病・薬]　Ⅰ-9, 10, 12, 202, 203, 294, 362 / Ⅱ-52, 63, 140, 141, 291, 292 / Ⅲ-194, 289, 398, 399, 418 / Ⅳ-64, 65, 266, 284 / Ⅴ-62
県土木課　Ⅴ-146
県会議員　Ⅰ-186, 322, 327, 402 / Ⅱ-122, 162, 172, 274 / Ⅲ-48, 208, 238, 353, 424, 427, 428, 444, 448 / Ⅳ-26, 100, 104, 110, 114, 150, 152, 160, 278, 331, 368, 376, 382 / Ⅴ-12, 16, 30
——運動費　Ⅰ-327 / Ⅲ-124
——候補　Ⅳ-110, 150, 152, 331, 376
——選挙　Ⅲ-427, 428 / Ⅳ-160, 382
県会議長　Ⅲ-394
県会建議　Ⅳ-279
現株割宛　Ⅱ-395
県官　Ⅰ-224 / Ⅱ-157 / Ⅳ-101, 339
県官不法処置　Ⅳ-101
玄関　Ⅱ-311, 377 / Ⅲ-229, 419 / Ⅳ-300, 328, 371, 385 / Ⅴ-8, 9, 28, 80, 96, 146
建議　Ⅰ-255 / Ⅳ-280
研究　Ⅰ-63, 71, 85, 145, 166, 212, 228, 256, 260, 264, 288, 302, 304, 307, 310 / Ⅱ-42, 126, 138, 160, 163, 200, 201, 226, 227, 246, 276, 292, 371, 398, 419, 421, 422 / Ⅲ-6, 22, 69, 104, 106, 108, 118, 164, 198, 199, 209, 216, 230, 236, 245, 274, 280, 313, 397, 398, 416, 418, 428, 436, 448, 450 / Ⅳ-16, 27, 50–52, 81, 85, 89, 91, 126, 136, 145, 146, 152, 278, 279, 314, 333, 368, 370 / Ⅴ-46, 89, 100, 101, 124, 168, 170, 185
研究会　Ⅰ-182, 183*, 185 / Ⅲ-82, 83*, 183*, 222, 349
研究結果報告　Ⅴ-101
研究室　Ⅰ-202
研究所(筑豊石炭鉱業組合炭鉱変災予防研究所)　Ⅰ-401, 404, 405*
現業員　Ⅴ-97
現金　Ⅰ-258, 356, 399 / Ⅱ-41, 103–105, 358, 359, 361, 362, 425 / Ⅲ-60, 75, 77, 80, 125, 126, 345, 350 / Ⅳ-51, 126, 141, 278, 355 / Ⅴ-43
県金庫調査　Ⅲ-101
減掘　Ⅰ-98
県郡(郡県)支金庫　Ⅱ-276, 277, 278
元寇防塁　Ⅲ-183
検査　Ⅰ-4, 5, 8, 30, 104, 156, 230, 254, 309, 370, 409 / Ⅱ-57, 127, 132, 150, 228, 260, 322, 380, 420 / Ⅲ-18, 140, 166, 320, 340, 347 / Ⅳ-57, 96, 144 /

検査官　Ⅲ-437 /Ⅳ-117, 124, 128 /Ⅴ-30
県[会]参事員　Ⅰ-384 /Ⅲ-101
検事　Ⅰ-145, 146, 188, 189*, 288 /Ⅱ-284 /Ⅲ-376, 378, 380, 412 /Ⅳ-361 /Ⅴ-81
検事局　Ⅳ-359
検事正　Ⅰ-209 /Ⅲ-36 /Ⅳ-155, 308
検事[総]長　Ⅲ-35, 36
減資　Ⅰ-4 /Ⅱ-424 /Ⅳ-50, 51
県舎建築費寄付　Ⅳ-100
幻住庵　Ⅲ-10, 11*, 160, 161*
県収入　Ⅴ-58
献上　Ⅱ-268
献上博多帯　Ⅱ-381
献上品　Ⅳ-257
元信幅物　Ⅰ-38
減水　Ⅱ-74
県税　Ⅲ-447
減税　Ⅰ-230
憲政派　Ⅲ-158
建設　Ⅰ-21, 141 /Ⅱ-95, 332, 368, 374 /Ⅲ-17, 248, 249 /Ⅳ-144, 255, 256 /Ⅴ-95
建設費　Ⅳ-144 /Ⅴ-132
県属　Ⅱ-321, 332 /Ⅳ-352, 382
建築　Ⅰ-121, 152, 178, 196, 200, 268, 299, 300 /Ⅱ-234, 274, 278, 282, 311, 313, 319, 338, 339, 344, 376 /Ⅲ-265, 277, 367 /Ⅳ-62, 63, 72, 88, 236, 393 /Ⅴ-34, 160
建築打合　Ⅰ-300
建築工事　Ⅰ-200
建築建具　Ⅳ-68, 72
建築費　Ⅱ-170, 352, 417
建築費寄付　Ⅱ-134, 135*, 170, 332, 335*, 338, 339*, 344, 352 /Ⅳ-100 /Ⅴ-24
県知事　Ⅰ-346 /Ⅱ-193 /Ⅲ-101, 182, 270
県庁　Ⅰ-40, 101, 194, 232, 262, 278, 346, 374, 378, 401, 407 /Ⅱ-4, 14, 66, 71, 132, 142, 150, 153, 160, 167, 173, 181, 183, 189, 190, 192, 198, 238, 312, 342, 353, 377, 392, 403, 404, 406, 407 /Ⅲ-20, 30, 55, 128, 129, 159, 166, 174, 182, 208–210, 213, 217, 220, 225, 234, 235, 246, 271, 276, 282, 296, 299, 334, 336, 345, 395, 396, 401, 402, 432, 435, 440, 455 /Ⅳ-12, 32, 58, 74, 93, 136, 155, 165–167, 180, 182, 192, 197, 226, 232, 264, 270, 276, 296, 335, 338, 344, 389, 391 /Ⅴ-13, 19, 40, 42, 57, 58, 68, 88, 90, 126, 129, 146, 153, 168, 170
——受付　Ⅲ-455 /Ⅳ-389
——区画整理掛　Ⅳ-264
——社寺課　Ⅲ-432
——庶務科長　Ⅲ-276
——水量調査会　Ⅳ-270
——保安課　Ⅲ-128
県当局者　Ⅳ-176
県道　Ⅰ-124, 136, 146, 178, 262, 267, 386 /Ⅱ-221, 224, 390, 406 /Ⅲ-28, 53, 173, 174 /Ⅳ-31, 62, 165 /Ⅴ-70, 82, 179
——開鑿　Ⅰ-124, 136
——工事　Ⅰ-146, 178 /Ⅳ-62
——新設線　Ⅳ-165
——踏査　Ⅴ-70
——布設　Ⅱ-406
原動器械　Ⅰ-9 /Ⅱ-125
献納　Ⅱ-404 /Ⅲ-43, 46 /Ⅳ-92
献納願　Ⅲ-32
献納品　Ⅱ-374
県農会　Ⅳ-48
券番　Ⅳ-386
減配[問題]　Ⅲ-313, 315, 318, 447, 450, 452 /Ⅳ-222, 355 /Ⅴ-51, 66, 90
現場掛　Ⅲ-294
現場監督　Ⅱ-386
県費　Ⅰ-386
見物　Ⅰ-76, 180 /Ⅱ-20, 202 /Ⅲ-216 /Ⅳ-124, 336, 355 /Ⅴ-188
検分・見分　Ⅲ-234, 399, 348 /Ⅳ-85, 198, 279
減俸　Ⅴ-53
原野　Ⅰ-138
玄洋葬儀社　Ⅳ-181*
権利　Ⅱ-124 /Ⅲ-133, 199, 378 /Ⅳ-92
権利移転　Ⅲ-133
権利者　Ⅱ-65

権利買収　Ⅲ-378
県立図書館長　Ⅲ-10
元老連　Ⅱ-12

こ

小石炭脈　Ⅱ-154
小石原(朝倉郡小石原村)　Ⅲ-368, 369* /Ⅳ-320 /Ⅴ-88, 89*, 172, 173*,
小石原村長　Ⅳ-320
鯉捕　Ⅱ-256
鯉ノ図　Ⅴ-35
坑医　Ⅱ-44, 160
坑員　Ⅰ-4
公益事業　Ⅱ-150
公益事件　Ⅳ-368
公園　Ⅳ-30, 323, 335
講演(口演・講話)　Ⅰ-32, 139, 245, 264, 382 /Ⅱ-350, 400 /Ⅲ-164, 212, 222, 270, 343 /Ⅳ-112, 374, 389 /Ⅴ-68, 167
講演会　Ⅰ-312
後援会　Ⅰ-231*-233, 238, 282, 283*, 310 /Ⅳ-234, 235*, 255
——委員　Ⅰ-238
——組織　Ⅳ-255
公会堂(福岡県公会堂)　Ⅰ-139*, 310, 311*, 363*, 365 /Ⅱ-80, 81*, 158, 159*, 236, 237*, 336 /Ⅲ-32, 33*, 214, 215*, 229, 411*, 436, 440, 445 /Ⅳ-45*, 176, 177*, 233* /Ⅴ-136, 137*
公会堂(大分)　Ⅳ-187, 194
公会堂(嘉穂郡公会堂)　Ⅱ-137*, 174, 332, 333*, 352 /Ⅲ-23*, 223*, 265* /Ⅴ-166
公会堂(別府)　Ⅲ-176, 228 /Ⅳ-34, 35*, 180, 181*
号外　Ⅲ-82
坑外巡視　Ⅰ-61
工学士　Ⅰ-408 /Ⅱ-170, 198
工学生　Ⅱ-393
工科大学　Ⅰ-340, 341*, 414 /Ⅱ-67*, 66
交換採掘　Ⅰ-98
交換山林　Ⅲ-131
交換地　Ⅲ-19, 20, 106, 130
交換地調査　Ⅲ-130
交換田地検査　Ⅲ-166
口気　Ⅰ-383 /Ⅱ-227 /Ⅳ-276
講究　Ⅳ-125, 172
皇居　Ⅴ-126
坑業・礦業・鉱業　Ⅰ-18, 34, 35, 37, 52, 63, 64, 78, 128, 143, 156, 158, 195, 224, 232, 241, 250, 333, 398, 402, 411 /Ⅱ-193, 208, 239, 258, 264, 265, 281 /Ⅲ-36, 62, 178, 188, 189*, 213, 214, 219, 224, 228, 229, 230, 278, 332, 344, 345*, 378, 379*, 384, 386, 407, 411, 426, 434-436, 445 /Ⅳ-348 /Ⅴ-94, 185, 100, 56
——打合　Ⅰ-34, 35, 37, 51 /Ⅱ-12, 16, 17, 36, 64, 68
——掛員　Ⅰ-52
——整理　Ⅰ-156
——地所　Ⅲ-62
鉱(坑)業警察法　Ⅰ-402
坑業倶楽部　Ⅳ-14
工業倶楽部　Ⅲ-240, 241*
坑業(坑区)経営　Ⅲ-287 /Ⅳ-80
鉱業財団　Ⅲ-52, 53*
鉱業試験所　Ⅱ-157
坑業事務所　Ⅰ-241, 333
坑業所長　Ⅰ-156
坑業者　Ⅰ-32, 40, 112, 226, 245, 368, 388 /Ⅱ-26, 38, 258, 342, 354, 355* /Ⅲ-214, 229 /Ⅳ-14
——会議　Ⅰ-32
——歓迎会　Ⅲ-214
——招待　Ⅱ-354, 355*
——総会　Ⅰ-245, 368
——代表　Ⅰ-388 /Ⅲ-214
皇居旧蹟　Ⅴ-126
公金　Ⅲ-182
坑区・鉱区　Ⅰ-43, 82, 87, 90, 134, 165, 167, 172, 178, 202, 209, 210, 228, 229, 244, 258, 262, 282, 302, 318, 320, 366, 404, 409, 410, 414, 415 /Ⅱ-4, 6-8, 10, 20, 30, 34, 40, 41,

47, 62, 63, 68, 71, 74, 78, 82, 85, 88, 93-96, 99, 116, 122, 138, 141, 146, 152, 155, 171, 182, 200, 201, 233-235, 246 /Ⅲ-4, 25, 139, 160, 162, 163, 165, 174, 180, 205, 247, 277, 284, 295, 396, 410, 434 /Ⅳ-14, 51, 58, 66, 71, 80, 135, 136, 150, 193, 248, 252, 329, 332, 335, 338, 342, 352, 365
——買入(買収・買受)　Ⅰ-165, 172, 229, 302, 318, 366, 404, 409, 410, 414, 415 /Ⅱ-6, 8, 9, 20, 23, 116, 176, 200, 244, 260, 286, 422, 423 /Ⅲ-16, 22, 32, 37, 174, 247, 249, 278, 450 /Ⅳ-78, 79*, 82, 83, 118, 119*, 248, 252, 324, 325*, 335, 342, 352 /Ⅴ-96
——貸付金　Ⅳ-66
——鑑定　Ⅰ-202
——検査　Ⅱ-322
——検分　Ⅳ-85
——交換　Ⅰ-82, 87, 90, 178, 244, 258, 262 /Ⅱ-6, 62, 63, 78, 82, 84, 85, 96, 142
——合同　Ⅲ-434 /Ⅴ-29
——指定　Ⅰ-178
——出願　Ⅱ-68
——代金　Ⅱ-74, 99,　Ⅲ-182
——担保　Ⅲ-37
——調査(踏査)　Ⅱ-151, 201 /Ⅲ-158, 199, 207 /Ⅳ-136, 147, 156, 324, 326, 327*, 364, 365
——売却(売渡)　Ⅰ-282 /Ⅱ-42, 48, 88, 146, 312 /Ⅳ-70 /Ⅴ-69*, 75, 96, 102
——(坑山)引受　Ⅱ-233 /Ⅲ-397
——分割　Ⅱ-34 /Ⅲ-164, 180 /Ⅴ-160, 161*
——譲受　Ⅲ-141
坑区図[面]　Ⅱ-10, 94, 156, 234 /Ⅲ-139, 205, 410
坑区願　Ⅱ-152, 418
坑口　Ⅰ-7, 220, 414 /Ⅱ-24 /Ⅴ-102, 128, 166
坑口開坑　Ⅴ-102,
坑口開鑿　Ⅴ-166
坑口場　Ⅰ-414 /Ⅲ-104
航空飛行演習　Ⅴ-40
皇宮神社　Ⅴ-126, 127*
後見　Ⅳ-15
皇后陛下　Ⅱ-116, 376, 377 /Ⅲ-4, 82, 156, 264, 364 /Ⅳ-4, 110, 212, 300
広(公)告[料]　Ⅲ-59,　384
好古堂　Ⅲ-240
光厳寺　Ⅰ-147
宏済会　Ⅲ-376, 377*, 378, 380
公債売却　Ⅰ-140
交際費　Ⅱ-396
公債利子　Ⅳ-278
幸崎駅(日豊本線)　Ⅴ-33*
工作部長　Ⅱ-270
坑山・礦山・鉱山　Ⅰ-18, 41, 44, 50, 94, 112, 302, 312, 388, 400 /Ⅱ-32, 52, 70, 76, 78, 93, 130, 151, 224, 242, 245, 256, 257, 260, 266, 268, 280, 320, 419 /Ⅲ-39, 181, 188, 268, 397 /Ⅳ-269, 331 /Ⅴ-54, 148
——打合　Ⅰ-338
——買入(譲受)　Ⅰ-302 /Ⅱ-70, 268 /Ⅲ-188
——経営　Ⅱ-45 /Ⅲ-39 /Ⅳ-226
——経費　Ⅰ-112
——見物　Ⅰ-50
——合同　Ⅳ-269
——視察　Ⅱ-151
——従事　Ⅰ-18
——巡視　Ⅰ-44 /Ⅱ-76
——調査(踏査)　Ⅰ-41, 400
鉱山学校(学校, 坑業学校, 筑豊鉱山学校)　Ⅱ-58, 90, 91*, 93, 95, 135*, 136, 137*, 140, 157, 159, 169
坑山監督署(福岡鉱務署)　Ⅱ-418, 419*
鉱山局[長]　Ⅰ-28, 400, 404 /Ⅱ-22, 140, 177, 194
鉱山税　Ⅳ-331
工事　Ⅰ-15, 22, 52, 60, 138, 146, 200, 238, 242, 270, 287, 297, 299, 300, 305, 321, 324, 332, 354, 374 /Ⅱ-20, 55, 74, 94, 95, 127, 132, 163, 172, 190-192, 197, 216, 224, 272, 285, 308, 311, 312, 318, 325 /Ⅲ-42, 90, 164, 165, 186, 188, 200, 207, 217, 230, 244,

245, 249, 253, 254, 268, 289, 325, 330, 331, 338, 369, 380, 407, 408, 414, 429, 430, 433, 438, 451, 454 /Ⅳ-32, 33, 36-38, 43, 44, 50, 51, 60, 62, 85, 87, 90-93, 95, 96, 98, 116, 122, 128, 154, 156, 163, 176, 178, 192, 239, 242, 260, 262, 265, 271, 273, 276, 278, 362, 377, 384, 386, 390 /Ⅴ-21, 34, 35, 38, 46, 47, 51, 74, 93, 99, 145
――委託　Ⅲ-376
――受負　Ⅰ-146 /Ⅲ-165, 225, 331, 332 /Ⅳ-49, 51
――打合　Ⅱ-285 /Ⅳ-38
――許可　Ⅰ-305
――指図　Ⅰ-138 /Ⅳ-90, 91, 93, 95, 96, 98, 154, 239
――視察　Ⅳ-265
――支出　Ⅰ-300
――竣工　Ⅰ-242 /Ⅲ-217, 331
――順序　Ⅰ-287 /Ⅳ-278
――承諾　Ⅰ-270
――設計　Ⅲ-429
――着手　Ⅰ-60 /Ⅴ-99
――手順　Ⅰ-354
――入札　Ⅲ-232, 329, 430
――認可　Ⅱ-192 /Ⅲ-188
――発案　Ⅰ-22
――約束原簿　Ⅰ-52
工事場　Ⅲ-186, 245, 249, 254, 331, 414, 433 /Ⅳ-38, 176 /Ⅴ-46, 93, 35
工事場不始末　Ⅳ-176
工事費　Ⅲ-330
甲子会　Ⅳ-157*
合資会社間組　Ⅲ-294, 295*
公式交渉　Ⅰ-412
糀　Ⅳ-203
皇室　Ⅱ-254 /Ⅴ-110
皇室拝礼　Ⅴ-110
坑主　Ⅰ-44, 66, 152, 256, 346, 358, 414
坑主組合　Ⅱ-206
坑主代表　Ⅰ-358
工(鉱)手学校　Ⅱ-51*, 58
甲種農学校　Ⅴ-89*
工手品陳列所　Ⅱ-73
坑所　Ⅰ-66, 345 /Ⅱ-197, 272 /Ⅳ-65, 368
控除　Ⅰ-308, 403
交渉　Ⅰ-32, 36, 37, 40, 108, 110, 194, 195, 232, 258, 259, 262, 264, 268, 335, 405, 407, 412 /Ⅱ-77, 79, 126, 139, 142, 154, 178, 183, 185, 190, 238-240, 242, 270, 272, 285, 286, 406, 407, 418 /Ⅲ-11, 20, 30, 32, 127, 230, 234, 264, 265, 309, 320, 333, 346, 354, 368, 374, 377, 385, 453 /Ⅳ-32, 46, 49, 74, 75, 80, 81, 93, 104, 138, 142, 150, 180, 189, 193, 195, 204, 218-220, 236, 252, 254, 255, 268, 277, 383 /Ⅴ-45, 58, 98, 118, 122, 148, 180, 188
交渉委員[会]　Ⅲ-377 /Ⅴ-188
交渉問題　Ⅲ-127
工場　Ⅰ-33, 228 /Ⅱ-204, 268 /Ⅲ-200, 240 /Ⅴ-32, 34, 92, 177, 185,
工場財団　Ⅰ-228
工場敷地　Ⅱ-268
工場視察　Ⅴ-32, 34, 92
工場長　Ⅱ-273
工場法案　Ⅱ-246
坑所貯炭　Ⅰ-345
洪水　Ⅰ-254 /Ⅳ-65
更正登記申請　Ⅰ-90
更正願　Ⅰ-167
坑(鉱・礦)石　Ⅲ-93, 104, 282
礦石売込　Ⅲ-282
鉱石実地踏査　Ⅲ-104
降雪　Ⅳ-304
口銭　Ⅰ-288 /Ⅲ-286
港銭減額　Ⅳ-378, 384, 390
控訴　Ⅰ-148, 149, 346
控訴院　Ⅰ-346 /Ⅱ-344
小唄ノ師匠　Ⅴ-189
耕地　Ⅴ-14, 145, 168, 171, 174
耕地組合　Ⅲ-128 /Ⅴ-145, 174
耕地主任　Ⅴ-168
耕地整理　Ⅰ-224, 256, 270, 280, 283, 286,

287, 292, 294, 296, 299, 300, 304, 307-309, 330, 348 / II-285, 370, 374, 404 / III-6, 54, 60, 103, 116, 244, 246, 249, 250, 279, 285, 293, 330, 331*, 370, 372, 407 / IV-6, 13, 40, 42, 51, 116, 160, 181, 252, 258, 264, 335, 338, 339, 352, 355, 357, 358 / V-14, 47, 50, 171
——主任者　IV-49
——書記　III-407
耕地整理委員会　I-348 / IV-360
耕地整理課　V-171
耕地整理掛　I-309
耕地整理組合　I-297, 330 / II-404 / III-54, 249 / IV-42, 160 / V-167
耕地整理事務所　I-256, 304
耕地整理総会　IV-363
耕地整理評議員会　IV-51
坑長　I-52, 56, 60, 65, 71, 83, 137, 204, 286, 372 / II-172, 324, 325 / III-104, 318 / IV-55 / V-92
坑長会[議]　I-83, 137, 286
校長　II-67, 346 / III-8, 30, 122, 198, 227, 243, 392, 402 / IV-86, 167 / V-21, 24, 89, 172
校長(筑豊石炭鉱業組合筑豊鉱山学校長)　II-126, 127*, 140, 159
校長会議　III-402
鋼鉄製造　III-283
皇典講究所 / III-206, 207*
香典　I-16, 374 / II-196, 200, 239, 246, 249, 356 / III-24, 105, 108, 140, 180, 306, 309, 409 / IV-100, 180, 236 / V-98
講堂(公堂)　I-312 / V-24, 83
坑道　I-8, 59, 62, 259, 260 / V-96
坑道(坑内)延長　I-63, 259, 260
坑道変更　I-8
合同協義　III-134
合同交渉　IV-87
合同無期延期　III-446
合同問題　III-158, 215, 415 / IV-10 / V-131*
合同銀行　III-100, 101, 138, 140, 166, 168, 186
合同大会社設立　I-151
合同ノ件(福岡県内中小銀行合同計画)　III-70, 71*
高等課　IV-100
高等学校　I-249 / II-216
高等官　I-346, 379
高等小学校　I-128 / IV-15
高等女学校　I-44, 82, 83*, 139, 312, 399* / II-8*, 51* / III-9*
高等探偵　II-176
仰徳婦人会　I-147*
構内案内　II-334
坑内火災　II-38
坑内水　I-345
坑内測量　II-275
坑内注水　II-226
坑内排水　V-92
公認候補　I-293
後任者　I-242 / III-112
高熱　II-120, 311
幸野(大分県速見郡湯平村)　I-416
神瀬村(熊本県球磨郡)　II-352
坑場　I-350 / V-128
勾配　II-75, 274
購売掛　V-88
交番所　IV-316
工費　II-173, 189 / III-230 / V-76
坑夫　I-12, 65, 66, 350, 398 / II-64, 67, 372, 206, 197
——休業　II-64
——使役　II-64
——募集　I-65
——雇入　II-67
礦夫協会　II-246, 247*
坑夫組合　II-206
坑夫同盟(九州炭坑夫組合)　III-205*
坑夫取締　II-372
坑夫納屋　I-350 / II-197
鉱夫労役扶助規則　I-402, 404 / II-187*
幸袋(嘉穂郡幸袋町)　I-31, 38, 39*, 144, 244, 245*, 386, 387* / II-174, 175*, 176,

194, 199, 235, 283 /Ⅲ-37*, 391* /Ⅳ-14, 261*, 390, 391* /Ⅴ-88
幸袋工作所　Ⅰ-124, 125*, 164, 165*, 196, 197*, 211, 276, 277*, 278 /Ⅱ-50, 51*, 155*, 174, 180, 200, 202, 206, 244, 245*, 283*, 312, 313*, 328 /Ⅲ-15*, 138, 139*, 251*, 290, 291* /Ⅳ-30, 31*, 64, 90, 201*, 204, 307*, 322, 324
――重役会　Ⅲ-138, 290 /Ⅳ-307
神戸[駅]　Ⅰ-53, 147, 155, 179 /Ⅲ-57, 352, 354 /Ⅳ-89, 96, 316, 282
神戸港　Ⅳ-89
神戸女学校　Ⅳ-274
候補[者]　Ⅰ-167, 186, 280, 288, 293, 297, 302 /Ⅱ-13, 14, 18–21, 28, 30, 145, 232, 269 /Ⅲ-99, 210, 332, 334, 336, 337*, 340, 341, 455 /Ⅳ-8, 14, 18–20, 190, 200, 217, 218, 220, 222–226, 331, 335, 368, 376 /Ⅴ-12, 16–18, 38, 44, 45, 52, 59, 62–64
――交渉　Ⅴ-16
――辞退　Ⅱ-19, 21 /Ⅳ-217
――承諾　Ⅰ-302
――推挙　Ⅱ-13, 18, 30
――選定　Ⅰ-297
――選任方協定　Ⅲ-332
――内定　Ⅳ-225
候補地　Ⅰ-79
公簿　Ⅰ-176 /Ⅲ-335
公報　Ⅱ-155
坑木(杭木)　Ⅲ-302, 305, 385 /Ⅳ-279, 325, 330, 337, 341 /Ⅴ-128
坑木調査　Ⅲ-302
坑木商　Ⅲ-385
坑木屋　Ⅲ-305
坑務　Ⅰ-208, 416 /Ⅲ-44, 69, 93, 280 /Ⅳ-176 /Ⅴ-101
――打合　Ⅰ-416
行務　Ⅲ-249, 434, 436
鉱務員　Ⅴ-91
工務課長　Ⅰ-310 /Ⅲ-372
鉱(坑・工)務署[長]　Ⅰ-263*, 315, 378, 379, 399, 402 /Ⅱ-4, 6, 7, 24, 65, 68–70, 75, 93, 177, 194, 206, 332 /Ⅲ-160, 161*, 317*, 412 /Ⅳ-16, 17* /Ⅴ-134, 135*
口約　Ⅲ-188
高野山　Ⅱ-107*, 109
交友会　Ⅳ-234, 235*
公有地　Ⅲ-300
紅葉館(旅館)　Ⅱ-351* /Ⅳ-227, 228
坑用地所訴訟　Ⅰ-42
香料　Ⅱ-363
功労者　Ⅲ-30
港湾調査会　Ⅱ-342
コークス　Ⅰ-9, 13, 44, 86, 112, 114, 128, 129, 276, 359 /Ⅱ-34
コークス釜　Ⅰ-128
コークス製造　Ⅰ-9, 13, 359
コークス場　Ⅰ-112, 276 /Ⅱ-34
コークス粉抹機器　Ⅰ-114
コーク販売　Ⅰ-86
古画　Ⅰ-148
古賀(糟屋郡席内村)　Ⅰ-314 /Ⅲ-168, 169*, 308, 309*, 350, 404, 405*
古賀坑区　Ⅱ-201
五ケ瀬川　Ⅱ-290, 291* /Ⅲ-176, 177*, 224
五ケ瀬川発電所　Ⅲ-224
小形自動車[営業]　Ⅲ-406, 451
小汽　Ⅳ-58
小切手　Ⅰ-265 /Ⅱ-40, 108 /Ⅳ-224 /Ⅴ-122
古金　Ⅰ-335
古金銀　Ⅲ-402
国維会発会式　Ⅴ-10, 11*
国士館　Ⅱ-346 /Ⅲ-202, 216, 320 /Ⅳ-6
国税　Ⅰ-25, 27
小口借金　Ⅰ-45
国鉄　Ⅰ-25
国費　Ⅲ-216
告別式　Ⅱ-239 /Ⅲ-86, 123, 139, 180, 206, 210, 252, 279, 309, 329, 330, 436 /Ⅳ-54, 80, 170, 181, 325 /Ⅴ-22, 59, 75, 80, 88, 142
国防会　Ⅴ-143

国本社　Ⅲ-342, 343*, 352
国本社支部会長　Ⅲ-352
国本社福岡支部発会式　Ⅲ-343
国民新聞　Ⅲ-59*
国民党　Ⅰ-238
国民同盟会　Ⅴ-79*
国有林払下　Ⅰ-156, 166
小倉[駅]　Ⅰ-19, 42, 54, 79, 80, 82, 84, 102, 173, 206, 210, 258, 277, 278, 284, 285, 304, 309, 324, 383, 410, 416 / Ⅱ-12, 56, 71, 72, 92, 128, 143, 144, 168, 172, 181, 188, 194, 263, 305, 314, 317, 318, 326, 332, 334, 354, 356, 376, 385, 397, 398, 402, 412 / Ⅲ-30, 60, 86, 105, 115, 121, 177, 192, 209, 246, 251, 252, 384 / Ⅳ-53, 76, 81, 90, 147, 180, 188, 222, 232, 248, 270, 312, 315, 316, 327, 337, 359, 363, 372, 376, 377, 383, 387, 395, 396 / Ⅴ-29, 32, 44, 49, 51, 66, 85, 120, 132, 142, 146, 161, 175
小倉工場　Ⅳ-222
小倉地所　Ⅰ-79, 80
小倉師団参謀副官　Ⅱ-181
小倉市長　Ⅱ-326, 327*
小倉助役　Ⅲ-243
小倉坑山(炭坑, 坑区)　Ⅳ-338, 339*, 345*
小倉築港　Ⅰ-19
小倉鉄道株式会社　Ⅰ-173*
小倉出店　Ⅳ-232
小倉本社(九軌)　Ⅳ-376
黒竜会福岡支部長　Ⅲ-298, 299*
古渓町(博多)　Ⅲ-228
湖月楼(料亭)　Ⅰ-28, 29*
心付　Ⅰ-16, 383 / Ⅱ-108, 111, 131, 209, 248, 298, 358, 432 / Ⅲ-454, 457 / Ⅳ-205, 300 / Ⅴ-20, 32, 43, 56, 84, 105, 106, 168, 189
小作[米]　Ⅰ-254 / Ⅱ-371, 372 / Ⅲ-92, 249, 298, 344, 409 / Ⅳ-278, 46, 380 / Ⅴ-56
小笹切取リ　Ⅱ-127
小三亭(貸座敷)　Ⅰ-90, 98*, 103*
腰板　Ⅰ-199
五尺炭(五尺層)　Ⅱ-69*, 76 / Ⅳ-363 / Ⅴ-96
五尺巻器械　Ⅰ-9
五十年紀念広告　Ⅳ-125
五十年計画　Ⅳ-72
五重塔　Ⅱ-381
故障　Ⅰ-22, 352, 357 / Ⅱ-222, 234, 335 / Ⅲ-128, 323, 345, 421 / Ⅲ-10, 433 / Ⅳ-28, 52, 111, 341 / Ⅴ-120, 141
小蒸気[船]　Ⅰ-42, 157, 158, 174 / Ⅱ-92, 132 / Ⅲ-231, 348 / Ⅳ-58, 336
個人保証　Ⅲ-196
御真影拝賀　Ⅴ-110
御聖影　Ⅱ-304, 366
戸籍　Ⅴ-53
互選規則改正　Ⅲ-211*
御大典　Ⅳ-87*
古代床置台　Ⅰ-136
小竹[駅](鞍手郡勝野村)　Ⅰ-31, 151, 242, 243*, 396, 397*, 413 / Ⅱ-32, 33*, 65, 86, 149, 267*, 352, 353*, 385 / Ⅲ-92, 104
小竹停車場　Ⅰ-31
古(小)竹堂　Ⅰ-36, 37*, 38, 124, 125*, 148, 149* / Ⅱ-51*
戸長　Ⅰ-66
小遣[金]　Ⅰ-10 / Ⅱ-99, 210 / Ⅲ-158 / Ⅳ-105, 398
小使　Ⅰ-50, 54, 55, 228 / Ⅱ-209, 211, 298, 358, 426 / Ⅲ-73, 82, 144, 145, 256, 457 / Ⅳ-105, 218, 285, 296, 330 / Ⅴ-12, 105, 168, 189
小使援助金　Ⅲ-256
小使給仕　Ⅴ-105, 168, 189
国家政治　Ⅲ-193
国光保険会社　Ⅰ-140, 141*, 142
小包　Ⅲ-423
五島(長崎県南松浦郡)　Ⅱ-4, 5*
小道具製造　Ⅰ-335
後藤寺[駅](田川郡後藤寺町)　Ⅰ-219, 236, 295 / Ⅱ-48, 49*, 170, 267, 352, 357 / Ⅲ-11*, 16, 22, 23, 44, 46, 53, 64, 97, 110, 115, 124, 125*, 135, 137, 181, 184, 189, 191, 199, 200, 202, 225, 235, 243, 254, 266, 267*, 274, 276, 278, 297–300, 313, 314,

320, 323, 324, 327–329, 334, 352, 382, 390, 395–397, 456 / Ⅳ-12, 24, 25*, 41, 132, 133*, 148, 238, 239*, 350–352, 356, 369, 382 / Ⅴ-34, 35*, 47, 50, 66, 70, 86, 88, 92, 93, 95, 97*, 100, 102, 112, 132, 133*, 145, 181, 188
——町議員　Ⅲ-390
——町債　Ⅲ-189, 396
——町債務　Ⅲ-395
——役員　Ⅲ-456
後藤寺営業所長(九水)　Ⅱ-276
後藤寺町長　Ⅲ-12, 22, 181, 243, 266, 276, 297–300, 313, 323, 324, 327–329, 334 / Ⅳ-41
——選挙　Ⅲ-323
後藤寺・飯塚間ノ電鉄　Ⅰ-236
後藤寺岩崎[譲受]坑区　Ⅳ-345*, 350, 352, 356, 382 / Ⅴ-28, 29*, 88, 102
後藤寺災難　Ⅴ-88
後藤寺助役　Ⅲ-16, 23, 44, 46, 137, 181, 204
後藤寺新坑　Ⅳ-369*
後藤寺電灯株式会社　Ⅰ-219*
後藤寺排水　Ⅴ-93, 95, 97, 100
後藤寺役場　Ⅲ-278
後藤寺四尺炭　Ⅴ-132, 133*
御徳(鞍手郡勝野村)　Ⅱ-396 / Ⅲ-285*
御徳坑区(鴻ノ巣炭坑)　Ⅱ-68, 69*, 70, 82, 86
御徳坑坑長　Ⅲ-285
子供　Ⅰ-313 / Ⅱ-33 / Ⅲ-122, 370, 441
子供部屋　Ⅴ-20
小鳥　Ⅰ-10
小西方　Ⅳ-194
此の里(料理屋)　Ⅳ-239, 361* / Ⅴ-147*
小林家負債片付　Ⅳ-147
古備前　Ⅰ-109
小富士坑区　Ⅰ-229
呉服町(福岡市)　Ⅲ-327
こぶし屋　Ⅲ-241
古物　Ⅱ-86 / Ⅲ-192
古物商・古物屋　Ⅰ-73, 84 / Ⅱ-306 / Ⅳ-184
小舟　Ⅳ-192
子分　Ⅲ-264, 266
孤蓬庵　Ⅳ-146, 147*
小堀遠州公墓所　Ⅲ-241*
狛犬　Ⅱ-374, 404
駒犬破損　Ⅳ-90
小町園　Ⅰ-182
小松坑　Ⅴ-96
ゴムパイプ　Ⅴ-110
米検査　Ⅰ-156
米商会所　Ⅰ-98
米山県道開鑿　Ⅴ-170
米ノ山越　Ⅰ-124 / Ⅱ-258, 259* / Ⅳ-38, 39*, 50, 228, 229*, 246, 255, 256, 258, 271, 274, 281, 306, 307*, 319, 334, 344, 346, 360, 367, 380, 382, 392 / Ⅴ-16, 17*, 24, 26, 38, 64, 65, 72, 76, 78, 81–88, 91, 93, 95, 96, 102, 110, 111*, 116, 129, 133, 168
米平(旅館)　Ⅰ-35*
米屋(旅館)　Ⅱ-144, 145*
米吉(島田本家)　Ⅱ-223*
薦田(飯塚町菰田)　Ⅰ-96, 97*, 203*, 204, 207, 208 / Ⅲ-402
菰田小学校[長]　Ⅲ-402, 403*
顧問[弁護士]　Ⅰ-131 / Ⅱ-373 / Ⅳ-342 / Ⅴ-170
小門(下関市と彦島間の小海峡)　Ⅰ-35*
木家代　Ⅳ-104
木屋瀬(鞍手郡木屋瀬町)　Ⅳ-342, 343* / Ⅴ-47*, 75*, 180, 181*
木屋瀬炭鉱(坑山)　Ⅳ-144, 145*, 156 / Ⅴ-47*
御用邸　Ⅳ-122, 123*
ゴルフ　Ⅲ-370, 372 / Ⅳ-62, 110, 116
ゴロツキ　Ⅱ-386 / Ⅳ-48
コンクリート(コークリ)　Ⅴ-31
言語道断　Ⅳ-22, 178
紺綬褒章　Ⅱ-353*
懇親[会]　Ⅲ-348, 416
懇談会　Ⅳ-177

さ

サーカス見物　Ⅴ-177*
西園寺侯爵邸　Ⅰ-246
災害　Ⅱ-97
財界　Ⅴ-41 / Ⅳ-359
財界不穏　Ⅳ-359
西海鉄道　Ⅰ-79
罪科ノ証明　Ⅱ-16
西京　Ⅰ-75, 76, 334
西京停車場　Ⅰ-76
在京　Ⅰ-356 / Ⅱ-352 / Ⅲ-102, 379, 385, 394, 452, 454, 455 / Ⅳ-26, 91, 261 / Ⅴ-121
在郷軍人団　Ⅱ-237
採掘(採炭)　Ⅰ-5, 28, 44, 49, 60, 61, 98, 122, 132, 241, 244, 245, 247, 249, 251, 260, 262, 263, 265, 268, 278, 280, 309, 325, 327, 333, 340, 346, 348, 360, 366, 367, 393, 395-398 / Ⅱ-20, 25, 32, 34, 69, 70, 230, 273, 287 / Ⅲ-4, 201*, 219, 228, 234 / Ⅳ-74, 80, 88, 251 / Ⅴ-27, 88, 91, 93, 118, 120, 180, 184
——跡　Ⅴ-93
——禁止　Ⅱ-69
——減額　Ⅰ-241
——追徴金　Ⅱ-70
——取調　Ⅰ-265
——年限　Ⅰ-61
——方針　Ⅱ-287
——方法　Ⅰ-260, 333 / Ⅱ-230, 273 / Ⅳ-80
——予算　Ⅰ-49
採掘量　Ⅳ-88
採掘権　Ⅳ-192
採掘(採炭)制限　Ⅰ-244, 245, 251, 260, 262, 263, 278, 280, 309, 325, 327, 346, 348, 360, 367, 395-398 / Ⅱ-308, 309, 352, 353* / Ⅲ-201*, 219, 228, 234, 237, 337 / Ⅳ-74
採掘制限会議　Ⅰ-278
採掘炭　Ⅰ-44, 260, 268
採炭(掘)制限調査委員会　Ⅰ-260, 309, 325, 360
債権　Ⅰ-85, 88, 90 / Ⅴ-50
——譲受　Ⅰ-85, 88
債権者　Ⅲ-235, 272 / Ⅳ-362
財産　Ⅱ-10 / Ⅲ-273 / Ⅳ-46, 204, 354 / Ⅴ-120, 137
財産調査[書]　Ⅲ-209, 245 / Ⅳ-46
財産目録(目六)　Ⅰ-283 / Ⅳ-64, 204
在宿　Ⅰ-10, 70, 72, 73, 97, 100, 104, 105, 124, 125, 135, 141, 146, 158, 166, 202, 203, 205, 210, 233, 234, 236, 247-249, 252, 254, 269, 276, 291, 303-308, 315, 316, 318, 334, 336, 338, 344, 347, 354, 370, 376, 377, 393, 395, 397, 411-413 / Ⅱ-4, 8, 14, 20, 33, 42, 52-54, 58, 65, 68-70, 75, 78, 85, 86, 121, 124, 139, 186, 192, 203, 208, 216, 223-225, 228, 229, 240, 258, 265-267, 269, 279, 284-287, 290, 292, 312, 320, 323, 324, 327, 337, 341, 348, 352, 374, 392, 399, 400, 407, 408 / Ⅲ-4, 17, 18, 22, 25, 26, 28, 29, 36-39, 43, 45, 46, 49, 52, 56, 58, 59, 62, 63, 66, 69, 70, 82, 83, 92, 102, 119, 120, 123-126, 132, 157, 165, 166, 174, 178, 180, 199, 243, 250, 252, 270, 280, 282, 286, 288, 290, 308, 314, 332, 348, 366, 372, 376, 392, 393, 399, 404, 406, 407, 414, 415, 417, 428, 431, 436, 438, 441-444, 452 / Ⅳ-22, 24, 26, 33, 40-42, 55, 56, 58, 59, 84, 116, 129, 181, 189, 196, 243, 345, 346, 353, 358, 371, 380 / Ⅴ-12, 20, 21, 23, 56, 58-60, 65, 74, 85, 101, 140, 144, 178
再診察　Ⅰ-298
済生会病院　Ⅳ-233*
サイダー　Ⅲ-190
在宅　Ⅰ-12, 118, 132, 162, 177, 200, 203, 204, 206-208, 210, 218, 230, 245, 253, 254, 255, 257, 312, 315, 316, 319, 332, 407 / Ⅱ-24, 59, 68, 117, 120, 134, 180, 186, 203, 223, 226, 228, 256, 273, 280, 328, 348, 349, 357, 372, 382, 392, 398, 407, 414 / Ⅲ-6, 16, 18, 19, 22, 27, 29, 42, 116, 117, 174, 223, 227, 304, 315 / Ⅳ-71, 344 / Ⅴ-74, 75, 84
才田山　Ⅴ-180, 181*
在庁　Ⅳ-272

再調査　Ⅰ-4 / Ⅱ-189, 234, 235 / Ⅳ-330, 352
祭典　Ⅰ-261 / Ⅱ-346, 347* / Ⅲ-426 / Ⅴ-44, 52
斎田(主基斎田)　Ⅳ-23*, 30, 57
在店　Ⅱ-196
災難　Ⅲ-428
裁(才)判所　Ⅰ-214, 228, 288, 323 / Ⅱ-74, 154, 288, 314, 356, 368, 412 / Ⅲ-11, 12, 22, 23, 44, 46, 94, 98, 116, 160 / Ⅳ-93, 98, 155, 239, 370, 398, 369 / Ⅴ-28
——昇格願　Ⅱ-288, 314
裁判所員居宅　Ⅱ-368
裁判所長　Ⅱ-412 / Ⅲ-89 / Ⅳ-370
歳費　Ⅰ-278 / Ⅱ-99, 210, 214
材木　Ⅰ-111, 112, 256, 354 / Ⅱ-185 / Ⅲ-378, 442
材木入納屋　Ⅲ-442
材木商　Ⅰ-256
祭文　Ⅳ-137
採用申入　Ⅳ-132
財料　Ⅰ-60
材料視察　Ⅲ-183
佐賀　Ⅰ-268, 390 / Ⅱ-60, 266, 320 / Ⅲ-356 / Ⅳ-42, 336 / Ⅴ-85
佐賀県知事　Ⅰ-196
佐賀[県]坑区　Ⅱ-82 / Ⅳ-336
佐賀水電　Ⅰ-182, 183*
佐賀貯蓄銀行　Ⅲ-40, 41*, 188, 189*
堺(大阪府)　Ⅰ-16
境手(飯塚町下三緒)　Ⅱ-132, 133*
境屋　Ⅰ-331
栄座　Ⅰ-218, 219*, 264, 298, 299*, 403, 403*, 416 / Ⅱ-14, 15*, 132, 133*, 166, 236, 237*, 254, 255*, 256, 288 / Ⅳ-16, 17*, 30, 90
——売却　Ⅱ-237, 288
栄屋旅館　Ⅰ-79*, 148, 149*, 219*, 237, 265, 310, 311*, 331, 400, 401*, 406 / Ⅱ-22, 23*, 26, 27, 31, 49, 53, 92, 93, 94, 132, 138, 139*, 144, 188, 230, 231*, 332, 333*, 414, 415*, 419 / Ⅲ-12, 13*, 126, 127*, 190, 191*, 220, 268, 269*, 314, 412, 413*, 449 / Ⅳ-6, 7*, 138, 139*, 156, 218, 219*, 226, 234, 296, 380, 381* / Ⅴ-32, 33*, 79, 90, 144, 145*
坂上牡丹園(翠香園)　Ⅰ-77
榊　Ⅳ-45
酒代(酒料)　Ⅰ-132 / Ⅱ-370 / Ⅳ-54
酒樽　Ⅰ-232
坂段工事　Ⅱ-134
坂ノ下(嘉穂郡鎮西村蓮台寺)　Ⅱ-205*
佐賀関製練所　Ⅴ-33*, 36, 164
坂元(本)土取場　Ⅳ-66, 67*, 142, 143* / Ⅴ-93, 117*
酒屋(麻生惣兵衛家)　Ⅰ-122, 151, 198, 199*, 218, 219*, 257, 263, 290, 326, 327*, 344, 345*, 352, 377, 382, 416 / Ⅱ-132, 133*, 203, 220, 221*, 400, 401* / Ⅲ-156, 209*, 210, 302, 303*, 443* / Ⅳ-103*, 134, 135*, 174, 183 / Ⅴ-60, 61*, 95
左官　Ⅳ-69
崎戸坑山(崎戸炭礦)　Ⅱ-260, 261*
鑿岩機　Ⅱ-145, 344
桜川町(東京市芝区)　Ⅱ-282
桜島　Ⅳ-231
桜ビール[会社]　Ⅴ-173*, 175
酒　Ⅰ-10 / Ⅲ-38, 67, 331, 397 / Ⅳ-314
酒鯣　Ⅳ-4
酒道具　Ⅳ-270
佐々(北松浦郡佐々村)　Ⅱ-43, 312, 313*
佐々坑区　Ⅰ-158, 159* / Ⅱ-312
笹川口　Ⅱ-134
篠栗[駅](糟屋郡篠栗村)　Ⅰ-38, 357* / Ⅱ-88, 89*, 177, 247* / Ⅲ-83, 85*, 136, 137* / Ⅴ-19
笹原坑　Ⅰ-11, 44, 108, 122, 165, 228, 235
西寒田神社　Ⅴ-34, 35*
笹屋相続者　Ⅲ-124
差入証書　Ⅰ-280
差押　Ⅲ-52, 54
座敷移転　Ⅰ-188
指引勘定　Ⅳ-352, 355
採用　Ⅰ-49, 198 / Ⅲ-283, 288 / Ⅳ-230 / Ⅴ-95, 128, 132
佐世保(長崎県佐世保市)　Ⅰ-266

座長　Ⅰ-311
雑誌　Ⅰ-4／Ⅲ-13, 384／Ⅳ-124, 236／Ⅴ-163
雑誌社(屋)　Ⅲ-13／Ⅴ-163
雑種炭　Ⅱ-11
雑餉隈(筑紫郡大野村)　Ⅱ-201*
里芋　Ⅰ-140
砂糖　Ⅰ-55
錆切　Ⅰ-410, 411*
佐与(嘉穂郡頴田村)　Ⅰ-49*／Ⅱ-24, 25*, 260, 261*
皿　Ⅰ-289
晒　Ⅰ-180
皿代　Ⅱ-211, 212
茶話会　Ⅰ-130／Ⅳ-436／Ⅴ-136
三縁亭(西洋料理店)　Ⅰ-26, 27*
産業科　Ⅲ-182
産業会(大日本産業会)[員]　Ⅳ-385*／Ⅳ-148, 149*／Ⅴ-46, 47*
産業セメント鉄道株式会社　Ⅴ-146, 147*
産業団委員会　Ⅳ-363*
産業聯合会　Ⅳ-346, 347*
参宮鉄道　Ⅳ-8
三郡会(嘉穂郡・鞍手郡・遠賀郡会)　Ⅲ-337*
三郡惣代　Ⅰ-294
三郡有志者　Ⅰ-296
参詣　Ⅰ-16, 71, 76, 83, 167, 181, 182, 246, 310, 408／Ⅱ-336, 376／Ⅲ-4, 19, 24, 82, 84, 137, 156, 168, 172, 173*, 176, 190, 217, 218, 241, 254, 264, 266, 279, 306, 317, 331, 353, 364, 369, 380, 382, 398, 404, 405, 408, 426, 426, 446, 450, 451, 454／Ⅳ-4, 18, 22, 27, 29, 30, 38, 44, 50, 54, 67, 78, 82, 84, 98, 101, 102, 110, 111, 130, 136, 155, 156, 163, 168, 174, 175, 178, 184, 198, 199, 212, 214, 227, 230, 235, 236, 249, 250, 265, 280, 294, 300, 314, 326, 334, 343, 345, 346, 354, 374, 386, 390, 391, 393／Ⅴ-15, 17, 23, 52, 59, 82, 110, 117, 126, 128, 147, 153, 156, 158, 178
参詣トンネル(宝満宮)　Ⅳ-50, 51*, 79, 84, 91, 104
参詣費金　Ⅲ-24
参事　Ⅱ-168, 245, 334／Ⅳ-30, 384, 385
参事員　Ⅰ-384／Ⅱ-92
参事会員　Ⅰ-270／Ⅱ-332
三社合併問題　Ⅰ-212
三尺[層]　Ⅱ-69*, 85／Ⅴ-118, 120
三社合同　Ⅱ-238
三社参詣　Ⅳ-98, 110, 136
賛助員　Ⅰ-142
三生院　Ⅱ-344
三条出町柳駅　Ⅳ-89
山神祭　Ⅲ-67
山水園　Ⅰ-248, 249*, 256, 284, 285*, 289, 321, 324, 332, 375*, 380, 384, 385, 392／Ⅱ-35*, 129*, 168, 192, 198, 218, 219*, 240, 262, 263*, 268, 274, 278, 285, 292, 306, 307*, 308, 309, 313, 316, 318, 321, 322, 325, 329, 332–334, 336, 340, 342, 350, 354, 356, 370, 371*, 378, 380, 381, 385, 387, 394, 401, 402, 406, 409, 417, 424／Ⅲ-30, 31*, 35, 50, 57, 60, 103, 105, 140, 141*, 160, 161*, 174, 176, 203, 215, 217, 251, 293*, 308, 319, 326, 369*, 372, 411, 432, 433, 438／Ⅳ-12, 13*, 34, 60, 62, 68, 72, 73, 77, 78, 82, 88, 90, 119, 244, 245*, 312, 313*, 314／Ⅴ-32, 33*, 36, 42, 124, 125*, 141, 154, 155, 164, 187, 188, 189*
――家費　Ⅲ-308
――焼跡　Ⅲ-432
山水幅　Ⅰ-238／Ⅱ-104／Ⅳ-71
三介(三助)　Ⅴ-8／Ⅳ-220, 255, 286, 291, 301
残炭　Ⅰ-154
山内[坑・坑山](飯塚町下三緒)　Ⅰ-4, 5, 15, 32–34, 38, 50, 51, 57, 59, 60, 62, 64, 73, 80, 83, 98, 114, 137*, 140, 148, 156, 286, 312, 334／Ⅱ-32, 67, 123, 124, 131, 132, 136, 137, 151, 178, 179, 195–197, 204, 206, 207, 219, 226, 230, 237, 265, 304, 314, 324, 327, 345, 366, 367*／Ⅲ-117*, 167, 200, 245*, 249, 277*, 287, 288, 342, 368, 369*, 372／Ⅳ-94, 95*, 116, 117*, 176, 178, 331, 332, 333*, 340, 341／Ⅴ

-88, 89*, 92, 95-100, 102, 110, 111*, 116, 117*, 118, 120, 128-131, 138, 178, 180, 185
――坑跡　Ⅰ-140 / Ⅴ-92
――工事場　Ⅰ-148
――坑長　Ⅱ-345
――山林　Ⅲ-372 / Ⅳ-331, 332, 340, 341 / Ⅴ-128, 130
――事務員　Ⅰ-334
――所長　Ⅳ-176
――倉庫　Ⅰ-286
――積入場　Ⅱ-219, 324 / Ⅲ-287, 288
山内農園(山内農場・立岩農園・農園)　Ⅰ-140, 143*, 211*, 268, 299*, 303, 333, 368, 369* / Ⅱ-54, 55*, 127*, 140, 234, 235*, 304, 305* / Ⅲ-18, 19*, 348, 349*, 366, 367*, 414, 415* / Ⅳ-43*, 324, 325* / Ⅴ-92, 93*, 118, 119*
三ノ宮[駅](神戸市)　Ⅳ-89, 282
産婆　Ⅱ-22
参拝　Ⅰ-4, 55, 118, 218 / Ⅱ-374 / Ⅲ-19, 82, 86, 105, 123, 130, 156, 172, 222, 264, 278, 279, 296, 306, 350, 351, 364, 384, 405, 406, 428, 429 / Ⅳ-4, 56, 98, 110, 170, 212, 234, 263, 300, 311, 325, 340 / Ⅴ-23, 34, 40, 61, 75, 79, 89, 110, 126, 128, 178
桟橋　Ⅰ-325 / Ⅱ-44, 92, 132
桟橋布設(架設)　Ⅱ-132 / Ⅲ-47 / Ⅴ-187
三百年祭奉賛会(黒田家)　Ⅱ-355 / Ⅲ-42, 43*
散歩　Ⅱ-140 / Ⅲ-310 / Ⅳ-243
参謀長　Ⅰ-98
産米検査　Ⅱ-260
山脈[調査]　Ⅰ-224, 350 / Ⅴ-70
山陽停車場　Ⅰ-42
山陽ホテル　Ⅱ-10, 11*, 116, 117*, 187, 220, 221*, 248 / Ⅲ-394, 395*, 452 / Ⅳ-42, 43*, 47, 192, 388
山林　Ⅰ-6, 32, 104, 119, 122, 166, 177, 198, 280, 340 / Ⅱ-196, 234, 237, 326, 372, 396 / Ⅲ-10, 18, 20, 23, 57, 62, 103, 106, 130, 131, 164, 199, 207, 243, 254, 287, 295, 308, 347, 366, 368, 378, 381, 391, 392, 396, 410, 415, 430, 433 / Ⅳ-25, 55, 72, 140, 155, 190, 225, 229, 235, 308, 324, 325, 326, 328-330, 332, 334, 360, 376, 377, 380 / Ⅴ-68, 111, 128, 129, 130
――埋立　Ⅲ-246
――買入(買収)　Ⅰ-198 / Ⅱ-326 / Ⅲ-106 / Ⅳ-155, 308, 328
――技師　Ⅴ-68
――境界　Ⅰ-104 / Ⅲ-207, 243, 356, 410 / Ⅳ-229, 326 / Ⅴ-130
――経営　Ⅲ-430 / Ⅲ-360
――交換　Ⅲ-130
――地主　Ⅲ-415
――主任　Ⅳ-190
――嘱托　Ⅳ-190
――処分　Ⅰ-177
――調査　Ⅰ-104, 119
――根切　Ⅳ-325
――売却　Ⅱ-196
山林払下事件　Ⅰ-166

し

地網引　Ⅰ-166, 394
旨意　Ⅰ-112, 243, 271, 309, 317 / Ⅱ-24, 46, 164, 173, 174, 178, 200, 247, 345, 424 / Ⅲ-186, 199, 270, 452 / Ⅳ-40, 91, 125, 178, 216, 294, 295
歯医学校　Ⅳ-242
椎田(築上郡椎田町)　Ⅲ-215* / Ⅴ-37*, 124, 125*
椎木山　Ⅰ-192
辞意見合　Ⅴ-52
寺院建築　Ⅳ-280
試運転　Ⅲ-94
市営[問題]　Ⅳ-126, 202, 203*, 254, 255*, 260, 271, 321, 323, 337, 352 / Ⅴ-38, 39*, 41, 57, 68, 85, 100, 114, 115*, 132, 146, 147*, 148, 151, 155, 156, 174, 176, 180, 182, 184, 188
使役人　Ⅲ-167
塩専売　Ⅳ-63
塩長(料亭)　Ⅰ-30, 31*, 33, 64, 66, 96, 97*,

133*
塩屋(塚本家)　Ⅰ-59*, 84, 85*
塩湯　Ⅰ-82
時価　Ⅳ-216, 295
市会[議長]　Ⅱ-92／Ⅲ-394／Ⅳ-390／Ⅴ-114
市会議員　Ⅰ-222, 258, 262, 281, 379／Ⅲ-200／Ⅳ-132, 134／Ⅴ-12, 24, 28, 41, 49, 50, 75, 114, 180, 187
――候補　Ⅳ-134／Ⅴ-12
――選挙　Ⅴ-24, 28
歯科医(歯医者)　Ⅰ-18, 96, 208／Ⅲ-108, 109／Ⅳ-332
志賀[海]神社　Ⅰ-230, 231*, 232／Ⅳ-172, 173*, 200
――献灯　Ⅳ-200
志賀島(糟屋郡志賀島村)　Ⅴ-101*
資格　Ⅲ-202／Ⅳ-76
鹿町[坑区](長崎県北松浦郡鹿町村)　Ⅲ-70, 71*, 86, 87*, 90, 192, 193*, 205／Ⅳ-51*, 55, 61, 78, 79*, 80, 88, 99／Ⅴ-75*, 116, 117*, 124, 125*, 130, 132, 136, 139, 142
鹿町付近坑区買収　Ⅳ-78, 79*
シカル盤　Ⅰ-8
次官　Ⅰ-182／Ⅱ-332
志願書　Ⅰ-10
敷石　Ⅲ-111／Ⅳ-63／Ⅴ-130
敷島坑[区]　Ⅰ-210, 211*, 330, 331*
式場　Ⅰ-362／Ⅳ-35, 271, 336／Ⅴ-112
敷地　Ⅰ-207／Ⅱ-83, 84, 86–88, 93, 130, 230, 234, 268, 273, 325, 348, 374／Ⅲ-10, 18, 30, 56, 62, 84, 88, 90, 226, 320／Ⅳ-38, 40, 138, 159／Ⅴ-129
――買入(買付)　Ⅰ-207／Ⅱ-268／Ⅴ-128
――踏査　Ⅱ-86, 88
死去(死亡)　Ⅰ-58, 102, 224, 370, 407*／Ⅱ-62, 206, 239, 269, 372, 413／Ⅲ-11, 27, 108, 138, 264, 280, 367／Ⅳ-30, 41, 76, 78, 83, 100, 142, 166, 180, 246, 324, 368／Ⅴ-22, 98, 105, 150
執行僧　Ⅲ-241
執行長　Ⅲ-172
事業　Ⅰ-57, 78, 187, 188, 194, 220, 234, 252, 273, 344, 352, 374, 377, 383, 388／Ⅱ-20, 32, 34, 151, 282, 386／Ⅲ-138, 235, 255／Ⅳ-158, 174, 181, 184, 280, 354／Ⅴ-46, 92, 112, 166, 168
――拡張　Ⅱ-386
――実習　Ⅴ-112
――進行　Ⅴ-92
――成功　Ⅰ-383
――勃興　Ⅰ-374
――見込　Ⅰ-188
事業尽力ノ挨拶　Ⅰ-344
事業方法調査　Ⅴ-46
地行(福岡市)　Ⅲ-392, 393*, 426
資金　Ⅰ-284／Ⅱ-396／Ⅲ-174, 199／Ⅳ-181／Ⅴ-114
試掘　Ⅰ-8, 153
軸物整理　Ⅲ-38
仕操費　Ⅰ-41, 165／Ⅳ-256
試験　Ⅰ-195／Ⅱ-87, 90, 138, 272／Ⅲ-122, 284／Ⅳ-38, 46／Ⅴ-29
事件　Ⅰ-135, 154, 166, 314, 377, 378／Ⅱ-65, 66, 69／Ⅲ-48, 203, 232, 233*／Ⅳ-275, 278, 312, 316, 338, 364, 368, 387, 419／Ⅴ-46, 55, 102, 134, 158
試験所(石炭坑爆発予防調査所)　Ⅱ-126, 127*, 128, 140, 156, 157, 240
地獄熱利用　Ⅱ-120
仕事　Ⅰ-98
仕事打合　Ⅱ-42
試作　Ⅴ-47
視察　Ⅰ-94, 208, 415／Ⅱ-83, 87, 151, 195, 255, 262, 265, 270, 327, 383, 384, 392／Ⅲ-183, 302, 340, 356, 425／Ⅳ-30, 116, 122, 154, 161, 163, 264, 265, 314, 324, 330, 340, 342–344, 349, 353, 356, 362, 377／Ⅴ-30, 32–34, 36, 47, 71, 92, 93, 177, 179, 185
賜餐御礼　Ⅴ-137
資産額　Ⅳ-158
市参事員　Ⅱ-92
市山亭(料亭)　Ⅱ-72, 73*, 74, 147*, 182–184,

195 / Ⅳ-194, 195*
嗣子　Ⅰ-405
事実調査　Ⅱ-172 / Ⅳ-234
四時亭(料亭)　Ⅰ-371*, 396, 410 / Ⅱ-73* / Ⅳ-193*
使者　Ⅴ-72
死者　Ⅳ-31
子爵　Ⅰ-111, 289, 385 / Ⅱ-36, 40, 136, 158, 170, 172-174, 338, 375, 381, 404, 415 / Ⅲ-183, 214, 215, 222, 242, 323, 339 / Ⅳ-340 / Ⅴ-48, 76
侍従　Ⅳ-382
止宿　Ⅰ-35, 219, 229 / Ⅱ-84
私塾　Ⅳ-216, 262
祠掌　Ⅲ-403, 432, 450 / Ⅳ-38, 103, 180, 199, 228, 352
地所　Ⅰ-42, 79, 80, 90, 104, 114, 122, 138, 176, 177, 183, 198, 199, 250, 254, 290, 297, 329, 359, 377, 414 / Ⅱ-29, 57, 84, 149, 158, 168, 178, 191, 196, 197, 228, 233, 234, 257, 260, 261, 268, 272, 282, 306, 311, 327, 341, 376, 384, 392 / Ⅲ-19, 22, 48, 52, 54, 56, 62, 87, 88, 94, 185, 188, 225, 234-236, 249, 253, 292, 293, 295, 302, 304, 306, 310, 335, 338, 345, 349, 353, 356, 378, 393, 396, 418, 424, 426, 441, 449, 455, 456 / Ⅳ-14, 22, 32, 34, 36, 43, 54, 58, 59, 60, 64, 65, 118, 125, 130, 138, 140, 148, 150, 164, 188, 193, 196, 198, 218, 230, 240, 242, 245, 246, 252, 253, 264, 278, 279, 336, 339, 348, 350, 352, 355, 364, 374 / Ⅴ-14, 29, 95, 130, 134, 155, 166, 186
――売込　Ⅳ-130
――買入(買収)　Ⅰ-90, 183, 377, 383 / Ⅱ-57, 149, 158, 168, 196, 228, 233, 260, 261, 268, 282, 306, 311, 376 / Ⅲ-48, 304, 418 / Ⅳ-138, 188, 218, 219* / Ⅴ-166
――検査　Ⅰ-104
――交換　Ⅱ-384 / Ⅴ-155
――整理　Ⅰ-254, 297
――踏査(調査)　Ⅰ-359 / Ⅳ-148
――売却　Ⅱ-178 / Ⅳ-218
――払下　Ⅴ-14
地所代　Ⅰ-290 / Ⅱ-272 / Ⅳ-264, 352
地所収得税　Ⅳ-246
地所会社(博多土地建物株式会社)　Ⅱ-314, 315*
事情開陳　Ⅰ-26 / Ⅴ-171
事情聞取　Ⅰ-335 / Ⅱ-144
事情書　Ⅳ-349
試食　Ⅱ-376
辞職　Ⅰ-242, 265 / Ⅲ-26, 255, 306, 307, 312, 401, 402, 409 / Ⅳ-334
辞職者処分　Ⅱ-423
賜食之栄　Ⅳ-233
静岡　Ⅰ-76, 77 / Ⅱ-344
次介田地　Ⅰ-230
市制　Ⅲ-211* / Ⅳ-274, 331, 333, 357 / Ⅴ-11
市制紀念式　Ⅴ-11*
市政事件　Ⅰ-378
自然的勢力　Ⅳ-64
支線布設費　Ⅰ-367
地蔵園　Ⅳ-357
地蔵山　Ⅰ-192, 218 / Ⅱ-237 / Ⅲ-156 / Ⅳ-330, 334, 341, 362, 377, 382, 384, 392 / Ⅴ-92, 99
辞退　Ⅰ-131, 296, 369, 377*, 379, 381 / Ⅱ-116, 230, 261 / Ⅲ-104, 327, 328, 332, 387, 421, 442 / Ⅳ-40, 110, 380 / Ⅴ-18, 118
下刈　Ⅳ-353
私宅　Ⅰ-24
自宅　Ⅰ-192, 258 / Ⅱ-65, 77, 120, 149, 348 / Ⅲ-122, 136, 384 / Ⅳ-214, 220 / Ⅴ-51, 75
下地　Ⅰ-135, 310 / Ⅲ-187 / Ⅳ-26, 78
――打合　Ⅰ-310
――交渉　Ⅳ-26
――調査　Ⅲ-187
――取調　Ⅰ-135
――見分　Ⅳ-78
仕立屋　Ⅲ-38
下谷区(東京市)　Ⅱ-321
示談　Ⅰ-57, 95, 172, 210, 211, 218, 224, 225, 237, 238, 302 / Ⅱ-315
師団長　Ⅰ-129 / Ⅱ-220

質物　Ⅰ-112
質屋　Ⅰ-78
市長　Ⅰ-120, 222, 231-233, 237, 242, 243, 250, 255, 261, 264, 267, 272, 346, 379 / Ⅱ-66, 84, 92, 132, 188, 326, 329, 334, 346, 348, 355, 372, 380 / Ⅲ-400 / Ⅳ-126, 180, 188, 220, 357, 386, 390, 364, 220 / Ⅴ-78, 82, 176, 180, 184
——慰労金　Ⅰ-255, 261
——会談　Ⅱ-355
——候補者　Ⅰ-261
——辞職(辞任)　Ⅰ-242 / Ⅱ-188
市長側委員　Ⅰ-243
次長　Ⅱ-86, 149, 318, 345 / Ⅲ-403, 440 / Ⅴ-36
市町村長　Ⅱ-372
歯痛　Ⅱ-335 / Ⅲ-106
実印　Ⅲ-32
失格者　Ⅲ-218, 219*
実科女子校(飯塚実科高等女学校)　Ⅳ-64, 65*
漆器師　Ⅱ-401
実業者　Ⅰ-284, 287
実業ノ世界社　Ⅱ-89
実業之日本　Ⅰ-250
失権　Ⅲ-453
実行委員　Ⅰ-249
執行猶予　Ⅱ-133
実際調査　Ⅰ-325
失錯　Ⅲ-410
執事　Ⅰ-402
実視　Ⅲ-373 / Ⅳ-173, 380
実収　Ⅰ-138
実習女学校(嘉穂郡立実科高等女学校)　Ⅰ-362, 363*
実測　Ⅰ-195, 284, 296, 297 / Ⅱ-44, 52, 68, 91, 127, 324 / Ⅲ-22, 96, 349 / Ⅳ-165, 175, 363 / Ⅴ-27
実地　Ⅰ-4, 5, 21, 42, 82, 83, 104, 105, 137, 148, 164, 198, 199, 203, 204, 284, 296, 299, 303-305, 316, 329, 335, 372, 374, 375, 415 / Ⅱ-8, 9, 35, 58, 67, 84, 92, 93, 124, 125, 128, 131, 193, 197, 242, 243, 246, 266, 274, 371, 389, 420 / Ⅲ-21, 37, 44, 90, 93, 131, 166, 174, 178, 200, 234, 250, 252, 268, 310, 335, 345, 354, 370, 376, 378, 406, 410, 432, 434, 450 / Ⅳ-24, 26, 33, 37, 43, 50, 57, 63, 64, 66, 78, 78, 91, 92, 117, 125, 132-134, 144, 160, 177, 180, 183, 196, 203, 228, 251, 259, 262, 264, 278, 281, 329, 330, 337, 378, 382 / Ⅴ-27, 33, 47, 51, 86, 88, 89, 92, 99, 102, 116, 118, 120, 127-131, 135, 144, 166, 172, 180, 186
——案内　Ⅰ-284, 335 / Ⅱ-84
——打合　Ⅱ-9, 67
——検査　Ⅰ-4, 5
——見分　Ⅳ-78
——工事　Ⅳ-63
——視察　Ⅰ-335 / Ⅱ-84 / Ⅳ-118, 228, 329 / Ⅴ-33, 47
——修業　Ⅳ-382
——図面　Ⅰ-305
——説明　Ⅱ-92
——立会　Ⅳ-33
——陳情　Ⅰ-335
——踏査(調査)　Ⅰ-42, 82, 104, 105, 164, 198, 199, 203, 296, 304, 329, 375 / Ⅱ-8, 35, 36, 41, 66, 84, 92, 124, 128, 131, 193, 201, 243, 266, 324, 371, 389, 396 / Ⅲ-21, 44, 90, 93, 104, 131, 156, 166, 174, 178, 186, 174, 254, 310, 352, 432 / Ⅳ-24, 26, 66, 117, 133, 134, 180, 281, 363, 377, 378 / Ⅴ-86, 88, 92, 99, 102, 116, 130, 135, 180
——取調　Ⅰ-204
仕約残金　Ⅰ-351
実物検査　Ⅱ-380
実務ノ勉強　Ⅰ-276
支店　Ⅰ-42, 85*, 91, 208, 212, 292, 354, 364 / Ⅱ-369, 399* / Ⅲ-43, 89, 117, 199, 238, 246, 270, 271, 275, 276, 300, 401, 403, 440 / Ⅳ-42, 88, 112, 212, 263, 343, 369, 396 / Ⅴ-101, 102
支店長　Ⅰ-12, 151, 313, 324, 354, 377 / Ⅱ-16, 151, 160, 239, 369, 390 / Ⅲ-28, 43, 64, 118, 246, 403, 440 / Ⅳ-28, 29, 31, 45, 60, 61, 100,

136, 148, 162, 182, 328, 338, 364, 372, 381, 390 / Ⅴ-10, 16, 44, 56, 66
支店長会　Ⅰ-324
支店長心得　Ⅰ-151
自動車営業願　Ⅳ-164
自動車買入　Ⅲ-30, 324 / Ⅳ-54
自動車会社創立　Ⅱ-421
自動車借入　Ⅳ-138
自動車競争　Ⅲ-128
自動車検査　Ⅴ-30
自動車庫(置場)　Ⅳ-256, 374
自動車故障　Ⅰ-357 / Ⅱ-222, 234 / Ⅲ-16 / Ⅳ-28, 52, 104, 111, 341 / Ⅴ-141
自動車賃　Ⅳ-112
自動車便　Ⅲ-444
自動車不通　Ⅲ-169
自動車持込　Ⅲ-94
自動車雇入　Ⅲ-274 / Ⅳ-312
支那　Ⅰ-400 / Ⅱ-82, 78, 87, 226 / Ⅳ-388
支那視察談　Ⅱ-87
支那鉱区　Ⅱ-78
支那人　Ⅱ-78, 79*, 419 / Ⅲ-264
支那紡績会社　Ⅱ-160, 170
支那料理　Ⅳ-308, 361 / Ⅴ-70
磯長村(大阪府南河内郡)　Ⅳ-340
品川(東京府荏原郡品川町)　Ⅰ-17
信濃丸　Ⅱ-130, 131*
信濃屋(旅館)　Ⅰ-17*, 18–20, 22–26
品物　Ⅰ-80, 138, 212, 224, 315, 399 / Ⅲ-59, 140, 384 / Ⅳ-189, 284, 320
——買入(買収)　Ⅰ-224, 315 / Ⅲ-130 / Ⅳ-320
——整理　Ⅰ-336
——調査　Ⅲ-59 / Ⅳ-302
辞任　Ⅰ-14, 15, 98, 282, 338, 348 / Ⅱ-31, 33, 72, 83, 87, 289, 413 / Ⅲ-167 / Ⅲ-4, 6, 93, 94, 112, 138, 167, 255, 327, 337, 399, 454 / Ⅳ-13, 16, 38, 99, 250, 265, 278, 366, 373, 377, 386, 386 / Ⅴ-10, 14, 50, 61, 62, 72
辞任勧告　Ⅰ-15
辞任届　Ⅰ-338 / Ⅳ-377
地主[会]　Ⅰ-204, 205, 292 / Ⅱ-69, 191, 260, 372 / Ⅲ-60, 249, 425 / Ⅳ-49, 202, 256, 348 / Ⅴ-7, 145, 5
芝居[見物]　Ⅰ-20, 33, 114, 177 / Ⅱ-202 / Ⅲ-416, 437 / Ⅳ-191, 207, 236, 329, 367
支配人　Ⅰ-73, 142, 151, 176, 195, 198, 226, 228, 234, 241, 255, 257, 268, 280, 307, 317, 321, 347, 348, 349*, 381 / Ⅱ-149, 193, 229, 231, 257, 272, 276, 289, 335, 398, 420, 426 / Ⅲ-9, 17, 24, 89, 114, 116, 197, 245, 253, 275, 431, 438, 445, 457 / Ⅳ-46, 58, 105, 199, 276, 319, 378, 381 / Ⅴ-12, 20, 22, 25, 36, 47, 48, 53, 54, 70, 74, 76, 90, 95, 99, 101, 137, 162
芝莿屋　Ⅰ-321
芝関係坑区　Ⅱ-43*
芝区(東京市)　Ⅱ-282
芝集産場　Ⅰ-22, 24
芝戸丸　Ⅰ-147
芝取寄　Ⅳ-94
芝剥り　Ⅰ-5, 9, 10, 224, 225*
芝松山往還　Ⅰ-32
地盤　Ⅱ-274 / Ⅳ-228
市費増加　Ⅳ-357
辞表　Ⅲ-120, 312
持病　Ⅲ-99, 194, 223, 251
支部[会]　Ⅰ-73, 154, 249 / Ⅱ-145, 156, 283, 291, 314, 323, 380, 391, 415 / Ⅲ-44, 45*, 55, 68, 85, 86, 131, 132, 136, 138, 158, 182, 198, 302, 305, 337, 341–343, 350, 352, 427 / Ⅳ-6, 7*, 10, 25, 27, 76, 318, 330, 338, 368 / Ⅴ-20, 37*, 136, 140, 169
支部選挙費支出　Ⅴ-20
支部長　Ⅳ-18
司法大臣歓迎会　Ⅳ-155
資本[金・額]　Ⅰ-125, 196, 300, 403, 416–418 / Ⅱ-9, 49, 60, 62, 75, 200, 312, 395 / Ⅲ-84, 100, 101, 129, 132, 190, 266, 304 / Ⅳ-362 / Ⅴ-172
島売　Ⅳ-360
島田貸金関係　Ⅲ-52, 54, 56

始末［書］　Ⅱ-33, 46, 97, 152, 285, 352／Ⅲ-39, 117, 130, 201, 223, 226, 417, 445／Ⅳ-16, 48, 76, 90, 189
島門村（遠賀郡）　Ⅰ-120
島屋（旅館）　Ⅰ-20, 21*, 22, 24, 26, 186, 187*, 423*／Ⅱ-99*, 107, 158, 159*
事務員（事務官）　Ⅰ-158, 173, 225, 334, 359, 363／Ⅱ-4, 8, 34, 402／Ⅲ-220／Ⅳ-147, 232／Ⅴ-146
事務規定　Ⅳ-166
事務所　Ⅳ-26, 200, 378／Ⅴ-92
事務整理　Ⅱ-230／Ⅳ-228, 258
事務取扱　Ⅰ-56, 276, 395／Ⅱ-52, 54／Ⅳ-311, 374
四明ケ嶽駅（京都府）　Ⅳ-89
紫明館（料亭）　Ⅴ-126, 127*
地面埋立　Ⅴ-50
下臼井［駅］（嘉穂郡碓井村）　Ⅰ-220, 221*／Ⅱ-16, 17*, 31, 131
下臼井五尺坑　Ⅱ-6
下境［村］（鞍手郡）　Ⅰ-30, 82, 83*
下月隈（筑紫郡席田村）　Ⅱ-128, 129*
地元　Ⅰ-6, 9, 12, 22, 195, 203, 204, 224, 317, 354, 374, 385／Ⅱ-64, 71, 74-76, 118-120, 128, 142, 148, 149, 158, 186, 193, 197, 208, 230, 281, 388, 389, 396, 410／Ⅲ-42, 62, 67, 128, 162, 322, 387, 424／Ⅳ-12, 92, 283, 338, 368／Ⅴ-75, 45
——協議（義）　Ⅱ-118-120, 128, 142, 149, 158, 186, 197
——契約　Ⅲ-188
——交渉　Ⅰ-354／Ⅱ-193
——負担　Ⅰ-6
——約定　Ⅱ-208
——有志者　Ⅱ-388, 389
仕戻　Ⅱ-314
下関［駅］（山口県下関市）　Ⅰ-15, 30, 56, 63, 74, 77, 86, 106, 143, 148, 152, 154, 155, 245, 246, 248-252, 286, 287, 306, 334, 336, 358, 369, 404, 414, 415／Ⅱ-24, 40, 50, 51, 64, 65, 116, 118, 125, 130, 132, 142, 154, 187, 194, 220, 226, 227, 241, 244, 248, 249, 266, 282, 328, 346, 354, 378, 398, 403, 416／Ⅲ-180, 227, 231, 244, 281, 316, 319, 333, 348, 354, 366, 394, 395, 408, 426, 435／Ⅳ-9, 12, 26, 42, 47, 53, 58, 85, 96, 104, 133, 152, 164, 192, 196, 225, 263, 270, 282, 315, 340, 372, 386, 388／Ⅴ-32, 36, 46, 146, 173
下関駅長　Ⅱ-64
下関停車場　Ⅰ-86／Ⅱ-194／Ⅲ-348
下関土木出張所長　Ⅳ-26
下関婦人連　Ⅲ-408
下関連中　Ⅰ-248
下ノ山　Ⅰ-101／Ⅳ-326／Ⅴ-91
下三緒（飯塚町下三緒）　Ⅰ-10, 32, 33*, 118, 146, 162, 172, 184, 195, 296, 297*, 305, 309／Ⅱ-260, 261*, 275*, 288, 314, 315*, 372／Ⅲ-274, 386／Ⅳ-103
下三緒浦　Ⅰ-118, 119*, 162, 163*, 172, 173*
下三緒山　Ⅰ-10
下山田坑区　Ⅲ-224, 269
地盛　Ⅴ-47
諮問［会］　Ⅰ-307, 310, 311／Ⅱ-173, 183
市問題　Ⅰ-242
謝意　Ⅱ-56, 197, 330／Ⅲ-369／Ⅳ-120
社員　Ⅰ-288／Ⅱ-118, 145, 155, 258, 292, 308, 322, 330, 216, 416／Ⅲ-331, 412／Ⅳ-99, 138, 186／Ⅴ-141
社員惣会　Ⅱ-155
目尾坑山　Ⅰ-31
爵位問題　Ⅳ-156
市役所　Ⅰ-262, 271, 346／Ⅱ-92, 348, 373／Ⅲ-160, 409／Ⅳ-312／Ⅴ-34, 126, 152, 153
借宅　Ⅲ-122／Ⅳ-46
借地　Ⅱ-353, 374, 416／Ⅲ-38, 63, 169, 264, 268／Ⅳ-354
借地料［金］　Ⅰ-51／Ⅱ-416／Ⅲ-253, 265
尺無シ　Ⅰ-256／Ⅱ-63*／Ⅴ-118
借用［金］　Ⅰ-41／Ⅱ-134／Ⅲ-77, 402
舎兄　Ⅰ-83
社債　Ⅰ-132／Ⅱ-357, 378／Ⅲ-14, 99, 276, 279, 280, 345, 350, 447／Ⅳ-128, 160, 275, 283,

362, 364, 366, 369 / V-86, 150, 159, 169, 172
社債担保　Ⅳ-364
謝罪書　Ⅲ-156 / V-21
社司　Ⅱ-417
社掌　Ⅲ-124
社昇格　Ⅳ-352
写真　Ⅲ-426, 432 / Ⅳ-195
写真営業　Ⅱ-228
社葬　Ⅳ-142
社宅　Ⅰ-137, 141, 143 / Ⅱ-193, 273
社宅巡視　Ⅰ-143
社長　Ⅰ-173, 187, 348 / Ⅱ-41, 388, 399, 413-415, 130, 196, 204, 268, 306 / Ⅲ-69, 78, 98, 112, 128, 132, 161, 162, 171, 178, 240, 333, 345, 357 / Ⅳ-95, 96, 98, 99, 250 / V-66, 141, 143
——交代　Ⅲ-112, 132
——辞意　Ⅲ-98
——辞退　Ⅳ-95
——辞任　Ⅱ-414, 415 / Ⅲ-128
——進退問題　Ⅲ-128
社長室　V-143
シャツ　Ⅰ-18
借金　Ⅰ-44, 45, 270
舎弟　Ⅰ-49 / Ⅱ-181, 410
社殿建築　Ⅱ-417 / Ⅲ-382
社費　Ⅳ-313
シヤビン　Ⅰ-8
車夫　Ⅰ-17, 19, 20, 21 / Ⅲ-57
写物　V-167
地山　V-124
社務　Ⅲ-100, 374, 367
社務所員　Ⅲ-367
砂利[販売]　Ⅱ-344 / Ⅳ-203
謝礼　Ⅲ-194, 300, 382
上海　Ⅱ-386
集会　Ⅰ-4, 64, 147, 260, 304, 323 / Ⅱ-17, 19, 38, 92, 148, 163, 178, 386, 388, 397 / Ⅲ-42, 58, 186, 244, 270, 312, 332, 337, 379, 385, 447 / Ⅳ-314, 346 / V-10, 166
収穫　Ⅰ-138
就学[生]　Ⅱ-380, 390
修学　Ⅲ-122 / Ⅳ-137, 159, 165, 176, 260, 261 / V-84
祝儀　Ⅰ-54, 292, 310, 319, 332, 374, 379 / Ⅱ-61, 163, 209, 390, 430 / Ⅲ-79, 95, 398 / Ⅳ-22, 88, 110, 137, 170, 240, 326, 329 / V-4, 102, 156
衆議院[議員]　Ⅰ-28, 180, 280, 282, 287, 302, 356 / Ⅱ-241, 269, 342 / Ⅲ-89, 193, 332 / Ⅳ-36, 181, 201, 217 / V-12, 21
衆議院選挙[候補者]　Ⅰ-280, 302, 356 / Ⅱ-12, 13*, 26, 27*, 241, 269, 271, 281* / Ⅲ-193 / Ⅳ-40, 181, 201, 217 / V-12, 21
秋季懇話会　Ⅳ-193
修業　Ⅳ-165, 262, 382
従業員　Ⅲ-29, 304, 324, 325, 326 / Ⅳ-156, 354
従業員処分　Ⅲ-324, 325
習業所　Ⅲ-122
自由公論　Ⅱ-307
十五銀行　Ⅲ-313*, 323, 334, 347, 350, 380, 381* / Ⅳ-104, 105*, 128, 129*, 190, 193, 198
収支[勘定]　Ⅰ-55, 157, 300 / Ⅱ-116, 197 / Ⅲ-51, 168, 338, 341 / Ⅳ-64 / V-12, 94
収支計算[書]　Ⅰ-300 / Ⅲ-51, 338, 341 / Ⅳ-367
収支調査　V-12, 94
収支予算書　V-94
従事者　Ⅰ-344 / V-97
十七銀行　Ⅰ-172 / Ⅱ-137*, 259, 285 / Ⅲ-10, 11*, 14, 55, 58, 126, 127*, 132, 134, 136, 167*, 270, 271*, 282, 316, 355, 356, 390, 391*, 401, 411 / Ⅳ-224, 225*, 275, 343* / V-56, 57*
十七銀行交渉問題　Ⅲ-127
就職　Ⅲ-20, 181, 189, 230, 264 / Ⅳ-127, 138, 174, 241, 328, 360, 368 / V-14, 16, 84
住職　Ⅰ-78, 128 / Ⅱ-286, 344, 396 / Ⅲ-188, 216 / Ⅳ-197

収税部書記　Ⅰ-210
修繕　Ⅰ-9, 33, 70, 98, 107, 118, 195 / Ⅱ-132, 168, 224, 327 / Ⅲ-8, 30, 245 / Ⅳ-28, 34, 134 / Ⅴ-180
修繕代　Ⅲ-134
周旋[人・者]　Ⅰ-412 / Ⅱ-182 / Ⅲ-292, 346
修繕費[金]　Ⅰ-118 / Ⅲ-8, 222
周旋料[金]　Ⅱ-68, 264
重体　Ⅱ-306
重大関係　Ⅳ-214, 295
住宅　Ⅱ-352 / Ⅲ-190 / Ⅴ-34, 99
市有地　Ⅱ-267
重大事件　Ⅰ-377 / Ⅴ-134
自由通信社　Ⅱ-388
収入　Ⅰ-6, 8, 54, 55, 112, 300 / Ⅱ-242 / Ⅲ-10, 253, 341 / Ⅴ-58, 84
収入金問題　Ⅴ-47
就任　Ⅰ-112, 381 / Ⅱ-331, 332 / Ⅲ-110, 234 / Ⅳ-96 / Ⅴ-6
十年祝　Ⅰ-8
重病　Ⅱ-206 / Ⅳ-52 / Ⅴ-18
十文字[農場・出張所]　Ⅰ-104, 105* / Ⅱ-152, 153*, 228, 229*
重役　Ⅰ-8, 12, 98, 104, 176, 237, 254, 255, 257, 264, 266, 276, 298, 318, 320, 374 / Ⅱ-8, 14, 41, 42, 62, 76, 93, 107, 136, 140, 148, 229, 235, 392, 395, 398, 421-423 / Ⅲ-12, 69, 82, 112, 120, 120, 203, 236, 238, 243, 248, 272, 346, 354, 357, 377, 400, 433, 447 / Ⅳ-142, 144, 204, 216, 220, 244, 248, 266, 278, 279, 282, 283, 351, 360, 383, 384, 388, 392, 395 / Ⅴ-23, 32, 38, 48, 51, 83, 86, 119, 146, 156, 157, 162, 163
——慰労金　Ⅴ-38
——慣例　Ⅳ-142
——協議会　Ⅱ-238 / Ⅳ-101, 124, 219, 296
——交換　Ⅳ-144
——辞退　Ⅳ-384
——辞任　Ⅳ-248 / Ⅴ-23
——招集　Ⅳ-220
——賞与　Ⅱ-140 / Ⅲ-69, 272 / Ⅳ-395 / Ⅴ-157
——職責内規　Ⅲ-433
——推挙　Ⅲ-112 / Ⅴ-48, 83
——選挙　Ⅳ-248, 266, 279, 351 / Ⅴ-51, 146
——増給　Ⅰ-254, 255, 257
——立替　Ⅲ-12
——手当　Ⅰ-257, 318 / Ⅱ-8, 107
——報酬　Ⅱ-398 / Ⅳ-64, 204 / Ⅴ-156
——保証　Ⅲ-236
——面会　Ⅳ-342
——臨時慰労金　Ⅲ-357
重役会　Ⅰ-6, 12, 13, 38, 42, 52, 61, 62, 78, 82, 97, 98, 103, 134, 138, 140, 142, 164, 168, 176, 194, 204, 208, 230, 234, 248, 254, 263-265, 276, 279, 280, 286-288, 298, 303-306, 318, 319, 321, 324, 325, 330, 331, 348, 372, 390, 391, 394, 396, 404, 409, 410, 412 / Ⅱ-8, 11, 14, 16, 21, 32, 40-42, 44, 46, 54, 60, 70, 76, 77, 79, 82, 83, 95, 118, 120, 132, 139, 140, 146, 164, 174, 176, 180, 181, 183, 186, 187, 203, 219, 222, 231, 241, 242, 244, 249, 251, 257, 260, 264, 268, 274, 277, 283, 285, 306, 308-310, 312, 315, 319, 321, 326, 328, 333, 336, 338-340, 344, 376, 378, 392, 394, 395*, 398, 406, 413, 418, 420-422, 430 / Ⅲ-14, 67, 78, 92, 109, 116, 130, 182, 199, 200, 203, 243, 250, 258, 282, 301, 316, 318, 400, 434, 448 / Ⅳ-29, 33, 38, 46, 59, 76, 80, 95, 137, 165, 170, 177, 184, 186, 214, 218, 221, 222, 226, 245, 248, 250, 251, 256, 261, 266, 294, 302, 304, 318, 337, 341, 345, 348, 352, 353, 359, 372, 373, 384, 388, 390, 395, 396 / Ⅴ-14, 22, 38, 38, 40, 44, 48, 51, 52, 54, 66, 68, 69, 85, 86, 115, 118, 120, 124, 126, 134, 140, 150-153, 158, 160, 166, 176, 179, 180, 186
重役会決議[録]　Ⅰ-140 / Ⅱ-378 / Ⅴ-14
重役会則　Ⅱ-181
重役室　Ⅰ-199
重役招待[会]　Ⅲ-354 / Ⅳ-244
修献館　Ⅲ-122, 123*
重要打合　Ⅲ-245*, 428
重要書類　Ⅱ-96
重要問題　Ⅰ-208 / Ⅱ-90 / Ⅲ-70, 139, 202,

282, 291, 386, 445 / Ⅳ-90 / Ⅴ-66, 146, 188
重要要件　Ⅰ-347
終列車　Ⅰ-86, 355
酒宴　Ⅰ-81 / Ⅴ-85
主幹　Ⅱ-333
需給調査　Ⅱ-197
宗教　Ⅳ-39
祝意　Ⅲ-221, 388 / Ⅳ-348
祝宴[会]　Ⅰ-4, 36, 94, 108, 140, 141*, 163, 202, 218, 291, 344 / Ⅱ-163
祝賀[宴・会]　Ⅰ-94, 360 / Ⅱ-116, 341, 366 / Ⅲ-18, 297, 298 / Ⅳ-27, 30, 31*, 235*, 248, 306 / Ⅴ-6, 7*, 10, 18, 20, 76, 115
祝賀人　Ⅰ-94
祝詞(辞)　Ⅰ-139, 213 / Ⅳ-56, 97
宿所　Ⅱ-387, 388, 394 / Ⅲ-239 / Ⅳ-140
祝書　Ⅲ-11
宿直　Ⅴ-25
祝電　Ⅰ-173, 379 / Ⅱ-415 / Ⅲ-114, 178, 182, 214, 223, 404, 406 / Ⅳ-160 / Ⅴ-10
祝盃(杯)　Ⅰ-118, 162, 218, 276, 311 / Ⅱ-5, 216, 254, 304 / Ⅲ-68, 82, 84, 156, 264, 388 / Ⅳ-4, 212, 300 / Ⅴ-111, 112
宿泊　Ⅰ-176, 225 / Ⅱ-52 / Ⅲ-25, 27, 188, 286, 371, 441 / Ⅳ-148, 336, 385 / Ⅴ-86
宿料　Ⅰ-77 / Ⅱ-328 / Ⅲ-331 / Ⅳ-256
主権引受　Ⅳ-204
酒肴[料]　Ⅰ-332 / Ⅴ-58
主催者　Ⅲ-348
趣意(趣旨)書　Ⅲ-276 / Ⅳ-52, 55, 56
手術　Ⅰ-192, 202, 203, 308, 328 / Ⅱ-54, 398 / Ⅲ-88, 227, 242, 293, 294, 296, 298-300, 344, 388 / Ⅳ-114
手術室　Ⅰ-202, 203
首相　Ⅳ-160
主人　Ⅰ-54, 277, 278, 284, 294, 311, 324, 362, 410, 413 / Ⅱ-158, 212, 306, 332 / Ⅲ-24, 228, 364, 433, 22 / Ⅳ-63, 79, 110, 155, 343 / Ⅴ-28, 144, 165
主人[側]挨拶　Ⅰ-278, 311, 324 / Ⅱ-332
酒造　Ⅰ-166 / Ⅳ-270
酒造組合　Ⅴ-52
寿像　Ⅰ-213 / Ⅲ-156
受贈者株主　Ⅱ-356
出関(下関)　Ⅰ-38, 106
出願　Ⅰ-214, 378 / Ⅱ-14, 44, 46, 64, 68, 150, 170, 198, 238, 344, 353 / Ⅲ-55, 456 / Ⅳ-144, 164 / Ⅴ-148
出願許可　Ⅰ-136 / Ⅳ-12
出京　Ⅰ-253 / Ⅱ-420 / Ⅲ-103
出金　Ⅰ-29, 58, 66, 158, 270, 271, 276, 288, 310, 360, 361 / Ⅱ-31, 32, 38, 39, 58, 190, 192, 271, 373, 405 / Ⅲ-8, 23, 61, 90, 162, 162, 253, 264, 280, 287, 315, 420, 424, 425 / Ⅳ-12, 54, 82, 124, 202, 271, 286, 328 / Ⅴ-38, 112, 122, 131, 156
出勤　Ⅰ-198, 264, 350
出勤時間　Ⅰ-350
出坑　Ⅰ-84, 86, 114, 157, 177, 267, 350, 414 / Ⅱ-16, 63 / Ⅴ-187
出向　Ⅱ-144 / Ⅳ-193 / Ⅴ-72, 152
出産　Ⅳ-379
出社　Ⅲ-334 / Ⅳ-192, 376 / Ⅴ-48, 97, 123, 132
出状　Ⅰ-22, 33, 45, 184, 201, 208, 228, 236, 238, 253, 259, 268, 316, 321, 368, 378, 384 / Ⅱ-12, 33, 35, 47, 66, 82, 90, 95, 122, 126, 142, 146, 152, 153, 192, 231, 254, 264, 292, 306, 334, 353, 366, 378, 387, 388, 395, 399, 402, 407, 409 / Ⅲ-70, 92, 96, 98, 127, 199, 213, 221, 234, 286, 314, 378, 383, 387, 388, 427, 430 / Ⅳ-10, 11, 36, 37, 99, 114, 116, 181, 224, 248, 323, 366, 367 / Ⅴ-24, 31, 61, 83, 116, 143, 148
述情書　Ⅰ-404
出席員(者)　Ⅰ-321 / Ⅱ-66 / Ⅳ-93
出炭制限　Ⅱ-372
出庁　Ⅰ-402 / Ⅲ-101, 289 / Ⅳ-269, 273, 306
出張　Ⅰ-4, 5, 8, 40, 49, 50, 60, 64, 72, 78, 84, 104, 126, 138, 195, 203, 210, 240, 264, 268, 280, 292, 303, 325, 335, 363, 368, 382, 390 / Ⅱ-42, 146, 150, 179, 186, 279, 312, 410, 418 / Ⅲ-59, 64, 113, 174, 196, 199, 209, 274, 281, 285, 287, 314, 329, 367, 390, 425, 432, 439,

451 / Ⅳ-30, 52, 53, 83, 99, 100, 124, 124, 161, 164, 181, 278, 282, 355, 358 / Ⅴ-47, 87, 128, 150, 152, 154, 168, 173, 180, 187
出張員　Ⅱ-418
出張官　Ⅳ-358, 355
出張先　Ⅰ-60, 138, 390
出張所　Ⅰ-40, 240 / Ⅱ-369
出張所員　Ⅳ-332
出張旅費　Ⅴ-42
出店　Ⅰ-61, 78, 86, 96, 104, 108, 124, 130, 134, 172, 198, 208, 210, 226-228, 247, 266, 286, 320, 328, 329, 333, 340, 356, 378 / Ⅱ-11, 62, 180, 237, 276, 304 / Ⅲ-4, 22, 60 / Ⅳ-128 / Ⅴ-46
出店出務　Ⅰ-378
出湯　Ⅰ-292 / Ⅲ-169 / Ⅳ-380
出直(直方)　Ⅴ-130
出博(博多)　Ⅰ-71, 88, 90, 98, 122, 131
出飯(飯塚)　Ⅰ-106, 166, 286 / Ⅱ-126 / Ⅲ-207 / Ⅴ-18
出帆　Ⅰ-35, 144, 155, 250, 263 / Ⅱ-220 / Ⅴ-33, 164
出府(別府)　Ⅰ-384
出福(福岡)　Ⅰ-94, 99, 100, 110, 119, 120, 124, 129, 134, 138, 148, 149, 153, 172, 187, 192, 196, 198, 199, 206, 209, 212, 218, 222, 236, 240, 242, 251, 252, 255, 257, 258, 260, 261, 264, 265, 267-269, 277, 288, 292, 294, 298, 299, 301, 304, 307, 310, 314, 323, 326, 328, 330, 340, 346, 349, 354, 363, 366, 367, 372, 378, 382, 386, 390, 399, 401, 402, 404, 405, 407, 408, 410, 412 / Ⅱ-4, 6, 14, 15, 17, 18, 26, 28, 30, 34, 42, 44, 46, 48, 52, 59, 60, 62, 65, 68, 70, 77, 79, 82, 85, 87-92, 118, 126, 128, 129, 132, 141, 158, 164-166, 169, 170, 182, 203-205, 216, 217, 227, 231, 238, 240, 247, 269, 271, 278, 281, 284, 288, 304, 315, 320, 335, 343, 346, 352, 352, 366, 372, 373, 382, 383, 392, 400, 404-407, 413, 418, 421, 423 / Ⅲ-4, 6, 8, 10, 15, 20, 24, 26, 28, 29, 40, 42, 44, 48, 49, 52, 54, 59, 60, 64, 69, 83, 84, 88, 90, 92, 94, 99, 101, 102, 104, 108, 110-114, 121-124, 126-131, 134, 138, 142, 156-159, 163, 165, 166, 168, 170, 171, 180, 182, 185-187, 192, 194, 196, 201, 202, 205, 208-210, 212, 218, 220, 222, 224, 226, 227, 230, 237, 238, 242, 246-248, 250, 252, 266, 268, 270-272, 276, 280, 282, 284, 286, 288-291, 295, 296, 300, 302, 305, 309, 310, 315, 317, 318, 321-329, 332, 336-338, 342, 344-347, 349, 351, 353-356, 364, 366, 373-376, 379, 383, 384, 386, 390, 391, 393, 395-398, 400, 401, 404, 405, 407-409, 413-416, 418, 422, 426, 429, 431, 434, 435, 437, 439-441, 444-446, 449-451, 454, 455 / Ⅳ-4, 6, 8, 10, 14, 16, 19, 22-25, 28, 30, 32, 33, 38, 43, 44, 46, 47, 50-52, 55, 56, 60, 63, 64, 66, 69-73, 75, 79, 80, 84-86, 91-94, 97, 98, 103, 104, 115, 118, 120, 126, 128, 130, 133, 136, 139-141, 143-146, 149, 152, 153, 155-157, 160, 163, 165, 169, 171, 173, 174, 176-178, 180, 183, 184, 186, 187, 189-192, 194, 196, 200, 212, 213, 220, 224, 230, 232, 234, 239, 241, 242, 247, 248, 250, 251, 253-255, 258, 259, 261, 262, 264, 266-268, 271, 272, 275, 278, 281, 286, 296, 300, 302, 304, 310, 318, 321, 324, 326, 330, 332, 334, 338, 341-344, 346, 348, 349, 351, 354-356, 360, 362, 364, 365, 368, 374, 375, 379, 384-386, 390, 393, 394, 397 / Ⅴ-13-17, 20, 23, 24, 28-30, 37, 38, 46, 48, 50, 51, 54, 57-59, 62, 64, 66, 69, 78, 85, 88, 90, 94, 95, 99, 112, 118-120, 122, 128-130, 132, 134, 135, 138, 140, 142, 148, 150, 151, 157, 158, 161, 164, 168, 170, 172, 176, 178, 180, 182, 184, 186, 188, 189
出分(大分)　Ⅱ-402
出兵　Ⅱ-176, 177
出別(別府)　Ⅰ-256, 384, 414 / Ⅱ-172, 389, 402
出務　Ⅰ-134, 97, 134, 287, 395, 396 / Ⅱ-8, 11, 12, 16, 20, 23, 34, 36, 42, 43, 45, 55, 61-63,

66, 67, 81, 90, 126, 150, 197, 244 /Ⅲ-17, 38, 94, 304 /Ⅳ-97, 98, 181, 202, 235, 312, 387 /Ⅴ-129
出務掛　Ⅰ-97
出門(門司)　Ⅰ-41, 108, 127, 230
出熊(熊本)　Ⅳ-383
出輦　Ⅱ-377
主典　Ⅴ-72
主任[者・会]　Ⅰ-43, 49, 52, 128, 315 /Ⅱ-226, 318, 320, 386 /Ⅲ-125, 292, 414, 367, 379 /Ⅳ-110, 306, 377 /Ⅴ-34, 51
主筆　Ⅱ-343
主婦　Ⅰ-76 /Ⅱ-394, 396, 396 /Ⅲ-12, 206, 296, 319, 384 /Ⅳ-11, 144, 161, 181, 183, 231, 282, 318, 349, 396 /Ⅴ-4, 28, 36, 127, 144, 148
趣味　Ⅲ-149
樹木　Ⅲ-399 /Ⅴ-42, 127
需用[家]　Ⅰ-398 /Ⅱ-188 /Ⅲ-164, 168, 382
需用炭　Ⅴ-134
需用電力　Ⅲ-164
手療　Ⅲ-296
狩猟　Ⅰ-118 /Ⅲ-82
春画　Ⅰ-55
準急行　Ⅰ-121
春光園(養鶏業)　Ⅴ-170, 171*, 172
竣工式　Ⅰ-308 /Ⅱ-134
巡査　Ⅰ-54, 56, 195, 205 /Ⅱ-260, 285 /Ⅲ-130, 427 /Ⅴ-64, 168
巡査部長　Ⅴ-64
順正寺　Ⅴ-82, 83*
順序書　Ⅳ-314
浚渫(浚方)　Ⅰ-296, 297, 335
浚渫船　Ⅱ-64
順天看護婦会長　Ⅲ-323
春帆楼(藤野)(料亭)　Ⅰ-106, 107*, 136, 137*, 225*, 336, 337*, 358, 359*, 414, 415* /Ⅱ-130, 131*, 187, 226, 227* /Ⅲ-180, 181*, 244, 348, 349*, 435* /Ⅳ-12, 13*, 47, 104, 112, 113*, 367*
準備(順備)　Ⅳ-268 /Ⅴ-182, 189
叙位　Ⅰ-344, 345*, 336, 361*, 407
浄安寺　Ⅲ-105
小委員会　Ⅳ-186, 187*, 226
松栄館(旅館)　Ⅱ-72, 73*, 144, 145*, 147, 148, 152, 182, 184, 185, 195, 196 /Ⅲ-331* /Ⅳ-194, 195* /Ⅴ-32, 33*
松江駅(築城郡角田村)　Ⅳ-119*, 187, 196
小宴[会]　Ⅰ-8, 118, 126, 192 /Ⅳ-318
招宴　Ⅱ-320, 336 /Ⅳ-24, 176, 260, 385 /Ⅴ-42, 139, 120
正恩寺　Ⅰ-74, 75*, 76, 128, 129*, 178, 179*, 285*, 399* /Ⅱ-42, 43*, 269*, 275, 280, 286 /Ⅲ-222, 223*, 226, 232, 245, 286, 287* /Ⅳ-27*, 40, 41*, 49, 82, 84, 138, 139* /Ⅴ-6, 7*, 60, 128, 129*, 133, 145
小塊　Ⅱ-77, 230
小開月(カフェ)　Ⅳ-202, 203*, 231*
紹介状　Ⅰ-76, 181 /Ⅱ-388 /Ⅲ-208, 317
小学生[徒]　Ⅳ-50 /Ⅴ-10
小学校　Ⅰ-82, 134, 207 /Ⅱ-88, 90, 178, 237 /Ⅲ-4, 18, 192, 222, 380, 402 /Ⅳ-15, 88, 229 /Ⅴ-10, 20, 21, 92, 172
小学校敷地　Ⅴ-92
小学校新築費寄付　Ⅰ-82
小学校長　Ⅰ-207 /Ⅲ-402 /Ⅴ-172
蒸気　Ⅰ-5, 32, 41, 56
蒸気卸　Ⅰ-5
蒸気船　Ⅰ-32 /Ⅳ-12
蒸気鉄管　Ⅰ-41
正客　Ⅰ-368 /Ⅲ-372
償却(債却)　Ⅱ-262, 285 /Ⅴ-71, 73, 120, 136
償却方法改正　Ⅴ-86
昇給　Ⅱ-137 /Ⅲ-196
商業　Ⅲ-190 /Ⅳ-227, 331
上京　Ⅰ-15, 16, 23, 24, 41, 43, 45, 54, 58, 60, 62, 74, 75, 107, 112, 131, 146, 166, 178, 184, 186, 200, 203, 214, 222, 229, 252, 253, 265, 267, 273, 290, 308, 314, 315, 338, 340, 352, 355, 365, 369, 385, 386, 390, 406, 415, 423 /Ⅱ-12, 23, 24, 44–46, 55, 62–64, 78, 84, 88, 89, 91, 97, 99, 106, 109, 110, 116–118, 122, 138, 140, 152, 160, 165, 166, 192, 206, 220,

231, 232, 234, 239, 240, 248, 256, 265, 288, 290, 306, 309, 312–314, 320, 325, 327, 328, 333, 344, 348, 357, 361, 366, 368, 370, 372, 381, 390, 406, 413, 414, 421, 422, 428, 433 / Ⅲ-6, 15, 23, 32, 37, 38–40, 44, 56, 59, 60, 62, 65, 67, 77, 84, 86, 89, 93, 96, 100, 101, 104, 107, 109, 113, 116, 118, 120, 125, 127, 128, 130, 137, 141, 150, 164, 167, 168, 171, 176, 178, 179, 193, 201, 204, 217, 221, 222, 237, 239, 243, 244, 251, 257, 268, 269, 291, 314, 333, 338, 345, 350, 359, 368, 387, 390, 415, 416, 422, 425, 428, 435, 436, 440, 446 / Ⅳ-12, 26, 28, 36–38, 51, 53, 60, 75, 81, 82, 85, 86, 90, 95, 96, 98, 101, 102, 107, 118, 124, 132, 134, 135, 137, 140, 142, 143, 160, 164, 176, 178, 179, 182, 186, 194, 196, 201, 207, 217, 228–230, 238, 248, 250, 252, 254, 259, 273, 276, 278, 279, 286, 287, 302, 328, 334, 337, 338, 341, 342, 346, 351–353, 355, 356, 358, 373, 376, 378, 381, 382, 386, 387, 390, 394, 396 / Ⅴ-13, 15, 22, 31, 45, 47, 48, 52, 63, 66, 68–70, 80, 92, 116, 118, 120, 121, 123, 130, 134, 139, 146, 150, 155, 186, 187
上京委員　Ⅰ-23, 62
上京日誌　Ⅰ-229, 423 / Ⅱ-433
上京費　Ⅰ-59, 178, 422, 308 / Ⅴ-45, 69, 186 / Ⅳ-118, 250, 252, 273, 286, 355, 358, 374, 396
常議員　Ⅰ-152, 312, 346, 347* / Ⅱ-224 / Ⅳ-54, 55*, 252
常議員会　Ⅰ-36, 63, 87, 98, 100, 101*, 112, 137, 200, 207, 214, 232, 244, 305*, 306, 325, 330, 337, 366, 372, 382, 386, 388, 396, 397, 403, 404 / Ⅱ-18, 19*, 25, 32, 44, 56, 60, 62, 90, 91*, 140, 160, 161, 178, 187, 205, 224, 351, 368, 380 / Ⅲ-232, 233* / Ⅳ-54, 55*
商業会議所　Ⅲ-188, 385, 390, 424 / Ⅳ-182, 312, 372 / Ⅴ-90, 91*, 100
商業会議所(商業所)会頭　Ⅲ-424 / Ⅴ-164, 165*
商業学校　Ⅴ-24
正行寺　Ⅱ-396, 397*
状況報告　Ⅰ-387
松月楼(料亭)　Ⅰ-112*, 118, 119*, 124, 126, 130, 133, 143, 146, 153, 156, 162, 163*, 165, 194, 195*, 236, 237*, 372, 373*, 403* / Ⅱ-8, 9*, 36, 98, 165*, 166, 229*, 298, 299*, 312, 313*, 335, 358, 369*, 399, 426, 430 / Ⅲ-8, 9*, 12, 31, 43, 71, 73, 87, 92, 118, 144, 145, 162, 243, 256, 266, 267*, 320, 330 / Ⅳ-6, 7*, 51, 75, 161*, 214, 215*, 254, 302, 303* / Ⅴ-81*, 112, 113*
証券　Ⅰ-266
証券会社　Ⅱ-288, 289* / Ⅲ-417, 425 / Ⅳ-240
証言　Ⅱ-62, 412 / Ⅳ-267
昭憲皇太后大葬　Ⅰ-247
焼香　Ⅱ-374 / Ⅲ-84, 309, 413, 434 / Ⅳ-260 / Ⅴ-88
商工会員　Ⅲ-320 / Ⅳ-296
商工会長　Ⅳ-219
小坑主連　Ⅳ-252
商工省　Ⅲ-240
商工新聞　Ⅳ-284
商工大臣　Ⅲ-229 / Ⅳ-198
昇降場　Ⅱ-224
証拠金　Ⅱ-262, 218
招魂祭　Ⅰ-55
少佐　Ⅱ-185
商事　Ⅰ-408
松寿館　Ⅱ-182
証書　Ⅰ-12, 63, 256, 285 / Ⅲ-248, 249, 252, 271–274
証書案作成　Ⅳ-16
上水溜　Ⅳ-188
定席　Ⅰ-20, 124, 126, 142, 146
商船会社　Ⅲ-352
小選挙区改正　Ⅳ-124
肖像　Ⅲ-354
上層尺無シ　Ⅱ-63
招待(招戴)　Ⅰ-19–22, 26, 32, 34, 35, 42, 54,

71, 82, 106, 108, 119, 120, 126, 131, 135, 150, 163, 164, 174, 182, 232, 237, 238, 243, 278, 288, 290, 294, 319, 328, 340, 363, 364, 368, 370, 374, 378, 379, 385, 401, 402, 415 / Ⅱ-6, 9, 16, 22, 26, 31, 40, 48, 53, 60, 66, 73, 74, 83, 86, 116, 130, 151, 158, 161, 163, 166, 181, 188, 195, 220, 224, 227, 236, 238, 268, 277, 287, 313, 318, 320, 322, 330, 344, 354, 355, 368, 379, 380, 400, 414, 415, 418, 421 / Ⅲ-6-8, 34, 64, 86, 91, 142, 156, 160, 190, 192-194, 198, 213, 229, 230, 245, 268-270, 284, 302, 303, 311, 330, 331, 336, 344, 349, 351, 392, 395, 399, 410, 415, 419, 422, 427, 434-436, 439, 440, 442, 445, 447, 448, 452, 456 / Ⅳ-4, 12, 19, 29, 33, 38, 42, 45, 52, 58, 59, 75, 93, 98, 112, 113, 121-123, 126, 138, 146, 163, 177, 194, 200, 214, 220, 226, 230, 244, 248, 254, 269, 281, 300, 302, 304, 308, 310, 312, 328, 341, 343, 349, 354, 356, 363, 366, 370, 372, 385, 388, 396 / Ⅴ-8, 19, 28, 34, 36, 61, 62, 80, 82, 102, 112, 114, 124, 130, 131, 144, 150, 153, 155, 160, 164, 165, 169, 171, 184, 186
招待(招戴)宴[会]　Ⅰ-23, 61, 120, 136, 184, 187, 231, 232, 237, 277, 284, 292, 295, 320, 336, 337, 339, 354, 360, 363, 390, 401 / Ⅱ-6, 10, 17, 20, 24, 26, 56, 72, 130, 161, 162, 166, 188, 195, 226, 236, 318, 330, 332, 421 / Ⅲ-6, 8, 34, 40, 86, 142, 160, 190, 192-194, 198, 229, 266, 268-270, 296, 351, 354, 392, 436, 440, 445, 447 / Ⅳ-8, 30, 68, 91, 93, 112, 146, 177, 190, 198, 199, 236, 270, 304, 318, 324, 343, 369 / Ⅴ-41, 42, 80, 112, 114, 126, 141, 149, 152, 156, 163, 185
招待費　Ⅳ-396
承諾書　Ⅱ-157 / Ⅲ-68 / Ⅳ-306
商談　Ⅱ-177 / Ⅳ-353
小炭坑買収調節　Ⅳ-126
祥月命日　Ⅳ-333 / Ⅴ-136
商店員　Ⅱ-258, 264
商店営業法　Ⅴ-134
商店[営業]規則　Ⅰ-71, 79
商店開キノ式　Ⅰ-162
商店[営業]方針　Ⅰ-322 / Ⅴ-101
商店役員(麻生商店)　Ⅳ-134
譲渡[証]　Ⅰ-128, 406 / Ⅱ-83, 84, 121 / Ⅲ-169, 194, 252 / Ⅳ-99, 322 / Ⅴ-127
上棟式　Ⅱ-420, 421* / Ⅳ-352
上等室　Ⅳ-340
聖徳太子墓所　Ⅳ-340
譲渡交渉　Ⅱ-121
衝突　Ⅰ-413
庄内[駅](嘉穂郡庄内村)　Ⅱ-88, 382 / Ⅲ-21*, 28, 36, 114, 115*, 211*, 243, 255, 332, 346, 347, 347*, 354, 442, 443*, 444 / Ⅳ-146, 333* / Ⅴ-177*, 184
庄内合併[問題]　Ⅲ-243, 255, 346, 347*, 442, 443* / Ⅳ-333*
庄内村長　Ⅲ-36, 332 / Ⅳ-146
庄内村利害問題　Ⅲ-354
庄内有志者　Ⅱ-382
城南線　Ⅱ-340, 341*, 355, 373* / Ⅲ-302, 303*, 382, 383* / Ⅳ-57*
城南線布設　Ⅲ-302
小児[時代]　Ⅲ-282 / Ⅳ-379
使用人　Ⅲ-102 / Ⅳ-345 / Ⅴ-172
商人　Ⅴ-81
少年子弟教育　Ⅰ-204
城売街(広東省)　Ⅰ-109*
上阪(坂)　Ⅰ-154 / Ⅲ-248, 354, 454 / Ⅳ-278, 282, 315, 340, 341, 363 / Ⅴ-67, 68, 163
招伴人　Ⅱ-354
聖福寺　Ⅰ-21*, 326, 327*, 373* / Ⅱ-4, 18, 19*, 57, 84, 157*, 162, 231*, 343* / Ⅲ-160, 161*, 188, 219, 306, 307* / Ⅳ-152, 153* / Ⅴ-61*
聖福寺寄付金　Ⅰ-373
聖福寺葬式　Ⅱ-343*
状袋　Ⅱ-212, 297 / Ⅲ-76, 77 / Ⅳ-105
商法　Ⅰ-292
消防　Ⅰ-270 / Ⅱ-136 / Ⅲ-336 / Ⅳ-169
消防器械(器材)　Ⅲ-134, 336
消防組　Ⅲ-134

常務　Ⅰ-374／Ⅱ-8, 156, 204, 226, 268, 332, 425／Ⅲ-4, 6, 69, 78, 112, 119, 163, 280／Ⅳ-26, 89, 98, 136, 221, 236／Ⅴ-14, 71, 78, 100, 170
常務辞任　Ⅱ-425
常務取締役　Ⅰ-374／Ⅱ-8, 226
城山(宗像・遠賀郡境)　Ⅱ-62
尚友会　Ⅱ-390, 391*
賞与[金]　Ⅰ-8, 50, 53, 125, 126, 227, 316, 318, 350, 419, 420, 426／Ⅱ-9, 41, 97, 107, 110, 164, 208, 211, 214, 226, 249, 260, 293, 294, 298, 356, 358, 360, 423, 425, 429, 430／Ⅲ-71, 77, 78, 110, 138, 143, 202, 252, 254, 256, 321, 358, 359, 366／Ⅳ-67, 106, 201, 202, 216, 218, 296, 224, 358／Ⅴ-12, 39, 42, 44, 54, 101, 104, 105, 152, 154, 156, 158, 189
賞与米　Ⅱ-260
賞与率　Ⅲ-358
将来ノ方針　Ⅰ-110, 379, 387, 408, 416／Ⅱ-224, 399
使用料　Ⅰ-6
精霊(正霊)送リ　Ⅳ-84
条例　Ⅱ-410
昭和維新　Ⅳ-114
昭和製鉄(製鋼所)　Ⅴ-118, 119*
昭和電灯会社　Ⅳ-276, 277*, 279*, 353*／Ⅴ-39*, 86, 90, 144, 145*, 152
昭和電灯賞与金　Ⅳ-353*
書画[類]整理　Ⅰ-196／Ⅱ-344／Ⅳ-324
書画展覧会　Ⅰ-139
書画返上　Ⅲ-388
女学校　Ⅰ-44, 82, 83*. 139, 312, 362, 399*／Ⅱ-8*, 51*, 393*, 407／Ⅲ-9*, 17*, 18, 88, 382, 383*／Ⅳ-64, 65*, 96, 97*, 128, 129*, 172, 274
女学校校長　Ⅲ-227
書簡　Ⅰ-202
書記[官]　Ⅰ-56, 120, 149, 192, 206, 323, 334, 361／Ⅱ-163／Ⅲ-190, 217, 234, 274, 407, 456／Ⅴ-102
諸器具　Ⅰ-130
職員　Ⅱ-54, 312, 395／Ⅲ-137, 162, 185, 196, 216, 270, 432／Ⅳ-98, 112, 161, 212, 244, 246, 252, 283, 304, 313, 368, 377／Ⅴ-34, 38, 88, 111, 112, 126, 176
——慰労会　Ⅴ-38
——招待会　Ⅳ-304
職員総代　Ⅴ-176
殖産局長　Ⅲ-404
食事(喰事)　Ⅰ-16, 19–22, 44, 55, 129, 179, 202, 208, 250, 276, 330, 368／Ⅱ-83, 84, 96, 141, 164, 166, 168, 178, 222, 238, 321, 322, 372／Ⅲ-27, 133, 215, 276, 298, 301, 349, 364, 393, 403, 415, 418, 420, 425, 426, 430／Ⅳ-6, 33, 37, 45, 63, 64, 66, 71–74, 81, 82, 97–99, 101, 102, 111, 124, 125, 130, 131, 137, 142, 150, 151, 154, 175, 182, 186, 188, 191, 193, 194, 196, 198, 202, 203, 214, 222–224, 229, 230, 243, 244, 246, 247, 250, 252–254, 260, 267, 269, 276, 281, 282, 284, 295, 303, 304, 307, 308, 311, 314, 316, 318, 322, 324, 326, 327, 330, 338–340, 342, 344–346, 349, 350, 359, 361, 362, 364, 366, 374, 378, 381, 384, 387, 391, 395, 396／Ⅴ-10, 29, 32–34, 52, 57, 63, 68, 73, 76, 84, 99, 110, 113, 129, 143, 144, 147, 148, 151, 159, 168, 176, 181, 184, 187
職制　Ⅱ-307／Ⅲ-119, 120／Ⅳ-224
職制改正　Ⅲ-120
嘱託(嘱托)　Ⅱ-232／Ⅲ-16, 119／Ⅳ-97, 180／Ⅴ-118, 141
食堂　Ⅱ-328, 400, 407, 419／Ⅲ-34, 240／Ⅳ-27, 35, 130, 137, 203, 306, 314, 336, 340／Ⅴ-28, 40
職場小使　Ⅰ-50
食費　Ⅰ-155, 185／Ⅱ-251／Ⅲ-158, 228, 372, 377／Ⅳ-339, 341／Ⅴ-64
植物　Ⅱ-347
植物買入　Ⅲ-183
植物廉書　Ⅰ-299
職務章程　Ⅰ-269
植林　Ⅱ-195, 292／Ⅳ-99, 117, 132, 133, 136,

348, 190 / V-116
書斎　V-72, 133, 140
所在地　I-74
小冊贈呈　III-18
女子工芸学校(嘉穂郡立技芸学校，嘉穂郡立実科高等女学校)　I-133*, 363*, 399*
所持分買収　I-44
女子盲学院寄付金　V-122
書状　I-210, 233, 331 / II-72, 89, 90, 97, 155, 169, 193, 194, 231, 306, 331, 376, 390, 410 / III-6, 64, 136, 170 / IV-74, 89, 128, 228, 378, 380, 386 / V-53, 58, 60, 62, 79, 137
書状整理　II-97
諸神祇　II-116
書籍　I-18 / III-198
除地　II-418
女中　I-31, 103, 130, 140, 153, 158, 167, 226, 282, 287, 298, 319, 336, 338, 348, 359, 361, 371, 380, 381, 414 / II-8, 9, 36, 51, 80, 88, 131, 167, 171, 178, 187, 196, 209, 221, 227, 259, 262, 328, 335, 350, 358, 368, 417, 426, 430 / III-24, 38, 64, 73, 99, 144, 145, 150, 175, 176, 180, 203, 231, 244, 256, 282, 308, 331, 369, 370, 372, 374, 384, 395, 423, 433, 451 / IV-22, 42, 88, 110, 112, 114, 132, 154, 172, 212, 216, 218, 231, 246, 255, 258, 259, 274, 286, 291, 295, 296, 301, 309, 313, 316, 317, 319, 328, 330, 334, 339, 341, 372, / V-4, 6, 26, 30, 32, 42, 56, 62, 84, 118, 150, 174, 178
女中頭　I-103
署長　I-28, 54, 118, 144, 146, 147, 158, 166, 194, 195*, 209*, 245, 263*, 285, 388, 379 / II-71, 76, 148, 152, 158, 164, 167, 176, 177, 181, 194, 195*, 196, 200, 206, 209*, 263, 283–285, 332, 348, 372, 392, 395, 418 / III-26, 28, 53, 166, 238, 330, 353, 376, 380, 412, 427, 428, 436 / IV-6, 26, 27*, 69, 74, 85, 102, 160, 163, 172, 173, 184, 185*, 218, 306 / V-20, 60, 72, 74, 163
所長　II-239, 276, 280 / III-240 / IV-248, 308, 311 / V-46, 93, 99, 114
所長会　II-276, 280 / IV-214, 294, 373 / V-114
所長送別会　IV-308, 311
諸帳簿　I-132
諸帳簿取扱規定　II-276
職工　II-283 / III-82 / IV-312
所得税　I-259, 288 / II-176, 276, 287, 328, 340 / III-24, 46 / IV-381 / V-46
所得税々則　II-276
所得税調査委員　II-328 / III-24
諸品整理　I-250
書幅　II-213 / III-10, 251
諸仏　II-304, 366
処分　I-37, 188, 256 / II-75, 181, 386, 423 / III-62, 95 / IV-252, 306 / V-46, 59
除幕式　I-139
庶務掛(科・課)[長]　I-44, 52, 211, 263, 325 / II-45, 372, 378 / III-239 / IV-257, 320 / V-58
庶務規定　III-108
書面　I-44, 63, 66, 108, 184, 201, 205, 223, 256, 269, 294 / II-10, 90, 126, 137, 173, 174, 182, 221, 228, 264, 288, 355, 408 / III-10, 11, 67, 93, 97, 99, 118, 247, 408, 426, 440, 445 / IV-30, 42, 72, 89, 118, 120, 135, 137, 148, 202, 229, 268, 296, 315, 316 / V-24, 32, 131, 172, 174
書面整理　V-15
助役　I-101, 146, 200, 300 / II-216, 404 / III-68, 137, 181, 204, 312, 341, 341 / IV-180, 310 / V-35, 160, 161
所有株　IV-370
所有権譲渡　IV-174
所有坑区　I-49, 244, 402 / II-129, 176 / IV-156
所有山林　I-164
所有地[所]　II-198, 386, 411 / III-174, 225, 247, 292, 332, 353, 378, 407, 426, 442 / IV-59, 164, 382 / V-83, 92, 160
所有地売渡　III-174
所有地調査　III-407

所有品[買入]　Ⅲ-444／Ⅴ-82
処理　Ⅲ-236／Ⅳ-43, 83
書類　Ⅰ-51, 70, 74, 104, 132, 141, 168, 233, 234, 261, 279, 303, 315, 316, 336, 338, 340, 344, 346, 354, 356, 363, 386／Ⅱ-9, 12, 42, 47, 55, 96, 97, 131, 134, 140, 141, 146, 155, 174, 178, 180, 186, 187, 192, 194, 196, 202, 203, 267, 279, 287, 290, 292, 310, 374, 376, 377, 380, 392, 413, 422, 425／Ⅲ-6, 22, 26, 31, 38, 46, 49, 84, 92, 102, 104, 120, 125, 162, 170, 178, 186, 190, 197, 210, 214, 222, 223, 225, 234, 245, 249, 252, 255, 256, 271, 272, 289, 307, 308, 332, 343, 347, 348, 352, 355, 366, 368, 380, 394, 412, 414, 415, 418-420, 423, 425, 428, 439, 449, 450／Ⅳ-40, 47, 60, 74, 84-86, 92, 99, 145, 181, 197, 232, 234, 236, 241, 274, 285-287, 319, 320, 346, 394／Ⅴ-6, 30, 34, 47, 53, 56, 74, 88, 116, 128, 130, 142, 156, 158, 169, 170, 172
書類整理　Ⅰ-141, 233, 234, 303, 315, 338, 340, 344, 346, 356, 386／Ⅱ-12, 42, 96, 131, 134, 140, 141, 146, 174, 180, 186, 192, 194, 196, 203, 216, 220, 226, 238, 248, 267, 279, 287, 292, 320, 323, 340, 343, 348, 356, 357, 376, 377, 380, 392, 413, 420／Ⅲ-26, 31, 46, 102, 170, 178, 186, 197, 214, 223, 252, 255, 256, 289, 307, 343, 348, 355, 366, 380, 414, 423, 428／Ⅳ-40, 84, 92, 99, 145, 184, 232, 234, 241, 286, 287, 319, 320, 346／Ⅴ-6, 30, 34, 53, 56, 74, 116, 128, 142, 156, 169, 187
書類草案　Ⅱ-47
書類倉庫　Ⅲ-49, 104
書類調査　Ⅰ-51, 104, 132／Ⅱ-155, 178, 374
白門(飯塚町上三緒)　Ⅰ-195, 200, 201*, 211
白門井堰　Ⅰ-195
白門水門　Ⅰ-195*
白門養水路　Ⅰ-211
白門里道　Ⅰ-200
白土正尚氏紀念碑　Ⅲ-54, 55*
白土採掘　Ⅰ-393
白雪屋自動車　Ⅱ-413／Ⅲ-68, 69*, 90, 91*, 104, 109, 113, 114
シリンダー　Ⅱ-125*, 132
辞令　Ⅰ-80／Ⅱ-246／Ⅲ-17／Ⅳ-114
白魚料理　Ⅳ-130
白金志田町(東京市芝区)　Ⅰ-22
白金町(東京市芝区)　Ⅱ-24
白木屋(呉服店)　Ⅳ-82, 83*, 162, 163*, 248, 249*
白ブトウ酒　Ⅳ-365
志波(朝倉郡志波村)　Ⅴ-128, 129*
新井仮(飯塚町栢森)　Ⅰ-296, 297*, 299／Ⅱ-372, 373*
新石橋成工　Ⅲ-450
新開鑿場所　Ⅱ-138
新会社　Ⅰ-273／Ⅱ-306／Ⅲ-303／Ⅳ-17
人家取払費　Ⅱ-368
人家買収　Ⅰ-335
新株　Ⅰ-98, 266, 418／Ⅱ-204／Ⅲ-132, 135, 450／Ⅳ-262／Ⅴ-66
新株払込　Ⅴ-66
新株引受　Ⅰ-98／Ⅲ-135
新願提出　Ⅲ-55, 60
新規坑口　Ⅱ-314
新規発電所費金　Ⅳ-315
神橋茶屋　Ⅲ-176
新京楼(料亭)　Ⅰ-374, 410, 424／Ⅱ-56, 57*, 72, 162, 163*, 191
新喜楽(料亭)　Ⅰ-182, 183*／Ⅳ-104, 105*, 396, 397*
審議　Ⅰ-311／Ⅲ-117／Ⅳ-42
新銀行　Ⅲ-126-129, 132
新宮駅(鹿児島線)　Ⅲ-61
侵掘事件　Ⅱ-65, 68
新倉　Ⅰ-254, 255
神経症　Ⅰ-234
新県庁　Ⅳ-177*, 236, 237*
新坑　Ⅰ-4, 5, 59, 124／Ⅱ-90, 228／Ⅲ-44, 369／Ⅳ-369／Ⅴ-112, 145, 172, 186
新坑開鑿(開設)　Ⅰ-4, 5, 59, 124／Ⅲ-44／Ⅴ-112
振興会　Ⅳ-40

清国　Ⅰ-409
清国人　Ⅰ-109
審査[委]員　Ⅲ-24, 26, 27*
診察　Ⅰ-12, 13, 56, 80, 96, 112, 129, 208, 212, 247, 259, 294, 297, 298, 307, 309, 310, 317, 355, 370, 386, 387, 390, 400 / Ⅱ-16, 54, 57, 71, 77, 120-122, 140, 190, 206, 220, 222, 223, 288, 312, 328, 332, 334, 337, 338, 371, 381, 396, 398 / Ⅲ-15, 17, 50, 63, 99, 107, 108, 112, 116, 133, 134, 136, 187, 194, 229, 286, 288, 303, 305, 312, 325, 326, 340, 342, 343, 345, 346, 398, 410, 419, 436, 438, 444 / Ⅳ-31, 52, 70, 72, 103, 127, 139-141, 152, 157, 168, 215, 287, 295, 332, 376 / Ⅴ-10, 18, 94
診察料金　Ⅳ-72
人事掛　Ⅰ-53, 54 / Ⅲ-108
人事相談所　Ⅲ-314
新事業　Ⅱ-24
寝室　Ⅳ-196, 317, 394
神社　Ⅰ-4 / Ⅱ-254, 289, 304 / Ⅲ-248, 334, 423 / Ⅳ-82, 200 / Ⅴ-4, 6, 154
神社課　Ⅳ-27
神社拡張　Ⅲ-334
神社工事　Ⅳ-82
神社昇格願　Ⅱ-289
神社仏閣　Ⅱ-366 / Ⅲ-4, 82, 156, 264, 364 / Ⅳ-4, 110, 212, 300 / Ⅴ-4, 6
陳情　Ⅰ-112, 386 / Ⅱ-62, 128, 142, 145, 182, 186 / Ⅲ-42, 55, 113, 209, 325, 384, 394, 401 / Ⅳ-136, 182 / Ⅴ-74
慎身　Ⅱ-144, 145
進水式　Ⅳ-336
申請書　Ⅰ-286
新政党　Ⅰ-201
新設釜場火入場　Ⅴ-44
新設機器　Ⅳ-345
新設計　Ⅴ-177
新設商社　Ⅴ-160
新設道路　Ⅲ-53, 68 / Ⅳ-242, 377 / Ⅴ-118
神前　Ⅲ-238, 241 / Ⅴ-178
神前御祓　Ⅳ-168, 228
心臓病　Ⅰ-135
親族(親戚)　Ⅰ-110, 202 / Ⅱ-46, 61, 224, 319, 392, 398 / Ⅲ-217, 223, 247, 283, 426 / Ⅳ-82, 94, 98, 185, 200, 270, 303 / Ⅴ-25, 60, 130
寝台　Ⅰ-16, 29, 36, 155 / Ⅱ-141 / Ⅳ-315
新宅(麻生多次郎家)　Ⅲ-444, 445*, 452, 456 / Ⅳ-14, 15*, 55, 58, 129*
信託会社　Ⅲ-313, 350, 352, 353, 366, 367, 374, 376, 377, 379, 385, 386
——委員会　Ⅲ-385
——設立計画　Ⅲ-367
信託手数料　Ⅴ-175
診断　Ⅰ-298 / Ⅴ-18
神地　Ⅳ-56
新築　Ⅱ-392, 420 / Ⅲ-4, 16, 18, 122, 428, 300, 301 / Ⅳ-29, 143, 357 / Ⅴ-54, 145, 160
新茶屋(福岡市水茶屋)　Ⅳ-126, 127*, 134
進呈物　Ⅰ-150
新店　Ⅲ-337
神殿　Ⅰ-156 / Ⅲ-190, 403 / Ⅴ-102, 103*
神殿拡張　Ⅲ-275
新田原(京都郡仲津村)　Ⅲ-177*
神都電気興業株式会社(神都電気, 神都)　Ⅳ-302, 303*, 308, 309*, 313, 321, 323, 329, 337, 352 / Ⅴ-38, 39*, 57, 60, 68, 76, 77, 82, 126, 127*, 154
——市営問題　Ⅴ-57
——専務　Ⅴ-38
——重役会　Ⅳ-313 / Ⅴ-153
——[臨時]総会　Ⅳ-321, 352
——披露宴　Ⅳ-308, 309*
新日本火災保険会社　Ⅳ-88
新入坑[山]　Ⅰ-30, 41, 397 / Ⅱ-246 / Ⅲ-308, 309* / Ⅳ-246, 247*
新任挨拶　Ⅴ-100
新年挨拶　Ⅰ-344 / Ⅱ-4 / Ⅲ-264, 364 / Ⅳ-4, 112, 212, 300
新年賀客　Ⅱ-304
新年祝義　Ⅳ-306
新年祝意　Ⅰ-218

新年祝賀　Ⅳ-4, 110 / Ⅴ-111
新年祝盃　Ⅰ-118, 218, 226, 344 / Ⅳ-214, 220, 302, 304 / Ⅴ-9
新年宴会(祝賀会・招待会)　Ⅰ-4, 54, 120, 164, 222, 344, 346 / Ⅱ-4, 6, 86, 87, 156, 309, 312, 367, 368, 369 / Ⅲ-86, 156, 264 / Ⅳ-6, 8, 14, 16, 32, 294, 296, 312 / Ⅴ-13, 112, 114, 116
神納　Ⅰ-310 / Ⅱ-376 / Ⅲ-85, 168, 175 / Ⅳ-308, 397 / Ⅴ-132, 158
陣ノ原(遠賀郡折尾村陣原)　Ⅱ-66, 67*
新橋(東京市芝区)　Ⅰ-17, 28, 179, 184 / Ⅲ-240
新原海軍払下　Ⅰ-372
神仏　Ⅰ-192 / Ⅴ-73, 110
人物選定　Ⅰ-231 / Ⅲ-126
神仏礼拝(遥拝)　Ⅰ-218, 344 / Ⅱ-4 / Ⅳ-224
シンプレクスポンプ　Ⅰ-64
新風呂　Ⅳ-336
新聞　Ⅰ-22, 108, 356 / Ⅱ-244, 284, 333, 424, 429 / Ⅲ-7, 47, 86, 93, 160, 161, 228, 238, 243, 254, 266, 358, 442, 454 / Ⅳ-8, 76, 81, 92, 113, 170, 203, 295, 310, 381 / Ⅴ-70
新聞株式組織　Ⅲ-161
新聞記事　Ⅰ-356
新聞記者　Ⅱ-244
新聞寄付　Ⅲ-358
新聞発行　Ⅳ-283
新聞社[員]　Ⅰ-380 / Ⅱ-424 / Ⅲ-86
新聞屋　Ⅱ-429 / Ⅲ-47
新聞連　Ⅲ-266
心棒破壊　Ⅲ-83
親睦会　Ⅱ-374
進歩党　Ⅰ-24, 25*-27
進歩党代議士　Ⅰ-26, 27
新三田屋　Ⅲ-175
新民浦山　Ⅰ-218
神武天皇　Ⅱ-304, 366
尋問　Ⅰ-256 / Ⅳ-242
新湯祝儀　Ⅲ-442
新湯場　Ⅲ-442
信用組合　Ⅳ-118, 119*
新楽亭　Ⅰ-337
人力車　Ⅰ-5*, 31, 35, 54, 65, 94, 102, 103*, 174, 202, 203*, 333, 355, 370 / Ⅱ-194, 222, 224, 235, 409, 414, 419 / Ⅲ-16, 64, 84, 88 / Ⅳ-383 / Ⅴ-139
神理教会大教正　Ⅱ-27

す

水火調和(水力発電と火力発電の併用調和)　Ⅳ-180, 181*-183*
水害　Ⅰ-150, 151 / Ⅱ-197, 330
推挙・推薦　Ⅰ-121 / Ⅱ-18, 23, 26, 27, 32, 34, 122, 144, 145, 232, 390 / Ⅲ-9, 24, 210, 211, 332, 383 / Ⅳ-95, 277, 376 / Ⅴ-21, 100
推挙運動　Ⅱ-23
推挙状　Ⅱ-32
水月(料亭)　Ⅲ-331* / Ⅴ-32, 33*
水源地　Ⅲ-5
随行　Ⅰ-12, 30-32, 35, 42, 50, 138, 310 / Ⅴ-164
萃香園(料亭)　Ⅲ-435*
随行者　Ⅰ-31 / Ⅱ-268
水質　Ⅱ-418, 420
炊事場　Ⅲ-122
水深　Ⅰ-297
水選(撰)　Ⅰ-128, 334, 345 / Ⅱ-85, 230, 265* / Ⅴ-178
水選器械　Ⅰ-334 / Ⅱ-85, 230
水電　Ⅰ-123, 324, 352, 402 / Ⅱ-144 / Ⅲ-96, 170*, 313 / Ⅳ-92*, 277
水電株　Ⅰ-123
水電取調　Ⅰ-352
出納[掛]　Ⅰ-307 / Ⅱ-8 / Ⅲ-21, 30, 249, 414
水道　Ⅰ-222, 242 / Ⅱ-148, 406 / Ⅲ-44, 46, 59, 428 / Ⅳ-16
隧道工事　Ⅳ-91
出納帳　Ⅲ-30
水粉炭　Ⅰ-127
水門　Ⅰ-159, 195
水利[権]　Ⅰ-249, 354 / Ⅱ-44, 93, 137, 138,

166-168, 170, 172, 181, 190, 290, 305*, 306, 310 /Ⅲ-96, 316, 334 /Ⅳ-68, 92, 144, 178, 179*, 197, 220, 221*, 226, 232
水利権出願問題　Ⅱ-290
水利権買収　Ⅳ-68, 92
水利税　Ⅳ-63, 92
水量　Ⅰ-270 /Ⅱ-117, 148, 183, 274 /Ⅲ-86 /Ⅳ-270 /Ⅴ-166
水量調査　Ⅳ-270
水力　Ⅱ-128 /Ⅲ-251, 380
水力税　Ⅲ-251
水路　Ⅰ-195 /Ⅱ-174
菅牟田坑　Ⅰ-62, 63*, 82
主基斎田　Ⅳ-23*, 30, 57
杉材買入　Ⅲ-425
杉の井旅館　Ⅰ-29*
杉木　Ⅲ-121 /Ⅳ-52 /Ⅴ-172
杉林買収　Ⅲ-368
杉檜植付　Ⅴ-180
杉松等採取　Ⅴ-183
杉山　Ⅲ-156
須崎(福岡市)　Ⅳ-335* /Ⅴ-136, 137*
すし　Ⅳ-345
鈴木[関係]坑区　Ⅰ-414, 415 /Ⅱ-128, 129* /Ⅲ-311
鈴木関係手形　Ⅲ-406
鈴木家　Ⅲ-220
鈴木商店　Ⅱ-47, 129 /Ⅲ-246, 406, 407*, 412
涼場天井板　Ⅱ-310, 341
硯石　Ⅲ-114
硯箱　Ⅲ-50
スチーム寝台　Ⅳ-315
頭痛　Ⅳ-322
スッポン[料理]　→○《まる》(p.235)を見よ.
捨石　Ⅱ-15 /Ⅳ-63
ステッキ　Ⅴ-71
ストフ構造　Ⅳ-82, 83*, 284
簀子町(福岡市)　Ⅳ-260, 261*
スホン　Ⅲ-420
スホン焼　Ⅰ-56
寸又川(静岡県)　Ⅲ-170, 171*
済酒　Ⅰ-196 /Ⅲ-43*
住友　Ⅰ-44, 154, 292, 294, 325 /Ⅱ-16, 65, 78, 210, 234, 235, 240, 318 /Ⅲ-197, 333, 340, 346, 354, 355, 374, 376, 384, 389, 390 /Ⅳ-92, 315, 316, 318, 328, 329*, 339, 375, 386 /Ⅴ-28, 46, 48, 50, 66, 148, 150, 186
住友銀行　Ⅰ-44, 292, 294 /Ⅱ-16, 210 /Ⅲ-333, 346 /Ⅳ-375
住友銀行支店長　Ⅱ-16
住友家　Ⅲ-197, 354, 384 /Ⅳ-92 /Ⅴ-66, 148
住友家銀行信託　Ⅲ-354
住友家譲受分　Ⅳ-92
住友交渉　Ⅲ-390
住友信托会社　Ⅴ-28
住友代表　Ⅴ-46
住友電線製造会社　Ⅳ-328, 329*
住友内報　Ⅳ-315
住友保険常務　Ⅴ-186
住吉神社　Ⅰ-16, 269* /Ⅲ-334 /Ⅳ-29*, 98, 101, 110, 111*, 136, 163, 212, 213*, 230, 249, 280, 300, 301*, 328 /Ⅴ-110, 111*, 126, 127*
住吉町(福岡市)　Ⅲ-246, 247*, 334
図面　Ⅰ-78, 167, 329 /Ⅱ-35, 42, 68, 137, 142, 154, 156, 198, 234 /Ⅲ-59, 90, 137, 204, 268, 284, 335, 349, 382, 390, 425 /Ⅳ-45, 56, 136 /Ⅴ-32, 70, 95, 116, 179
相撲　Ⅱ-213
角力連　Ⅰ-330
鯣　Ⅲ-82, 156 /Ⅴ-112
鯣酒　Ⅱ-254 /Ⅲ-264, 364

せ

成案　Ⅰ-262 /Ⅱ-187, 353, 402 /Ⅲ-16, 237*, 342, 436, 438 /Ⅳ-10, 46, 152, 166, 216, 295, 308
製塩　Ⅰ-228
製塩会社(伊万里製塩株式会社)　Ⅱ-45*
製塩者　Ⅰ-158
生花　Ⅲ-105
生活費　Ⅱ-405 /Ⅳ-160
請願[書]　Ⅱ-224, 237, 244 /Ⅲ-88, 180, 427

税関　Ⅲ-348／Ⅳ-192
請求　Ⅰ-90, 186, 194, 256, 271, 325, 381, 387／Ⅱ-60, 90, 192, 193, 208, 272／Ⅲ-228, 330, 368／Ⅳ-8, 66, 194, 238, 352／Ⅴ-44
税金　Ⅰ-138／Ⅲ-448／Ⅴ-45
精勤者　Ⅱ-209
制限　Ⅰ-247, 322, 346, 358, 391
制限採掘　Ⅰ-247
制限[採掘]問題　Ⅰ-322／Ⅱ-355／Ⅲ-219, 230, 231／Ⅳ-38, 39*, 75
成工　Ⅰ-8／Ⅲ-283
製工所　Ⅰ-4, 5, 9, 13, 15, 30, 33, 37, 57, 61, 70, 71*, 72, 80, 98, 99*, 111, 114, 230, 231*, 276, 277*, 296, 335, 359*, 366, 368, 391／Ⅱ-6, 7*, 33, 44, 55, 67, 132, 228, 229*, 319*, 324, 325, 356／Ⅲ-299
製工所整理　Ⅱ-325
清算人　Ⅲ-57
政治　Ⅰ-238／Ⅲ-450／Ⅳ-354, 384／Ⅴ-8, 160
青磁　Ⅰ-301
清酒　Ⅳ-202
清書　Ⅲ-272／Ⅳ-283, 286／Ⅴ-143
成城中学校　Ⅳ-268, 269*
製図　Ⅰ-206／Ⅱ-154／Ⅲ-141／Ⅳ-222
井水　Ⅲ-269
製銑工場長　Ⅱ-270
精撰炭　Ⅰ-205
政争　Ⅰ-238
製造業　Ⅲ-105
精炭　Ⅰ-205
旌忠祠祭典　Ⅰ-261
製鉄所　Ⅰ-22, 26, 52, 58, 151, 177, 188, 195, 383, 401／Ⅱ-7, 9, 66, 94, 143, 339, 345, 384, 392／Ⅲ-23, 420／Ⅳ-269, 330, 351, 356, 380, 383／Ⅴ-8, 10, 22, 25, 26, 76, 87, 90, 102, 103, 120, 122, 135*, 150
――引水　Ⅰ-22
――坑区　Ⅰ-330, 331*／Ⅲ-295／Ⅴ-102
――鉱石　Ⅴ-103
――敷地　Ⅰ-177, 401
――電気(電力)　Ⅳ-351, 356／Ⅴ-8, 25, 26, 76, 90, 120
製鉄所及鉄道・築港・筑豊炭坑合同　Ⅴ-135*
製鉄所払下　Ⅱ-9, 143
製鉄所長官　Ⅰ-26／Ⅲ-194
生徒　Ⅴ-10, 89
清徳旅館　Ⅰ-61*, 62, 87*, 282
青年会(嘉穂青年政友党)　Ⅲ-421
青年会館　Ⅳ-94, 95*
青年学館　Ⅴ-87*
青年団組織(麻生聯合青年団)　Ⅲ-181, 315*
青年党　Ⅲ-423, 424, 438／Ⅳ-14
青年連合組織　Ⅳ-68
西彼電気会社　Ⅳ-366, 367*
製氷器機　Ⅳ-177
正賓　Ⅴ-144, 158
政府　Ⅰ-188, 346, 137／Ⅱ-366
西部産業団体聯合会　Ⅳ-372, 373*／Ⅴ-19*, 149*, 172, 173*, 180
西部商工業　Ⅴ-148, 149*
製粉会社　Ⅲ-226, 227*
政変　Ⅰ-195, 201, 205／Ⅴ-38
歳暮　Ⅳ-301／Ⅴ-4
税務署[長]　Ⅰ-166／Ⅳ-99
税務属　Ⅲ-281
政務調査　Ⅳ-99
製薬　Ⅱ-135
誓約書　Ⅱ-10, 235, 353, 355／Ⅲ-225, 245／Ⅴ-99
政友会　Ⅰ-27, 154, 241, 243／Ⅱ-145*, 156, 163, 245, 258, 290, 296, 310, 372, 391, 404, 415, 416／Ⅲ-8, 55, 68, 82, 83*, 85, 86, 92, 136, 138, 158, 182, 188, 193, 198, 214, 302, 305, 337, 350, 427, 436, 440, 449, 453／Ⅳ-6, 8, 10, 14, 18, 25, 27, 28, 76, 100, 318, 330, 338／Ⅴ-30, 169
――会員　Ⅲ-193, 214
――幹事　Ⅴ-30
――茶話会　Ⅲ-436
――支部[費]　Ⅰ-154／Ⅱ-290, 310, 391, 415／Ⅲ-55, 68, 85, 86, 136, 138, 158, 182, 198, 302, 305, 310, 337, 350, 427／Ⅳ-6, 10, 25,

27, 76, 318, 330, 338
——事務所　Ⅱ-245
——連立　Ⅲ-82, 83*
政友会大会　Ⅲ-188
政友会代議士会　Ⅰ-27
政友会費　Ⅱ-258, 296
政友会福岡県支部幹事長　Ⅳ-76 / Ⅴ-169
静養　Ⅰ-12, 202, 203, 259, 260, 298, 352, 353, 355, 362, 376, 377 / Ⅱ-254, 258, 335 / Ⅲ-86, 180, 223, 344, 345, 378, 398, 399, 420 / Ⅳ-31, 64, 65, 78, 86, 116, 226, 243, 244, 319, 350, 369, 378, 387, 397 / Ⅴ-6–9, 30, 118, 144
精養軒　Ⅰ-20, 22, 185
西洋人　Ⅳ-272, 282
西洋料理屋　Ⅱ-308 / Ⅲ-129
整理　Ⅰ-45, 52, 118, 132, 140, 175, 238, 255, 315, 316, 321, 353, 354, 366, 368 / Ⅱ-44, 55, 97, 200, 202, 319, 368, 397, 398, 400 / Ⅲ-38, 62, 69, 235 / Ⅳ-38, 47, 65, 74, 77, 183, 201, 231, 253, 276, 285, 306, 329, 340, 347, 394 / Ⅴ-44, 50, 116, 133, 138, 160
整理委員　Ⅰ-321
整理方針　Ⅱ-202
整理方法　Ⅱ-55, 400
世界ノ咄　Ⅴ-186
関(日田郡夜明村)　Ⅱ-174, 175*
赤交会　Ⅳ-271
石材　Ⅲ-245 / Ⅳ-173
石州[銅坑]　Ⅲ-22, 23*, 104
赤十字社　Ⅰ-126, 133, 180 / Ⅲ-131, 132, 151, 221 / Ⅳ-271, 233 / Ⅴ-122
——支部　Ⅱ-380 / Ⅴ-136
——主事　Ⅴ-122
——商議員[会]　Ⅲ-151, 221
——総会　Ⅰ-126 / Ⅳ-233
——福岡支部　Ⅲ-131, 132
石炭　Ⅰ-44, 72, 73, 86, 88, 108, 186, 208, 228, 249, 262, 325, 340, 346, 358, 413 / Ⅱ-81, 160, 195, 197, 223, 245, 264, 308, 309 / Ⅲ-4, 38, 52, 178, 201, 323, 342 / Ⅳ-222, 226, 273, 331, 332, 337, 378 / Ⅴ-54, 88, 91, 93, 94, 179
石炭売込　Ⅱ-160, 223, 264 / Ⅲ-178 / Ⅳ-378
石炭置場　Ⅰ-72, 73
石炭会　Ⅰ-358 / Ⅴ-53*
石炭掛　Ⅰ-44
石炭課税問題　Ⅱ-245
石炭勘定　Ⅱ-197
石炭含有量　Ⅲ-342
石炭記事　Ⅴ-54
石炭供給　Ⅴ-88, 91
石炭坑区　Ⅳ-337
石炭合同　Ⅳ-222, 273
石炭採掘　Ⅰ-249 / Ⅴ-94, 179
石炭採掘制限問題　Ⅱ-308, 309
石炭鉱業試験所　Ⅰ-376, 377*
石炭鉱業聯合会　Ⅱ-341*, 368, 369*, 384 / Ⅲ-38, 39*, 192, 193*, 206, 239, 240, 272, 284, 324, 325*, 348, 350, 353, 386, 387*, 404, 427 / Ⅳ-75*, 126, 127*, 152, 248, 249*, 269, 334, 335*, 342, 386 / Ⅴ-28, 29*, 31, 47, 52, 54, 55, 61, 100, 140, 141*, 188
——会長　Ⅲ-284
——総会　Ⅲ-239, 348
——理事[会]　Ⅲ-272, 324, 353, 427
石炭試験所　Ⅲ-240, 241*
石炭需給総額　Ⅲ-38
石炭筑豊区域合同　Ⅴ-164, 165*
石炭調節問題　Ⅳ-331
石炭取引勘定帳簿式　Ⅱ-160
石炭販売　Ⅰ-44, 208, 262 / Ⅱ-81, 195 / Ⅲ-323
石炭不況　Ⅲ-201
石炭掘方　Ⅴ-179
石炭予算　Ⅰ-228
責任[者]　Ⅰ-52, 153, 273, 298, 338, 374 / Ⅱ-66, 74, 199, 202, 284, 366 / Ⅲ-124, 312, 351, 391, 417, 422, 430 / Ⅳ-323, 368
赤飯　Ⅴ-58
石碑　Ⅲ-19, 129 / Ⅳ-14
関屋(筑紫郡水城村)　Ⅲ-306, 307*
絶縁　Ⅰ-388 / Ⅲ-234
石灰[石]　Ⅲ-52, 59, 65–67, 111, 387, 390 / Ⅴ

-22, 38, 86, 87
石灰販売(売込)　Ⅲ-111 / Ⅴ-87
石灰焼　Ⅲ-52
石灰山　Ⅱ-380, 352, 392 / Ⅲ-65-67, 132, 352, 387 / Ⅳ-198 / Ⅴ-38
石灰山買入(買収)　Ⅱ-352 / Ⅴ-38
石灰山貸金　Ⅲ-132
節句　Ⅲ-102
石窟保存会　Ⅲ-306
設計　Ⅰ-8, 43, 199, 206-208, 242, 299, 319, 332, 339, 345 / Ⅱ-148, 244, 257 / Ⅲ-55, 212, 290, 408 / Ⅳ-23, 148 / Ⅴ-86, 110, 146
絶食　Ⅳ-322
接待　Ⅱ-229, 346 / Ⅲ-447 / Ⅳ-38 / Ⅴ-164, 165
摂津国　Ⅰ-77
設備　Ⅰ-124, 339, 354, 374 / Ⅲ-392, 440 / Ⅳ-6, 80, 222 / Ⅴ-122, 126
設備設計　Ⅰ-339
設備費　Ⅰ-124 / Ⅳ-218
説明書　Ⅲ-423 / Ⅳ-283
セメント　Ⅲ-93, 339 / Ⅴ-87, 90, 91*, 146, 158, 159*, 166, 188
セメント基礎工事　Ⅴ-188
セメント工場　Ⅴ-87, 91*, 166
セメント製造　Ⅲ-339 / Ⅴ-90, 158, 159*
セメント用坑石　Ⅲ-93
施療医薬　Ⅱ-344
施療費　Ⅱ-174
世話人　Ⅰ-122 / Ⅱ-174 / Ⅲ-67
世話料　Ⅱ-144
全快[祝]　Ⅰ-192 / Ⅱ-232, 250 / Ⅲ-290, 414 / Ⅳ-217, 304, 374, 398
仙厓会　Ⅲ-10, 15
仙厓幅物　Ⅲ-22
先願者　Ⅲ-385
選挙(撰挙)　Ⅰ-106, 166, 185, 194, 201, 296, 297, 300, 302, 305, 389 / Ⅱ-11, 18, 31, 33, 36, 37, 139, 144, 153, 156, 157, 224, 266, 269-274, 283, 328 / Ⅲ-4, 48, 97, 100, 166, 214, 220, 341, 343, 345, 346, 421, 424, 428, 431, 442 / Ⅳ-14, 18, 23, 26, 28, 39, 66, 96, 100, 115, 122, 138, 156, 157, 222, 225, 229, 263, 357, 360, 383 / Ⅴ-10, 12, 15, 17-21, 50, 60, 65, 67, 68
選挙応援　Ⅴ-20
選挙協定　Ⅴ-67
選挙心得　Ⅲ-424
選挙[不]始末　Ⅲ-48 / Ⅳ-138
選挙事務所　Ⅱ-33
選挙場　Ⅳ-26
選挙人(者)　Ⅳ-66
選挙[運動]費　Ⅱ-271 / Ⅲ-166, 345, 346, 442 / Ⅳ-122, 157 / Ⅴ-20
選挙評議会　Ⅰ-296
選挙申合　Ⅱ-139
選挙問題研究　Ⅰ-185
線切[問題]　Ⅲ-325, 330, 332
詮衡委員　Ⅰ-242, 261, 272
善光寺駅(豊州本線豊前善光寺駅)　Ⅱ-263*
線香料　Ⅰ-249
全国石炭聯合会(石炭鉱業聯合会)　Ⅱ-341
禅師　Ⅱ-326, 378, 400 / Ⅲ-296 / Ⅳ-196 / Ⅴ-89
戦車命名式　Ⅴ-143
戦時利得税　Ⅱ-126, 145
千手(嘉穂郡千手町)　Ⅲ-328, 329*, 346
洗水再使(仕)用　Ⅰ-128
扇子山　Ⅲ-370
煽石　Ⅰ-44 / Ⅱ-16 / Ⅲ-141*, 235* / Ⅴ-122, 184, 185*
先祖・祖先　Ⅰ-4, 192 / Ⅱ-216, 254, 304, 366 / Ⅲ-264, 364 / Ⅴ-17, 56
戦争行為　Ⅴ-38
先代奉納　Ⅳ-90
選炭(撰炭)　Ⅰ-4, 70, 88, 205, 350 / Ⅱ-8, 11, 226, 228, 230, 273, 281
選炭方　Ⅰ-4
選炭機　Ⅴ-27, 184
選炭機械　Ⅰ-70, 88 / Ⅱ-8, 11, 151, 230, 273
選炭場　Ⅰ-350
選炭方法　Ⅱ-226, 281
選炭万石　Ⅱ-228

船長　Ⅱ-131
洗除(滌)　Ⅰ-298／Ⅱ-286／Ⅲ-423／Ⅳ-91
選任挨拶　Ⅲ-4
千年祭(太宰府天満宮)　Ⅳ-32
旋盤　Ⅰ-8
膳部　Ⅰ-94／Ⅳ-381
餞別　Ⅰ-167／Ⅱ-112, 209, 211, 378, 383／Ⅳ-121, 161, 247／Ⅴ-51, 138
戦防　Ⅲ-203, 204
専務　Ⅰ-256／Ⅱ-268, 343, 399, 413／Ⅲ-69, 78, 97, 110, 161, 162, 202, 422／Ⅳ-26, 98, 136, 236, 266, 279, 373／Ⅴ-16, 28, 78, 83, 84, 100, 137, 146, 170
専務理事　Ⅰ-86
扇面代　Ⅱ-249
染料工場　Ⅴ-164
線路　Ⅱ-216, 240／Ⅲ-20, 69, 162／Ⅳ-17, 43
線路踏査　Ⅱ-240

そ

草案　Ⅰ-8, 70, 71, 98, 321／Ⅱ-32, 47, 54, 89, 224, 275, 387, 400／Ⅲ-4, 234, 268, 384／Ⅳ-369／Ⅴ-25, 38, 114
草案研究　Ⅰ-71
造花　Ⅳ-180
総会(惣会)　Ⅰ-88, 98, 138, 178, 208, 227, 240, 254, 255, 257, 283, 292, 300, 314, 318, 348, 382, 398, 404／Ⅱ-9, 25, 55, 58, 92, 95, 120, 129, 139, 140, 166, 228, 260, 312, 328, 356, 370, 371, 395, 398, 399／Ⅲ-12, 14, 65, 67, 108, 116, 118, 162, 199, 202, 249, 250, 254, 270, 301, 368／Ⅳ-14, 42, 44, 46, 54, 66, 70, 75, 149, 158, 178, 218, 243, 244, 251, 283, 286, 304, 360, 372, 386, 392／Ⅴ-12, 38, 40, 44, 52, 54, 69, 72, 102, 118, 120, 148, 152, 153, 163, 168, 174, 176, 177, 188
総会議案　Ⅱ-92
総会決議　Ⅰ-257／Ⅲ-12／Ⅳ-167
争議　Ⅴ-65-67*
増給(増俸)　Ⅰ-12, 222, 223, 228, 300, 305／Ⅲ-332／Ⅴ-56
贈金　Ⅱ-226
増掘　Ⅱ-258／Ⅲ-378
送迎会　Ⅰ-112, 413
倉庫　Ⅰ-122, 286, 391／Ⅱ-44, 286, 370／Ⅲ-53, 56, 106, 399, 451／Ⅳ-138, 183, 184
倉庫掛員　Ⅲ-399
倉庫敷地　Ⅰ-391／Ⅳ-138
倉庫整理　Ⅳ-184
倉庫品　Ⅰ-286
綜合税　Ⅱ-276
綜合病院　Ⅳ-242
総裁(惣裁)　Ⅰ-152, 238／Ⅱ-152／Ⅲ-302, 239／Ⅳ-343／Ⅴ-36, 79, 80, 136, 137*
総裁秘書　Ⅴ-80
増採　Ⅲ-52／Ⅴ-181
造作　Ⅰ-328
掃除　Ⅰ-6／Ⅳ-58, 60, 71／Ⅴ-99
増資　Ⅰ-110, 118, 418／Ⅱ-232, 242, 256, 257, 259, 395, 424／Ⅲ-14, 17, 30, 199, 366, 384／Ⅳ-134, 136, 240／Ⅴ-87
葬式(葬儀)　Ⅰ-38, 50, 58, 59, 103, 112, 130, 145, 150, 151, 153, 408／Ⅱ-40, 47, 82, 91, 96, 124, 127, 159, 200, 207, 343, 372, 374, 382, 406／Ⅲ-28, 38, 86, 108, 142, 219, 384, 391, 405, 406, 413, 444／Ⅳ-24, 41, 66, 77, 152, 185*, 221, 262, 271, 344, 368, 391／Ⅴ-25, 34, 38, 82, 116
送水木管　Ⅴ-44
造船所　Ⅰ-112
相続人(者)　Ⅲ-4, 124, 367／Ⅳ-146
総代会　Ⅳ-40
総代集会　Ⅲ-42
送炭　Ⅰ-82／Ⅲ-234, 396
送炭調節委員会　Ⅲ-396
宗湛(丹)山水　Ⅰ-366
相談役　Ⅰ-418／Ⅱ-72, 189, 290, 356, 409／Ⅲ-17, 96, 97*
装置　Ⅲ-8, 10, 120, 182, 320, 353
増築　Ⅰ-202, 203, 409
総長(惣長)　Ⅰ-142, 305／Ⅱ-152, 170, 224, 369／Ⅴ-135*

総長選挙　Ⅰ-305
総長代理　Ⅱ-369
贈呈　Ⅳ-306, 314 / Ⅴ-138, 149, 173, 176
送電会社(九州送電株式会社)　Ⅱ-316, 317*, 412
送電線　Ⅳ-243, 372
騒動(米騒動)　Ⅱ-175*, 176
騒動(三池鉱山)　Ⅲ-113*
騒動(列車脱線)　Ⅳ-304
雑煮　Ⅴ-110
増配　Ⅴ-71
崇福寺　Ⅲ-397* / Ⅳ-137*, 235*
臓腑煮付　Ⅳ-330
送別　Ⅰ-63 / Ⅱ-183 / Ⅳ-58, 121, 161–163, 173, 174, 306, 348
送別[宴]会　Ⅰ-88, 136, 141, 143, 152, 365, 366, 372 / Ⅱ-80, 325, 418 / Ⅲ-61, 225, 342, 410, 411 / Ⅳ-68, 69, 121, 161, 163, 166, 170, 306, 348 / Ⅴ-28
贈与　Ⅱ-145, 285, 353 / Ⅲ-29, 69 / Ⅳ-368 / Ⅴ-120
贈与株　Ⅱ-353
贈与品　Ⅱ-145
総理官邸　Ⅰ-184
総理大臣　Ⅰ-23, 154 / Ⅱ-290, 414 / Ⅲ-82, 192
総理大臣秘書官　Ⅴ-63
創立　Ⅰ-255 / Ⅱ-60, 178, 306, 370 / Ⅲ-174, 275, 406, 407*, 417 / Ⅳ-15 / Ⅴ-26, 146
創立委員長　Ⅱ-306
創立事務所(別府巡回鉄道)　Ⅰ-174, 176
創立事務所(東洋製鉄)　Ⅱ-60
創立事務所(九送)　Ⅲ-174
創立者(別府巡回鉄道)　Ⅰ-183
創立総会　Ⅰ-292
創立手続研究　Ⅲ-64
創立二十年祝賀会(九水)　Ⅳ-235*
創立費　Ⅰ-136
創立よりの方針　Ⅲ-16
僧侶　Ⅲ-105, 426
添書　Ⅲ-208, 209
添田(田川郡添田町)　Ⅲ-121*
属官　Ⅲ-33 / Ⅴ-24, 45
測量者(掛・方)　Ⅱ-388 / Ⅲ-335, 374 / Ⅴ-27
測量　Ⅱ-135, 383, 388, 392 / Ⅲ-21, 44, 335, 349, 374
底石採掘　Ⅱ-24
底井野(遠賀郡底井野村)　Ⅰ-224, 405, 406, 408 / Ⅱ-10, 11*, 37, 61, 99, 372, 373*, 382 / Ⅲ-28, 39, 124, 129, 448, 449* / Ⅳ-25*, 242, 250
底井野両家　Ⅰ-406
組織　Ⅰ-222, 264, 268, 395 / Ⅱ-127, 200, 246, 341, 347 / Ⅲ-449 / Ⅴ-141
組織改正　Ⅱ-246
組織変更　Ⅱ-127
訴訟[事件]　Ⅰ-42, 110, 135 / Ⅱ-199, 227, 330, 331*, 342, 385, 386 / Ⅲ-128, 194 / Ⅳ-182
卒業式　Ⅰ-379 / Ⅳ-122, 128 / Ⅴ-24
外障子　Ⅲ-224
曽根駅(豊州本線)　Ⅱ-402, 403*
曽根塩田　Ⅰ-83*
村営道路工事　Ⅲ-376
損害[金]　Ⅰ-154, 385, 387, 396 / Ⅱ-119, 182, 183, 272 / Ⅲ-334
損金　Ⅰ-308
村債貸与　Ⅰ-84
損失　Ⅰ-6, 344 / Ⅲ-125 / Ⅴ-103, 158, 170
村社　Ⅰ-156, 195 / Ⅲ-381 / Ⅳ-90, 91*
村長　Ⅰ-15, 30, 34, 39, 60, 82, 105, 158, 394 / Ⅱ-122, 164, 181, 243, 282, 390 / Ⅲ-53, 208, 383, 444 / Ⅳ-75 / Ⅴ-83
村町長会　Ⅰ-134
村補金　Ⅲ-66

た

鯛　Ⅰ-108, 122, 158, 166, 394 / Ⅲ-420 / Ⅳ-324, 330 / Ⅴ-16, 63
鯛網　Ⅰ-394 / Ⅴ-176
大尉　Ⅱ-390
体育　Ⅲ-103

第一銀行　Ⅲ-40, 41, 192／Ⅳ-369／Ⅴ-16, 44
——支店長　Ⅴ-16, 44
——博多支店長　Ⅴ-16
第一・三菱・三井聯合　Ⅳ-369
第一公会堂　Ⅱ-236／Ⅲ-32, 33*／Ⅴ-136, 137*
第一ノ瀧　Ⅱ-311
退院　Ⅲ-348／Ⅳ-330／Ⅴ-99
大演習　Ⅲ-352, 353*
退会　Ⅱ-268, 285
代価維持　Ⅰ-241
大学（九州帝国大学）／Ⅰ-194, 196, 197*, 297*, 298, 379, 411／Ⅱ-57, 66, 160, 204／Ⅲ-218, 219*, 233*, 281*, 344, 394, 404／Ⅳ-192／Ⅴ-183
大学火災（九州帝国大学医学部）　Ⅲ-218, 219*
大学出張所（京都帝国大学）　Ⅳ-6, 7*
大学生　Ⅳ-127
大学設立　Ⅱ-160
大学長（総長）　Ⅰ-194, 411／Ⅲ-394
大学病院　Ⅰ-328／Ⅲ-233
大学療養所　Ⅳ-283*
大雅堂　Ⅱ-188, 189*
大可楼旅館　Ⅰ-29*, 75, 76
代議士［会］　Ⅰ-26-28, 71, 154, 185, 201, 212, 286／Ⅱ-34, 120, 143, 165, 171, 180, 184, 198, 266, 330, 402／Ⅲ-86, 91, 99, 104, 191, 303, 340／Ⅳ-91, 222, 272, 334／Ⅴ-72, 76, 80, 90, 102
大吉楼（旅館）　Ⅰ-14, 15*, 30-32, 34-36, 42, 51, 54-56, 63, 80, 81*, 86, 102, 103*, 106, 108, 136, 137*, 143, 144, 148, 152, 153, 155, 174, 175*, 226, 227*, 286, 287*, 306, 336, 358, 359*, 405, 414／Ⅱ-50, 51*, 123*, 130, 131, 187, 220, 221*, 226, 227／Ⅲ-176, 177*, 231*, 244, 395*, 435／Ⅳ-12, 13*, 42, 113*, 363*, 372, 392, 393*
滞京　Ⅰ-233, 234, 336, 354／Ⅱ-97, 194, 241／Ⅲ-39, 340, 380, 383／Ⅳ-40, 47, 256, 321, 326, 394／Ⅴ-30, 38, 53, 63, 80, 124, 186
繻業組合　Ⅰ-175*, 177*, 265／Ⅱ-152, 153*
——整理　Ⅰ-177
大教正　Ⅱ-27
大工　Ⅰ-15, 247, 328, 358／Ⅱ-318, 392／Ⅲ-304, 342, 394, 442／Ⅳ-256
大工小屋　Ⅲ-442
大工町（福岡市）　Ⅰ-49
太閤（カフェ）　Ⅳ-309, 348, 349*
大洪水　Ⅳ-65
大黒絵　Ⅰ-38
退座　Ⅴ-100
退散　Ⅳ-134, 146／Ⅴ-88, 171
第三銀行　Ⅰ-278
退社　Ⅱ-292
第十二師団　Ⅱ-185
退出　Ⅴ-188
退場　Ⅳ-329
大正自動車　Ⅴ-138, 139*
大正鉱業株式会社　Ⅰ-286／Ⅱ-270, 271*-273, 318, 319*, 369*, 370／Ⅲ-11*
大正選挙　Ⅱ-271
退職　Ⅱ-11, 41／Ⅳ-28, 120／Ⅴ-91
退職積立　Ⅱ-41
大臣　Ⅱ-20, 22, 235, 236, 322／Ⅲ-106, 229, 419, 435／Ⅳ-19, 160, 177, 180／Ⅴ-51, 159
大臣招待会　Ⅱ-20
大臣承諾　Ⅲ-435
大臣秘書官　Ⅳ-119
大審院［判事・判決］　Ⅲ-89／Ⅳ-368
退席　Ⅳ-176
財団（鉱業財団）　Ⅲ-52, 53*
財団組織　Ⅳ-367
退庁　Ⅳ-272
滞店　Ⅰ-203
大同倶楽部　Ⅰ-26, 27*
大統社　Ⅴ-115*
大湯鉄道　Ⅰ-416, 417*
大徳寺　Ⅰ-246
大徳寺孤蓬庵　Ⅲ-241
台所修繕　Ⅰ-15
台処改築　Ⅲ-444
ダイナマイト　Ⅱ-179

大日本国奉賛会　Ⅲ-374
大日本産業会［員］　Ⅳ-385* / Ⅳ-148, 149* / Ⅴ-46, 47*
大日本正義団　Ⅴ-88, 89*
大日本生産党　Ⅴ-166, 167*
大日本帝国愛国同志会　Ⅱ-284
大日本労働総同盟友愛会　Ⅱ-283*
第二富士電力　Ⅳ-327* / Ⅴ-162, 163*
退任　Ⅳ-344, 388 / Ⅴ-46, 162
怠納者　Ⅰ-318
滞泊　Ⅰ-153
大博座　Ⅲ-416, 417*, 437 / Ⅳ-42, 43*, 236, 237*, 328, 329, 329*, 386
代表　Ⅱ-89, 232, 404 / Ⅲ-230, 353 / Ⅳ-222, 281 / Ⅴ-50, 149
滞福(福岡)　Ⅱ-12, 344 / Ⅲ-186 / Ⅳ-375, 393 / Ⅴ-28, 64
大分《だいぶ》　Ⅰ-183* / Ⅱ-75*, 272, 273*
大分坑区　Ⅰ-183* / Ⅱ-116, 117* / Ⅳ-322, 323*
大分鉄道(大分軽便鉄道株式会社)　Ⅱ-170, 171*, 383*, 392, 393*, 397, 404-407
滞別(別府)　Ⅰ-321 / Ⅱ-256
大別府新聞　Ⅱ-306, 308, 322 / Ⅲ-162, 163*
大本営　Ⅰ-178*
大丸館(旅館)　Ⅲ-262, 351*, 353, 364, 365*, 405, 408, 421, 423, 442, 446 / Ⅳ-4, 5*, 6, 11, 78, 86, 98, 114, 115*, 151, 167-170, 184, 196, 198, 200, 202, 220, 221*, 225-228, 236, 240, 241, 246, 247, 251-253, 256, 258, 259, 272, 274, 281, 286, 290, 291, 300, 301*, 310, 319, 328, 372, 387, 394 / Ⅴ-16, 17*, 26, 36, 56, 58, 62, 63, 149*, 174, 175*
鯛味噌　Ⅰ-108
大名町(福岡市)　Ⅰ-131 / Ⅲ-65*, 122, 230, 231*, 271, 272 / Ⅳ-385* / Ⅴ-61*
大民社員　Ⅱ-410
滞門(門司)　Ⅰ-41
貸与　Ⅰ-165 / Ⅳ-274, 275, 354
代理　Ⅰ-42, 225, 276, 305, 312, 325, 334 / Ⅱ-36, 66, 273 / Ⅲ-35, 195, 219, 244, 420 / Ⅳ-83, 276, 352, 385 / Ⅴ-4, 80, 92, 102, 124, 160
代理出席　Ⅰ-305 / Ⅴ-92, 124
代理店　Ⅲ-195, 420
代理取扱　Ⅰ-325
大連(中国)　Ⅳ-241
台湾　Ⅲ-227, 388
台湾総督　Ⅲ-388
タオル　Ⅳ-317
高江(遠賀郡香月村楠橋)　Ⅰ-298, 299*, 405*, 406
高江付近坑区　Ⅰ-406
高尾工事場　Ⅳ-189
高尾山　Ⅲ-450
多額納税議員選挙　Ⅴ-17
多額納税者　Ⅱ-374
多賀神社　Ⅲ-82, 364, 365* / Ⅳ-4, 5*, 110, 111*
高瀬村(大分県日田郡)　Ⅱ-183*, 184, 185*
高田商会　Ⅱ-258, 259*, 264
高千穂神社　Ⅲ-176
高橋流手術　Ⅳ-114
高家(遠賀郡香月村)　Ⅰ-386, 387*
高家跡始末　Ⅳ-218
高山(飯塚町上三緒)　Ⅰ-100 / Ⅱ-132, 133*, 366, 367*
高山(吉田九三郎家)　Ⅰ-195*, 202 / Ⅱ-58, 59*, 178, 179* / Ⅲ-290, 291* / Ⅳ-258, 259*, 263 / Ⅴ-121*, 122
田川［郡］　Ⅰ-42, 105, 166 / Ⅱ-270, 314 / Ⅲ-11, 12, 68, 121, 124, 183, 184, 196, 199, 200, 206-208, 212, 216, 217, 226, 238, 245, 246, 249, 250, 270-272, 274, 276-278, 300, 327, 395, 402 / Ⅳ-193, 251 / Ⅴ-173
田川郡書記　Ⅲ-68, 273
田川郡長　Ⅲ-68, 206-208, 217, 249, 250, 270, 278
田川郡役所　Ⅲ-272, 277
田川郡立農学校　Ⅲ-68, 69*
田川学校(田川中学校・田川高等女学校・工手学校)　Ⅱ-51*, 64
田川金田線布設　Ⅲ-451*
田川銀行　Ⅱ-290, 291*, 304, 305*, 306, 310 /

Ⅲ-140, 180, 181*, 182, 184, 187, 189, 196, 200, 202, 205-210, 212, 216, 217, 225, 228, 230, 232, 234-240, 246-248, 250-253, 270, 271*-278, 282, 296 / Ⅴ-162, 163*
田川銀行重役　Ⅲ-236
田川銀行譲渡　Ⅴ-162
田川坑区　Ⅰ-14, 58 / Ⅱ-176 / Ⅳ-249*, 251*, 324, 325*, 350
田川鉄道布設　Ⅲ-454
田川不毛坑区　Ⅳ-251*
滝ケ下(嘉穂郡穂波村小正)　Ⅳ-48, 49*
宅地　Ⅰ-230, 279, 280, 305 / Ⅱ-285 / Ⅲ-96 / Ⅳ-325
拓務大臣秘書官　Ⅴ-84
武雄(佐賀県杵島郡武雄町)　Ⅲ-287*
竹下駅(鹿児島本線)　Ⅱ-254, 255*
竹田水電株式会社(竹田水電)　Ⅰ-349 / Ⅱ-69* / Ⅲ-326, 327*
竹人形　Ⅴ-34
武谷受負株　Ⅰ-63
竹藪　Ⅳ-240
太宰府[天満宮]　Ⅰ-7, 98, 310 / Ⅱ-144, 152, 159, 376, 377* / Ⅲ-84, 85*, 168, 264, 265, 306, 331, 353, 364, 365*, 402, 403, 405, 426, 446, 449 / Ⅳ-4, 5*, 22, 23, 30, 32, 37, 44, 50, 55-57, 59, 60, 65, 78, 86, 98, 101, 110, 111*, 122, 138, 148, 154, 178, 189, 212, 213*, 227, 236, 249, 274, 278, 279, 300, 301*, 334, 343, 345 / Ⅴ-16, 24, 81, 147
太宰府宮司　Ⅴ-120
太宰府地所　Ⅲ-449 / Ⅳ-59, 60, 65, 278
太宰府製糸場　Ⅰ-98*, 287, 296, 304
太宰府町長　Ⅲ-426 / Ⅳ-23
田シギ　Ⅰ-218
太七郎屋敷　Ⅲ-292, 300
田島氏別荘　Ⅰ-36
田代駅(鹿児島本線)　Ⅱ-148, 149*, 184 / Ⅳ-336, 337*
多田共同坑区　Ⅱ-146, 147*
忠隈(嘉穂郡穂波村)　Ⅰ-94, 95* / Ⅱ-40, 41*, 65
忠隈坑[山]　Ⅰ-12, 13*, 325, 376 / Ⅱ-234, 276, 277*, 280, 284, 285, 288, 348, 349* / Ⅲ-355 / Ⅳ-8, 9*, 86
多々良川　Ⅱ-117*
太刀(大刀)　Ⅰ-330
立会調査　Ⅳ-85, 160, 358
大刀洗(三井郡大刀洗村)　Ⅱ-178, 179*
立入運動　Ⅰ-346
立木　Ⅰ-6, 166
立退　Ⅲ-409
橘屋(料理屋)　Ⅲ-168, 169*, 384, 385*
立花屋旅館　Ⅱ-119*
脱党　Ⅳ-76
立石(大分県速見郡立石町)　Ⅰ-102, 103*
立石所有林　Ⅱ-331
立岩(飯塚町)　Ⅰ-207*, 208, 281*, 296, 297*, 303, 333 / Ⅱ-275* / Ⅲ-18, 37, 68, 222, 223*, 265*, 277, 299*, 300, 302, 304, 305*, 314, 322, 340, 343, 366, 367*, 378, 379*-381*, 390, 399, 402, 406, 407 / Ⅳ-107*, 126, 229*, 289*, 290, 330, 379*, 382, 398 / Ⅴ-104, 105*-107, 129, 160, 161*, 179
立岩浦(飯塚町)　Ⅰ-162, 163*, 172, 173*
立岩浦運動場　Ⅴ-183
立岩耕地整理組合　Ⅰ-297
立岩山林　Ⅰ-333
立岩小学校[長]　Ⅲ-222, 223*, 380, 381*, 402, 403* / Ⅳ-229* / Ⅴ-10, 11*, 21
立岩新築場　Ⅲ-304, 305*, 340
立岩村社　Ⅰ-195
立岩土取場　Ⅳ-126
立岩農園　Ⅱ-127
立岩普請場　Ⅲ-366, 367*
立岩屋敷　Ⅰ-330 / Ⅲ-37, 299*, 304, 305*, 314, 322, 340, 366, 367*, 378, 379*, 399
立岩山(飯塚町立岩)　Ⅰ-348, 357*
建方　Ⅱ-381
建方打合　Ⅰ-350 / Ⅳ-62
竪釜　Ⅰ-12
竪汽鑵　Ⅰ-6, 53
建具類　Ⅰ-247 / Ⅲ-390 / Ⅴ-168

伊達家　Ⅰ-366
建継　Ⅰ-114
立付掃除　Ⅲ-224
たての屋　Ⅰ-85
建物　Ⅱ-356／Ⅳ-350／Ⅴ-82
田中屋（旅館）　Ⅰ-20, 21*-24, 27, 180, 181*, 182, 184-186
棚付　Ⅰ-254／Ⅳ-183
棚橋琢之助別荘　Ⅲ-64
谷口貯水池　Ⅱ-84
谷屋　Ⅰ-102
狸坂（嘉穂郡稲築村）　Ⅲ-178, 179*／Ⅴ-91
狸坂［坑・新坑］　Ⅰ-4-9, 12
田主丸（浮羽郡田主丸町）　Ⅱ-286, 287*
種牛　Ⅳ-54
田湯（大分県速見郡別府町）　Ⅰ-256, 257*／Ⅱ-164, 165*／Ⅳ-62, 63*, 245
田の湯館（旅館）　Ⅱ-149*, 150, 388, 389*
田の湯別荘（麻生家別荘）／Ⅰ-35, 36, 75, 77, 103*, 138, 193, 199, 238, 248, 249*, 252, 256, 258, 259*, 269, 282, 320, 321*, 332, 374, 392, 409／Ⅱ-35*, 103, 171, 173, 174, 188, 195, 196, 199, 200, 241*, 233, 240-242, 266, 271, 277, 278, 282, 290, 305-307*, 309, 312, 314, 316, 325, 328-330, 336, 339, 340, 342, 346, 350, 354, 370, 373, 378, 381, 384, 385*, 388, 418, 420, 423, 424／Ⅲ-13*, 30, 34, 35*, 41, 47*, 51, 59, 69, 111, 121, 129, 135, 176, 177*, 179, 197, 228, 250, 252, 294, 295*, 320, 333, 351, 370, 371*, 419／Ⅳ-89, 134, 158, 173, 175, 188, 200, 224, 385, 392／Ⅴ-86, 165, 167
煙草（草煙）　Ⅰ-106
莨料　Ⅳ-146
玉垣寄付　Ⅲ-306
玉垣棟上　Ⅲ-351
玉垣門　Ⅲ-438
玉屋（呉服店）　Ⅲ-226／Ⅳ-328, 329*, 366
溜池［買収問題］　Ⅰ-73, 130, 188, 221, 224／Ⅲ-96, 97, 116, 128, 135
樽屋　Ⅰ-408
俵屋旅館　Ⅰ-246, 247*／Ⅲ-172, 173*, 241／Ⅳ-89*
炭価　Ⅰ-37
炭況　Ⅰ-262／Ⅲ-287, 314／Ⅳ-110, 276／Ⅴ-46
炭業　Ⅴ-122
炭坑　Ⅱ-62, 134, 195, 371／Ⅳ-44, 79, 269, 338, 339*
炭坑災難　Ⅳ-44
炭坑鉄道　Ⅴ-158
炭坑買収　Ⅲ-393
炭坑爆発予防諮問会　Ⅰ-311
炭鉱変災予防研究所　Ⅰ-401, 404, 405*／Ⅳ-126
談合　Ⅱ-18, 20, 23, 24, 44, 74, 119, 143, 154, 186, 218, 264, 276, 285, 421／Ⅲ-201, 206, 207, 251, 317, 366, 418／Ⅳ-123, 278, 334／Ⅴ-50
男爵　Ⅱ-16, 66, 375, 376／Ⅴ-61, 78
炭車改造　Ⅱ-26
炭商組合　Ⅳ-378, 379*
誕生日［祝］　Ⅰ-409／Ⅲ-120, 121*, 148, 223／Ⅳ-82, 83*／Ⅴ-58, 59*, 176, 177*
胆石病　Ⅱ-335／Ⅲ-106, 120, 414
炭層　Ⅴ-118
炭層調査　Ⅴ-29
断層　Ⅰ-55, 265, 350／Ⅲ-4, 201／Ⅳ-363／Ⅴ-27, 28, 88, 132
探偵　Ⅳ-254
炭田　Ⅱ-284／Ⅲ-137
炭田坑区　Ⅰ-239
炭田合同　Ⅳ-302, 303*
炭田調査　Ⅱ-284
旦那寺　Ⅳ-197*
段畑　Ⅰ-211
丹波丸　Ⅱ-220, 221*
炭標　Ⅲ-338
担保　Ⅰ-168, 228, 321／Ⅱ-304, 312／Ⅲ-37, 57, 117, 118, 181, 227, 236, 237, 274, 356, 387, 402, 417／Ⅳ-58, 80, 100／Ⅴ-95
担保除外　Ⅳ-166

炭脈　Ⅱ-128, 151, 154, 274 / Ⅴ-145
反物　Ⅰ-91, 96, 174 / Ⅳ-259

ち

地下室　Ⅳ-128
地下線[問題]　Ⅰ-270, 310, 317*, 353, 395, 410 / Ⅱ-15*, 56, 60, 62, 68, 83, 89, 116, 117*, 118, 121, 122, 233* / Ⅲ-97, 98, 102, 103, 106, 125, 132, 137 / Ⅳ-305 / Ⅴ-148, 149*, 169*, 170, 172, 174, 176, 178
地下電力不足　Ⅰ-403
地況　Ⅰ-350 / Ⅲ-21, 288
蓄音機　Ⅲ-120
筑後　Ⅲ-353 / Ⅴ-74
筑後川　Ⅰ-356 / Ⅲ-182, 183* / Ⅴ-127
筑後軌道株式会社　Ⅳ-148, 149*, 150, 152
筑後炭田　Ⅱ-62, 397
筑後電気株式会社(筑後電灯)　Ⅲ-90, 91*, 92, 315*, 316, 447* / Ⅳ-101*, 150, 151*, 153, 207, 240, 241*, 245, 277, 348, 349*, 351, 395 / Ⅴ-39*, 90, 152, 153*
――重役会　Ⅲ-90
――賞与　Ⅳ-207
――総会　Ⅲ-447 / Ⅳ-101
筑紫上山田炭田　Ⅲ-212, 213*
筑紫銀行　Ⅲ-306, 307*, 403, 403* / Ⅴ-122, 123*
筑紫郡　Ⅰ-133 / Ⅱ-372 / Ⅳ-172
筑紫郡町村長　Ⅳ-172
筑紫坑区　Ⅲ-205*
筑紫中学校長　Ⅴ-24
蓄水池　Ⅰ-261
筑前　Ⅲ-61, 353
筑前人救護　Ⅲ-61
筑前国続風土記　Ⅲ-442, 443*
築堤　Ⅱ-77
筑豊石炭鉱業組合(鉱業組合, 坑業組合, 組合)　Ⅰ-37*, 40, 44, 87*, 88, 107, 108, 112, 113, 127, 131, 141, 150, 151, 175*, 186, 194, 195*, 204, 207, 214, 222, 223*, 232, 233*, 236, 239, 240, 243-245, 249, 260, 265, 266, 268, 271, 295, 300, 301*, 306, 309, 320, 325, 327, 332, 335, 337, 338, 340, 360, 382, 386, 393, 396, 398, 402, 404-406 / Ⅱ-12, 13*, 20, 25, 26, 32, 41, 51, 56, 64, 78, 79*, 87, 90, 91*, 107, 157, 161, 168, 176, 178, 187, 223*, 224, 234, 332, 333*, 351, 368, 369*, 371, 372, 410 / Ⅲ-188, 189*, 213, 219, 224, 228, 230, 234, 250, 323, 332, 344, 345*, 357, 378, 379*, 384, 386, 411, 434-436, 445, 453 / Ⅳ-74, 75*, 267, 268, 348, 349*, 393 / Ⅴ-28, 29*, 171
――委員　Ⅰ-402
――委員会　Ⅰ-332
――幹事　Ⅱ-26
――事務所・会議所　Ⅰ-36, 38, 40, 98, 107*, 187*, 200, 239*, 240, 244, 245, 249, 260, 281, 309*, 327*, 331*, 337, 338, 348, 349*, 357, 368, 376, 380, 405 / Ⅱ-37 / Ⅲ-233*, 236, 435
――出張所　Ⅰ-306
――常議員　Ⅰ-152, 312, 346, 347* / Ⅱ-224 / Ⅳ-38, 54, 55*, 252
――常議員会　Ⅰ-36, 63, 87, 98, 100, 101*, 112, 137, 200, 207, 214, 232, 240, 241, 244, 305*, 306, 315, 325, 330, 331*, 337, 366, 372, 382, 386, 388, 393, 396, 397, 403, 404 / Ⅱ-18, 19*, 25, 32, 44, 56, 60, 62, 90, 91*, 140, 160, 161, 178, 187, 205, 224, 351, 368, 380 / Ⅲ-228, 232, 233* / Ⅳ-54, 55*
――小坑山寄合　Ⅳ-267*
――水運部会　Ⅱ-168, 169*
――総会　Ⅰ-88, 360, 405 / Ⅱ-224 / Ⅲ-250
――総長　Ⅰ-131*, 138, 139*, 142, 241, 305, 330, 338, 339*, 402 / Ⅲ-332
――調査委員会　Ⅰ-266
――直方委員会　Ⅱ-52, 53*, 135*
――直方会(臨時常議員会)　Ⅰ-296, 297, 312 / Ⅱ-194, 195*, 350, 351*
――直方会議　Ⅱ-68, 90
――予算　Ⅱ-128, 223
筑豊石炭礦業互助会[員]　Ⅳ-252, 253*, 272, 273*, 308, 309* / Ⅴ-52, 53*, 56, 57, 66, 72,

98, 100, 117*
筑豊線払下　Ⅰ-87
筑豊艜業組合(艜業組合)　Ⅰ-175*, 177 / Ⅱ-152, 153*
筑豊炭坑　Ⅴ-135
筑豊炭田合同　Ⅳ-264, 265*, 271, 344
筑豊鉄道　Ⅰ-151
筑豊電鉄会社(筑豊電気軌道株式会社)　Ⅱ-235* / Ⅴ-55*, 56, 120, 121*
筑陽日日新聞　Ⅲ-89, 253*, 341*, 407*/ Ⅳ-201*
竹林　Ⅲ-156
竹林ノ別荘　Ⅴ-52, 53*
地災　Ⅰ-204
地下リ　Ⅳ-134
知事　Ⅰ-18, 40, 71, 82, 96, 120, 139, 149, 164, 192, 194, 226, 250, 263, 296, 334, 337, 346, 374, 382, 383, 415 / Ⅱ-128, 142, 157, 172, 176, 189, 198, 245, 261, 262, 280, 313, 342, 346, 353, 354, 380, 388, 392, 403, 404, 406, 421 / Ⅲ-12, 25, 30, 44, 47, 58, 59, 126, 129, 130, 132, 134, 136, 138, 140, 158, 168, 180, 208, 223, 225, 271, 282, 298, 299, 325, 379, 400–402, 408, 410, 425, 434, 436, 441, 448 / Ⅳ-19–21, 25, 91–93, 98, 123, 164, 167, 182, 186, 195, 220, 226, 248, 250, 258, 264, 273, 276, 310, 313, 323, 329, 348, 391, 397 / Ⅴ-13, 28, 33, 34, 40, 42, 45, 50, 51, 74, 87, 102, 126
知事官舎　Ⅱ-191, 342 / Ⅲ-58, 126, 134, 138, 158, 299, 410 / Ⅳ-250, 264, 310, 347 / Ⅴ-34, 74
知事官房　Ⅲ-130, 164, 180, 400 / Ⅳ-234
知事招待　Ⅰ-71, 82
地質　Ⅰ-83
地上権　Ⅲ-322
地図　Ⅰ-256 / Ⅱ-118 / Ⅲ-452
地線調査　Ⅲ-265
地租　Ⅰ-132
地代[料]　Ⅰ-60 / Ⅲ-266, 268 / Ⅳ-22, 60
乳料金　Ⅰ-59
築港　Ⅰ-19, 87, 374, 414 / Ⅱ-75, 92–94, 106, 107*, 267, 410 / Ⅴ-71*, 135, 141*, 158
築港会社(若松築港株式会社)　Ⅰ-32, 33*, 36, 62, 82, 83*, 138, 139*, 153, 173, 183*, 240, 241*, 265, 280, 281*, 333, 335, 348, 349*, 391, 422 / Ⅱ-22, 23*, 30, 41, 42, 45, 46, 57, 64, 75, 77, 94, 106, 132, 133*, 139, 144, 145, 158, 187, 204, 226, 236, 249, 251, 259*, 312, 313*, 319, 328, 378, 379* / Ⅲ-60, 61*, 74, 75, 228, 229*, 301*, 349, 350, 428, 429*, 434, 435, 439 / Ⅳ-38, 39*, 46, 134, 135*, 136, 187, 234, 235*, 269, 334, 335*, 378, 383, 384, 388, 390 / Ⅴ-140, 141*
築港会社株　Ⅲ-435
築港会社重役会　Ⅲ-439
築港地所　Ⅰ-414
築港事務所　Ⅱ-94
築港積入場　Ⅴ-71*
地床工事　Ⅴ-173
地方銀行　Ⅲ-126, 132
地方交渉　Ⅴ-56
地方重役　Ⅴ-38
地方巡視　Ⅳ-196
地方電力供給　Ⅳ-79
地方ノ繁栄　Ⅰ-374
地方名鑑　Ⅱ-370
茶会　Ⅱ-353 / Ⅳ-342
茶菓子　Ⅰ-362 / Ⅲ-296 / Ⅳ-372
茶器　Ⅰ-178
着駅　Ⅲ-394
着炭　Ⅱ-138, 139* / Ⅴ-124
着炭祝　Ⅱ-138
着任　Ⅲ-59
着博(博多)　Ⅰ-408 / Ⅱ-26, 69, 91, 316 / Ⅲ-134, 366 / Ⅳ-91, 304
着飯(飯塚)　Ⅰ-200
着福(福岡)　Ⅰ-258 / Ⅲ-32 / Ⅳ-94 / Ⅴ-28, 141, 169
着別(別府)　Ⅱ-316
茶室　Ⅰ-36 / Ⅲ-370, 397 / Ⅳ-88
茶代　Ⅰ-16, 96, 130, 249, 282, 310, 371 / Ⅱ-167, 178, 196, 262, 317 / Ⅲ-38, 180, 262,

331, 433 /Ⅳ-86, 110, 112, 114, 194, 218, 220, 252, 286, 290, 296, 313, 317, 338, 372 /Ⅴ-32, 41, 58, 154
茶棚　Ⅰ-36
着京(東京)　Ⅱ-123 /Ⅲ-125, 167 /Ⅳ-61, 333
茶屋・茶家・茶店　Ⅰ-36 /Ⅱ-84, 94 /Ⅲ-176, 185 /Ⅳ-22, 50, 183, 334
茶湯　Ⅴ-167
茶椀類　Ⅰ-98
注意　Ⅰ-11, 12, 31, 64, 100, 108, 118, 133, 195, 199, 220, 228, 234, 241, 256, 261, 276, 282, 297, 299, 317, 324, 334, 374, 379, 381, 385, 412 /Ⅲ-10, 230, 251, 386, 392, 399, 420, 421, 428-430, 454 /Ⅳ-21, 46, 56, 60, 66, 79, 146, 157, 164, 176, 195, 212, 216, 218, 222, 238, 262 /Ⅴ-15, 20, 32, 34, 36, 47, 49, 51, 52, 56, 60-62, 64, 68, 71, 74, 78, 82, 85, 87, 88, 92, 94-96, 112, 116, 131, 134, 141, 142, 146, 148, 155, 156, 166, 173-180, 182, 185, 186
中央坑　Ⅲ-94, 95*
中央新聞　Ⅲ-41*, 50, 55
中央竪坑　Ⅰ-204, 205*
中華園　Ⅳ-277, 308, 309*, 322, 341, 348, 361, 374
中学寄付金(基金)　Ⅱ-230, 349
中学校　Ⅰ-90, 112, 138 /Ⅱ-228, 229*, 230, 346, 349-351* /Ⅲ-122, 123*, 142, 198, 227, 392, 410, 411* /Ⅳ-86 /Ⅴ-24, 25*
中学校長　Ⅱ-346 /Ⅲ-198, 227, 392 /Ⅴ-24
中元　Ⅱ-108 /Ⅲ-146, 259 /Ⅳ-162, 261, 388 /Ⅴ-56, 58
仲裁(中裁)[者・人]　Ⅰ-30, 65, 109-111, 177, 238, 281 /Ⅱ-15, 85, 147, 331, 371, 422 /Ⅲ-11, 84, 330, 346, 354, 368 /Ⅳ-87, 221, 390 /Ⅴ-60, 114, 130, 138
中止勧告　Ⅰ-65
中将　Ⅰ-229 /Ⅱ-185
中小商工者　Ⅴ-88
昼食・昼喰・昼飯　Ⅰ-17, 18, 20-22, 26, 30, 32, 42, 50, 56-58, 60, 74, 80, 104, 109, 120, 130, 133, 136, 145, 180-183, 185, 196, 200, 201, 236, 247, 254, 260, 279, 282, 285, 294, 319, 324, 329, 332, 335, 337, 344, 350, 353, 361, 362, 364, 368, 371-373, 375, 384, 392, 398, 406, 408, 410 /Ⅱ-9, 14, 15, 18, 20, 22, 35, 36, 49, 51, 56, 60, 70, 71, 73, 74, 79, 83, 84, 93, 94, 96, 126, 128, 130, 132, 136, 137, 158, 162, 164, 167, 169, 174, 175, 182, 191, 197, 216, 218, 220, 227, 229, 237, 240, 243, 258, 266, 268, 270, 277, 278, 282, 306, 308, 310, 312, 316, 317, 321, 326, 329, 335, 340, 345, 346, 348, 372, 380, 384, 386, 387, 389, 394, 396, 400, 402-404, 419, 420, 422 /Ⅲ-6, 7, 14, 16, 43, 47, 35, 51, 52, 54, 55, 66, 68, 70, 86, 88, 94, 97, 100, 102, 104, 106, 109, 113, 118, 119, 122, 127, 129, 136, 156, 158, 160, 161, 168, 172, 176, 180, 181, 184-186, 190, 196, 200, 202-204, 208, 209, 217, 220, 222, 224, 228, 231, 238, 240-243, 248, 250, 253, 254, 264, 266, 267, 270, 284, 288, 296, 298, 302, 306, 309-313, 318-320, 323, 324, 330, 332, 334, 337, 339, 340, 347, 348, 350, 352, 353, 358, 364, 366, 370, 372, 377, 379, 380, 382, 385, 389, 390, 394, 400, 402, 403, 410, 416, 424, 426, 427, 432, 433, 436-438, 440, 444, 447, 448, 451, 452, 455, 456 /Ⅳ-4, 10, 16, 18, 19, 23, 24, 26, 27, 29, 30, 34, 40, 44, 50, 52, 57, 58, 64, 70, 72, 78, 84, 88, 89, 104, 110, 118, 128, 130, 136-138, 144, 146, 148, 153, 154, 156, 159, 161, 162, 164, 166, 169, 171, 173, 175, 178, 183, 185, 188-190, 193, 196, 198, 202, 204, 212, 216, 223, 226, 227, 232-234, 236-238, 241, 244, 257, 264, 266, 268, 270, 272, 273, 284, 295, 300, 302, 304-306, 308, 310, 312-315, 319, 321-323, 326, 332, 335-337, 342, 344, 347, 352, 354, 356, 361, 364, 368, 371, 374, 378, 386, 387, 389-392, 396 /Ⅴ-15, 17, 19, 22, 28, 32, 34, 38, 40, 42, 44, 57, 58, 61, 71, 74, 81, 82, 86, 87, 89, 92, 102, 112, 116, 117, 123, 125, 130, 134, 135, 139, 140, 146,

147, 150, 152, 155, 158, 164, 166, 168, 171, 177, 178, 182, 183, 185, 188
昼食会・昼飯会・昼餐会　Ⅰ-136 / Ⅱ-236, 332 / Ⅲ-12, 85, 86
駐屯兵司令官　Ⅱ-181
注文　Ⅰ-11, 79, 256, 312 / Ⅱ-374, 383, 414 / Ⅲ-133, 428 / Ⅳ-53, 68, 388 / Ⅴ-22, 63, 125, 166, 188
長網坑区　Ⅰ-82, 87
調印　Ⅰ-110, 111, 196, 286, 295, 411 / Ⅱ-82, 84, 200, 352, 394 / Ⅲ-92, 216, 243, 334, 339 / Ⅳ-126, 302, 371, 398 / Ⅴ-59, 98
町会　Ⅰ-118, 208, 211, 389 / Ⅱ-198, 243, 247, 261, 262, 280 / Ⅲ-118, 123, 312, 336, 337, 338, 346, 444, 446, 454 / Ⅳ-15
町会決議(決定)　Ⅱ-247* / Ⅲ-446
町会議員　Ⅰ-118, 389 / Ⅱ-280 / Ⅲ-118, 123, 340, 444 / Ⅳ-13, 15, 16, 64, 66, 71, 78
町会議員選挙　Ⅰ-389 / Ⅱ-281*, 283 / Ⅲ-118, 123 / Ⅳ-78
鳥海進水式　Ⅳ-336, 337*
長官　Ⅱ-86, 318
長原線　Ⅳ-213*, 336, 337*, 379
調査　Ⅰ-5, 8, 9, 44, 59, 62, 64, 70, 87, 104, 114, 130, 158, 198, 252, 273, 280, 300, 316, 318, 321, 322, 327, 340, 388, 421, 423-425 / Ⅱ-32, 40, 50, 55, 63, 68, 74, 75, 81, 86, 95, 98, 99, 102, 103, 105, 107, 122, 125, 126, 132, 148, 156, 176, 179, 187, 199, 201, 211-213, 220, 222, 225, 244, 266, 267, 270, 274, 284, 287, 293, 299, 304, 314, 317, 342, 351, 352, 358, 361, 370, 372, 384, 389, 392, 402, 422 / Ⅲ-10, 12, 18, 21, 22, 30, 48, 53, 66, 76, 88, 92, 119, 130, 138, 140, 141, 168, 201-203, 208-210, 213, 224, 230, 232, 237, 244, 255, 257, 266, 276, 279, 284, 315, 320, 328-330, 332, 334, 336, 338, 345, 347, 350-352, 354, 378, 381, 382, 389, 397, 409, 412, 413, 415, 416, 418, 419, 428, 441-444, 448-450 / Ⅳ-6, 9, 12, 26, 32, 44, 48, 50, 51, 56, 60, 79, 86, 87, 90, 100, 129, 132, 137, 142, 144, 149, 150, 152, 165-167, 175, 188, 190, 194, 214, 216, 224, 225, 241, 261, 270, 272, 280, 284, 295, 302, 306, 314, 322, 330, 331, 337, 338, 352, 357, 365, 374, 378, 381, 386, 388 / Ⅴ-6, 20, 24, 25, 28, 29, 46, 51, 66, 68, 70, 87, 90, 93, 94, 96, 97, 116, 122, 123, 132-134, 142, 145, 150, 155, 156, 173, 174, 180
町債　Ⅲ-390, 406 / Ⅳ-41
調査委員　Ⅰ-318, 322 / Ⅳ-272
調査依頼　Ⅴ-90
調査覚書　Ⅲ-230
調査課　Ⅲ-119
調査会　Ⅳ-241
調査結果　Ⅲ-332
調査書　Ⅰ-409 / Ⅱ-50, 63, 147, 173, 193, 202, 291, 304, 314, 370, 371, 386 / Ⅲ-413 / Ⅲ-209, 237, 351, 397, 417, 442 / Ⅳ-12, 32, 50, 60, 137, 144, 216, 295 / Ⅴ-68, 94, 134
調査書説明　Ⅳ-158
調査図　Ⅰ-5
調査表　Ⅰ-198 / Ⅱ-370
調査報告　Ⅴ-133
調査方針　Ⅰ-321
調査方筆記　Ⅲ-66
長者原(糟屋郡大川村)　Ⅲ-321*
調書　Ⅰ-262, 409 / Ⅲ-390, 450 / Ⅴ-26
朝食・朝喰・朝飯　Ⅰ-36, 176, 392, 130, 226 / Ⅱ-50, 58, 187, 255 / Ⅲ-30, 218, 354 / Ⅳ-151, 254, 341, 380 / Ⅴ-32, 36, 135, 159
町制　Ⅲ-137
町政　Ⅰ-124 / Ⅲ-346, 354, 444
長生館　Ⅲ-432
朝鮮　Ⅰ-94, 106, 231, 242-244, 249 / Ⅱ-231, 306 / Ⅲ-182, 322, 381, 389, 391, 392, 396, 400, 404, 415, 424, 426, 430 / Ⅳ-25, 53, 72, 140, 218, 225, 360 / Ⅴ-29, 31, 180, 188
朝鮮金山(金鉱)　Ⅴ-31, 180, 188
朝鮮山林　Ⅲ-381, 391, 392, 396, 415, 430 / Ⅳ-25, 72, 225, 140
朝鮮人　Ⅳ-218 / Ⅴ-62, 63*-65*

朝鮮総務長官　Ⅲ-400
朝鮮鉄山(鉄坑・鉄鉱)　Ⅰ-242, 243, 249
朝鮮内大臣　Ⅰ-106
朝鮮留学生　Ⅲ-322
町村長[会]　Ⅰ-34, 136, 283 /Ⅲ-316, 380, 402 /Ⅳ-38, 278, 328, 393
町村長選挙　Ⅳ-393
町村長接待　Ⅳ-38
町長　Ⅰ-34, 106, 112, 124, 136, 146, 156, 166, 177, 224, 235, 283, 296, 344 /Ⅱ-72, 73, 132, 165, 174, 222, 243, 275, 314, 368, 377, 407 /Ⅲ-5, 60, 181, 244, 286, 297, 307, 312, 314, 383, 390, 423 /Ⅳ-22, 30, 33, 36, 75, 200, 234, 238, 314, 357 /Ⅴ-35
町長選挙　Ⅰ-106 /Ⅲ-286
町長留任問題　Ⅲ-312
調停者　Ⅰ-238
弔電　Ⅱ-23, 168, 308 /Ⅲ-280 /Ⅴ-183
町費　Ⅰ-124, 300 /Ⅱ-368
長府(山口県豊浦郡長府町)　Ⅰ-14, 16, 54, 55, 136 /Ⅲ-426, 427*
帳簿　Ⅰ-234, 307, 308, 351 /Ⅱ-24, 42, 195, 248, 267 /Ⅳ-286, 306 /Ⅴ-157, 174
帳簿整理　Ⅰ-307, 351 /Ⅱ-24, 42, 195
長保楼(料亭)　Ⅰ-35, 63
町民　Ⅰ-110 /Ⅱ-262 /Ⅲ-336 /Ⅳ-15
帳面　Ⅳ-103 /Ⅴ-116
朝野通信社長　Ⅰ-181
貯金　Ⅰ-318
貯水池　Ⅱ-74, 83, 84, 92, 117 /Ⅳ-17, 78, 79*, 80, 99, 101, 164, 335, 378, 379*, 380 /Ⅴ-32
貯炭　Ⅰ-41, 43, 44, 84, 398 /Ⅱ-34, 286
貯炭場　Ⅰ-43, 84 /Ⅲ-287
貯蓄銀行法　Ⅲ-366, 399*
千代町(糟屋郡のち福岡市)　Ⅳ-24, 25*
千代森神社　Ⅴ-156, 157*
治療　Ⅰ-20 /Ⅲ-107-111, 113, 114, 139, 312, 410 /Ⅳ-198, 200, 269, 270, 272, 273, 332, 346 /Ⅴ-34, 85, 150, 151, 156-158, 179
地料主任　Ⅲ-268
地料引下　Ⅲ-266, 268
治療費救助　Ⅱ-428
鎮(慎)火　Ⅰ-90
沈降一件　Ⅰ-74
鎮西御用邸　Ⅲ-306, 307*
鎮西村長　Ⅰ-280
鎮西村(嘉穂郡)　Ⅴ-170, 171*
沈堕水力発電所　Ⅱ-173*
沈没炭　Ⅱ-37*, 140, 141*, 169

つ

衝立　Ⅰ-148
追悼会　Ⅲ-306 /Ⅳ-34, 35*, 137*, 235*, 236 /Ⅴ-61, 141
通院　Ⅰ-256
通信社　Ⅰ-182
通水　Ⅰ-256, 270
通水設備　Ⅰ-270
通船　Ⅱ-163
通帳　Ⅱ-396 /Ⅳ-35
通風坑道　Ⅴ-96
杖立川水利権　Ⅳ-144
杖立工事　Ⅲ-186, 212, 225, 229, 232, 233, 243, 244, 294, 322, 329, 331, 332, 334, 342, 424, 425, 430 /Ⅳ-41
杖立出張所　Ⅲ-296
杖立川水力電気株式会社 (杖立発電所, 杖立会社)　Ⅱ-424, 425* /Ⅲ-46, 47*, 60, 64, 65, 88, 89, 92, 96, 98, 100, 106, 112, 113*, 121, 137, 162, 163*, 164, 168, 176, 177*, 184-186, 188, 190, 192, 194, 202, 204, 212, 224, 225, 229, 230, 232, 233, 243, 244, 251, 294, 295*-297, 310, 311*, 313, 322, 325, 328, 329, 331, 332, 334, 342, 353, 370, 371*-373*, 374, 392, 420, 422-425, 428, 430, 432, 439, 447 /Ⅳ-31, 32, 41, 54, 55*, 68, 101, 149*, 161, 175, 202, 245*, 277, 356, 357*, 362, 395 /Ⅴ-10, 11*, 39*, 44
――決算　Ⅳ-277
――賞与金　Ⅳ-161
――専務　Ⅲ-428
――総会　Ⅲ-447 /Ⅳ-101, 153

——創立　Ⅲ-60, 64, 65
杖立電気会社買収　Ⅲ-106, 244
遣金　Ⅰ-13, 313 / Ⅱ-360
塚原（大分県速見郡）　Ⅲ-57* / Ⅳ-78, 79*, 80, 101
月隈（筑紫郡席田村）　Ⅱ-152, 153*
築地（東京市京橋区）　Ⅰ-22, 185
ツキ建代　Ⅰ-132
突湯（湯突）［願］　Ⅲ-13 / Ⅳ-267, 272
付口交換　Ⅰ-301
付口米　Ⅰ-49, 122, 254
対馬（対嶋）　Ⅲ-183
土　Ⅴ-46, 47
土取跡　Ⅴ-46
土取［場］　Ⅱ-311, 398 / Ⅲ-56, 62, 124 / Ⅳ-66, 116, 126
土盛　Ⅰ-5 / Ⅱ-77, 308, 372 / Ⅲ-227, 292 / Ⅳ-13
筒野溜池　Ⅲ-156
包銭　Ⅰ-406
綱分（嘉穂郡庄内村）　Ⅰ-53 / Ⅱ-14, 15*, 366, 367* / Ⅲ-10, 195*, 232, 233*, 342 / Ⅳ-30, 31*, 38, 39*, 118, 119*
綱分坑（坑区・鉱山）　Ⅰ-5, 8-10, 34, 55, 56, 86, 98, 108, 127, 173, 178, 234, 268, 366, 378, 404, 409 / Ⅱ-20, 24, 34, 46, 54, 63, 90, 127, 197, 230, 265, 281, 287, 423 / Ⅲ-280, 281* / Ⅳ-30, 31* / Ⅴ-184, 185*
綱分坑変災　Ⅳ-30, 31*
綱分事件　Ⅲ-232, 233*
綱分八幡宮　Ⅳ-38, 39*
都農駅（日豊線）　Ⅴ-42, 43*
椿（嘉穂郡穂波村）　Ⅲ-104, 105*, 169
椿村社　Ⅳ-90, 91*
椿湯場　Ⅲ-169
津波黒坑区　Ⅰ-58 / Ⅱ-42, 43*
坪下　Ⅰ-53
罪　Ⅰ-288
罪金　Ⅱ-133
積込方打合　Ⅴ-103
積入岸壁　Ⅰ-335
積入計画案　Ⅰ-367
積入順序　Ⅰ-84
積入場　Ⅰ-81, 220, 345, 348, 401 / Ⅱ-9, 11, 41, 64, 131, 132, 138, 197, 324 / Ⅲ-288 / Ⅴ-178, 186
積立［金］　Ⅰ-131, 325, 333, 338 / Ⅲ-234 / Ⅳ-61
詰所　Ⅰ-122
津屋崎（宗像郡津屋崎町）　Ⅰ-82, 83*, 94, 95*, 96, 100, 104, 107, 108, 121, 130, 131*, 134, 138, 142, 143, 145-147, 150, 151, 166, 167*, 187*, 188, 258, 259*, 280, 281*, 388, 389*, 394, 408, 421, 422 / Ⅱ-57*, 59, 87, 88 / Ⅲ-45*, 213*, 289*, 302, 323, 423*, 425* / Ⅳ-76, 94, 118, 120, 154, 156, 157, 166, 181, 199, 203, 231, 234, 257*, 311* / Ⅴ-24, 70, 71*, 114, 115*, 135, 158, 176
津屋崎（麻生家別荘）　Ⅰ-95*, 131*, 138, 151, 167*, 187*, 188, 259*, 389*, 394 / Ⅱ-168, 169*, 242, 243*, 336, 337*, 346, 347, 403* / Ⅲ-45*, 213*, 214, 218, 288, 289, 299, 324, 349, 422, 425 / Ⅳ-46, 47*, 76, 94, 95, 134, 135*, 153, 154, 156, 157, 179, 199*, 203, 229*, 231, 234, 257, 311, 371
津屋崎埋立地　Ⅳ-166, 199*
津屋崎塩田　Ⅰ-83
津屋崎魚港　Ⅴ-24
津屋崎別荘工事　Ⅰ-151
津屋崎別荘図面調査　Ⅲ-289
津屋崎町役場　Ⅴ-70
津屋崎湾埋立　Ⅱ-65*
鶴　Ⅰ-79
鶴見（速見郡朝日村）　Ⅲ-369*, 370
鶴三緒（嘉穂郡下三緒村）　Ⅰ-32, 100, 101*, 305*, 309 / Ⅱ-165*, 194, 398, 399* / Ⅲ-96, 292, 293*
鶴三緒越道路　Ⅰ-32
鶴三緒発電所（変電所）　Ⅱ-165 / Ⅲ-37*, 102 / Ⅳ-65*
鶴見工事場　Ⅲ-370

て

手当[金]　Ⅰ-8, 153, 227, 257, 331, 422／Ⅱ-110, 209, 211, 249, 251, 293, 294, 298, 300, 423, 425, 429／Ⅱ-8, 206／Ⅲ-167, 338, 406／Ⅴ-96, 373
庭園　Ⅰ-255／Ⅲ-122／Ⅳ-41, 44, 73, 148／Ⅴ-36, 92, 93
庭園見物　Ⅳ-148, 149*
定格米　Ⅰ-126
定款　Ⅱ-228／Ⅲ-13, 425／Ⅳ-161, 251
定期新設　Ⅴ-12
定期自動車　Ⅳ-159
帝国劇場　Ⅰ-181*
帝国座　Ⅰ-180
帝国商業銀行　Ⅰ-41
帝国女子専門学校　Ⅰ-388
帝国炭業株式会社(帝炭)　Ⅱ-129*／Ⅲ-283, 284, 316, 317*, 322, 407*／Ⅳ-8, 9*, 70, 125*, 130, 136, 140, 142, 143*-152, 154, 155, 157-159, 172, 188, 238, 239*
帝国炭業坑区　Ⅲ-283, 284, 316, 317*, 322
帝国炭業買入　Ⅳ-142, 144
帝炭交渉問題　Ⅳ-150, 151
帝炭社員　Ⅳ-172
帝炭引受　Ⅳ-144-147, 149-152, 157, 159, 172
帝国ホテル　Ⅰ-26, 182／Ⅱ-107
定式臨時会　Ⅰ-178
停車場　Ⅰ-35, 54, 55, 64, 66, 72, 74, 75, 96, 107, 112, 152, 154, 192, 196, 198, 200, 230, 237, 238, 252, 281, 282, 285, 310, 322, 333, 374, 375, 390, 400, 409, 410／Ⅱ-26, 27, 51, 56, 84, 143, 148, 150, 168, 188, 189, 232, 235, 236, 277, 314, 330, 339, 352, 370, 379, 385／Ⅲ-5, 10, 18, 37, 42, 54, 56, 59, 66, 94, 104, 156, 214, 239, 242, 298, 351, 366, 437, 445／Ⅳ-19, 57, 188, 191, 200, 240, 304, 370／Ⅴ-34, 70, 78, 80, 157
停車場新設　Ⅲ-42, 66, 242
停車場道路　Ⅲ-54, 56, 59, 66, 94
逓信省　Ⅱ-238／Ⅳ-268
逓信大臣(逓相)　Ⅰ-28, 371／Ⅱ-145, 234, 236, 242, 243, 290, 292, 305, 306, 310, 414, 418／Ⅲ-96, 415／Ⅳ-236
停電　Ⅱ-414, 419, 422／Ⅲ-292／Ⅳ-65
泥土　Ⅴ-110
抵当　Ⅰ-36／Ⅲ-6
程度大切油断大敵(麻生太吉座右銘)　Ⅳ-56, 57*
定日会　Ⅳ-93
停年　Ⅴ-54, 162
堤防　Ⅰ-129, 206, 221
定約満期　Ⅴ-169
出入勘定　Ⅴ-43
出入帳[簿]　Ⅰ-149, 210／Ⅱ-113, 248, 363／Ⅲ-93, 185／Ⅳ-47, 96, 162／Ⅴ-182
停留所　Ⅳ-307, 376
手入　Ⅲ-140／Ⅳ-388／Ⅴ-140
テーブル　Ⅲ-274／Ⅴ-54
手形　Ⅰ-211, 219／Ⅱ-386／Ⅲ-126, 165, 216, 253, 254, 355, 356, 400, 406／Ⅳ-253, 334, 338, 339
手形裏書　Ⅱ-386／Ⅲ-165
手形割引　Ⅲ-406
手紙　Ⅰ-79, 188, 199, 202, 212, 214, 311, 315／Ⅱ-23, 24／Ⅲ-350／Ⅳ-237
手紙整理　Ⅱ-24
手勘定　Ⅱ-296, 401
手順打合　Ⅲ-376
手数料　Ⅱ-82, 235, 264
手相図解　Ⅴ-120
手代　Ⅰ-16, 124, 254, 310／Ⅱ-200／Ⅲ-46, 216, 239／Ⅳ-68
手帳　Ⅱ-142
鉄株買入　Ⅰ-18
鉄橋　Ⅱ-132／Ⅳ-310／Ⅴ-148, 149*
手付[金]　Ⅳ-36, 308, 338
鉄坑[区]　Ⅰ-246, 411
鉄鉱事業経営　Ⅱ-143
鉄工所　Ⅰ-64／Ⅳ-54
鉄道布設　Ⅰ-136, 176, 386／Ⅱ-128, 234, 242,

243, 286, 390 / Ⅲ-106, 109, 110, 224, 320
鉄舟寺　Ⅰ-75*
手伝[人]　Ⅱ-222 / Ⅳ-132
鉄道　Ⅰ-24, 136, 176, 183, 238, 321, 322, 332, 386 / Ⅱ-56, 75, 120, 128, 129, 142, 162, 164, 196, 234, 242–244, 286, 388, 390, 396, 397* / Ⅲ-42, 64, 106, 109, 110, 116, 137, 180, 186, 198, 202, 207, 217, 224, 241, 269, 309, 320, 434, 436 / Ⅳ-196, 269 / Ⅴ-10, 27, 56, 92, 93*, 135, 146, 159, 188
鉄道跡　Ⅱ-324
鉄道院　Ⅰ-112, 158, 188, 195, 325, 327 / Ⅱ-152, 223 / Ⅲ-42 / Ⅴ-146
鉄道院総裁　Ⅱ-152
鉄道運賃率　Ⅳ-85
鉄道会　Ⅴ-92, 93*
鉄道買上区域　Ⅴ-10
鉄道合併　Ⅰ-332
鉄道局長　Ⅲ-241
鉄道国有問題　Ⅰ-24
鉄道省　Ⅲ-180, 309
鉄道線　Ⅱ-142, 162, 196 / Ⅴ-27
鉄道相談役　Ⅰ-238
鉄道大臣　Ⅱ-336, 338 / Ⅲ-192, 434, 436 / Ⅴ-159
鉄道調査　Ⅰ-321
鉄道電化　Ⅳ-103, 104, 125
鉄道トンネル　Ⅲ-64
鉄道売炭　Ⅲ-137 / Ⅴ-56
鉄道引離　Ⅲ-202, 203*
鉄道補介問題　Ⅲ-217
鉄筆彫刻　Ⅲ-341
テニス場工事　Ⅳ-41
手配　Ⅲ-10, 46, 58, 401, 402, 455 / Ⅳ-41, 188, 240, 386, 392 / Ⅴ-67, 186
出迎　Ⅰ-17, 30, 31, 62, 86, 152, 179, 200, 237, 334, 335, 358, 385, 393 / Ⅱ-40, 48, 118, 130, 132, 188, 220, 236, 266 / Ⅲ-348, 400 / Ⅳ-180, 228, 312 / Ⅴ-32, 64, 74, 79, 125, 152
出迎船　Ⅰ-334
寺ノ下　Ⅱ-408, 409*
寺廻金　Ⅰ-58
店員(麻生商店社員)　Ⅰ-118, 162, 167, 218, 234, 267, 314 / Ⅱ-46, 130, 200, 304, 421, 422 / Ⅲ-6, 70, 172, 173*, 210, 264, 364
電化会社(九州電気工業株式会社)　Ⅴ-48, 49*, 166, 167*
電化事業　Ⅲ-40, 52, 65, 191, 236 / Ⅳ-126, 130
電化調査　Ⅳ-130
伝記　Ⅴ-78
電気(電機)　Ⅰ-112, 122, 128, 136, 142, 276, 329, 388 / Ⅱ-20, 229 / Ⅲ-22, 35, 82, 106, 380 / Ⅳ-222, 254, 273, 277, 291, 372 / Ⅴ-34, 90, 96, 114, 118, 123, 135, 142, 164, 167, 169
電機会社　Ⅰ-388
電気会社　Ⅲ-347, 430, 431* / Ⅳ-128, 186, 187*, 190, 191*, 228
電気化学工業株式会社(電化)　Ⅲ-383, 388, 389*
電気株式株買入　Ⅲ-305
電機起業者　Ⅱ-330
電気協会　Ⅳ-284, 285*, 304, 305*
電気局長　Ⅲ-106
電気計画　Ⅳ-370
電気広告　Ⅳ-254
電気事業　Ⅳ-273
電機鉄道布設　Ⅰ-136
電気鉄板会社(日本電気鉄板株式会社)　Ⅱ-195*, 196, 198, 200
電気統一　Ⅴ-118, 142
電気統制　Ⅳ-222 / Ⅴ-90
電機場　Ⅰ-112, 122, 276
電機ポンプ(電気喞筒)　Ⅱ-20, 36, 63, 67, 256 / Ⅲ-22
電気問題　Ⅴ-114
電球　Ⅳ-102, 314 / Ⅴ-177
電球会社(大正電球株式会社)　Ⅱ-174, 175*
電気養蚕　Ⅴ-34
転勤　Ⅰ-52, 83 / Ⅱ-38, 256, 346 / Ⅲ-90, 201 /

Ⅳ-357／Ⅴ-74, 99
転勤挨拶　Ⅱ-256
転寺　Ⅰ-74, 76
電車　Ⅰ-122, 123, 148, 149, 166, 334, 337, 374／Ⅱ-66, 71, 86, 116, 119, 131, 150, 163, 174, 198, 254, 268, 274, 285, 337, 338, 345, 387, 394, 402, 409／Ⅲ-84, 88, 119, 216, 218, 240, 281, 286, 298, 385／Ⅳ-12, 57, 76, 89, 147, 167, 363, 376, 377
電車代用自動車営業　Ⅳ-12
電車脱線　Ⅲ-281
電車停留所　Ⅲ-298
電車鉄道　Ⅰ-148
電車乗場　Ⅱ-409
天神[町・丁](福岡市)　Ⅱ-271／Ⅲ-59*／Ⅳ-348／Ⅴ-76, 157
電信　Ⅰ-40, 44, 74, 76, 146, 188, 228, 232, 294, 324, 385, 387, 407／Ⅱ-18, 37, 62, 87, 142, 159, 164, 178, 183, 189, 226, 234, 235, 290, 323, 366, 381, 386, 396, 407, 412／Ⅲ-58, 60, 64, 92, 102, 103, 108, 129, 130, 165, 176, 192, 216, 218, 249, 270, 276, 315, 337, 373, 384, 393, 415, 419, 428, 439, 449／Ⅳ-6, 12, 27, 48, 49, 61, 62, 76, 87, 118, 128, 140, 162, 174, 178, 187, 193, 224, 230, 231, 238, 241, 248, 262, 274, 316, 317, 333, 374, 382, 394, 397／Ⅴ-21, 30, 50–52, 63, 66, 70, 84, 92, 134, 140, 148, 155, 188
電信為替　Ⅴ-134
天心教　Ⅳ-352, 353*
天神宮　Ⅳ-306
天神坂　Ⅱ-315, 366／Ⅲ-156, 182, 183*, 195, 254
電信社　Ⅳ-285
天神官舎　Ⅳ-348
電信取扱請願　Ⅲ-415
天神ノ町別荘(伊藤伝右衛門家別荘)　Ⅱ-271*
天神山　Ⅳ-380
電線　Ⅲ-168, 380／Ⅳ-305
転宅　Ⅱ-348
田地　Ⅰ-49, 138, 200, 299, 301／Ⅱ-191, 307, 372, 412／Ⅳ-38, 63, 66, 279, 329
田地買入　Ⅱ-412
田地処分　Ⅱ-372
田地補償　Ⅰ-200
電柱　Ⅲ-409
電柱税　Ⅰ-302, 334
店長　Ⅰ-52, 60
電鉄　Ⅰ-124, 236
電鉄線　Ⅱ-238
電鉄布設　Ⅰ-124
天道[駅](嘉穂郡穂波村)　Ⅰ-204, 205*／Ⅱ-81*, 194, 195*
電灯　Ⅰ-140, 392, 402, 409／Ⅱ-24, 58, 272, 276, 242, 317／Ⅲ-178, 299, 304, 316, 448／Ⅴ-41, 77, 85, 94, 132
電灯会社合併　Ⅱ-412
電灯架設　Ⅱ-276
電灯工事　Ⅰ-140
電灯合同　Ⅳ-90
電灯市営　Ⅴ-132
天道支配人　Ⅱ-38／Ⅳ-386
電灯整理　Ⅱ-24
電灯統一　Ⅱ-58
電灯値下　Ⅳ-328
電灯料　Ⅰ-402, 409／Ⅱ-42, 46, 272／Ⅲ-178, 299, 304, 316／Ⅳ-219, 220, 241, 279, 296, 304, 304, 315／Ⅴ-41, 77, 85, 94
転任　Ⅰ-49, 64, 83／Ⅱ-245, 246／Ⅲ-206, 225, 408／Ⅳ-335, 348
天皇陛下　Ⅱ-116／Ⅲ-156, 264, 274, 364／Ⅳ-4, 110, 212, 300／Ⅴ-4
電文　Ⅰ-256／Ⅲ-132, 208, 308／Ⅳ-231, 236
電報　Ⅰ-28, 108, 230, 232, 241, 258, 273, 294, 321, 323／Ⅱ-27, 35, 62, 69, 70, 88, 143, 170, 173, 190, 219, 222, 223, 270, 282, 288, 310, 314, 334, 342, 366, 372, 386, 396, 413, 416／Ⅲ-17, 30, 95, 101, 104, 112, 118, 120, 168, 171, 172, 181, 193, 196, 201, 203, 207, 208, 216, 270, 291, 308, 349, 351, 374, 388, 394, 416, 422, 429／Ⅳ-28, 32, 52, 60, 75, 77, 82,

114, 118, 120, 140, 150, 166, 178, 186, 221, 246, 268, 272, 308, 316, 333, 351 / Ⅴ-14
顚末書　Ⅱ-342
顚末報告　Ⅰ-178
電力　Ⅰ-244, 354, 374, 380, 388, 403, 412 / Ⅱ-64, 93, 120, 123, 126, 147, 150, 151, 178, 198, 264, 274, 277, 288, 292, 321, 419 / Ⅲ-51, 52, 66, 107, 120, 164, 168, 170, 226, 270, 283, 290, 321, 322, 380, 428 / Ⅳ-79, 113, 238, 264, 266, 268, 290 / Ⅴ-20, 25, 26, 66, 72, 96, 97, 172
電力売込　Ⅱ-381 / Ⅲ-226, 380 / Ⅴ-24
電力会社　Ⅰ-388 / Ⅱ-292, 310, 314
電力拡張工事　Ⅰ-354
電力供給　Ⅱ-178 / Ⅲ-51 / Ⅳ-266 / Ⅴ-25, 170
電力競争　Ⅲ-120
電力国有　Ⅲ-428
電力需用　Ⅰ-374 / Ⅱ-198
電力料［金］　Ⅱ-264, 274, 380, 422 / Ⅳ-238 / Ⅴ-66, 72
電力線接続　Ⅱ-151
電力（電気）統一　Ⅲ-322 / Ⅳ-113, 268 / Ⅴ-118, 142
電力願　Ⅱ-288
電力配置法　Ⅲ-66
電力敷設　Ⅱ-120
電話架設［費］　Ⅱ-176, 323 / Ⅳ-377 / Ⅴ-95
電話室　Ⅳ-254
電話料　Ⅰ-295 / Ⅳ-366
電話局　Ⅳ-162

と

土居（嘉穂郡桂川村）　Ⅳ-38
土居（井）掛方　Ⅰ-399
土居坑区　Ⅳ-6, 7*, 9, 46, 274, 275*, 322, 323*, 324, 345 / Ⅴ-20, 21*, 27, 28, 29
戸石場　Ⅲ-182
東亜勧業博覧会　Ⅲ-409
動員令　Ⅱ-172
唐画　Ⅰ-136 / Ⅱ-112, 222, 431
東海ホテル　Ⅰ-75*, 76
洞海湾　Ⅱ-66, 145
登記　Ⅰ-90, 165, 383 / Ⅲ-99, 374 / Ⅳ-45, 240 / Ⅴ-50
陶器［代］　Ⅱ-408 / Ⅳ-22
東京［駅］　Ⅰ-6, 50, 63, 74, 154, 186, 219, 240, 241, 250, 252–254, 268, 284, 316, 324, 366, 370, 382, 388, 398, 400, 406, 407, 412, 425 / Ⅱ-12, 18, 21, 24, 26, 27, 47, 48, 55, 64, 85, 97, 99, 102, 103, 107, 109, 112, 132, 160, 186, 190, 193, 203, 230, 239–242, 268, 276, 282, 288, 291, 292, 296, 306, 309, 321, 323, 331, 341, 346, 353, 354, 374, 382, 383, 409, 410, 422, 424 / Ⅲ-8, 44, 45, 48, 49*, 59, 61, 66, 68, 70, 76, 89, 93, 98, 99, 104, 108, 122, 125, 131, 132, 135, 140, 141, 149, 158, 170, 176, 179, 181, 188, 190, 193, 198, 208, 213, 228, 236, 239, 240, 242, 243, 246, 249, 252, 292, 295, 297, 300, 302, 308, 314, 323, 332, 333, 337, 341, 349, 352, 373, 382, 385, 386, 393, 396, 398, 408, 423, 427, 428, 454 / Ⅳ-15, 20, 23, 27, 29, 48, 68, 72, 77, 80, 85, 102, 105, 107, 114, 128, 136, 147, 157, 158, 162, 164, 165, 170, 172, 176, 178, 182, 218, 221, 226, 230, 232, 236–238, 240, 246, 251, 252, 254, 255*, 256, 261, 262, 272, 279, 280, 310, 311, 321, 327*, 329, 332, 334, 346, 351, 356, 360, 362, 369, 372, 381, 384, 386, 391, 392, 394, 396 / Ⅴ-4, 6, 9, 14, 16, 17, 24, 25, 30, 31, 36, 38, 44, 50, 52, 63, 70, 72, 83, 85, 90, 94, 124, 133, 140, 146, 148, 155, 156, 163, 166, 169, 172, 173, 175, 176, 179, 180, 184–186, 188, 189
東京行旅費　Ⅳ-165, 170, 246
東京合同火力　Ⅴ-185
東京五大新聞　Ⅲ-59
東京重役（九水）　Ⅰ-324, 325* / Ⅱ-46, 47*
東京出張所（麻生商店）　Ⅴ-98, 99*
東京新報　Ⅳ-238
東京大銀行　Ⅳ-334
東京滞在　Ⅲ-170, 385
東京大変災（関東大震災）　Ⅲ-48, 49*

東京帝国大学生　Ⅱ-262
東京鉄道局　Ⅳ-157
東京電気株式会社　Ⅳ-128, 327*
東京電気会社　Ⅳ-128
東京ノゴロ　Ⅳ-48
東京本店(三井・三菱等)　Ⅰ-127, 410 /Ⅳ-251, 369
東京本部　Ⅲ-341
東京旅館　Ⅱ-193
東京聾唖学校　Ⅲ-8
当局[者]　Ⅰ-252, 273 /Ⅱ-368 /Ⅲ-345 /Ⅳ-192, 238 /Ⅴ-162
東宮殿下　Ⅱ-341*
東慶寺(鎌倉)　Ⅳ-34
峠切下　Ⅲ-96
東郷(宗像郡東郷町)　Ⅲ-288, 289*
踏査　Ⅰ-174, 220, 239, 292, 355, 391 /Ⅱ-128, 193, 196 /Ⅲ-306 /Ⅳ-140 /Ⅳ-43, 50, 138 /Ⅴ-110, 129, 166
盗採始末報告　Ⅲ-66
当座通帳　Ⅲ-142
当座預金　Ⅲ-182
銅山　Ⅰ-388 /Ⅱ-22
投資[額]　Ⅰ-185, 374 /Ⅱ-62, 68, 317 /Ⅲ-226 /Ⅳ-100
答辞　Ⅳ-313
投書　Ⅳ-366
答申[書]　Ⅱ-78, 167, 168 /Ⅳ-59, 220 /Ⅴ-168
同仁会　Ⅲ-29*, 32
統制　Ⅳ-249
党勢拡張　Ⅳ-14
湯泉　Ⅳ-80
当選(当撰)　Ⅰ-296 /Ⅱ-157, 329 /Ⅲ-26, 214, 221, 429* /Ⅳ-24, 27 /Ⅴ-19, 22, 68, 172
党争　Ⅲ-444
東筑倶楽部　Ⅲ-412, 413*
頭取[給・手当]　Ⅰ-195, 344 /Ⅱ-429 /Ⅲ-400, 445
盗難[届]　Ⅱ-46, 106, 164
当番理事　Ⅴ-61, 62, 72
党費(立憲政友会費)　Ⅰ-295, 373 /Ⅱ-16, 101*
動物園　Ⅴ-56, 57*
答弁[書]　Ⅱ-16 /Ⅳ-242
東邦電力株式会社(東望・東邦会社)　Ⅲ-96, 97*, 99, 138, 140, 167*, 170, 175, 201, 203, 204, 206, 215, 226, 235, 240, 242, 245, 251, 269*, 272, 274-276, 293, 300, 301, 303, 304, 313, 318, 323, 333, 340, 342, 344-347, 350, 351, 364, 365*, 366, 368, 371, 378, 382, 384, 394, 409, 413, 416, 417, 420, 422, 425, 439 /Ⅳ-10, 11*, 18, 26, 32, 36, 39, 46-48, 50, 51, 59, 60, 71, 75, 81, 82, 92, 149*, 158, 159, 166, 228, 229*, 248, 249*, 252, 263, 269, 270, 279, 281, 284, 358, 359*, 371, 395 /Ⅴ-80, 81*, 139*, 146, 147, 170, 176, 183
東邦会社合同(合併)[問題]　Ⅲ-201, 206, 235, 242, 345-347, 351, 364, 366, 371, 382, 416, 420, 422, 425 /Ⅳ-26, 32, 36, 46, 47, 51, 59, 60, 81, 92, 228, 229*, 280 /Ⅴ-176
東邦株　Ⅲ-272, 301, 378, 384 /Ⅳ-82, 248, 358
東邦委托問題　Ⅳ-75
東邦・九水合同　Ⅲ-245, 342, 350
東邦重役交渉問題　Ⅴ-147
東北九州災害救済会　Ⅰ-230, 231*, 233
東洋製鉄株式会社　Ⅱ-60, 61*, 64, 66, 71, 87*, 89, 92, 116, 117*, 130, 136, 177, 188, 204, 270, 271*, 318, 319* /Ⅲ-54, 55*, 60, 105 /Ⅳ-74, 75*, 162, 163*, 178, 220, 221*, 226, 232, 245, 389, 389*, 391 /Ⅴ-44, 45*, 58, 60
東洋製鉄敷地　Ⅱ-64, 66, 87*, 92
東洋製鉄株式会社戸畑埋立地延期願　Ⅲ-60
棟梁大工　Ⅱ-319
動力[販売]　Ⅰ-282 /Ⅱ-128, 317
動力比較　Ⅰ-395
答礼　Ⅲ-419 /Ⅳ-398
灯籠建立　Ⅳ-38
道路　Ⅰ-32, 104, 221, 284. 301, 345, 382 /Ⅱ-44, 54, 74, 119, 120, 124, 198, 218, 222

/Ⅲ-30, 38, 53, 54, 56, 57, 59, 62, 66-68, 94, 95, 103, 156, 173, 179, 182, 185, 207, 218, 245, 248, 255, 277, 376, 380, 381, 390, 409, 423, 425 /Ⅳ-13, 21, 33, 38, 40, 49, 56, 63, 78, 80, 143, 216, 218, 242, 258-260, 264, 318, 320, 327, 354, 377 /Ⅴ-4, 14, 23, 30, 50, 70, 82, 92, 94, 96-100, 102, 110-112, 116, 118, 127, 145, 155, 165
——改修　Ⅰ-104 /Ⅱ-119 /Ⅴ-23
——開鑿　Ⅳ-78, 80, 320 /Ⅴ-102, 116 /Ⅴ-116
——計画　Ⅳ-260
——交換　Ⅳ-33
——工事[費]　Ⅲ-376 /Ⅳ-49
——敷地　Ⅲ-30, 56, 62, 423 /Ⅳ-40 /Ⅴ-14, 97, 148
——視察　Ⅲ-425
——実測　Ⅲ-182
——修繕　Ⅴ-4, 34, 127
——収用　Ⅱ-120
——新設　Ⅲ-66, 185
——踏査　Ⅴ-96
——変更　Ⅱ-198 /Ⅲ-409
——問題　Ⅰ-382 /Ⅴ-50
道路主事　Ⅳ-320
道路費　Ⅲ-68 /Ⅳ-318, 327
——費寄付　Ⅳ-318, 327
トーアホテル　Ⅳ-282, 283*
渡海[船]　Ⅰ-334 /Ⅱ-116 /Ⅳ-42 /Ⅴ-51
研屋支店(旅館)　Ⅰ-85*, 91
読経　Ⅱ-308 /Ⅲ-105, 172, 222, 286, 320 /Ⅳ-26, 82, 84, 333 /Ⅴ-6, 60, 89, 128, 145
常盤花壇　Ⅳ-282, 283*, 316, 317*
常盤館(料亭)　Ⅰ-88, 98*, 232, 233*, 243, 292, 293*, 331 /Ⅱ-336, 337*, 414, 415* /Ⅲ-34, 35*, 187*, 193, 205, 321*, 436, 437* /Ⅳ-19*, 93, 98, 171*, 198, 236, 237*, 312, 313*, 343, 364 /Ⅴ-4, 5*, 58, 102
常盤屋(花屋常盤, 料亭)　Ⅱ-306, 307*
常盤屋旅館(箱崎)　Ⅱ-92
瀆職事件　Ⅱ-121*, 145*
特税　Ⅳ-136
徳前(飯塚町)　Ⅰ-141, 142*, 158, 159* /Ⅴ-158, 159*
徳前社宅　Ⅰ-141
特別銀行保護法　Ⅳ-44, 45*
特別出金　Ⅰ-310
特別賞与　Ⅱ-426
特別条例　Ⅱ-314
特別法　Ⅱ-345
特別有功章　Ⅴ-136
特別預金受取　Ⅳ-394
徳光(飯塚町)　Ⅳ-38, 39*, 56
徳光(麻生義之介家)　Ⅱ-348, 349* /Ⅲ-123*, 250, 251*, 400, 401*, 444 /Ⅳ-85, 116, 117*, 128, 129, 142, 288, 289*, 290, 378, 379*, 392, 393, 397, 398 /Ⅴ-7*, 18, 19, 21-23, 25, 27, 60, 103, 107, 128, 129*
特命　Ⅲ-329
徳山石工　Ⅳ-200
徳蓮寺　Ⅲ-384
吐血　Ⅲ-340
渡支(支那)　Ⅳ-185
都市委員会　Ⅳ-32, 33*, 323*
都市委員事務所　Ⅳ-32
都市計画　Ⅲ-320
年越金　Ⅰ-345
土質　Ⅴ-46
戸締　Ⅳ-317
図書館長　Ⅲ-388
図書室(館)　Ⅰ-203 /Ⅱ-73 /Ⅲ-11
鳥栖[駅](佐賀県養父郡鳥栖町)　Ⅰ-112, 156 /Ⅱ-286 /Ⅲ-186, 187* /Ⅳ-336 /Ⅴ-87*
鳥栖・田主丸間鉄道　Ⅱ-286
渡鮮(朝鮮)　Ⅲ-394
屠蘇(屠酒)　Ⅳ-110
土地　Ⅰ-82, 176, 177, 183, 222, 228, 231, 395 /Ⅱ-95, 120, 140, 242, 243, 256, 262, 286, 349, 388, 392 /Ⅲ-12, 30, 32, 42, 44, 53, 57, 66, 67, 88, 178, 186, 216, 234, 249, 315, 328, 335, 354, 374, 381, 392, 400, 401, 426, 441, 445 /Ⅳ-44, 54, 55, 65, 129, 133, 187,

268, 280, 352 / Ⅴ-31, 127
——異動　Ⅳ-129
——埋立　Ⅲ-328
——買入(買受・買収)　Ⅰ-176, 183 / Ⅱ-140, 242, 376 / Ⅲ-32, 186, 233, 347, 354, 392 / Ⅳ-187, 382
——掛　Ⅱ-384 / Ⅲ-110, 111* / Ⅳ-65, 352
——整理　Ⅰ-228 / Ⅱ-388
——担保　Ⅲ-57
——踏査　Ⅰ-82
——売却　Ⅱ-349 / Ⅳ-44
——分割　Ⅲ-216
土地会社(中央別府温泉土地株式会社)　Ⅲ-90, 91*
土地会社(博多土地建物株式会社)　Ⅰ-222 / Ⅱ-314-318, 332, 333* / Ⅳ-280 / Ⅴ-48
特急　Ⅲ-240, 243, 318
特許権者　Ⅰ-153
特許料　Ⅲ-236
突発[事件]　Ⅳ-248, 316, 338, 364
土留　Ⅴ-46
鳥羽[坑区]　Ⅰ-6, 9, 8, 12, 44, 50, 51, 53, 178
戸畑[駅](遠賀郡戸畑町)　Ⅰ-82, 138, 198, 199, 206, 213*, 214, 264, 284, 285, 335, 364 / Ⅱ-22, 136, 174, 177, 187, 188, 204, 270, 322 / Ⅲ-58, 60, 62, 63, 86, 107, 117, 172, 206, 232 / Ⅳ-25, 38, 46, 74, 117, 124, 150, 170, 270, 342, 384 / Ⅴ-139, 140
戸畑鋳物会社　Ⅴ-36, 37*
戸畑埋立願　Ⅲ-58, 60 / Ⅳ-74
戸畑港改良　Ⅴ-44
戸畑地所　Ⅰ-198, 199
戸畑専門学校(明治専門学校)　Ⅰ-364, 365*
戸畑町長　Ⅲ-62
戸畑積入場　Ⅲ-435
飛川(嘉穂郡庄内村)　Ⅱ-315*, 366, 367* / Ⅲ-20, 21*
飛川坑　Ⅱ-90, 91*
土肥店　Ⅳ-13*
戸袋工事　Ⅱ-325
徒歩　Ⅰ-204 / Ⅲ-25 / Ⅳ-128, 233, 334, 377 / Ⅴ-141
土木　Ⅱ-153, 167, 172, 173, 198 / Ⅲ-53, 58, 216, 425 / Ⅳ-24, 100, 180, 182 / Ⅴ-141, 142
土木受負人　Ⅲ-216
土木科(課)[長]　Ⅱ-153, 167, 172, 173, 198 / Ⅲ-58, 62, 425 / Ⅳ-24, 100, 180, 182 / Ⅴ-142
土木管区長　Ⅳ-308
土木技手　Ⅲ-53
土木工事者　Ⅴ-141
ドラム破損　Ⅰ-9
取扱　Ⅰ-52, 86, 147, 325, 335, 395
取扱計画　Ⅰ-335
取扱事項　Ⅰ-52
取扱者　Ⅴ-156
鳥居　Ⅲ-190, 369, 423 / Ⅳ-37, 40, 44, 62, 92, 101, 104, 111, 130, 148, 151, 161, 162, 227, 308, 368, 374, 376, 378, 391, 394 / Ⅴ-12, 13*, 30, 31*, 52, 53*, 82, 166
鳥居建設場　Ⅳ-37
鳥居建納　Ⅳ-368
鳥居神納　Ⅴ-52, 53*
鳥居報告祭　Ⅴ-30, 31*
鳥飼本村(福岡市鳥飼)　Ⅳ-140, 141*
取替(取換)　Ⅰ-36, 41, 53, 66, 172, 176, 302, 360, 415, 424 / Ⅱ-100-102, 106, 107, 109, 111, 113, 212, 341, 363, 396, 405 / Ⅴ-124
取替金　Ⅱ-396
取替口々出入帳　Ⅲ-446
鳥越(嘉穂郡庄内村有井)　Ⅰ-178, 179*
鳥越(麻生太七郎家)　Ⅱ-420, 421* / Ⅲ-25
取締　Ⅲ-4, 196, 205, 219 / Ⅴ-20, 162
取締役　Ⅰ-254, 286, 374, 381, 418 / Ⅱ-139, 242, 402, 425 / Ⅲ-4, 69 / Ⅳ-96, 242, 348 / Ⅴ-30, 86, 100
取調[書]　Ⅰ-8, 22, 41, 45, 53, 62, 73, 98, 104, 118, 128, 130, 135, 195, 204, 207, 210-212, 221, 224, 227, 265, 290, 300, 313, 316, 320, 322, 353, 358, 409, 410 / Ⅱ-24, 42, 64, 102, 134, 293, 410 / Ⅲ-319, 357 / Ⅳ-198, 224 / Ⅴ-41, 78, 140

取調方相談　Ⅱ-64
取調表一覧　Ⅰ-261
取立［人］　Ⅰ-265, 325 / Ⅲ-67
取付ノ恐レ　Ⅳ-275
取付騒ギ　Ⅲ-417
採払工事　Ⅰ-150
取引　Ⅰ-112, 212, 266, 376
取引先　Ⅳ-263
鳥屋　Ⅲ-296
度量衡［会社］　Ⅲ-327, 329, 332, 338
度量衡製造会社創立　Ⅲ-327
トンネル　Ⅲ-64, 103, 132, 170, 200 / Ⅳ-37, 50, 51*, 55, 57, 71, 79, 82, 84, 91, 98, 104 / Ⅴ-142, 148
問屋［連］　Ⅰ-109, 233 / Ⅳ-84

な

内閣　Ⅰ-22
内閣組織拝辞　Ⅲ-82
内規　Ⅰ-367, 382 / Ⅱ-155
内地炭　Ⅲ-231
内務省　Ⅰ-242 / Ⅱ-392, 403, 407, 408 / Ⅳ-26
内務大臣　Ⅰ-19, 23, 26, 28 / Ⅲ-213, 214 / Ⅳ-397
内務部長　Ⅰ-232, 383, 401*, 406, 407, 410, 414, 415 / Ⅱ-66, 142, 149, 150, 153, 167, 172, 189, 191, 198, 345, 380, 403, 414 / Ⅲ-30, 184, 205, 271, 282, 289, 292, 296, 336, 400, 401, 432, 448 / Ⅳ-23, 68, 100, 136, 182, 348, 386 / Ⅴ-13, 33, 40, 55
内約　Ⅰ-204
苗木　Ⅰ-77 / Ⅲ-18, 448 / Ⅴ-127, 133
仲居　Ⅲ-228
中泉［駅］(鞍手郡福地村)　Ⅰ-6, 7*, 14, 15, 33, 38, 60, 61*, 74, 75*, 82, 84, 90, 98
中泉停車場　Ⅰ-15
中和泉町(東京市京橋区)　Ⅲ-240
中泉養水路　Ⅰ-33
長尾［駅］(嘉穂郡上穂波村)　Ⅰ-36, 129, 224, 225* / Ⅱ-81* / Ⅲ-44, 45* / Ⅴ-64, 65*
中尾地　Ⅰ-159
仲買［人］　Ⅲ-275, 276
那珂川　Ⅱ-94, 95*
中川村(大分県玖珠郡)　Ⅰ-398, 399*, 400
中(仲)座　Ⅳ-54, 55*, 85, 316, 317*
長崎　Ⅰ-39, 112, 133, 227, 244, 246, 302, 377 / Ⅱ-91, 266 / Ⅲ-35, 36, 283, 343 / Ⅳ-22, 35, 36, 38, 53, 61, 72, 133, 134, 336, 336, 343, 361
長崎検事連　Ⅳ-361
長崎県知事　Ⅳ-340
長崎控訴院　Ⅱ-412, 353 / Ⅲ-36, 343 / Ⅳ-53 / Ⅴ-81
長崎実業新聞社員　Ⅰ-133
中佐古(八幡市)　Ⅳ-331
中島(麻生五郎家)　Ⅲ-301, 302, 304, 321, 322, 340, 343, 348, 351, 366, 367*, 373, 376, 377*, 378, 380, 384, 386, 388, 390, 410 / Ⅳ-107*, 288, 289*, 290, 324, 325*, 379, 399 / Ⅴ-80, 81*, 104, 106, 107, 176, 177*
中島(飯塚町立岩)　Ⅲ-207*, 291, 301*
中島町(福岡市)　Ⅲ-213, 296 / Ⅳ-52
中島徳松坑区　Ⅱ-313
中島卯一郎屋敷　Ⅲ-178
中島借自動車　Ⅱ-162
中島鉱業株式会社　Ⅱ-124, 125*, 314, 315* / Ⅲ-4, 5*, 40, 41*, 118, 119*, 141, 166, 169*, 180, 194
中島ホテル　Ⅰ-154
中シメ三尺　Ⅴ-93
中洲(福岡市)　Ⅰ-110
永田町(東京市麹町区)　Ⅳ-396
中津［駅］(大分県)　Ⅰ-102, 332, 360, 361, 386, 409 / Ⅱ-188 / Ⅲ-105, 108, 216 / Ⅳ-47, 219, 220, 296, 368 / Ⅴ-124, 125*, 152
中津絹糸紡織株式会社　Ⅱ-136, 137*, 154
中津交渉問題　Ⅳ-296
中津市長　Ⅳ-220
中津商工会員　Ⅳ-219
中津電灯　Ⅳ-219
中鶴坑　Ⅱ-277 / Ⅳ-222, 223*
長野善五郎邸　Ⅲ-334
中野徳次郎別邸　Ⅱ-48, 49*, 156, 157

中野別荘(中野昇別荘)　Ⅱ-375*
中野商店　Ⅲ-404
中野[所有]坑区　Ⅰ-165／Ⅱ-94, 138, 196
中間[駅](遠賀郡長津村)　Ⅰ-100, 370／Ⅱ-64, 319*, 318, 352, 373／Ⅲ-38, 39*, 45, 104, 129
中間坑山　Ⅲ-390, 391*
中益坑区　Ⅰ-167
中間町長　Ⅲ-129, 318／Ⅴ-30, 31*
中間停車場　Ⅰ-62
中間町(福岡市博多)　Ⅱ-8, 9*, 38
中光(料理屋)　Ⅲ-448, 449*／Ⅳ-10, 11*, 45, 125*, 128, 171, 191, 192, 216, 217*, 224, 237, 238, 246, 250, 276, 280, 295, 307*, 314, 329, 348, 350, 351*, 366, 374, 387, 390, 393, 395／Ⅴ-28, 29*, 56, 57, 74, 76, 84, 85, 95, 120, 121*, 123, 129, 139, 140, 142, 144, 146, 150, 159, 162, 182, 184, 187, 189
中村(大分県玖珠郡)　Ⅰ-416
中村坑区　Ⅱ-26, 27*, 34
中村壮一郎坑区　Ⅱ-42, 43*
中村・幸野間　Ⅰ-416
長屋火災　Ⅱ-118
中山香(大分県速見郡中山香村)　Ⅰ-321*
中山田坑区　Ⅲ-284, 285*
中山病院　Ⅳ-166
中山旅館　Ⅰ-248, 249*, 284, 285*, 289, 290, 292, 308, 320, 324, 337, 338, 374, 375*, 392, 393*, 421／Ⅱ-35*, 36, 143*, 167, 262, 263*, 277, 282, 292, 297, 306, 307*, 309, 316, 320, 354, 370, 371*, 396, 401／Ⅲ-48, 49*, 262*, 319*, 432, 433*／Ⅳ-12, 13*, 47／Ⅴ-127, 128
名子旅館　Ⅲ-36
梨　Ⅱ-127
名島(糟屋郡多々良村)　Ⅲ-430, 431*／Ⅴ-168, 169*, 170, 172, 174, 176
名島電力供給　Ⅴ-170
名島発電所　Ⅴ-169, 170, 172, 174, 176
なだ万楼(料亭)　Ⅲ-354, 355*
夏帯　Ⅳ-360
夏ふとん　Ⅴ-162
七隈(早良郡原村)　Ⅱ-128, 129*
七ヘダ炭　Ⅰ-239／Ⅱ-47*
斜卸　Ⅰ-5, 90, 329
浪花節　Ⅰ-32
鯰田[駅](飯塚町)　Ⅰ-58, 64, 103, 104, 138, 156, 166, 167*, 192, 193*, 204, 214, 240, 245, 340, 344, 345*, 401, 404／Ⅱ-175, 226, 227, 292, 293*, 307*, 311*, 340, 341, 344, 420／Ⅲ-10, 18, 54, 62, 66, 166, 167*, 168, 236, 292, 349*, 353, 402, 408／Ⅳ-13*, 96, 97*, 218, 219*, 246, 247*, 297, 324, 325*, 326, 330, 332, 333*, 337, 339, 380／Ⅴ-34, 87*, 88, 91–94, 96, 97, 99, 118, 119*, 124, 128, 129, 131, 138, 144, 148, 162, 163, 170, 178, 180, 183, 186, 187*
鯰田愛宕坑　Ⅴ-163, 186
鯰田市ノ間坑区　Ⅴ-118, 128, 138
鯰田浦(飯塚町)　Ⅰ-172, 173*
鯰田運炭線　Ⅴ-128, 186
鯰田火力発電所　Ⅱ-319, 420, 421*／Ⅲ-4, 5*, 292, 293*, 353／Ⅳ-96, 97*, 332, 333*, 339／Ⅴ-87*, 88, 91, 93, 94, 96, 97, 118, 119*, 124, 144, 148, 162, 170, 183, 186
鯰田坑[山]　Ⅰ-49, 98, 164, 177／Ⅳ-332／Ⅴ-94, 88
鯰田山林　Ⅲ-62／Ⅳ-326, 334, 380／Ⅴ-128
鯰田地所　Ⅱ-341*, 344／Ⅲ-54, 236／Ⅳ-218, 219*／Ⅴ-92
鯰田小学校[長]　Ⅲ-402, 403*
鯰田騒動　Ⅱ-176
鯰田積入　Ⅴ-186, 187*
鯰田道路　Ⅳ-13*
鯰田本坂(嘉穂郡笠松村)　Ⅰ-101*
鯰田山　Ⅲ-62, 66, 166, 167*, 168, 349*／Ⅳ-297, 330／Ⅴ-131, 180
納屋　Ⅰ-350／Ⅱ-67, 197／Ⅲ-442／Ⅴ-184, 185*
成清鉱業株式会社　Ⅱ-162, 163*／Ⅲ-35
なるこ屋　Ⅰ-332
鳴戸(旅館)　Ⅰ-250, 251*

なるみ(料亭)　Ⅲ-262* / Ⅳ-24, 25*, 68 / Ⅴ-36, 37*, 42, 126, 127*, 164
縄買入　Ⅰ-288
南山(東京)　Ⅱ-331
南洲手抄言志録解詁　Ⅲ-28
南禅寺　Ⅰ-246
難病　Ⅱ-122
南洋護謨会社　Ⅰ-231

に

西臼井坑区　Ⅰ-415*
西尾(鞍手郡頓野村)　Ⅰ-381*
西大分駅　Ⅱ-44, 333, 409
西川(鞍手郡西川村)　Ⅲ-288, 289*, 299
西川坑区　Ⅰ-400, 401*
西川土地整理　Ⅰ-228
西川付近坑区　Ⅰ-406
西公園(福岡市)　Ⅱ-40, 41* / Ⅲ-397*
西中洲(福岡市)　Ⅱ-64, 65*, 336
西ノ堀　Ⅰ-128, 206
西本願寺　Ⅲ-172
西町(飯塚町)　Ⅰ-142, 143*
二十吋巻　Ⅱ-132
二十三銀行　Ⅱ-394, 395*, 424
日仏銀行　Ⅴ-30, 31*
日華協会　Ⅱ-110, 111*
日華紡績株式会社　Ⅱ-161*
荷造　Ⅴ-89, 175 / Ⅰ-55, 212, 370 / Ⅱ-366 / Ⅲ-67, 68, 444 / Ⅳ-60 / Ⅴ-65
日光　Ⅰ-181 / Ⅲ-39
日誌(日記)　Ⅰ-13, 44, 52, 65, 178, 197, 199, 221, 229, 278, 317 / Ⅱ-66, 138, 142, 289, 290, 361, 433 / Ⅲ-150, 337, 344, 387, 407 / Ⅴ-6
日支合弁　Ⅱ-143
日支親善　Ⅲ-10
日本勧業銀行　Ⅲ-58, 142, 237, 239, 240, 245-248, 251, 274, 318 / Ⅳ-28, 147, 148
日本銀行(日銀)　Ⅰ-313, 370 / Ⅲ-170, 208-210, 275, 342, 401, 403, 406, 417, 437, 453, 455 / Ⅳ-36, 37, 45, 60, 61, 342, 343, 386
——総裁　Ⅳ-36, 37, 60, 342, 343 / Ⅲ-406, 453, 455
——利上　Ⅳ-386
日本興業銀行　Ⅰ-314, 315 / Ⅱ-383 / Ⅳ-30, 333, 338, 339 / Ⅴ-32, 36, 54, 78, 93, 181, 186
日本実業新聞　Ⅰ-28
日本電気鉄板株式会社　Ⅱ-185*
日本郵船　Ⅱ-131
二人引　Ⅰ-5, 102, 103*, 202, 203*
仁保浦(嘉穂郡庄内村)　Ⅲ-215*
入院　Ⅰ-111, 212 / Ⅲ-227, 340 / Ⅳ-319 / Ⅳ-46
入学　Ⅰ-207 / Ⅲ-122 / Ⅳ-275
入坑　Ⅲ-208
入札　Ⅰ-128, 266, 308, 366, 426 / Ⅱ-20, 101 / Ⅲ-232, 233, 240, 329, 430 / Ⅳ-150
入湯　Ⅰ-248 / Ⅱ-387, 390 / Ⅲ-35, 442 / Ⅳ-4, 78, 202, 225-227, 241, 246, 247, 251, 258, 272, 282, 286, 300, 319, 391, 398 / Ⅴ-22, 25, 46, 114, 181, 186
尿検査　Ⅱ-57
二六新聞　Ⅲ-335*
庭木　Ⅲ-218 / Ⅳ-42, 229
鶏　Ⅰ-122 / Ⅱ-79 / Ⅲ-38
人夫　Ⅱ-62, 99, 168 / Ⅳ-48 / Ⅴ-112, 152

ぬ

縫通　Ⅰ-62
糠塚(遠賀郡岡垣村)　Ⅱ-20, 21*
布屋旅館　Ⅲ-451

ね

寝込　Ⅳ-394
値下問題　Ⅴ-38, 41, 66
鼠巻　Ⅰ-5
値段　Ⅱ-286, 372, 418 / Ⅲ-67, 185, 439 / Ⅳ-51, 252, 390
根担保　Ⅲ-126, 182, 184
寝巻　Ⅴ-27
値増　Ⅴ-91

年賀会　Ⅲ-4
年始挨拶　Ⅲ-364
年始訪問賀客　Ⅲ-82
念証　Ⅳ-238
年頭挨拶　Ⅲ-82, 156 / Ⅴ-114
年頭祝詞　Ⅴ-4
年末挨拶　Ⅳ-398
年末片付　Ⅳ-204
年末賞与　Ⅱ-247, 423 / Ⅲ-355

の

農会主事　Ⅱ-134
農学博士　Ⅰ-185
直方[駅・町](鞍手郡直方町)　Ⅰ-6, 12, 30, 31, 38, 41-43, 50-52, 58, 60-65, 70, 78, 82, 86-88, 100, 102, 109, 110, 112, 137, 153-155, 163, 192, 196, 200, 203, 204, 207, 209, 210, 214, 224, 225*, 226, 230, 238-241, 245, 249, 251, 256, 257, 260, 264, 266, 268, 277, 278, 282, 293, 296, 297, 306, 309, 312, 320, 324, 330, 332, 335-338, 349, 357, 364, 367, 368, 370, 372, 376, 380-382, 386, 390, 391, 393, 396, 401, 402, 404, 405, 407-409, 411 / Ⅱ-12, 14, 18, 25, 26, 32, 38, 41, 42, 44, 45, 50, 52, 60, 64, 65, 120, 124, 125, 132, 134, 135, 140, 149, 157, 161, 168-170, 172, 176, 187, 205, 206, 216, 220, 228, 235, 236, 240, 263, 278, 290, 304, 312, 345, 348, 351, 356, 368, 371, 378, 385, 411, 419 / Ⅲ-8, 16, 22, 45, 57, 67, 70, 82, 86, 88, 94, 102, 105, 140, 174, 209, 232, 236, 237, 243, 247, 282, 288, 290, 299, 316, 318, 324, 329, 345, 401, 402, 413, 414, 418, 420, 438, 439, 456 / Ⅳ-6, 22, 66, 130, 162, 175, 176, 180, 188, 246, 248, 253, 340, 363 / Ⅴ-94, 96, 129, 130
直方(土木)管区事務所　Ⅳ-6, 7*
直方坑業者送炭調節委員会　Ⅲ-396, 397*
直方試験所　Ⅱ-140
直方新聞　Ⅲ-456
直方町長　Ⅰ-30 / Ⅲ-420
直方停車場　Ⅰ-61, 63, 214, 251
直方病院　Ⅰ-86
直方保証一件　Ⅰ-390
直方有志　Ⅰ-296
農学校(嘉穂郡立農学校)　Ⅰ-124, 125*, 128, 133-135, 138, 139*, 207* / Ⅲ-238, 239*, 383* / Ⅳ-26, 27*
農学校(田川郡町村立農学校)　Ⅲ-68, 69*
農学校(福岡県立嘉穂農学校)　Ⅴ-89*
農学校跡　Ⅰ-139
農業　Ⅰ-212
農業組合　Ⅱ-400
農業大会　Ⅰ-139 / Ⅱ-134
農芸品評会　Ⅲ-448
農工銀行　Ⅰ-49, 99, 326, 327*, 346
農銀重役　Ⅰ-326
納骨　Ⅲ-172
農士学校　Ⅳ-251*, 264, 265* / Ⅴ-157*
農士養成　Ⅳ-250
農事主任者　Ⅰ-121
農場(別府農園)　Ⅲ-294, 295*
農商務参事官　Ⅰ-139
農商務省　Ⅰ-28, 139, 310, 311 / Ⅳ-12, 54
農商務省鉱山局[長]　Ⅰ-28, 400, 404 / Ⅱ-22, 140, 177, 194
農商務大臣　Ⅱ-24, 320
脳痛　Ⅰ-13
脳貧血病　Ⅲ-240 / Ⅳ-243* / Ⅴ-110, 111*, 127*
農夫　Ⅱ-127
農林大臣　Ⅳ-19
野上鉱業合資会社　Ⅴ-69*, 98
野上発電所　Ⅱ-72, 73*, 150, 151*
野上村　Ⅳ-145
野口(大分県速見郡別府町)　Ⅱ-386, 387*-390 / Ⅲ-57*, 106, 107*, 252, 253*, 293*, 372, 373*, 433 / Ⅳ-34, 35*, 245
野田卯太郎翁追悼会　Ⅳ-34
野田卯太郎葬式　Ⅲ-389
野田卯太郎邸　Ⅲ-50
野田健三郎宅　Ⅴ-44
野田(卯太郎)辞退　Ⅰ-294-297
野口小学校　Ⅳ-88, 89*

延《のび》　Ⅴ-132, 133*
延岡[駅](宮崎県東臼杵郡延岡町)　Ⅲ-175, 198 /Ⅳ-244, 246, 396 /Ⅴ-39–42, 137, 152, 154
延岡線　Ⅳ-39
延岡電気株式会社　Ⅳ-230, 231*, 238, 243, 244, 260, 332, 333*, 348, 354, 390 /Ⅴ-42, 43*, 131*, 152, 153*
——監査役　Ⅳ-348
——合同　Ⅳ-230
——重役会　Ⅴ-152
——賞与金　Ⅳ-354
——前社長　Ⅳ-244
延岡旅費　Ⅳ-396
野間(筑紫郡八幡村)　Ⅱ-128, 129*
野水　Ⅰ-86
野見山本家　Ⅰ-382
野村銀行　Ⅳ-100, 136
野村証券会社福岡支店長　Ⅳ-136
野矢駅(玖珠郡野上村)　Ⅰ-416, 417*
乗合自動車　Ⅲ-84, 92 /Ⅳ-52, 93, 181
乗合自動車停留所　Ⅲ-84

は

拝謁　Ⅱ-220, 268, 377 /Ⅲ-32, 172, 432 /Ⅳ-233 /Ⅴ-32
拝賀[式]　Ⅰ-4, 162 /Ⅱ-240, 407* /Ⅲ-158, 264 /Ⅳ-345
売却　Ⅰ-122, 140, 142, 157, 168, 408 /Ⅱ-39, 41, 48, 88, 146, 178, 196, 228, 237, 240, 255, 256, 288, 292, 307, 312, 349, 416, 418 /Ⅲ-22, 187, 234, 273, 332, 420, 439 /Ⅳ-8, 37, 79, 252, 270, 324, 336 /Ⅴ-82, 174, 184, 186
売却坑区　Ⅴ-100
売却約定　Ⅱ-255
廃業　Ⅲ-321
廃坑[跡]　Ⅰ-128 /Ⅳ-43
買収　Ⅰ-177, 203, 212, 220, 349, 352, 366, 382, 399, 410, 412, 418 /Ⅱ-14, 19, 32, 36, 56, 62, 116, 144, 176, 235, 236, 239, 261, 272, 384, 389, 423 /Ⅲ-10, 19, 30, 32, 38, 87, 88, 99, 103, 106, 121, 130, 186, 220, 244, 286, 302, 306, 322, 352, 366, 369, 386, 392, 393, 418, 420, 424, 426, 442 /Ⅳ-129, 164, 251, 252, 279, 324 /Ⅴ-38, 97, 134, 142
買収希望　Ⅰ-366
買収相談　Ⅰ-349
買収代金　Ⅲ-418
排水　Ⅰ-8, 11, 33, 62, 64, 84, 254, 294, 296, 297, 329 /Ⅱ-6, 12, 197, 256, 418 /Ⅲ-42, 102, 167, 367 /Ⅳ-66 /Ⅴ-46, 47, 49, 51, 93, 94, 96, 98, 99, 110
排水機械(器械)　Ⅰ-11, 64, 84
排水溝　Ⅰ-294, 296, 297 /Ⅲ-42, 117 /Ⅴ-47
排水溝工事　Ⅰ-296
排水工事　Ⅰ-296 /Ⅴ-49
排水方法　Ⅰ-254
排水本坑　Ⅰ-62
排水路　Ⅰ-296 /Ⅲ-67, 90, 102 /Ⅳ-48
廃川・廃堤地問題　Ⅰ-188, 203 /Ⅱ-289, 403*, 404, 406, 407, 409 /Ⅲ-246, 247*, 407* /Ⅳ-6
排訴　Ⅰ-28
売炭　Ⅰ-127, 314 /Ⅲ-137 /Ⅴ-56
配置[法]　Ⅰ-40, 44
配置標準　Ⅰ-62
拝殿　Ⅲ-403
配電線　Ⅲ-51
配当[金]　Ⅰ-8, 192, 194, 266, 300, 382 /Ⅱ-24, 192, 285, 412 /Ⅲ-14, 66, 67, 199 /Ⅳ-10, 56, 61, 68, 282, 295, 354 /Ⅴ-50, 51, 66, 71, 93
配当率　Ⅰ-320 /Ⅱ-412 /Ⅲ-200
羽犬塚[出張所・駅](八女郡羽犬塚村)　Ⅲ-97, 98
榛原商店　Ⅳ-68, 69*
パイプ継　Ⅰ-62
灰焼　Ⅴ-180
売薬　Ⅱ-312
売約差金　Ⅱ-285
拝礼　Ⅰ-162, 276, 344 /Ⅱ-304 /Ⅴ-6, 44, 60, 110

芳賀茂元邸　Ⅴ-89
墓掃除　Ⅲ-327
博多[駅]　Ⅰ-11, 40, 43, 44, 54, 62, 65, 71, 82, 84, 85, 88, 90, 95, 98, 103, 109, 110, 121, 135, 138, 140, 142, 144, 150, 152-154, 156, 173, 175, 180, 184, 201, 202, 209, 239, 246, 250, 251, 256, 266, 267, 270, 289, 291, 298, 300, 319, 329, 330, 337, 340, 355, 357, 358, 366, 369, 370, 373, 374, 378, 383, 386, 392-394, 398, 400, 401, 403-405, 409, 411, 413, 414 / Ⅱ-12, 22, 23, 24, 40, 41, 48, 49, 56, 58, 73, 74, 116, 118, 122, 123, 126, 130, 135, 136, 138, 142, 144, 148, 152, 165, 166, 168-171, 175, 182, 184, 185, 187-190, 197, 202, 204, 220, 222, 227, 228, 238-240, 245, 246, 262, 264, 266-268, 270, 277, 282, 284, 290, 291, 312, 304, 310, 313, 314, 318-320, 324, 326, 329, 330, 332, 335-337, 339, 342, 343, 345-350, 354, 356, 357, 374, 376, 382, 383, 398, 410, 414-420, 422 / Ⅲ-8, 14, 27, 28, 30, 32, 35, 39, 41, 44, 45, 49, 52-54, 56, 59, 64, 70, 83, 84, 86-88, 92, 98, 104, 120, 122, 125, 139, 140, 157, 169, 173, 177, 178, 180, 190, 192, 194, 203, 206, 207, 209, 210, 222, 224, 227, 229, 231, 232, 242, 244, 250, 253, 288, 292, 294, 296, 297, 301, 306, 310, 316, 342, 353, 364, 368, 370, 378, 384, 388, 394, 395, 400, 403, 408, 410, 412, 418, 436, 440, 452, 454, 455 / Ⅳ-19, 23, 24, 31, 34-36, 38, 49, 53, 55, 62, 70, 73, 74, 79, 83, 88, 113, 114, 118, 121, 122, 126, 127*, 130, 139, 140, 150, 155, 164, 171, 172, 177, 179, 180, 188, 191, 198, 213, 225, 232, 236, 240, 244, 246, 260, 269, 270, 272, 282, 285, 294, 304, 310, 312, 314, 315, 336, 342, 343, 348, 349, 361, 362, 366, 367, 373, 377, 383-385, 395 / Ⅴ-6, 16, 25, 32, 36, 39, 51, 56, 58, 64, 66, 68, 70, 71, 73, 78-80, 84-87, 89, 90, 94, 120, 123, 124, 136, 140, 142, 149, 152, 158, 159, 161, 163, 164, 174, 184
博多営業所(九水)　Ⅲ-244
博多帯　Ⅰ-192, 308 / Ⅱ-170, 381
博多織[帯]地　Ⅳ-24 / Ⅴ-149
博多会　Ⅰ-282
博多瓦斯株式会社　Ⅰ-65*
博多株式取引所　Ⅲ-68, 69*, 84, 89, 108, 190, 191*, 278, 279*, 283-285
博多協会　Ⅱ-12, 13*
博多銀行家招待　Ⅴ-124
博多拳　Ⅳ-195*
博多後援会　Ⅰ-282, 283*
博多坑区　Ⅱ-239
博多国技館　Ⅱ-375*
博多地所(土地)　Ⅲ-292, 353, 378
博多支店長(中央生命保険)　Ⅰ-377
博多芝居　Ⅳ-367
博多商業会議所　Ⅲ-376, 377*, 408
博多商業会議所書記長　Ⅲ-408
博多商工会議(儀)所　Ⅳ-126, 127*, 130 / Ⅴ-130, 131*, 178
博多倉庫　Ⅰ-123
博多地下線委托経営　Ⅲ-98
博多地下線後援会　Ⅰ-310
博多湾築港株式会社　Ⅱ-93*, 107
博多停車場　Ⅰ-156, 157, 200, 261, 296, 383 / Ⅱ-130, 170, 221, 238, 241 / Ⅲ-14, 28, 64, 84, 140, 190, 342, 368 / Ⅳ-23, 36, 346 / Ⅴ-174
博多電気軌道株式会社　Ⅰ-184, 185* / Ⅱ-233
博電合併披露宴会　Ⅰ-188, 189*
博多土地(平井某共有地南側)買収　Ⅲ-53, 206, 301, 378
博多土地会社　Ⅱ-332
博多日日新聞　Ⅲ-404 / Ⅳ-79 / Ⅴ-6
博多ニワカ(俄, ニ〇カ)　Ⅰ-54 / Ⅲ-34, 35*, 188, 189* / Ⅳ-195*
博多付近石炭坑区買入　Ⅲ-418
博多節　Ⅳ-169*
博多毎日新聞(博多毎日)　Ⅱ-60, 61*, 84, 110, 111
博多焼物会社(博多陶磁器株式会社)　Ⅱ-405*
博多連　Ⅰ-54, 180, 392

馬関(下関市)　Ⅰ-13*, 32, 34, 36, 42, 51, 54, 62, 106, 107, 152, 179*, 361／Ⅱ-396／Ⅲ-232, 452
馬関芸者　Ⅰ-361
馬関支店員　Ⅰ-42
博済無尽株式会社(博済会社)　Ⅰ-264, 265*, 266, 276, 277*, 283, 284, 298, 299, 305-307, 318, 325, 329, 339, 345*, 347, 348, 351, 359, 372, 391, 394, 395, 412／Ⅱ-8, 9*, 14, 21, 36, 40, 46, 54, 58, 98, 110, 116, 117*, 120, 146, 180, 293*, 298, 300, 398, 399*, 423, 425, 429／Ⅲ-6, 15*, 39, 42, 70, 72, 82, 83*, 91, 92, 110, 117, 118, 130, 132, 143, 145, 162, 163*, 170, 196, 199, 200, 202, 204, 205, 246, 256, 257, 258, 260, 270, 271*, 319, 342, 358, 359, 368, 369*, 387, 418, 419, 431, 456, 457／Ⅳ-8, 9*, 10, 70, 83, 87, 97, 105, 114, 115*, 120, 143, 147, 161, 165, 167, 170-172, 177, 178, 185, 205, 206, 218, 219*, 232, 250, 251, 288, 302, 303*, 308, 362, 368, 386／Ⅴ-12, 13*, 27, 54, 100, 101, 104, 118, 119*, 145, 168, 179, 189
——貸付金　Ⅳ-147
——株売却　Ⅲ-70／Ⅳ-8, 206
——株引受　Ⅲ-118
——支配人　Ⅰ-395
——重役会　Ⅰ-339, 347／Ⅲ-70, 117, 162, 202, 319, 417／Ⅳ-185, 250
——賞与[金]　Ⅲ-72, 257, 258, 456, 457／Ⅳ-105, 206, 288, 308, 368
——[分離]処分　Ⅲ-82, 204
——専務　Ⅴ-100
——総会　Ⅰ-305, 391／Ⅲ-15, 72, 91, 419／Ⅳ-10, 165, 177, 308, 368
——担保品　Ⅳ-147
——[社長]手当　Ⅰ-345／Ⅲ-39, 145, 260
——博多出張所　Ⅳ-87
——会社報酬　Ⅲ-256, 368／Ⅳ-250, 288, 302, 362／Ⅴ-101
——臨時会[議]　Ⅰ-329／Ⅳ-172
——割当株　Ⅲ-110
白蛇　Ⅴ-112
伯爵　Ⅱ-220
博士　Ⅰ-152, 194, 196, 226, 256, 291, 301, 312／Ⅱ-84, 91, 92, 94, 184, 222, 223, 230, 231, 312, 383, 393, 396, 398／Ⅲ-281, 286／Ⅴ-78, 97
薄鉄会社(日本電気鉄板株式会社)　Ⅱ-185*
白魔丸　Ⅰ-250
博覧会　Ⅳ-34, 35*／Ⅴ-36, 37*
箱崎(糟屋郡箱崎町)　Ⅱ-92, 93*, 94, 152, 155, 162, 164, 177／Ⅲ-84, 420
箱崎海戦紀念会(日本海海戦紀念会)　Ⅱ-155
筥崎宮(筥崎八幡宮, 箱崎宮)　Ⅰ-200, 201*, 230, 231*／Ⅱ-416, 417*／Ⅲ-14, 41, 84, 85*, 264, 265, 317, 350, 364, 365*, 398, 404, 449／Ⅳ-4, 5*, 18, 29, 84, 98, 102, 110, 111*, 136, 212, 213*, 236, 280, 300, 301*, 311, 328, 391／Ⅴ-15*, 79, 82, 83*, 110, 111*, 156
筥崎宮司　Ⅱ-416／Ⅲ-14, 41／Ⅳ-236, 328
箱崎築港　Ⅱ-92
箱崎町長　Ⅱ-177*
箱崎浜　Ⅴ-143*
狭間組　Ⅲ-329, 331
破産申請　Ⅲ-188, 430
橋口町　Ⅳ-283
橋巾　Ⅲ-67
橋本(料亭)　Ⅲ-399*／Ⅳ-6, 7*, 124, 125*, 163, 171, 214, 215*, 295／Ⅴ-71*, 80, 91, 112, 113*, 115, 120, 135, 136, 142, 143, 152, 160, 169, 171, 176
馬車　Ⅲ-334
柱削り　Ⅴ-58
蓮池(福岡市蓮池町)　Ⅱ-132, 138, 139*／Ⅲ-284, 285*
旗ケ辻(簱ケ辻)(飯塚町立岩)　Ⅲ-18, 19*, 166, 167*, 168, 378, 379*／Ⅴ-97*
畑　Ⅰ-6, 10, 122, 138, 279
畑作　Ⅴ-47
畑地　Ⅰ-84, 143, 268, 304／Ⅱ-127／Ⅳ-6／Ⅴ-31
歯治療　Ⅳ-198

発火　Ⅰ-90
発会式　Ⅰ-139, 264 / Ⅱ-163 / Ⅲ-343, 412, 413*, 423 / Ⅴ-10, 11*, 130, 131*, 140, 145
バックラッチ(ハクラチ)　Ⅰ-43
八丁峠　Ⅲ-186, 187*
発電　Ⅰ-55, 256, 294, 374, 386, 395, 407, 409 / Ⅱ-42, 64, 148, 149, 163, 183, 194-197, 288, 341 / Ⅲ-127, 128, 164, 174, 192, 290, 427, 435 / Ⅳ-101, 237, 238, 272, 363 / Ⅴ-24, 32, 88, 91, 93, 166, 178
発展策　Ⅲ-392
発電所　Ⅰ-374, 380, 385*, 386, 395, 409 / Ⅱ-42, 58, 59*, 64, 66, 72, 73*, 76, 150, 151*, 163, 165, 173*, 189, 194-197, 238, 319, 340, 341*, 344, 420, 421* / Ⅲ-4, 5*, 47, 51, 86, 87*, 97, 98, 186, 187*, 224, 292, 293*, 353, 380, 430 / Ⅳ-67, 96, 97*, 101, 315, 332, 333*, 339, 378 / Ⅴ-32, 34, 87*, 88, 91, 93, 94, 96, 97, 118, 119*, 124, 144, 148, 162, 163*, 166, 170, 176, 177*-179*, 183, 186, 187
発電余力売込　Ⅴ-24
発電力　Ⅰ-386 / Ⅱ-49
服部時計店　Ⅰ-355
発熱　Ⅱ-121, 230, 248 / Ⅲ-126, 277, 289, 398 / Ⅳ-218, 230, 296 / Ⅴ-98
発病　Ⅳ-397
抜風機　Ⅰ-33, 312
初盆　Ⅲ-218 / Ⅳ-83 / Ⅴ-60
発明　Ⅲ-449
初猟　Ⅰ-329 / Ⅱ-304
鳩　Ⅰ-118, 218
花生け　Ⅰ-289
花籠　Ⅳ-182
花こよみ社　Ⅲ-220
咄シ家　Ⅰ-76
花瀬(嘉穂郡鎮西村)　Ⅰ-10, 11*, 132, 133*, 172, 173*, 218, 219*
花瀬坑山　Ⅳ-226, 227*
花立　Ⅳ-174 / Ⅴ-60
花筒打　Ⅲ-218
花畑　Ⅲ-122
花蒔付　Ⅲ-177
花見　Ⅱ-45
花屋旅館　Ⅱ-159
花類　Ⅰ-328 / Ⅲ-40, 177 / Ⅴ-76
歯抜取　Ⅲ-187
バネ　Ⅱ-239
浜の町(浜ノ町, 浜町, 浜の町別荘)(麻生家別邸)　Ⅰ-96, 107, 111, 112, 120, 121*, 129, 130, 134, 138, 142, 147, 148, 150, 152-154, 156, 163, 164, 172, 173*, 175, 187, 192, 193*, 197-200, 202, 208, 211, 220, 221*, 234, 237, 242, 243, 246, 250-253, 256, 258, 264, 266, 267, 270, 277-279*, 281, 282, 288, 289, 294, 297-299, 304, 307, 309, 314-317, 319, 321-324, 328, 334, 339, 349*, 353-357, 361, 362, 366-369, 371-373, 375, 376, 380, 383, 386, 390, 393, 394, 396, 397, 399-402, 404, 406, 408, 410, 414, 415, 424, 425 / Ⅱ-4, 5*, 9, 10, 38, 40, 44, 49, 50, 52, 54, 62, 64, 66, 69, 72, 77, 78, 80, 85, 87-90, 96, 100, 101, 103, 104, 109, 112, 116, 117*, 118, 121, 128, 137, 138, 140-144, 146, 148, 150, 154, 158, 161, 164, 168, 170, 178, 183-190, 192, 195, 196, 199, 204, 205, 212, 216, 217*, 219-221, 230, 231, 233, 236, 239-241, 246, 247, 266, 267*, 270, 276, 282, 284, 287, 289-291, 300, 304, 305*, 309, 310, 312, 317, 319, 320, 324, 326, 328-330, 335-337, 339, 340, 342, 346, 347, 352-354, 361, 363, 373*-376, 380, 381, 390, 391, 397, 398, 401, 403, 405, 406, 408, 412-416, 418, 420, 423, 428, 431 / Ⅲ-4, 5*, 10, 14, 17, 24, 30, 32-35, 44, 45, 49, 50, 52, 55, 58, 64, 65, 67, 69, 84, 85*, 88, 92, 93, 99, 100, 104, 106, 112, 120, 123, 127, 135, 137, 141, 149, 163*, 169, 170, 173, 177, 179, 185, 188, 189, 194, 196, 198-200, 209, 210, 214, 215, 222, 236, 238, 242, 245, 246, 250, 252, 254, 264, 265*, 270, 299-301, 309, 311, 312, 349, 368, 369*,

374, 383, 385, 386, 394, 398, 408, 411, 422, 428, 445, 447, 451, 452 / Ⅳ -4, 5*, 19, 28, 31, 32, 38, 52, 53, 60, 62, 64, 66, 75, 76, 78, 82, 94, 95, 98, 100, 103, 116, 117*, 118, 120, 122, 135, 143, 148, 154, 156, 161, 175, 188, 189, 214, 215*, 217, 218, 222, 223, 227, 229, 231, 238–240, 250, 251, 254, 256, 262, 264, 268, 282, 289, 290, 294, 300, 301*, 302, 314, 318, 326, 328–330, 334, 337, 339, 374, 375, 377, 378, 380, 382, 384, 386, 388, 399 / Ⅴ -4, 5*, 6, 10, 14, 17, 19, 24, 25, 27, 28, 30, 44, 46, 49, 54, 58, 62, 64, 66-69, 71, 72, 74–78, 81, 82, 84, 86-88, 90, 91, 93, 94, 102, 110, 111*, 123*, 127, 129, 132, 133, 136, 144, 149, 151, 155, 156, 158, 168, 174–176, 178, 182, 183, 186, 187
浜ノ町家費　Ⅲ-93, 149 / Ⅳ-32, 308 / Ⅴ-6
浜ノ屋　Ⅰ-21
浜脇[駅](豊州本線)　Ⅱ-190, 191*, 197
林家屋敷担保　Ⅲ-274
はやし(お囃子)　Ⅰ-76
林商店　Ⅳ-263
葉山御用邸　Ⅱ-381
速見郡[長]　Ⅱ-164, 292, 396, 410 / Ⅲ-12
払下　Ⅰ-87, 130, 156, 166, 188, 301, 352, 372 / Ⅱ-9, 143, 390 / Ⅲ-245, 246 / Ⅳ-12, 54 / Ⅴ-14
バラス　Ⅲ-67* / Ⅳ-40, 41*
原鶴[温泉]　Ⅳ-320, 321*, 327, 334, 336, 339, 348, 350, 355
原鶴地所　Ⅳ-336, 339, 348
腹ノ洗滌　Ⅰ-298
ハリ半(料亭)　Ⅳ-316, 317*
原田(筑紫郡筑紫村)　Ⅳ-44, 45*, 82, 254, 255*, 391* / Ⅴ-171
ハルビン(中国)　Ⅳ-165
春吉(筑紫郡住吉町)　Ⅰ-192, 193* / Ⅱ-6, 7* / Ⅲ-164 / Ⅳ-318, 319* / Ⅴ-44, 45*, 107*
春吉別邸(別荘)　Ⅱ-145, 156
破裂　Ⅲ-63
腫物　Ⅲ-227
繁栄　Ⅳ-262 / Ⅴ-166
阪神急行電車　Ⅲ-371
犯罪　Ⅱ-70
判事　Ⅰ-145, 146, 188, 228 / Ⅱ-340 / Ⅳ-242 / Ⅴ-81
晩食・晩喰・晩飯　Ⅰ-23, 42, 44, 65, 75, 83, 96, 103, 114, 124, 133, 136, 145, 146, 188, 200, 219, 246, 250, 261, 267, 330, 339, 344, 358, 370, 375, 377, 379, 382, 389, 392, 408, 412 / Ⅱ-28, 30–32, 50, 53, 88, 147, 156, 168, 170, 177, 198, 217, 219, 220, 227, 233, 236, 258, 262, 266, 267, 277, 290, 304, 306, 316, 318, 320, 326, 344, 348, 366, 392, 394–397 / Ⅲ-26, 32, 34, 38, 61, 62, 64, 67, 68, 85, 88, 108, 109, 112, 113, 118, 129, 133, 139, 140, 158, 161, 168, 170, 176, 183, 186, 188, 190, 192, 196, 200, 204, 205, 209, 218, 220, 224–226, 228, 233, 242, 247, 248, 250, 251, 253, 267, 271, 278, 280, 288, 297, 298, 305, 306, 313, 317, 322, 323, 329, 330, 337, 340, 342, 350, 351, 353, 374, 375, 379, 380, 384, 385, 388, 396, 398, 402, 404, 408, 410, 412, 413, 416, 418, 423, 429–433, 437, 440, 445, 446, 448, 450, 452 / Ⅳ-98, 195 / Ⅳ-4, 10, 18, 20–24, 28–30, 32, 34, 48, 52, 57, 72, 80, 84, 86, 88, 96, 100, 101, 120, 123, 126, 137, 141, 152, 158, 164, 166, 169, 171–173, 182, 184, 191, 196, 202, 203, 214, 217, 240, 242, 245, 246, 248, 256, 257, 259, 263, 264, 276, 277, 279, 294, 307, 316, 322, 323, 334, 342, 365, 366, 372–374, 389, 393 / Ⅴ-4, 24, 32, 36, 40, 44, 56, 58, 73, 87, 90, 95, 97, 102, 114, 120, 123, 136, 143, 148, 150, 188
パン食　Ⅴ-19
晩食会(晩宴会)　Ⅰ-23, 136 / Ⅱ-219, 258 / Ⅲ-28, 30, 47, 296, 331 / Ⅳ-33 / Ⅴ-114
反対運動　Ⅰ-24
番頭　Ⅳ-89
番人　Ⅱ-390 / Ⅳ-154, 254 / Ⅴ-80, 122
販売[高]　Ⅰ-77, 86, 109, 110, 126, 157, 174, 208, 210, 218, 266, 288, 332, 413 / Ⅱ-4 / Ⅴ

-54, 61, 72, 90, 101, 178
販売先　Ⅳ-354
販売所　Ⅰ-77 / Ⅱ-258
販売炭　Ⅰ-86, 110, 126, 210, 266, 332 / Ⅴ-101
販売統制　Ⅴ-54, 61, 72
販売人　Ⅰ-109, 174
販売方法　Ⅴ-90, 294
販売米　Ⅱ-195
飯米引上　Ⅱ-220

ひ

ピアノ　Ⅳ-88, 89*
樋井川坑区(早良郡樋井川村)　Ⅱ-389*
樋井川村長　Ⅲ-426
柊屋(旅館)　Ⅰ-76, 77* / Ⅲ-133*, 150, 239*, 240, 359*
ビール　Ⅰ-36 / Ⅴ-153
火入祭典　Ⅴ-44
被害[地・者]　Ⅰ-207 / Ⅱ-288, 372 / Ⅲ-418, 355 / Ⅳ-178
被害田地　Ⅱ-372 / Ⅲ-355
控室　Ⅳ-21
日隠(飯塚町下三緒)　Ⅱ-315* / Ⅳ-46, 47*
東国東郡(大分県)　Ⅲ-430
東公園(筑紫郡千代町・堅粕町)　Ⅰ-237 / Ⅱ-182, 183*, 320, 336, 414 / Ⅲ-218 / Ⅳ-48, 49*, 358
東島　Ⅰ-159
東中洲(福岡市)　Ⅱ-336 / Ⅲ-24
東飯田[村](大分県玖珠郡)　Ⅳ-76, 77* / Ⅳ-145
東本願寺用自動車　Ⅴ-35
東町(飯塚町)　Ⅰ-96, 97*, 142, 143*
氷川町(東京)　Ⅳ-48
樋管　Ⅰ-270, 271
引込株　Ⅲ-417
引込線　Ⅲ-224, 266, 268
引籠り　Ⅲ-272, 290 / Ⅳ-116, 215, 295 / Ⅴ-10
引取品物　Ⅳ-345
飛脚　Ⅰ-322
火消組　Ⅰ-62
彦山　Ⅰ-132
英彦山宮司　Ⅲ-450 / Ⅳ-40
英彦山神社禰宜　Ⅳ-62
瓢屋(料亭)　Ⅰ-20, 21*, 22, 186, 187*
久恒貞雄関係坑区　Ⅲ-355
久恒炭坑　Ⅲ-162, 163*, 234
久屋　Ⅲ-60
日出[駅](大分県速見郡日出町)　Ⅰ-174, 175*, 313*, 386 / Ⅱ-71, 149* / Ⅳ-314, 315*, 345
日出工場　Ⅲ-216, 217* / Ⅳ-177*, 194, 314 / Ⅴ-26, 27*, 78, 86, 142, 143*, 155, 160
美術倶楽部　Ⅲ-240, 241*
秘書[官]　Ⅱ-338, 400 / Ⅲ-190 / Ⅳ-118, 147, 167, 316, 374, 387 / Ⅴ-39, 46, 155, 156
避暑　Ⅴ-167
非常(炭坑の災害)　Ⅱ-123*
費[消]金　Ⅰ-150, 222, 419, 420 / Ⅳ-348 / Ⅴ-57, 158, 170
非常手段　Ⅴ-103
肥前　Ⅰ-261 / Ⅱ-312
肥前坑業計画　Ⅰ-377
肥前坑区　Ⅰ-166, 202, 282, 320, 377, 386 / Ⅱ-23, 39, 57*, 58, 84, 86, 244, 288, 289* / Ⅲ-158, 159, 196, 198, 286, 287*, 376, 377*, 391, 420 / Ⅳ-66, 67*, 82, 83, 85, 192, 193*, 239*
肥前坑区事件　Ⅰ-166
肥前佐々坑区　Ⅱ-312
日田[県・郡・町](大分県)　Ⅰ-361, 368, 370, 371, 379, 381, 384, 385, 387, 390, 396, 410, 416 / Ⅱ-64, 67, 72, 73, 76, 137, 144, 146–148, 150, 153, 160, 164, 165, 167, 170, 172–174, 178, 182, 184–186, 189–192, 194, 196, 212, 228 / Ⅲ-14, 48, 106, 120, 185, 212, 322, 331 / Ⅳ-76, 78, 80, 82, 88, 94, 117, 132, 136, 193, 244, 276, 355, 378, 379*, 381 / Ⅴ-32–34, 59, 127, 141*, 164, 165, 180, 181
日田郡長　Ⅱ-167, 172–174, 191
日田郡役所　Ⅱ-73

日田署長　Ⅱ-76
日田貯水池　Ⅳ-378, 379*
日田・野矢間軌道　Ⅰ-416
日田発電所　Ⅴ-34
日田・平川間　Ⅰ-416
日田連中　Ⅰ-361
筆記　Ⅰ-84, 158, 237, 238, 321, 322, 338, 398 / Ⅱ-20, 34, 45, 46, 116, 121, 122, 148, 256 / Ⅲ-223, 328, 333 / Ⅳ-10, 60, 85, 178, 275, 318 / Ⅴ-54, 82
棺　Ⅰ-58
柩遥拝　Ⅲ-380
引越　Ⅱ-135, 136
引越費金　Ⅳ-82
ヴイットル(胃散)　Ⅰ-55
妃殿下　Ⅲ-34, 264 / Ⅳ-370
人操　Ⅱ-52, 144
一葉稲荷神社　Ⅴ-153*, 154
人吉(熊本県球磨郡)　Ⅱ-392, 393*
人吉石灰山買収　Ⅱ-392
ビナ歌　Ⅰ-98
日名子旅館　Ⅰ-176, 177* / Ⅱ-128 / Ⅲ-36, 37*
ヒナゼン　Ⅰ-301
備品原簿　Ⅰ-52
備品整理　Ⅰ-52
碑文　Ⅰ-135, 326
備忘録　Ⅰ-156, 158, 362, 398 / Ⅲ-20, 124, 169, 456 / Ⅳ-38, 60, 85, 105, 114, 278
ヒマシ油　Ⅰ-294
秘密事件　Ⅰ-232
樋門　Ⅰ-211
日役給料　Ⅰ-151 / Ⅲ-82 / Ⅳ-350
百十銀行　Ⅰ-208, 209* / Ⅴ-175*
白虎隊墳墓　Ⅳ-30
冷水線　Ⅱ-231*, 234, 236, 245 / Ⅲ-140, 141*, 186, 187*, 189
冷水峠　Ⅲ-28, 29* / Ⅳ-196, 197*
日向　Ⅳ-99
日向水力電気株式会社　Ⅲ-381*-383*, 430, 431*
日向電気合同　Ⅲ-387
日向銅山　Ⅰ-412 / Ⅱ-36
費用(費額)　Ⅰ-136, 112, 305 / Ⅱ-326, 330, 358, 426 / Ⅲ-255, 290 / Ⅳ-99, 110, 225, 242, 309, 331, 335, 372 / Ⅴ-12, 45, 88, 131
病院　Ⅰ-12, 86, 192, 314 / Ⅱ-259 / Ⅲ-57, 182, 188, 281, 286, 388 / Ⅳ-61, 166, 172, 190, 233*, 242, 280, 284, 379 / Ⅴ-99
病院敷地　Ⅰ-128
病院舎宅　Ⅰ-247
病院設備　Ⅲ-392
評価　Ⅰ-290 / Ⅲ-88, 445 / Ⅴ-95
評価人　Ⅰ-228
評議(儀)　Ⅰ-211, 237, 286, 325 / Ⅱ-48 / Ⅲ-70, 131, 228, 240, 275, 319, 376, 385 / Ⅳ-134 / Ⅳ-358, 386 / Ⅴ-28, 69, 95
病気　Ⅰ-12, 13, 79, 80, 86, 107, 147, 182, 188, 211, 245, 247, 294, 312, 355, 370, 372, 376, 377, 390, 407 / Ⅱ-12, 16, 54, 71, 121, 126, 130, 138, 144, 157, 195, 198, 204, 206, 218, 222-224, 232, 241, 286, 287, 289, 290, 294, 306, 311, 327, 337, 335, 370, 374, 378, 386, 402, 426 / Ⅲ-15, 27, 67, 73, 96, 100, 125, 168, 180, 182, 195, 196, 211, 242, 244, 246, 274, 277, 279, 287, 290, 307, 312, 329, 344-346, 378, 379, 384, 398, 399, 410, 436 / Ⅳ-46, 50, 52, 62, 69, 90, 121, 141, 142, 165, 172, 183, 190, 201, 218, 242, 267, 274, 333, 350-352, 374, 376, 379, 395, 397, 398 / Ⅴ-4, 6, 8-10, 46, 61, 63, 68, 80, 85, 98, 103, 116, 120, 130
評議員[会]　Ⅰ-309 / Ⅲ-250, 376 / Ⅳ-358 / Ⅴ-51
病気急変　Ⅲ-100
病気(病後)静養　Ⅲ-278, 345, 346, 399, 414, 421 / Ⅳ-397 / Ⅴ-12
病気全快　Ⅳ-398
病気(病人)見舞　Ⅰ-370 / Ⅲ-125, 196, 329, 378, 379, 384, 416 / Ⅳ-61, 90, 121, 165, 172, 183, 218, 242, 333 / Ⅴ-6, 20, 21, 92
病気療養　Ⅳ-274 / Ⅴ-63

評決　Ⅰ-59, 108, 269, 278, 409 / Ⅱ-8, 14, 20, 26, 182 / Ⅲ-18, 239, 250, 337 / Ⅳ-81, 98, 360 / Ⅴ-51
評決録　Ⅰ-278
病死　Ⅲ-389 / Ⅳ-260
病室　Ⅰ-326 / Ⅲ-65, 233 / Ⅴ-22, 34, 162, 187
病床　Ⅱ-121
病状　Ⅰ-301 / Ⅱ-332 / Ⅲ-282 / Ⅳ-378 / Ⅴ-120
病体　Ⅴ-128
病人　Ⅰ-148, 386 / Ⅱ-285, 327, 371 / Ⅳ-176 / Ⅴ-18–20, 21*, 85
屏風　Ⅰ-358, 362, 372 / Ⅱ-383 / Ⅲ-58, 158 / Ⅳ-33
日吉町（久留米市）　Ⅱ-192
平尾［山・別荘］（福岡市平尾）　Ⅲ-352, 354, 356, 366, 367*, 374, 377, 378, 380, 382, 386, 418, 449–451 / Ⅳ-21*–24, 26, 28, 29, 32, 34, 36–38, 56, 57, 60, 62–64, 73, 77, 82, 86, 91–93, 95, 96, 98, 103, 122, 123*, 128, 140, 148, 158, 168, 170, 171*, 173, 175*, 222, 223*, 230, 238, 259, 260, 264, 284, 285*, 332, 333*
平尾新築　Ⅳ-170, 171*
平尾屋敷　Ⅲ-456 / Ⅳ-37
平川（大分県玖珠郡北山田村）　Ⅰ-385*, 416
平瓦　Ⅱ-311
平塚（嘉穂郡上穂波村）　Ⅲ-54, 55*
平恒（嘉穂郡穂波村）　Ⅰ-94, 95*, 119*, 178 / Ⅱ-196, 197*
平恒坑区　Ⅰ-98, 172, 321 / Ⅱ-47*, 58, 59, 62, 95, 96
平野国臣紀念碑　Ⅰ-230, 231*–233*
平野丸　Ⅰ-144, 145*, 405*
平山坑区　Ⅰ-32 / Ⅱ-8, 9*, 19, 40
肥料　Ⅰ-6 / Ⅲ-288, 298, 344
肥料会社（九州水力電気株式会社）　Ⅲ-206, 207*, 220
肥料代　Ⅲ-288 / Ⅲ-298
昼費　Ⅱ-426
披露宴会　Ⅰ-188, 374 / Ⅳ-308, 309*, 313, 342, 343*
広島　Ⅱ-331 / Ⅳ-12, 304
広島屋　Ⅱ-276
広瀬（宮崎郡広瀬村）　Ⅴ-40, 41*, 153
広瀬旅館　Ⅴ-153, 154 / Ⅳ-313
広畑（麻生縫家）　Ⅱ-427 / Ⅲ-22, 23*, 174, 175*, 438, 439* / Ⅳ-263*, 347* / Ⅴ-4, 5*, 86
広間　Ⅰ-77, 199 / Ⅱ-377 / Ⅳ-389 / Ⅴ-54, 88
桧皮葺　Ⅰ-156 / Ⅱ-311
賓客　Ⅰ-226
賓僧　Ⅴ-160
貧民患者施療費　Ⅱ-173, 174

ふ

封　Ⅱ-210
冨貴楼（料亭）　Ⅳ-336, 337*
封金　Ⅰ-423–425 / Ⅱ-99–102, 114, 208, 213, 252, 294, 296, 362 / Ⅲ-75, 258 / Ⅳ-162
風月（食堂）　Ⅰ-179*, 180–183
封中　Ⅲ-80
夫婦　Ⅰ-150, 385 / Ⅱ-325 / Ⅲ-245 / Ⅳ-58, 69 / Ⅴ-19, 80
風柳館　Ⅱ-282
プール（石炭販売制度）　Ⅰ-268, 269*, 286, 287*, 340, 348, 412, 413*, 414 / Ⅱ-53*, 52
プール遊□場　Ⅳ-187
風連鍾乳洞　Ⅳ-195
フォーム（駅）　Ⅱ-376
不穏之挙動　Ⅱ-179
賦課税　Ⅰ-82
武官宿舎　Ⅳ-382
不況策　Ⅰ-358
不許可　Ⅲ-377 / Ⅳ-212
ふく（ふぐ料理）　Ⅰ-56 / Ⅱ-122 / Ⅲ-85, 442 / Ⅳ-23, 104, 203
福井県知事　Ⅱ-282
福岡［市・県・駅］　Ⅰ-79, 107, 110, 123, 138, 142, 146, 147, 153, 154, 156, 167, 194, 199, 220, 227, 228, 240, 252, 254, 256, 260, 264, 266, 279, 280, 285, 290, 293, 300, 322, 323, 334, 364, 366, 375, 378, 385, 394, 409, 415 / Ⅱ-10, 13, 16, 22, 23, 27, 38, 40, 42, 55, 72,

75, 80, 82, 84, 129, 138, 140, 166, 175, 194, 216, 218, 236, 238, 241, 254, 258, 265, 266, 268, 270, 280, 282, 284, 290, 306, 309, 314, 324, 330, 342, 350, 361, 368, 382, 397, 403, 412 / Ⅲ-6, 10, 28, 33, 34, 42, 53, 58, 59, 62, 67, 68, 70, 82, 87, 89, 91, 102, 111, 114, 116, 119, 130, 133, 134, 136, 159, 160, 164, 171, 192, 199, 202, 204, 206, 212, 219, 232, 236, 242, 246, 252, 281, 282, 284, 296, 300, 308, 314, 327, 345, 349, 352, 367, 382, 398, 407, 422, 426, 434, 436, 438, 440 / Ⅳ-6, 8, 9*, 26, 32, 38, 41, 44, 46, 53, 54, 68, 70, 72, 74-76, 103, 111, 120, 139, 150, 163, 170, 181, 188, 189, 258, 261, 262, 264, 266, 306, 308, 309, 312, 317, 319, 320, 323, 334, 346, 357, 359, 363, 364, 376, 380, 382, 393 / Ⅴ-5, 8, 16, 18, 30, 48, 66, 77, 102, 126, 131, 143, 151, 155, 156, 160, 163, 171, 173, 180
福岡医科大学　Ⅲ-281
福岡営業所長(九水)　Ⅱ-276
福岡会　Ⅱ-254
福岡会議　Ⅱ-150
福岡管理部　Ⅲ-346, 347*
福岡銀行協会　Ⅳ-44, 45*
福岡警察署[長]　Ⅲ-28, 324, 353, 427 / Ⅳ-69, 172
——当局　Ⅲ-53
福岡県会議員　Ⅰ-37 / Ⅲ-89
福岡県会議長　Ⅲ-394
福岡県教育会(教育協会)　Ⅳ-181
福岡県教育会館　Ⅳ-167* / Ⅴ-83*
福岡県銀行合同委員会　Ⅲ-159
福岡県警察部長　Ⅳ-68
福岡県公会堂　Ⅰ-311 / Ⅱ-80 / Ⅲ-436
福岡県国防会　Ⅴ-143
福岡県斯民会　Ⅰ-139*
福岡県人会　Ⅴ-126
福岡県代議士会　Ⅰ-26
福岡県知事官房　Ⅲ-164
福岡県庁　Ⅰ-192 / Ⅲ-42, 58, 87, 160 / Ⅳ-32, 306, 308, 309, 380
福岡工業学校長　Ⅴ-24
福岡高等学校　Ⅴ-28, 29*
福岡高等女学校　Ⅰ-82, 83*
福岡公友会　Ⅱ-12, 13*
福岡後援会　Ⅰ-231*
福岡鉱務署(長)　Ⅱ-6, 7
福岡在勤重役　Ⅰ-222
福岡裁判所[長]　Ⅱ-412 / Ⅲ-36, 89, 436 / Ⅳ-53 / Ⅴ-81
福岡市会議員　Ⅱ-13* / Ⅴ-75, 131*
福岡市耕地整理委員　Ⅱ-368
福岡時事新報　Ⅳ-273, 323 / Ⅴ-36, 68, 102
福岡市助役　Ⅴ-160
福岡市政　Ⅰ-378
福岡市政友会壮士　Ⅲ-440
福岡市長　Ⅰ-240, 248, 262, 263, 281, 378 / Ⅱ-27, 236, 238 / Ⅳ-312
福岡市長(慰労金)問題　Ⅰ-240, 248, 262
福岡支店副参事(新日本火災)　Ⅳ-88
福岡支部(国本社)　Ⅲ-342
福岡市民会　Ⅰ-232
福岡市役所　Ⅱ-216 / Ⅲ-136 / Ⅳ-364
福岡出張　Ⅲ-204
福岡出張所　Ⅲ-125, 423, 423* / Ⅳ-442
福岡商議員会　Ⅲ-131
福岡商業会議所　Ⅳ-346
福岡商業学校長　Ⅴ-24
福岡女学校　Ⅲ-382, 383* / Ⅳ-96, 97*, 128, 129*
福岡女学校教頭　Ⅳ-96, 97*
福岡税務署長　Ⅴ-72
福岡政友会支部幹事長　Ⅳ-76
福岡綜合病院　Ⅳ-242
福岡炭坑　Ⅱ-138, 139*
福岡市地方区域候補　Ⅳ-8, 9*
福岡地方裁判所長　Ⅲ-89
福岡中学校[長]　Ⅲ-122, 123*, 198, 392, 410, 411* / Ⅳ-122, 123*, 234, 235* / Ⅴ-24, 25*
福岡中学校後援会　Ⅳ-234, 235*
福岡日日新聞　Ⅰ-20, 98*, 247, 262, 280, 326, 336, 356, 378 / Ⅱ-12, 145, 162, 178 / Ⅲ-89, 174, 175*, 183, 188, 191, 208, 284, 285*,

287, 296-298, 306, 327, 330, 333, 335, 386, 412 / Ⅳ-54, 87, 98, 99*, 102, 114, 115*, 126, 230, 231*, 307*, 324, 362, 370, 381, 398 / Ⅴ-55*, 146, 147*, 160, 174, 175*, 186
福岡日日新聞飯塚支局　Ⅲ-174, 175*, 412
福岡日日新聞社招待会　Ⅳ-324
福岡日日新聞新社屋竣工式(祝賀会)　Ⅲ-284, 285*, 297*, 298
福岡農業学校長　Ⅴ-24
福岡乗合自動車株式会社創立　Ⅲ-406, 407*
福岡病院　Ⅲ-281
福岡放送局　Ⅳ-94, 95*
福岡毎日新聞社社長　Ⅲ-219
福岡南組消防組　Ⅲ-134
福岡夜間中学[会]　Ⅲ-230, 231*, 235
福岡薬剤師会　Ⅱ-192
福岡郵便局長　Ⅱ-230
副会長　Ⅱ-237 / Ⅲ-421 / Ⅳ-75, 159, 163, 166, 178, 185, 287, 373, 377
副産物　Ⅰ-339
副支配人　Ⅴ-66, 72
副社長　Ⅳ-163, 185, 287, 373
複線布設　Ⅱ-152 / Ⅲ-382
副総裁　Ⅰ-141, 335 / Ⅱ-400
腹痛　Ⅰ-312 / Ⅱ-195, 334
副頭取　Ⅲ-134
福博電気軌道株式会社　Ⅰ-184, 185*
腹部[故障]　Ⅰ-259, 260, 294, 317 / Ⅴ-63
福間[駅](宗像郡福間町)　Ⅰ-71, 83*, 96, 97*, 107, 121, 130, 167*, 188, 219, 258, 394, 395* / Ⅱ-64, 170, 284, 332, 336, 337, 346, 352, 376 / Ⅲ-45, 288 / Ⅳ-252, 253*
福丸(鞍手郡若宮村)　Ⅳ-240, 241*
福村家(屋)　Ⅰ-71*, 82, 88, 100, 101*, 110, 119*, 120, 148, 150, 164, 165*, 238, 239*, 261-263, 319*, 326, 372, 373* / Ⅱ-4, 5*, 6, 9, 15, 31, 40, 48, 60, 66, 70, 79, 98, 111, 130, 151, 155, 178, 236, 237*, 238, 258, 259*, 266, 282, 312, 313*, 330-332, 379*, 391, 418, 421 / Ⅲ-8, 9*, 28, 32, 52, 86, 87*, 122, 150, 160, 161*, 171, 190, 194, 198, 230, 268, 269*, 296, 297*, 303, 316, 329-331, 342, 349, 375, 375*, 392, 394, 400, 411, 415, 416, 419, 429, 436, 437, 439, 440, 442, 445, 448, 450, 451, 456 / Ⅳ-6, 7*, 10, 11, 16, 18, 19, 21-24, 27, 29, 30, 33, 34, 44, 45, 49, 52, 55, 59, 60, 63, 66, 68, 69, 72, 74, 86, 93, 96, 99-102, 104, 110, 111*, 112, 121-124, 126, 141, 146, 153-155, 158, 161, 163, 166, 170, 171, 181, 183-186, 188, 190-192, 194, 196, 199, 202, 203, 220, 221*-223, 230, 232, 245, 248, 253, 259, 263-265, 267, 269, 270, 296, 300, 301*, 304, 305, 308, 311, 312, 318, 322, 324, 326-328, 339, 342, 344, 345, 349, 350, 354, 356, 359, 362, 364, 366, 369, 370, 374, 381, 385, 390, 391, 396 / Ⅴ-4, 5*, 8, 13, 28, 38, 52, 55, 57, 82, 86, 90, 99, 100, 102, 112, 113*, 114, 116, 130, 131, 136, 138, 148, 152, 153*, 163, 165, 177, 181, 185, 186
幅物　Ⅰ-38, 39, 78, 84, 85, 98, 101, 105, 120, 124, 125, 128, 178, 195, 238, 269, 270, 313, 408 / Ⅱ-8, 104-106, 383, 431 / Ⅲ-22, 24, 104, 105, 285, 429 / Ⅳ-41, 45, 132, 140, 182, 183, 243 / Ⅴ-64, 173*
幅物整理　Ⅰ-128, 269
幅物調査　Ⅰ-124
服薬　Ⅰ-12, 294 / Ⅱ-140
袋戸　Ⅰ-148
不毛《ふけ》[坑区]　Ⅰ-50, 82, 87, 90, 329 / Ⅱ-6, 8, 9*, 26, 27*, 42, 62, 96, 176, 177*, 422, 423* / Ⅲ-342, 343*, 381* / Ⅳ-80, 81*, 118, 119*, 251* / Ⅴ-132, 133*, 164, 165*, 173
不景気　Ⅰ-128 / Ⅴ-46, 170
父兄惣代　Ⅳ-122
負債[金]　Ⅰ-51, 100, 232, 302 / Ⅱ-10, 49, 59, 135, 136, 416, 421, 433 / Ⅲ-90, 104, 124, 128, 217, 228, 290, 308, 316, 444 / Ⅳ-54, 58, 62, 147, 396 / Ⅴ-119
負債償却　Ⅰ-51
負債証人　Ⅲ-124
負債弁償　Ⅲ-9

釜山(朝鮮)　Ⅰ-250
藤井旅館　Ⅰ-284
藤沢家　Ⅴ-80-82
富士山　Ⅰ-75
富士山掛物　Ⅲ-103
富士水力電気　Ⅲ-170, 171*
藤田伝三郎邸　Ⅰ-154
藤田氏新宅　Ⅱ-59*
藤棚[炭坑](鞍手郡福地村)　Ⅰ-6, 7*, 9, 11-14, 18, 30, 32, 34, 39, 41, 42, 44, 45, 49, 50, 52, 53, 55-58, 60-64, 70, 72, 77, 78, 81-83, 86-88, 90
藤棚第一坑　Ⅰ-9, 41, 44, 50, 53, 56, 63, 78, 88, 90
藤棚第二坑　Ⅰ-11, 12, 42, 49, 53, 60, 61, 64
藤棚滞在　Ⅰ-6, 7, 14, 78
藤棚宅　Ⅰ-18
藤棚坑不毛坑区　Ⅰ-87, 90
藤棚舎宅　Ⅰ-60, 87, 88, 90
藤田家(笹屋)　Ⅱ-382 / Ⅲ-106
富士電力株式会社　Ⅳ-92, 93*, 327*
富士紡水力電気　Ⅲ-351* / Ⅳ-92, 93*
不始末　Ⅰ-142, 286, 332 / Ⅲ-8, 30, 106, 117*, 134, 184, 209 / Ⅴ-44, 48, 100-102
藤松鬼丸屋敷　Ⅳ-258, 329
富士松家屋敷　Ⅱ-372
伏見稲荷大社(京都)　Ⅰ-76, 77*, 246 / Ⅲ-172, 241* / Ⅳ-160, 161*
富士見軒(亭)　Ⅰ-18, 19*
ふじ本(料理屋)　Ⅴ-58, 102, 116, 117*
藤家(屋)旅館　Ⅳ-396 / Ⅴ-148, 149*
撫順坑　Ⅰ-151
撫順炭　Ⅰ-106, 107
撫順炭売込　Ⅰ-107
負傷[者]　Ⅱ-68, 203 / Ⅲ-281, 412 / Ⅳ-31
扶助料　Ⅱ-206
普請　Ⅰ-354 / Ⅱ-266 / Ⅲ-430, 443, 451 / Ⅴ-169
普請場　Ⅱ-266 / Ⅲ-366, 367* / Ⅳ-34
婦人科　Ⅱ-279* / Ⅲ-344
婦人会　Ⅲ-442
襖[間]　Ⅳ-68, 172
襖張　Ⅳ-61
不正行為　Ⅳ-375 / Ⅴ-20
不正事件(贈収賄事件)　Ⅱ-199*, 202 / Ⅴ-46, 55
臥付　Ⅰ-234 / Ⅱ-248, 334
豊前　Ⅱ-76, 237 / Ⅲ-210, 353
豊前坑区　Ⅰ-56 / Ⅱ-72, 73*, 76, 82, 86, 124, 125*, 138
豊前善光寺　Ⅲ-216, 217*
武蔵寺　Ⅲ-423* / Ⅳ-198, 199*, 370, 371*
扶桑丸　Ⅳ-58
二子島(若松市)　Ⅰ-368, 369*
二瀬(嘉穂郡二瀬村)　Ⅰ-100, 101* / Ⅴ-179*
二瀬川(糟屋郡篠栗村)　Ⅱ-404, 405*, 406 / Ⅲ-83*
二瀬(嘉穂郡二瀬村)　Ⅳ-14, 15*
二瀬村合併　Ⅰ-104, 106
負担金　Ⅳ-283
部長[制]　Ⅰ-96, 156, 285 / Ⅳ-142, 308 / Ⅴ-27, 75
仏画　Ⅱ-164
物価　Ⅱ-74
二日市[駅](筑紫郡二日市町)　Ⅰ-156, 371 / Ⅱ-151, 152, 244, 382, 383* / Ⅲ-183*, 213, 306, 307*, 350, 351, 353, 405*, 408, 422 / Ⅳ-57*, 62, 63*, 78, 124, 182, 184, 246, 254, 259, 260, 270, 272, 284, 306, 309, 320, 326, 328, 334, 344, 345, 348, 350, 359, 365, 370, 375, 377, 380, 382, 383, 385, 391-393 / Ⅴ-71*, 72, 74, 112, 113*, 118, 119, 129, 132, 139, 141, 149, 156
二日市営業所長　Ⅳ-284
二日市町長　Ⅱ-244
二日市電機　Ⅴ-156
二日市別荘(麻生家別荘)　→不老庵(p.230), 湯町(p.242)も見よ.
Ⅳ-382, 383*, 392　Ⅴ-17*, 25, 76
二日市湧湯　Ⅳ-309, 334
仏閣参拝　Ⅰ-4
仏儀　Ⅳ-250

復旧工事　Ⅱ-52
仏教青年会　Ⅱ-344, 345*
仏教青年団　Ⅲ-109*, 110
復興号発行　Ⅲ-59
仏国人　Ⅴ-30, 31
仏参　Ⅰ-16 / Ⅱ-158, 188, 374, 392, 406 / Ⅲ-139, 174 / Ⅳ-83, 84, 142, 143, 145, 174, 183, 249, 258–260, 263, 265 / Ⅴ-6, 23, 25*, 27, 60
物産会社員　Ⅰ-174
物産陳列場　Ⅲ-186, 187*
物産販売所　Ⅱ-370
仏師　Ⅱ-42
仏事　Ⅱ-207, 265 / Ⅲ-25, 128, 130, 172, 266 / Ⅳ-266 / Ⅴ-24, 128, 130
仏前　Ⅰ-151 / Ⅱ-374 / Ⅲ-222, 278, 296 / Ⅳ-56, 263 / Ⅴ-89, 178
仏前備品代　Ⅴ-124
仏像　Ⅳ-56
仏堂　Ⅲ-216
仏間　Ⅱ-254, 304
仏霊　Ⅱ-254
不当手続　Ⅱ-403
風土記　Ⅲ-442, 443*
武徳会　Ⅰ-158 / Ⅱ-157, 428 / Ⅳ-54, 172
武徳殿　Ⅳ-172
船入場　Ⅰ-401, 408 / Ⅱ-78, 125, 132
船尾[駅](田川郡後藤寺町)　Ⅲ-16, 17*, 357, 358 / Ⅳ-60, 61*, 68, 69, 194, 195*, 202, 203* / Ⅴ-44, 45*, 70, 71*, 166, 167*, 184, 185*
船尾産業会社　Ⅴ-184
船[着]場　Ⅳ-180
船・舟　Ⅲ-395 / Ⅳ-96 / Ⅴ-33, 40
舟入場　Ⅰ-173, 175 / Ⅱ-410
船積入場　Ⅰ-406
父母　Ⅰ-32
不法　Ⅰ-156, 332 / Ⅱ-274, 308, 369, 388, 403 / Ⅲ-37, 96, 106, 376, 418 / Ⅳ-86, 91, 101, 196
不行届　Ⅱ-312 / Ⅲ-386 / Ⅴ-166
部長制　Ⅴ-75
不用鉄管　Ⅰ-60
不用品　Ⅰ-41
不猟　Ⅰ-118 / Ⅴ-176
古河坑区　Ⅲ-104, 105*, 203*–205, 207, 216, 249, 277, 278, 382, 383*, 435, 436, 442, 450 / Ⅳ-14, 62, 68, 73
古河坑長　Ⅲ-104
古川副総裁招待会　Ⅰ-336
古汽鑵　Ⅴ-76
古家解崩　Ⅳ-32
古物　Ⅱ-86 / Ⅲ-192
プレミアム　Ⅱ-49 / Ⅲ-202, 345
風呂[場]　Ⅳ-112, 259, 320, 336 / Ⅴ-8, 25, 42, 110
風炉先屏風　Ⅲ-240
不老庵(麻生家別荘)　→湯町(p.242)も見よ. Ⅳ-249*, 251, 254, 256, 257–260, 270, 272, 273, 274, 276, 281, 284, 290, 300, 301*, 306, 310, 312, 319, 320, 322, 328, 330, 334, 336, 348, 359, 370
文案打合　Ⅱ-353
文案調製　Ⅰ-201
分温　Ⅱ-275*
分割譲与(譲渡)　Ⅱ-389 / Ⅲ-189
分割問題　Ⅲ-4
分割利害　Ⅲ-388
紛議　Ⅱ-150, 152, 164 / Ⅳ-46
噴気ケ所買収　Ⅲ-325
噴気湯買収　Ⅲ-330, 335
分家　Ⅲ-59, 415* / Ⅳ-33*, 74, 85, 371*, 398, 415* / Ⅴ-4, 5*, 28, 64, 112, 113*, 158
豊後電気鉄道株式会社　Ⅰ-332, 333*
分袖　Ⅰ-32, 40, 66, 77, 155, 173, 196, 207, 232, 284, 382 / Ⅱ-284 / Ⅲ-329
文書科　Ⅲ-120
粉炭　Ⅰ-127, 205 / Ⅱ-77, 230
分担出金　Ⅰ-25
噴湯　Ⅲ-372
分湯　Ⅲ-435
分湯分水　Ⅲ-438
分配金　Ⅲ-273

分配所　Ⅰ-64, 210 / Ⅱ-348
分配所建築場　Ⅱ-348
分筆譲受　Ⅰ-230
粉抹コークス焚　Ⅰ-129
分与財産　Ⅱ-347 / Ⅲ-12
分裂坑区願　Ⅱ-152
分裂買収　Ⅲ-40

へ

米価　Ⅰ-157 / Ⅱ-195
閉会ノ辞　Ⅰ-311, 312
米国　Ⅰ-63 / Ⅳ-96, 161, 165, 166, 171, 282, 318 / Ⅴ-38
——資本　Ⅳ-96
——滞在　Ⅳ-96
米国電気事業視察　Ⅳ-161
米穀取引所　Ⅰ-98, 99*
別会社　Ⅲ-448 / Ⅴ-44
別家　Ⅰ-405 / Ⅱ-410, 411 / Ⅳ-56, 57*
別家問題　Ⅱ-411
別荘借受(津屋崎)　Ⅳ-134
別荘工事竣工(山水園)　Ⅳ-68
別荘滞在　Ⅳ-188
別府[町・市・駅]　Ⅰ-95, 100, 102, 114, 152, 173, 174, 176, 206, 208, 210, 213, 229*, 230, 234, 235, 238, 240, 244, 248, 256, 257, 264, 280, 284, 285, 289-292, 294, 296, 303, 304, 306, 308, 320-322, 324, 331, 337, 349, 352, 355, 360, 362, 374, 375, 380, 383, 385, 386, 391-393, 413, 419, 421 / Ⅱ-12, 34-36, 44, 56, 67, 69, 71, 72, 76, 98, 101, 105, 118-120, 128, 129, 142, 144, 148-150, 153, 162-164, 167, 168, 170-174, 187-189, 191, 192, 196, 198, 199, 201, 202, 214, 218, 221, 232-235, 241-244, 246, 247, 249, 251, 256, 257, 260, 261, 268, 272-274, 276-278, 282, 285, 286, 291, 292, 304-307, 309, 310, 314-320, 322, 323, 326, 330, 332-334, 336, 339, 340, 342, 347, 350-352, 354, 356, 358, 361-363, 369, 370, 376, 380, 381, 383, 384, 386, 390, 394, 396, 397, 400-402, 409-412, 416-418, 424, 428, 429, 432 / Ⅲ-12, 13, 30, 33-36, 41, 46, 47, 50-52, 54, 57, 58, 60, 67, 102, 103, 105, 113, 115, 119, 140, 160, 174-179, 192, 197*, 202, 203*, 204, 215, 217, 218, 228, 250-252, 257, 264, 278, 285, 292-294, 302, 304, 308, 310, 315, 319, 322, 323*, 325-327, 334, 336, 339, 349, 364, 370, 372, 381, 391, 392, 411, 419*, 420, 432, 435-437, 440-442, 451, 456 / Ⅳ-4, 12, 13, 22, 24, 32, 34, 35, 38, 43, 47, 54, 58, 60, 62, 68-73, 75, 76, 78, 82, 88, 90, 91*, 94, 96, 105, 118-122, 129, 137, 159, 160, 165, 166, 180, 181*, 187, 188, 195, 196, 218, 219*, 230, 231*, 243-245, 248, 262, 276, 312, 314, 321, 322, 324, 327, 346, 382 / Ⅴ-5, 16, 32-34, 36, 41, 43, 44, 49, 80, 124, 125, 127, 131, 133, 134, 137, 138, 140-142, 154, 156, 158, 164, 165, 175, 184, 187, 188
別府行旅費　Ⅴ-44
別府営業所　Ⅴ-126, 155
別府温泉　Ⅲ-436, 440 / Ⅴ-16
別府温泉回遊鉄道(別府鉄道, 温泉鉄道, 巡遊鉄道, 巡回鉄道)　Ⅰ-174, 175*, 176, 183, 256, 318, 319*, 322, 323*386, 387*, 414 / Ⅱ-16, 44, 45*, 72, 73*, 128, 129*, 136, 137*, 142, 150, 189, 199*, 200, 201, 202, 218, 219*, 221, 232, 241-243, 245, 247*, 256, 257*, 261, 262, 308, 309*, 386, 387*, 388, 389, 396, 397*, 410, 412, 424 / Ⅲ-12, 13*, 57, 228, 229*, 300, 444
——委員会　Ⅱ-242
——創立事務所　Ⅰ-174, 176
——特許券　Ⅱ-16
——発起人会　Ⅱ-262
別府銀行　Ⅱ-390, 391*
別府倶楽部　Ⅰ-321* / Ⅱ-262, 263*
別府警察署長　Ⅱ-260, 428
別府競馬所　Ⅴ-122
別府建築　Ⅱ-292 / Ⅳ-13
別府見物　Ⅴ-33
別府港　Ⅳ-88, 90

別府公会堂　Ⅳ-180, 181*
別府耕地整理　Ⅲ-60, 285, 370
別府市営電気問題　Ⅴ-68, 146, 147*, 148, 151, 155, 174, 176, 180, 182
別府市会議員　Ⅴ-50, 187
別府市社会課長　Ⅲ-372
別府地所(土地)　Ⅰ-208, 234, 235 / Ⅱ-235, 256, 376, 384, 418 / Ⅲ-54, 67, 178, 304, 315, 381 / Ⅳ-22, 32, 54, 58, 118, 137, 218, 230 / Ⅴ-134, 186
別府市長　Ⅲ-178 / Ⅳ-34, 321, 322 / Ⅴ-188
別府市土木課長　Ⅲ-339
別府地主　Ⅲ-54
別府市役所　Ⅲ-339, 372, 432 / Ⅳ-180
別府新聞　Ⅱ-128, 170, 309*, 322, 390, 391*
別府送金　Ⅲ-257
別府滞在　Ⅰ-419, 421 / Ⅱ-119, 120, 128, 170 / Ⅲ-33, 46, 51, 308, 326 / Ⅳ-73, 78, 90, 118
別府町会　Ⅱ-257
別府町長　Ⅰ-385 / Ⅱ-129, 189, 292
別府停車場(停留所)　Ⅱ-378, 394
別府電灯　Ⅳ-243, 248
別府地所買入　Ⅲ-304
別府農園　Ⅳ-90, 91*
別府別荘(麻生家別荘, 田の湯別荘)　Ⅰ-35, 36, 75, 77, 102, 103*, 129, 138, 193, 199, 238, 248, 249*, 252, 256, 258, 259, 269, 282, 320, 321*, 331, 332, 374, 392, 409 / Ⅱ-35*, 103, 171, 173, 174, 188, 195, 196, 199, 200, 233, 240, 241*, 242, 266, 271, 277, 278, 290, 305, 306, 309, 312, 314, 316, 325, 328–330, 336, 339, 342, 346, 350, 354, 370, 373, 378, 381, 384, 385, 418, 420, 423, 424 / Ⅲ-34, 35*, 41, 51, 59, 111, 121, 129, 135, 179, 320, 333, 351, 419* / Ⅳ-158, 188, 200, 224, 385, 392 / Ⅴ-86, 165, 167
別府別荘出火　Ⅲ-419*
別府別荘売却　Ⅲ-179, 197*, 250
別府報償問題　Ⅴ-142
別府ホテル　Ⅱ-251*
別府町役場　Ⅱ-261
別府満鉄売却問題　Ⅱ-416
別府門　Ⅱ-352, 353*
別府養老院　Ⅲ-322, 323*
別府連中　Ⅰ-229*, 230
紅卯旅館　Ⅰ-44, 45*, 80, 81*, 84, 90, 91, 94, 95*, 96, 103, 129*, 130 / Ⅲ-447*, 452 / Ⅳ-20, 21*
蛇ノ業場　Ⅴ-112
ベルト　Ⅱ-77
返金計算率　Ⅰ-308
辺景昭　Ⅰ-38
変更図　Ⅰ-178
変更願　Ⅱ-150, 201 / Ⅲ-55
弁護士　Ⅰ-110, 310, 412 / Ⅱ-74, 82, 344, 366 / Ⅲ-66 / Ⅳ-56, 279 / Ⅴ-46, 148
弁債[金]・弁済[金]・弁償[金]　Ⅰ-207 / Ⅱ-136, 173 / Ⅲ-12, 118, 351 / Ⅳ-240, 331 / Ⅴ-158
便所　Ⅱ-311 / Ⅳ-150
便通　Ⅰ-294
変電所　Ⅱ-194, 197 / Ⅲ-37*, 51, 102, 162, 226 / Ⅳ-65*
弁当　Ⅰ-95 / Ⅱ-270, 299 / Ⅳ-64, 156, 229, 346 / Ⅴ-92
編入試験　Ⅲ-122
編入出願書　Ⅰ-207
便物検査　Ⅰ-309
弁米　Ⅲ-355

ほ

法　Ⅲ-450
法案　Ⅱ-246 / Ⅲ-30 / Ⅳ-99
妨害　Ⅲ-134, 367
法学士　Ⅰ-90 / Ⅳ-283
防空博覧会　Ⅳ-364, 365*
傍系会社　Ⅳ-348 / Ⅴ-86, 90, 121, 124, 134, 150, 152, 160, 186
——重役会　Ⅳ-348 / Ⅴ-124, 134, 150, 160
——総会　Ⅴ-90, 152
暴行　Ⅰ-286
方広寺(静岡県引佐郡)　Ⅱ-343*, 344 / Ⅳ-144,

145*
報告祭　Ⅲ-426, 450 / Ⅳ-354
報告書　Ⅰ-391 / Ⅱ-190, 193, 422 / Ⅲ-14, 226 / Ⅴ-98
豊国炭坑　Ⅰ-54 / Ⅳ-71*, 72
報告方法　Ⅴ-69
奉賛会(黒田三百年祭奉賛会)　Ⅱ-347*, 348, 355
法事・法要　Ⅰ-408 / Ⅱ-224 / Ⅲ-222 / Ⅳ-130, 272, 325, 340 / Ⅴ-23, 61, 121, 136, 145
報酬[金]　Ⅰ-110, 194, 255, 378, 419 / Ⅱ-98, 213, 316 / Ⅲ-219, 319, 321, 418 / Ⅳ-70, 73, 131, 186, 245 / Ⅴ-39, 42, 154
豊州炭坑　Ⅱ-270, 271*, 272, 274
豊州新報[社長]　Ⅲ-30, 31*, 433
奉祝　Ⅰ-332, 334, 407 / Ⅲ-87
奉祝献納品　Ⅲ-87
法人財団組織　Ⅳ-389
紡績会社　Ⅰ-362, 368, 409* / Ⅱ-44, 238
紡績合併(大分紡績・富士瓦斯紡績株式会社合併)　Ⅱ-336, 337*
包帯　Ⅰ-192
傍聴　Ⅰ-180 / Ⅴ-114
報導会　Ⅰ-34
忘年会　Ⅰ-8, 414
奉納　Ⅲ-351 / Ⅳ-90
暴風[雨]　Ⅰ-266 / Ⅳ-84, 181, 258, 388
砲兵工廠　Ⅲ-88, 89*
方法研究　Ⅰ-53, 301
宝満神社宮司　Ⅲ-306 / Ⅳ-30, 45, 161
宝満宮(宝満神社, 竈門神社)　Ⅲ-306, 307*, 351, 408, 409*, 426 / Ⅳ-4, 5*, 20, 23, 30, 34, 38, 44, 45, 50, 51*, 52, 57, 64, 65, 79, 84, 91, 101, 104, 110, 111*, 114, 120, 126, 130, 135, 148, 151, 156, 161-163, 175, 178, 182-184, 189, 198, 212, 213*, 227, 249, 300, 301*, 328 / Ⅴ-119*, 120
——参詣トンネル　Ⅳ-50, 51*, 79, 84, 91, 104
——地所問題　Ⅳ-64
——茶店　Ⅳ-183
——禰宜　Ⅳ-59
——負債　Ⅳ-328 / Ⅴ-120
——埋立　Ⅳ-114, 126, 135
——鳥居　Ⅳ-44, 101, 111, 148, 151, 162
宝物買収　Ⅲ-8
法律　Ⅱ-276, 347 / Ⅲ-69, 236, 353 / Ⅳ-16, 284, 368 / Ⅴ-172
法話　Ⅲ-296 / Ⅳ-94, 389 / Ⅴ-88, 89
ボーイ　Ⅰ-185
ボーリング　Ⅰ-108 / Ⅱ-77, 196 / Ⅳ-193*
補介方法　Ⅱ-137
補給過金　Ⅱ-430
北筑軌道　Ⅲ-125, 164, 165* / Ⅳ-39*, 56
——調査　Ⅲ-164
——売却　Ⅲ-125
補欠選挙　Ⅳ-184
保険　Ⅰ-201 / Ⅲ-357 / Ⅳ-88, 99
保険会社　Ⅰ-76, 139, 140, 141*, 142, 327 / Ⅱ-192, 193* / Ⅲ-170, 171* / Ⅳ-88, 133, 310 / Ⅴ-66, 186
保険法案　Ⅳ-99
募債　Ⅲ-318
補佐役　Ⅱ-153
墓参(墓所参拝)　Ⅱ-224, 236, 366, 408, 419 / Ⅲ-19, 130, 156, 296 / Ⅳ-333, 343 / Ⅴ-50
星野金山　Ⅴ-183*
干ふぐ　Ⅲ-262
墓所　Ⅰ-187, 408 / Ⅱ-366 / Ⅲ-4, 19, 20, 46, 68, 82, 84, 105, 128, 129, 130, 172, 210, 218, 222, 241*, 245, 276, 277*, 279, 320 / Ⅳ-4, 56, 84, 110, 143, 174, 212, 300, 326, 340 / Ⅴ-17, 22, 23, 60, 89, 126, 127*, 128
保証　Ⅰ-96, 393 / Ⅱ-33 / Ⅲ-12, 196, 238, 248, 251, 355
補償　Ⅰ-203, 204, 376 / Ⅱ-62 / Ⅲ-96
補償契約　Ⅴ-166
保証書　Ⅰ-279, 286 / Ⅲ-238
保証人　Ⅰ-91, 278 / Ⅲ-238, 248 / Ⅳ-368
補償米　Ⅱ-371
補償問題　Ⅰ-203, 376
補助[金]・補介[金]　Ⅰ-175, 265, 327, 386 / Ⅱ-137, 150, 214, 410, 426, 430 / Ⅲ-107, 125,

167, 181, 246, 324, 336, 337, 424, 442 / Ⅳ-83, 112, 118, 122, 157, 158, 167, 226, 240, 260, 306, 320, 323, 328, 374, 376 / Ⅴ-87, 158, 170, 176
補植　Ⅳ-273, 274
保全会社　Ⅳ-275*, 364, 365*
墓前焼香　Ⅴ-60
細川家家令　Ⅰ-185
保存家屋修繕　Ⅲ-450
ボタ[捨場]　Ⅰ-205 / Ⅳ-116, 117*, 332, 333*
北海道　Ⅰ-142, 387 / Ⅳ-272
北海道坑区(坑山)　Ⅰ-372, 382, 383 / Ⅱ-346
北海道炭礦汽船　Ⅰ-238, 266 / Ⅲ-420
北海道聯合会　Ⅲ-210, 211*, 217
発起　Ⅱ-200, 201 / Ⅲ-113
発起人(者)　Ⅰ-310 / Ⅱ-199, 202 / Ⅲ-88, 353, 377 / Ⅴ-142
発起人会　Ⅱ-261, 429
ホテル　Ⅰ-154, 284 / Ⅱ-129, 240, 243, 311 / Ⅳ-53
仏祭　Ⅳ-83
穂波(嘉穂郡穂波村)　Ⅰ-100, 101*
穂藪ヶ淵　Ⅲ-176
堀三太郎宅　Ⅰ-110 / Ⅱ-385 / Ⅳ-253
堀三太郎別荘　Ⅱ-19, 38, 145*, 290, 386, 387* / Ⅲ-141, 379*, 390
掘方　Ⅱ-60 / Ⅲ-22 / Ⅳ-128 / Ⅴ-93
堀川　Ⅱ-181*
堀田(大分県速見郡石垣村南立石)　Ⅱ-292, 293* / Ⅳ-34, 35*, 188
掘土運搬　Ⅰ-299
補力　Ⅰ-352
母霊参伺　Ⅰ-108
本卸口　Ⅰ-5
本願寺　Ⅰ-128 / Ⅲ-241, 245 / Ⅳ-18, 39
本坑道　Ⅰ-62
香港丸　Ⅲ-352
本社　Ⅰ-54, 288, 385 / Ⅱ-150, 170, 238, 342, 386 / Ⅲ-60, 63, 66, 133 / Ⅳ-26, 32, 81, 220, 358, 363, 364, 372, 378, 383 / Ⅴ-28, 150, 163, 177
本社重役[会]　Ⅱ-170 / Ⅴ-28
本所区(東京市)　Ⅰ-273
本船積入　Ⅰ-112
本葬　Ⅲ-316
本堂　Ⅴ-160
本洞[坑]　Ⅰ-30, 42, 52, 55
本部出張員　Ⅲ-422
ポンプ　Ⅰ-42−44, 53, 60, 64 / Ⅱ-20, 36, 63, 67, 256, 374 / Ⅴ-22, 182 / Ⅴ-96, 132, 133*, 180, 182
ポンプ座　Ⅰ-43, 44, 53, 60 / Ⅴ-132, 133*
ホンプ据付　Ⅰ-42, 53 / Ⅱ-20
本町(大分県速見郡別府町)　Ⅰ-176
盆祭　Ⅴ-60
本村(飯塚町立岩)　Ⅰ-10, 11*, 119*, 140, 143, 172, 173*, 192, 193*, 230, 231*, 268, 279*, 280, 283, 296, 299, 300, 304, 316, 344, 345* / Ⅱ-193*, 204, 260, 261* / Ⅲ-6, 7*, 66, 67, 90, 91*, 95, 166, 167*, 169, 227, 276, 277*, 292, 300, 351, 367*, 368, 372, 425 / Ⅳ-202, 203* / Ⅴ-7*, 50, 130, 131*
本村浦　Ⅰ-118
本村区長　Ⅰ-299 / Ⅲ-66, 67, 90, 95, 425
本村宅地　Ⅲ-227
本村農園　Ⅲ-166, 167*
本村屋敷　Ⅰ-230 / Ⅲ-372

ま

埋設[工事]　Ⅰ-270, 271
毎日新聞　Ⅲ-219, 301, 326, 380 / Ⅳ-315, 397
――営業部長　Ⅲ-326
前貸　Ⅰ-374, 388
前ノ山(嘉穂郡鎮西村花瀬)　Ⅰ-10, 132
前原(糸島郡前原町)　Ⅱ-151 / Ⅲ-347*
真卸　Ⅰ-5, 42, 43
賄料　Ⅰ-58
蒔絵　Ⅰ-36, 148
蒔絵衝立　Ⅰ-148
巻器械　Ⅰ-5, 9, 43, 53, 98 / Ⅱ-34 / Ⅳ-80 / Ⅴ-180, 181*, 182, 186
蒔付物　Ⅴ-64

巻場　Ⅰ-73 /Ⅲ-200, 201*
巻初メ　Ⅰ-9
秣場　Ⅰ-166
枕木　Ⅰ-256 /Ⅲ-218
敗・負・失敗(博奕の敗け)　Ⅰ-180–183, 185, 290, 414, 421 /Ⅱ-48
満佐(料亭, 政・お政・相政・おまさ)　Ⅰ-359 /Ⅱ-111, 282 /Ⅲ-24, 25*, 61, 85*, 134, 135*, 136, 138, 139, 158, 159*, 165, 166, 183, 184, 186, 189, 190, 192, 196, 198, 200, 208, 212, 213, 218–220, 224, 226, 228, 235, 238, 242, 246, 250, 272, 273*, 276, 282, 284, 286, 287, 291, 292, 295, 298, 300–302, 305, 306, 310, 314, 328, 330–333, 336, 337, 340, 344, 350, 352, 353, 356, 364, 365*, 366, 368, 377, 379, 380, 388, 389, 391–393, 396, 400, 408, 410, 415, 416, 424, 425, 427, 428, 437, 444, 452, 455 /Ⅳ-4, 5*, 6, 18, 20, 22, 23, 28–30, 37, 48, 54, 64, 70, 72, 73, 76, 80, 81, 97, 102, 103, 112, 113*, 123, 131, 132, 136, 144, 145, 147*, 152, 153, 178, 186, 191, 218, 219*, 223, 230, 233, 246, 254, 260, 269, 296, 338, 339* /Ⅴ-4, 5*, 58, 102, 150, 151*, 162, 163*
桝谷坑区　Ⅳ-38, 39*
益田屋　Ⅰ-321
町役場　Ⅰ-118, 146, 156, 195, 200, 211, 294, 300, 301 /Ⅱ-260, 261, 328, 407 /Ⅲ-54, 90, 402, 408 /Ⅳ-26, 61 /Ⅴ-70
町役場主任　Ⅲ-402
松移植　Ⅳ-94
松居博多織工場　Ⅰ-192, 193*, 289* /Ⅲ-46, 47*, 133, 133*, 176, 177*, 274, 275* /Ⅳ-24, 25*, 53
松尾屋　Ⅱ-58
松風工業株式会社　Ⅲ-10, 11*, 22, 23*, 156, 157* /Ⅳ-158, 159*
松風坑区　Ⅲ-10, 11*
松島坑区(炭鉱・炭坑)　Ⅰ-268 /Ⅳ-240, 241*, 247*, 362, 363*–365*, 367, 370, 372, 384
松島屋(旅館)　Ⅰ-43, 43* /Ⅱ-11*, 66, 152, 153* /Ⅲ-134, 135*, 286, 287* /Ⅳ-30, 31*, 328, 329* /Ⅴ-28, 29*, 157*
松田氏縁談　Ⅰ-136, 137
松苗　Ⅰ-104
松永安左衛門自宅　Ⅲ-392, 426
松の木　Ⅲ-288, 289 /Ⅳ-388
松杉植付場所　Ⅲ-388
松木運搬　Ⅲ-289
松木掘　Ⅳ-94
松樹御手植　Ⅲ-34
松木採取　Ⅳ-231
松木伐採　Ⅲ-288
松林ノ根切　Ⅱ-311
松本健次郎所蔵品売却　Ⅲ-187
松本健次郎送別会　Ⅳ-235*
松本健次郎別荘(福岡市大名町)　Ⅰ-131*, 201*, 232, 284, 285 /Ⅱ-266, 267*, 375*, 376, 414, 415 /Ⅲ-45, 122, 174, 175*
松屋　Ⅱ-412
松山(伊予)　Ⅲ-314, 315
松山調査　Ⅲ-315
マテガラ(石炭層)　Ⅰ-260, 261*
豆田(嘉穂郡桂川村)　Ⅰ-4, 8, 9, 60, 74, 127, 129, 200, 201*, 207, 228, 351 /Ⅱ-61, 147, 197, 281* /Ⅲ-39, 116, 117*
豆田[坑区・坑山]　Ⅰ-8, 72, 73, 81, 98, 108, 109, 124, 128, 174, 203–205, 210, 333, 368 /Ⅱ-81, 384, 418, 419*, 420 /Ⅲ-44, 45*, 328 /Ⅳ-55 /Ⅴ-27*, 29, 180
豆田積入場　Ⅰ-73
豆田停車場　Ⅰ-74
豆田分配所　Ⅰ-210
○《まる》(スッポン)[料理]　Ⅰ-202, 203*, 222, 223*, 294, 295* /Ⅱ-123*, 218, 219*, 305*, 306 /Ⅲ-91*, 94, 176, 177*, 213, 245, 364, 365*, 370, 448 /Ⅳ-96, 97*, 99, 100, 102, 122, 123*, 186, 192, 204, 216, 217*, 223, 300, 301*, 390 /Ⅴ-120, 121*, 127
丸三(呉服店)　Ⅰ-96, 97*, 351* /Ⅱ-248, 249* /Ⅳ-53*
まるた屋(丸太屋)　Ⅲ-133*, 342, 343* /Ⅳ-92,

93*, 120, 121*–123*, 133, 233*
丸嘉　Ⅰ-290
満財家　Ⅲ-228, 229* / Ⅳ-52, 53*
満洲　Ⅲ-130, 220 / Ⅳ-274 / Ⅴ-88
万寿寺(大分市)　Ⅱ-318, 379*

み

三池[町・鉱山・炭坑・炭鉱]　Ⅰ-11, 62, 256 / Ⅱ-16, 67 / Ⅲ-107, 113*, 118, 338, 395, 435, 438 / Ⅳ-269, 302, 334, 338, 342, 343*, 387 / Ⅴ-78, 98, 164
三池銀行　Ⅰ-254, 255 / Ⅲ-113*, 121
三池鉱山騒動　Ⅲ-113*
三池視察　Ⅳ-342, 343
三池炭田経営　Ⅳ-302
三井電気軌道株式会社(三井電鉄)　Ⅱ-192, 193*, 204
三浦屋　Ⅰ-112
三重県知事　Ⅲ-106
三緒浦(嘉穂郡下三緒村)　Ⅴ-90, 91*
見送り　Ⅰ-7, 36, 42, 43, 54, 61, 63, 72, 75, 136, 144, 192, 210, 238, 324, 336, 358, 375, 390, 405, 410, 411 / Ⅲ-36, 227, 297, 392, 400, 412, 440 / Ⅳ-19, 31, 70, 119, 164, 171, 172, 176, 180, 191, 192, 236, 263, 274, 282, 303, 304, 314, 343, 346, 348, 349, 360, 361, 364, 373, 393, 397 / Ⅴ-28, 33, 36, 41, 71, 80, 81, 84, 126, 149, 157, 159, 164
御笠川　Ⅱ-94, 95*
御笠村長　Ⅳ-30
みかど食堂　Ⅲ-224, 310, 311*, 332 / Ⅳ-70, 71*, 266, 267*, 272
みかどホテル　Ⅲ-188, 189*, 224, 377* / Ⅳ-223*, 268
蜜柑[畑]　Ⅲ-246, 288, 382 / Ⅳ-314
右田発電所　Ⅱ-72, 73*, 150, 151*
未済区域　Ⅰ-386
未収入金　Ⅲ-24
水揚　Ⅱ-256
水揚ポンプ　Ⅴ-180
水薬　Ⅰ-56, 212
水溜　Ⅲ-5
水茶屋券番　Ⅳ-124, 125*, 386, 387*
水抜　Ⅰ-221, 280 / Ⅴ-88
水野旅館　Ⅰ-199*, 228, 229* / Ⅱ-69*, 80 / Ⅲ-158, 159*, 198 / Ⅳ-20, 21*, 254, 255*
水漬し　Ⅳ-65 / Ⅴ-96
水巻村長　Ⅲ-318
三角(福岡市簀子町)　Ⅳ-74, 75*
三隅神社　Ⅴ-156, 157*
店開キ　Ⅳ-300
溝　Ⅰ-200, 283, 299, 300 / Ⅱ-311, 325, 334 / Ⅲ-304 / Ⅳ-40 / Ⅴ-31
溝浚[エ]　Ⅲ-456 / Ⅳ-40
溝底掘下　Ⅰ-200
三田井(宮崎県西臼杵郡高千穂町)　Ⅲ-175*, 198, 224
三田井旅館　Ⅲ-176
三田尻[駅](山口県佐波郡防府町)　Ⅰ-35*, 39, 41 / Ⅱ-328, 329*
見立区(後藤寺町弓削田)　Ⅴ-70, 71*
見立小学校　Ⅴ-20, 21*
道敷代　Ⅲ-181
道修繕　Ⅴ-34
道付　Ⅲ-308
道手坑　Ⅰ-32, 38, 39*
三井　Ⅰ-19, 20, 24, 25, 32, 35, 41, 42, 44, 51, 63, 74, 80, 87, 100, 106, 108–110, 113, 126, 127, 136, 137*, 140, 157, 163, 174, 182, 185, 187, 204, 206, 211, 212, 222, 225, 226, 245, 246, 265, 280, 294, 304, 324, 331, 332, 340, 347, 348, 358, 367, 395–397, 410, 414, 426 / Ⅱ-16, 26, 31*, 41, 48, 52, 53*, 67*, 78, 151, 160, 188, 194, 210, 220, 224, 239, 306, 308–310, 347, 362, 369 / Ⅲ-10, 64, 96, 113, 132, 135, 158, 219, 286, 292, 296, 323, 373, 381, 395, 396, 403, 440 / Ⅳ-12, 29, 275, 350, 369, 372 / Ⅴ-10, 31, 32, 33*, 66, 78, 79*, 87, 93, 172, 173, 176, 177*
三井大牟田火力発電所　Ⅴ-176, 177*
三井借入　Ⅰ-41
三井汽船(小蒸気)　Ⅰ-51, 80, 106, 358 / Ⅱ-

220
三井銀行　Ⅰ-41, 42, 44, 331／Ⅱ-26, 151, 160, 188, 210, 239, 347, 360, 362, 369／Ⅲ-10, 135, 296, 323, 440／Ⅳ-112, 128, 226, 263, 318, 328, 338, 339, 343, 362, 364, 369, 372／Ⅴ-31, 93
——次長　Ⅳ-226
——長崎支店　Ⅳ-343
——支店招待会　Ⅳ-112
——支店長　Ⅲ-64, 403／Ⅳ-364, 372
——福岡支店[長]　Ⅱ-151, Ⅳ-263／Ⅴ-10
——門司支店[長]　Ⅲ-28, 64／Ⅳ-338
三井家洋行　Ⅰ-136
三井[交換]坑区　Ⅰ-87, 90, 304
三井交換地　Ⅲ-396
三井炭坑工学校(三井工業学校)　Ⅱ-67*
三井港倶楽部　Ⅴ-32
三井鉱山(坑山)　Ⅰ-185, 211／Ⅲ-286, 292／Ⅳ-251／Ⅴ-78, 79*
三井合名会社　Ⅴ-78
三井支店[長]　Ⅰ-212／Ⅳ-29, 369, 396
三井社長　Ⅰ-182／Ⅱ-31, 48
三井信託会社　Ⅲ-96
三井炭田　Ⅲ-381
三井物産会社　Ⅰ-19, 20, 32, 35, 44, 51, 74, 100, 108, 109, 113, 126, 174, 187, 246, 265, 280, 324, 332, 348, 358, 367, 395–397, 410, 414, 426／Ⅱ-194, 224／Ⅲ-395
三井保険会社福岡支店長　Ⅴ-66
三井三池出張所　Ⅱ-16
三越　Ⅲ-240
三橋村(山門郡)　Ⅳ-391
三菱　Ⅰ-53, 55, 81, 127, 137, 204, 246, 285, 325／Ⅱ-12, 78, 168, 172, 245, 260, 264, 308, 309, 402, 411／Ⅲ-98, 182, 190, 199, 219, 237, 283, 313, 336, 342, 373, 374／Ⅳ-35, 42, 43, 182, 264, 336, 362／Ⅴ-46, 86, 96, 97*, 122, 123*, 124, 128, 130, 139, 162
三菱会社　Ⅱ-12, 168
三菱会社員　Ⅳ-35
三菱金田坑区　Ⅴ-139
三菱上山田(坑)　Ⅰ-372
三菱鴨生坑　Ⅱ-38, 39*
三菱関係坑区　Ⅲ-190, 342
三菱銀行　Ⅳ-362
三菱[交換]坑区　Ⅰ-53, 285／Ⅲ-373, 374／Ⅴ-124, 130, 162
三菱坑山　Ⅲ-336／Ⅴ-122, 123*
三菱造船所　Ⅳ-336
三菱代表　Ⅴ-46
三菱・三井交換坑区　Ⅲ-373, 374
三菱門司支店　Ⅳ-42, 182
見積[書]　Ⅰ-205／Ⅲ-216／Ⅳ-148, 202, 228
みどりや(旅館)　Ⅳ-35*
湊川駅(大阪)　Ⅲ-172
湊町(福岡市)　Ⅰ-152, 153*, 172, 173*, 419
港屋　Ⅳ-380, 394／Ⅴ-16
南釜　Ⅴ-44
南組火消連　Ⅳ-169*
南満州鉄道株式会社(満鉄)　Ⅰ-244／Ⅱ-264, 389*, 416, 418／Ⅲ-103*, 130, 219, 231, 286, 287／Ⅳ-222, 224, 241, 243／Ⅴ-48, 47
——合同販売　Ⅴ-47
——社長　Ⅱ-416／Ⅳ-224
——総裁　Ⅳ-241
——理事　Ⅲ-130, 286, 287
未納[金]　Ⅱ-421, 422／Ⅳ-104
未納分整理　Ⅰ-402, 409
身延寺　Ⅲ-24
未亡人　Ⅱ-26／Ⅲ-100
三保松原　Ⅰ-75
見舞　Ⅰ-12, 54, 86, 101, 128, 144, 148, 180, 204, 295, 302, 309, 314, 326, 328, 377, 381, 398, 406／Ⅱ-12, 38, 58, 83, 88, 97, 121, 122, 130, 148, 157, 168, 178, 200, 204, 218, 226, 241, 259, 260, 293, 294, 348, 370, 374, 386, 390, 424, 432／Ⅲ-27, 36, 65, 98, 100, 117, 140, 188, 214, 218, 231, 279, 282, 286, 294, 322, 334, 338, 340, 378, 402, 404, 412, 418, 420／Ⅳ-30, 44, 46, 48, 52, 54, 61–64, 66, 91, 116, 139, 141, 142, 144, 160, 167, 170, 190, 216, 238, 272, 276, 280, 284, 287,

296, 300, 302, 306, 319, 320, 326, 379, 392, 397 /Ⅴ-21, 22, 30, 39, 71, 80, 81, 83, 97, 102, 130, 155, 159, 162, 169, 183, 184, 187
見舞金　Ⅲ-279, 322, 334 /Ⅳ-186
見舞ノ電信　Ⅴ-155*
宮家　Ⅳ-397
土産[物]　Ⅰ-36, 55, 76, 110 /Ⅱ-306 /Ⅲ-162 /Ⅳ-324, 340 /Ⅴ-112, 150
京都郡《みやこぐん》　Ⅱ-237
宮崎営業所長　Ⅳ-214
宮崎県寄付問題　Ⅳ-68
宮崎県水力電気課税　Ⅳ-91
宮崎県知事　Ⅳ-91, 92, 113, 326
宮崎県庁　Ⅳ-312 /Ⅴ-126
宮崎県問題　Ⅳ-132
宮崎高等農林学校　Ⅴ-126, 127*
宮崎市長　Ⅳ-153, 202, 246, 254, 374, 389, 390 /Ⅴ-41, 114
宮崎市電気事業市営問題　Ⅳ-126, 278, 202, 203*, 260, 352 /Ⅴ-39*, 68, 85, 114, 115*
宮崎市役所　Ⅴ-40
宮崎出張　Ⅳ-164
宮崎処分　Ⅱ-72
宮崎神宮　Ⅳ-314, 318, 327 /Ⅴ-40, 41*, 126, 127*
宮崎線　Ⅴ-42
宮崎発電所　Ⅱ-238
宮地嶽神社　Ⅰ-71*, 83, 167* /Ⅱ-336, 337*, 376, 377* /Ⅲ-84, 85*, 190, 191*, 264, 265, 350, 364 /Ⅳ-4, 5*, 27*, 84, 102, 110, 111*, 214, 215*, 294, 300, 301*, 311
宮田(鞍手郡宮田村)　Ⅰ-87*
宮野(嘉穂郡宮野村)　Ⅰ-104, 105*
宮ノ浦(嘉穂郡庄内村)　Ⅱ-287*
宮ノ浦坑(坑区・坑山)　Ⅰ-281*, 282, 294, 302, 316–318, 320, 327 /Ⅱ-34, 35*
宮野銀行　Ⅲ-323*, 402, 403*, 438 /Ⅳ-18, 19*, 36, 59
——株券　Ⅲ-402
——合同問題　Ⅲ-323* /Ⅳ-36
宮ノ下(飯塚町)　Ⅰ-126 /Ⅲ-126, 127*
宮ノ前　Ⅱ-374
宮野有力者　Ⅲ-402
冥加屋　Ⅰ-292
明正寺　Ⅰ-297*, 389*
明正寺嘉穂有志会　Ⅰ-297
明蓮寺　Ⅳ-197*
三好鉱業株式会社　Ⅱ-421*, 422
三好事務所　Ⅱ-270, 271*
三芳発電所　Ⅲ-86, 87*, 186, 187*
民生協会　Ⅱ-420
民政新聞　Ⅳ-323

む

無煙　Ⅲ-235
聟入　Ⅰ-201
向島　Ⅰ-130
向島須崎町(東京市本所区)　Ⅰ-273
無罪　Ⅱ-133
無実の罪名　Ⅱ-400, 401*
虫干　Ⅲ-214
無線電信　Ⅲ-230, 231* /Ⅲ-324, 325*
宗像神社(大社)　Ⅲ-364, 365*, 382 /Ⅳ-4, 5*, 102, 110, 111*, 146, 214, 215*, 294, 300, 301*, 308 /Ⅴ-166, 167*
棟上[式]　Ⅱ-323, 420 /Ⅲ-301
無配当　Ⅴ-58, 68, 70, 84
村井坑区　Ⅲ-454, 455*
村益金　Ⅲ-63
紫川　Ⅱ-117*
紫川水利権　Ⅳ-178, 179*, 220, 221*, 232
紫野大徳寺町(京都)　Ⅳ-146
村役場　Ⅲ-335
無利子　Ⅰ-49 /Ⅱ-14, 134, 187
無量寺　Ⅳ-49* /Ⅴ-82, 83*, 92, 134, 135*, 160
室田邸　Ⅰ-55

め

名義書換　Ⅱ-60
名義借　Ⅳ-188
眼医師(眼科)　Ⅱ-220 /Ⅳ-91
名刺交換会　Ⅰ-118, 162

明治鉱業(明治坑)　Ⅰ-64, 65 / Ⅱ-65, 177, 270 / Ⅲ-232, 233* / Ⅳ-121
明治専門学校　Ⅰ-213* / Ⅱ-135*
明治天皇奉賛会　Ⅰ-365
明治屋　Ⅳ-365
命日　Ⅱ-226 / Ⅳ-26, 55, 82 / Ⅴ-60, 61*, 145
姪浜(早良郡姪浜町)　Ⅱ-138, 227*, 228 / Ⅲ-117*, 382, 383* / Ⅳ-29, 111, 280
姪浜坑山(坑区)　Ⅰ-400, 401*, 403, 404
名誉　Ⅰ-140 / Ⅱ-27 / Ⅲ-368 / Ⅳ-68
眼鏡　Ⅱ-64
召使　Ⅰ-12, 16, 163, 249, 278, 292 / Ⅱ-187 / Ⅲ-244 / Ⅳ-6, 86, 113, 218, 220, 247, 290, 296, 372 / Ⅴ-26, 41, 58, 97, 154
飯櫃　Ⅴ-76
メタル(メーイトル)　Ⅳ-178, 179*
免職　Ⅴ-74

も

申込金　Ⅳ-124
盲腸炎　Ⅲ-194
モーター　Ⅴ-96, 97*
杢板　Ⅱ-333
木材運搬設備　Ⅰ-353
目録(目六)　Ⅰ-120, 174, 258, 415, 423, 426 / Ⅱ-8, 59, 104, 136, 432 / Ⅳ-284, 290, 324, 330 / Ⅴ-58, 74
目論見　Ⅰ-112 / Ⅳ-71
茂七方屋敷　Ⅲ-404
門司[市・駅]　Ⅰ-15, 30, 36, 40–42, 44, 50, 51, 55, 62, 63, 65, 79, 80, 88, 100, 103, 106, 108, 110, 126, 135, 136, 143, 144, 147, 152, 155, 174–176, 178, 225, 226, 246, 250, 251, 260, 265, 280, 282, 285, 286, 300, 306, 314, 323, 324, 339, 358, 361, 366, 369, 396, 398, 405, 406, 409, 413, 414 / Ⅱ-10, 12, 22, 24, 50, 52, 81, 91, 118, 130, 131, 154, 175, 187, 220, 224, 240, 352, 378, 416, 429 / Ⅲ-28, 53*, 137, 180, 192, 193*, 208, 209, 226, 231, 241, 242, 244, 275, 314, 315*, 318, 348, 349*, 352, 354, 366, 368, 388, 394, 395, 403, 429*, 435*, 452, 454 / Ⅳ-12, 42, 43*, 53, 58, 60, 113, 116, 164, 192, 196, 225, 232, 233, 270, 272, 282, 318, 320, 321, 336, 388, 392, 394 / Ⅴ-36, 46, 53, 91, 146, 163, 186
門司運輸局事務所(鉄道省門司鉄道局)　Ⅲ-53*
門司管理局[長]　Ⅱ-38, 62, 236 / Ⅲ-53, 241, 314, 315*, 429* / Ⅳ-336
門司倶楽部　Ⅰ-32, 88, 89*, 98*, 300, 301*, 339, 360, 361*, 413 / Ⅱ-38, 39*, 224, 225* / Ⅲ-192, 193*, 348, 349*, 435* / Ⅳ-42, 43*
門司警察署　Ⅱ-175
門司港　Ⅰ-74, 265 / Ⅱ-64, 220 / Ⅲ-348 / Ⅳ-192
門司水上警察署　Ⅳ-58
門司新(日)報　Ⅰ-262, 266
門司変電所　Ⅲ-226
持株　Ⅰ-65, 314 / Ⅱ-160 / Ⅲ-304 / Ⅴ-162
持株買収　Ⅰ-314
本山炭鉱　Ⅰ-268, 269
元吉(嘉穂郡)　Ⅳ-63*, 256, 257*
物干場　Ⅴ-138
籾　Ⅳ-203
紅葉丸　Ⅳ-88, 89
桃畑　Ⅰ-284 / Ⅲ-280
桃山御陵　Ⅰ-246, 334, 335* / Ⅲ-172, 173*
森崎屋　Ⅰ-4, 5, 38, 104, 105*, 118, 119*, 132, 200, 201*, 225*, 288, 289*, 313, 322, 328, 362, 363*, 408 / Ⅱ-20, 21*, 32, 33, 44, 136, 137*, 141, 146, 181, 240, 241*, 314, 315*, 356, 398, 399*, 400, 402, 405 / Ⅲ-25*, 48, 63, 102, 103*, 117, 158, 159*, 187, 207, 212, 217, 222–224, 226, 227, 246, 249, 288, 289*, 307, 352, 387*, 441, 446 / Ⅳ-25*, 65, 134, 135*, 146, 148, 276, 277*, 367, 367*, 393 / Ⅴ-60, 61*, 65, 132, 133*, 138
森崎屋始末　Ⅳ-393 / Ⅴ-65
森崎屋整理問題　Ⅱ-398, 400, 402 / Ⅲ-226, 227
森崎屋負債　Ⅲ-223

森崎屋融通　Ⅲ-227
門建築　Ⅱ-346, 347*
門前　Ⅳ-278 / Ⅴ-10
門徒　Ⅲ-222 / Ⅴ-160
文部大臣　Ⅰ-138, 364 / Ⅱ-382 / Ⅲ-28, 30

や

家移リ　Ⅲ-68, 69* / Ⅳ-251
焼芋　Ⅲ-16
八木坑区　Ⅱ-128
焼物[代]　Ⅰ-32, 39, 86 / Ⅱ-306 / Ⅲ-443
八木山(嘉穂郡鎮西村)　Ⅰ-289*
八木山越　Ⅰ-288, 324, 334, 354, 355*-357, / Ⅱ-224, 225*, 260, 261*, 348, 349*, 414, 420 / Ⅲ-83*, 128, 129*-131*, 411* / Ⅳ-111*, 138, 139*, 200, 397* / Ⅴ-4, 5*, 24, 25, 72, 97-100, 102, 110, 111*, 113, 116-118, 120-122, 124, 128, 130, 131, 133-138, 140, 142, 150, 151, 156-158, 160-162, 166-168, 170-172, 174, 178, 180-182, 184-187, 189
八木山越電鉄　Ⅰ-187
薬院(福岡市薬院町)　Ⅳ-213*, 294
役員　Ⅰ-194, 332 / Ⅱ-88, 146, 399 / Ⅲ-4, 124, 247, 338, 367, 432, 456 / Ⅳ-175
——昇給　Ⅲ-124, 338, 367, 432, 456
——賞与　Ⅰ-332
——選挙　Ⅴ-166
——待遇　Ⅱ-399
役員会　Ⅴ-148
約算　Ⅴ-66, 132
役所　Ⅱ-72
約定　Ⅰ-198, 249, 256, 411 / Ⅱ-8, 29, 60, 68, 78, 124, 208, 255, 316, 320, 352, 354, 356, 357, 383, 419 / Ⅲ-60, 103, 110, 122, 316, 317, 322, 391, 422 / Ⅳ-194, 238 / Ⅴ-7, 182
約定書(証)　Ⅰ-198, 377 / Ⅲ-108, 110, 317 / Ⅳ-352
約定電力　Ⅱ-419
約手　Ⅲ-258
役場　Ⅰ-146 / Ⅱ-165 / Ⅲ-338, 367, 432, 456 / Ⅴ-7, 35
薬養費　Ⅴ-49
ヤケ(石炭の露頭)　Ⅳ-363*
焼跡　Ⅲ-432
野菜ノ土産　Ⅴ-34
八坂村(大分県速見郡)　Ⅱ-164
屋敷　Ⅰ-178, 230, 256, 383 / Ⅱ-47, 198, 228, 240, 310, 316, 412 / Ⅲ-179, 292, 300, 404, 406, 443 / Ⅳ-60, 183, 243, 262, 326, 334, 380, 381 / Ⅴ-21, 140
屋敷植木移植　Ⅲ-443
屋敷買入　Ⅲ-404
屋敷設備　Ⅱ-228
屋敷地　Ⅱ-316
安川敬一郎引退記念園遊会　Ⅱ-137
安川敬一郎邸　Ⅰ-231, 242, 243 / Ⅲ-86
安川家　Ⅲ-385, 411
安川坑山　Ⅱ-397*
安川試験所　Ⅱ-128
安川松本商店　Ⅱ-174, 175* / Ⅲ-60, 61*
安川総長送別会　Ⅰ-141, 143
弥寿銀行　Ⅲ-377*
安河内救済　Ⅳ-9
安田銀行　Ⅲ-170, 171*, 379, 454 / Ⅳ-228, 275
——取締役　Ⅲ-454
安田家　Ⅲ-387 / Ⅴ-142, 143*
安田家信託会社　Ⅲ-354
安田保善社　Ⅲ-356, 357*
安丸越(嘉穂郡庄内村綱分)　Ⅱ-237*
八瀬ケーブルカー　Ⅳ-89
家賃　Ⅱ-275
薬価　Ⅱ-135
八代(熊本県八代町)　Ⅱ-376, 377* / Ⅳ-198
雇入・雇用　Ⅰ-12, 131 / Ⅱ-38, 62, 67, 93, 135, 232, 381, 397 / Ⅲ-90, 206, 364, 372 / Ⅳ-42, 44, 83, 128, 176, 311
宿割　Ⅰ-406
谷《や》中《なか》天王寺町(東京市下谷区)　Ⅱ-321
柳ケ浦駅(豊州本線)　Ⅱ-340, 341*
柳木　Ⅴ-182
柳原学舎(塾舎)　Ⅳ-265*, 271, 276
柳原家(柳原義光伯爵家)　Ⅱ-366, 378, 379*

柳屋(旅館) Ⅰ-213*, 293*, 296 /Ⅱ-86, 87*, 134, 135*, 236, 237*, 368, 369* /Ⅳ-22, 23*
梁瀬自動車 Ⅲ-94, 95*, 352, 353* /Ⅳ-28, 29*, 169*
八幡[駅] Ⅰ-134, 263 /Ⅱ-67, 68, 84, 86, 196, 319, 345 /Ⅲ-245, 306, 347, 380 /Ⅳ-58, 60, 95, 124, 320, 343, 346 /Ⅴ-24, 36, 87, 89, 118
八幡出張 Ⅴ-87
八幡製鉄所 Ⅰ-195 /Ⅱ-84, 86, 188, 318 /Ⅲ-380 /Ⅳ-218, 378 /Ⅴ-24, 36, 118
弥平跡屋敷 Ⅴ-92
矢部川駅(鹿児島本線) Ⅲ-49*
山芋 Ⅴ-112
山家[駅](筑紫郡山家村) Ⅱ-254, 255* /Ⅳ-196, 197*, 350, 351* /Ⅴ-86, 87*, 94
山家村長 Ⅲ-140
山鹿(遠賀郡芦屋町) Ⅳ-54, 55*
山狩 Ⅰ-10, 333
山口(嘉穂郡上穂波村) Ⅱ-146 /Ⅳ-38, 39*
山口銀行 Ⅳ-29, 361 /Ⅴ-139*
——支店長 Ⅳ-29
山口県知事 Ⅰ-106 /Ⅱ-220
山口商業高等学校 Ⅲ-174
山口屋(呉服店) Ⅱ-47*
山口旅館 Ⅱ-396 /Ⅲ-319
山崩 Ⅳ-154
山国川 Ⅴ-124, 125*
山越 Ⅱ-416 /Ⅲ-22
山下商店員 Ⅱ-130
山辷リ Ⅱ-62
山田駅(三重県度会郡宇治山田町) Ⅲ-172
山田坑区 Ⅱ-36, 42 /Ⅴ-102, 103*
山田村(糟屋郡) Ⅱ-129
山手 Ⅴ-124
大和屋旅館 Ⅲ-426 /Ⅳ-30, 31*, 57, 64, 98, 189*, 345*
山野(嘉穂郡稲築村) Ⅱ-48, 49* /Ⅳ-118
山野坑[区] Ⅰ-43 /Ⅱ-63*, 312
山番 Ⅱ-388
山本豊吉坑区 Ⅰ-403*, 404
山猟 Ⅰ-10, 70, 94, 100, 162, 205, 224, 348, 357, 403 /Ⅱ-351, 352, 420 /Ⅲ-57, 58, 62, 168, 347

ゆ

湯(温泉) Ⅰ-55, 384 /Ⅱ-168, 196 /Ⅲ-330, 433 /Ⅳ-118
遺言書 Ⅲ-276
湯入客 Ⅲ-177
友愛会幸袋支部 Ⅱ-283
有価証券 Ⅲ-245, 275
有志・有志者 Ⅰ-142, 290, 327, 360 /Ⅱ-21, 26, 72, 76, 164, 195, 242, 386, 388, 389 /Ⅲ-8, 28, 87, 140, 276, 278, 304, 332, 337, 338, 346 /Ⅳ-6, 20, 124, 141, 156, 217, 302, 357
有志[者]会(集会) Ⅰ-107 /Ⅲ-337 /Ⅱ-386
有志[者]招待[会] Ⅰ-292 /Ⅲ-266 /Ⅴ-40
遊術[場] Ⅰ-54 /Ⅲ-396
湧水 Ⅰ-86
融通[金] Ⅰ-381 /Ⅱ-30, 187, 368 /Ⅲ-57, 58, 68, 126, 174, 181–184, 190, 197, 216, 228, 237, 247, 248, 251, 254, 264, 266, 308, 309, 338, 342, 344, 356, 402 /Ⅳ-67, 96, 150, 160, 172, 181, 242, 253, 274, 283, 338, 361 /Ⅴ-88, 93, 119, 172
遊舟 Ⅰ-36
郵船会社 Ⅰ-313 /Ⅱ-131 /Ⅲ-47
——門司支店長 Ⅰ-313
友泉亭(早良郡樋井川村田島) Ⅱ-128, 129*, 152 /Ⅲ-339*, 378, 379*, 389, 390, 392, 409, 410, 426
友泉亭[坑区] Ⅳ-30, 31*, 312, 313 /Ⅲ-339*
誘致請願 Ⅲ-89
湧湯 Ⅲ-320, 437 /Ⅳ-34, 188, 274, 286, 306, 309
——願 Ⅳ-286, 306
——分配 Ⅳ-188 /Ⅴ-38, 45
郵便為替 Ⅳ-209
郵便局[長] Ⅰ-376 /Ⅱ-230, 234, 275, 325, 332, 348, 409 /Ⅳ-98, 159, 161, 162, 377
夕食・夕喰 Ⅰ-236 /Ⅲ-185 /Ⅴ-62

有楽会　Ⅰ-26, 27*
遊猟　Ⅰ-4, 94, 174, 192
有力銀行聯合　Ⅳ-364
有隣生命保険株式会社　Ⅲ-170, 171* / Ⅳ-310
床板　Ⅱ-318
湯掛(湯の係)　Ⅳ-246
湯口トンネル　Ⅲ-103
行橋[駅](京都郡行橋町)　Ⅰ-102, 289, 309*, 310 / Ⅱ-36, 37*, 56, 149, 188, 218, 219* / Ⅲ-119, 160, 162, 306, 364 / Ⅳ-60, 90, 159 / Ⅴ-43, 43*, 152, 153*, 188, 189*
行橋電灯株式会社　Ⅰ-398, 399*
弓削田新坑　Ⅴ-112, 145*
譲受　Ⅰ-88, 166, 318, 406 / Ⅱ-56, 83, 146, 227 / Ⅲ-169, 228, 255 / Ⅳ-14
譲受坑区　Ⅳ-352
湯突(付)調査　Ⅲ-13
湯突(突湯)願　Ⅳ-267, 274
湯豆腐　Ⅰ-122
湯平温泉　Ⅴ-170, 171*
湯場(浴場)　Ⅱ-311, 325, 330 / Ⅳ-6, 114, 266, 330, 384, 396 / Ⅴ-16, 156
由布院　Ⅳ-78, 82 / Ⅴ-32, 127
由布村(大分県速見郡)　Ⅱ-351*
湯分与　Ⅴ-35
湯町(筑紫郡二日市町)　Ⅲ-353, 364, 421*, 442, 446 / Ⅳ-78, 86, 98, 114, 169, 170, 198, 200, 220, 222, 223*, 225, 236, 238, 240-242, 245-247, 249, 251, 252, 254, 256-258, 260, 266-268, 286, 306, 307*, 309, 320, 322, 345, 361, 363-366, 370, 374, 377, 383-387, 392 / Ⅴ-30, 35, 37, 38, 45, 49, 56, 58, 62, 73, 76, 80, 82, 86, 94, 95, 114, 115*, 118, 120, 129, 149, 151, 156, 162, 168, 169, 171, 174, 176, 177, 179, 181, 182, 184, 186
湯町別荘(麻生家二日市別荘，不老庵)　Ⅳ-226, 238, 239*, 245, 249*, 251, 253, 254, 256-258, 260, 265*, 267, 268, 271, 284, 300, 301*, 306, 320, 322, 344, 346, 361, 364-367, 370, 372, 374, 377, 378, 380, 382, 383*-387, 395 / Ⅴ-8, 9*, 16, 17*, 30, 35, 45, 49, 50, 55, 58, 62, 63, 72, 73, 76, 77, 80, 82, 83, 86, 90, 94, 102, 103*, 110, 111*, 116, 118, 122, 123, 129, 130, 136, 144, 146-149, 152, 159, 162, 167-169, 175, 177, 179, 181, 182, 184, 186
湯町券番　Ⅳ-386
湯元買入(観海寺)　Ⅱ-198
湯山発電所　Ⅰ-385*, 386 / Ⅱ-58, 59*, 66, 150, 151* / Ⅴ-151*
百合野(貝島太助邸)　Ⅰ-213*, 223, 230, 240, 241*, 244, 248, 251, 296, 297*, 306, 330, 337, 338, 348, 349*, 357, 381, 402, 408 / Ⅱ-236, 237*

よ

夜明小学校　Ⅱ-178, 179*
要監視人　Ⅲ-397
吉井(浮羽郡吉井町)　Ⅲ-102, 424, 425* / Ⅴ-60
吉井警察署長　Ⅴ-60
洋画　Ⅳ-203, 226
養鶏　Ⅰ-80 / Ⅴ-170
洋行　Ⅱ-346, 347 / Ⅲ-122 / Ⅳ-74, 192, 334
鎔鉱炉　Ⅱ-86
養子　Ⅰ-370, 376, 378 / Ⅱ-304, 308, 366 / Ⅲ-172 / Ⅴ-128
養女　Ⅱ-88, 90
養生　Ⅱ-292 / Ⅲ-51
洋食[費]　Ⅰ-32, 392 / Ⅲ-150
揚水　Ⅰ-64
用水計画　Ⅳ-226
養水[路]　Ⅰ-33, 60, 61*, 211, 312 / Ⅴ-82
養成　Ⅳ-262, 280
容態　Ⅱ-146, 371 / Ⅴ-22, 81, 187
幼稚園設備　Ⅲ-442
用地払下　Ⅳ-12, 54
遥拝[式]　Ⅱ-116, 306, 366 / Ⅲ-369, 380 / Ⅳ-4, 110, 212, 214, 294, 300 / Ⅴ-37, 110
養父　Ⅴ-17
用便　Ⅱ-182
養老館　Ⅰ-33*
余興　Ⅳ-195

預金　Ⅰ-286 /Ⅱ-48, 86, 226, 248, 347, 386, 428, 431 /Ⅲ-14, 101, 112, 142, 149, 182, 184, 207, 235, 245, 272, 274, 322, 348, 360, 400, 411, 431, 446 /Ⅳ-22, 25, 112, 278, 315, 338, 390, 394
預金預証　Ⅰ-286
預金者　Ⅲ-225, 247–249, 251, 252, 270, 271, 272, 274
――証書　Ⅲ-274
――誓約証　Ⅲ-251
預金者委員　Ⅲ-270
預金通帳紛失　Ⅰ-325
預金取調　Ⅲ-101
預金利子　Ⅳ-278
横井理髪所(理髪床)　Ⅳ-365, 385 / Ⅴ-28
横浜　Ⅰ-182
予算　Ⅰ-27, 52, 98, 158, 180, 310, 352 /Ⅱ-54, 140, 155, 189, 230, 254, 368, 404, 405, 406 /Ⅲ-130, 168, 251, 290, 329, 430 /Ⅳ-80, 158, 212, 360, 370, 384 /Ⅴ-31, 84, 86, 124, 159
――委員会　Ⅰ-27, 180
――計画　Ⅱ-325
――超過　Ⅱ-140
予算[調]書　Ⅰ-310 /Ⅱ-155, 197, 230, 368, 406 /Ⅲ-251, 290 /Ⅳ-360 /Ⅴ-84, 86, 124
予算[書]調整　Ⅰ-158 /Ⅲ-425
予算調造　Ⅰ-98
芳雄[駅](飯塚町立岩)　Ⅰ-4, 109, 132, 147, 391 /Ⅱ-224, 225*, 275*, 280, 323, 345*, 416, 420 /Ⅲ-20, 21*, 38, 39*, 68, 90, 95*, 104, 105, 114, 116, 137, 172, 173*, 192, 200, 222, 228, 232, 239, 244, 279, 292, 293*, 318, 320, 348, 349, 354, 357, 367, 376, 388, 410, 415, 425, 428, 439, 450, 452 /Ⅳ-12, 13*, 31, 35, 38, 46, 49, 51, 53, 60, 66, 68, 69, 85, 112, 113*, 138, 159, 160, 162, 164, 173, 176, 177, 194, 202, 213*, 225, 267, 269, 342, 360, 363, 364, 376, 383, 388, 394, 397 /Ⅴ-7*, 18, 19, 44, 50, 51*, 52, 72, 90, 94, 120, 121*, 166, 167*, 171, 173, 176, 177, 183, 184, 188
芳雄駅拡張[工事]　Ⅱ-345, 420 /Ⅲ-68, 450 /Ⅳ-159, 160, 162, 173, 177
芳雄駅新設(設置)　Ⅲ-68, 425 /Ⅳ-202
芳雄駅前耕地整理[組合]　Ⅳ-46, 49, 51, 360, 363 /Ⅴ-167, 176
芳雄駅前地所買入　Ⅳ-138
芳雄軌道　Ⅲ-21*
芳雄県道　Ⅳ-31
芳雄コーク場　Ⅰ-147
芳雄製工所(製工所)　Ⅰ-4, 5, 9, 13, 15, 30, 33, 37, 57, 61, 70, 71*, 72, 80, 98, 99*, 111, 114, 127–129*, 230, 231*, 276, 277*, 296, 335, 359*, 366, 368, 391 /Ⅱ-6, 7*, 33, 44, 53*, 55, 67, 131*, 132, 228, 229*, 319*, 321, 324, 325, 328, 356 /Ⅲ-22, 23, 37*, 38, 287*–289, 292, 299, 302, 304, 314, 373*, 451 /Ⅴ-182
芳雄製材所　Ⅲ-276
芳雄炭鉱　Ⅰ-109, 127, 347* /Ⅱ-144 /Ⅲ-20, 21*, 38, 39*, 90, 95*, 116, 279, 373, 415 /Ⅳ-31, 267 /Ⅴ-50, 51*, 167, 176
芳雄積入場　Ⅰ-4, 132 /Ⅱ-323
芳雄停車場　Ⅱ-275* /Ⅲ-38, 39*, 90, 95*, 116, 376, 450
吉岡大佐記念碑寄付金　Ⅲ-272
芳ヶ浦(嘉穂郡笠松村立岩)　Ⅰ-73* /Ⅴ-96, 97*
吉川村(鞍手郡)　Ⅳ-155*
吉隈(嘉穂郡桂川村)　Ⅰ-128, 129*, 208, 212, 220, 221, 228, 229, 235, 259–261, 267, 328, 333, 334, 339, 350–352, 355, 359, 372, 399, 404, 414, 415
吉隈鉱業所(坑, 坑区)　Ⅱ-5, 6, 8, 11, 12, 16–18, 20, 23, 25, 26, 31, 34, 37, 39, 40, 44–46, 48, 50, 57, 63–65, 68, 77, 80, 85, 87, 120, 121*, 124, 127, 131, 132, 134, 143, 146, 151, 161, 181, 193, 197, 222, 230, 234, 255*, 264, 265, 270, 273, 314, 319, 345, 357, 374 /Ⅲ-12, 39, 40, 141*, 163*, 164, 166, 169, 181, 189, 190, 194, 342, 381* /Ⅴ-178,

180, 186
吉隈坑新坑開口　Ⅴ-186
吉隈分割坑区　Ⅲ-190
吉田良春葬式　Ⅳ-24
吉田撚糸織物会社　Ⅰ-268, 269*, 278, 279*, 295*
吉塚[駅](筑紫郡堅粕町)　Ⅰ-166, 172, 297*, 330, 331* / Ⅲ-84, 85*
吉塚線(篠栗線)　Ⅱ-12, 161, 336, 353*
芳野屋(家)　Ⅰ-184, 186
好間炭坑　Ⅱ-256
ヨシミ(アセビ)　Ⅴ-42, 43*
米道旅館　Ⅱ-338
予備中学　Ⅳ-100
予防[手順]　Ⅲ-426 / Ⅳ-199
四郡(福岡県遠賀郡・鞍手郡・嘉穂郡・田川郡)　Ⅰ-28, 29*
四社協定　Ⅰ-245, 251, 265, 290, 295
四尺坑口　Ⅴ-92, 93, 96
四尺層　Ⅳ-363
四尺排水　Ⅴ-96

ら

来翰　Ⅰ-201
来関(下関)　Ⅰ-35
来客　Ⅰ-33, 130, 174, 202, 362 / Ⅱ-130, 216, 415, 421 / Ⅲ-419 / Ⅳ-18, 99, 114, 387 / Ⅴ-120, 176, 187
来行(銀行)　Ⅰ-264, 266, 370
来郡　Ⅲ-274
来家　Ⅰ-135, 149
来県　Ⅰ-138, 188, 310, 388 / Ⅱ-140, 161 / Ⅲ-188, 349, 364, 366, 438, 443 / Ⅳ-47, 74 / Ⅴ-74, 130, 144
来坑　Ⅰ-60
来署　Ⅰ-402
来状　Ⅰ-248, 259, 264, 363 / Ⅱ-90, 96 / Ⅲ-92, 126, 246 / Ⅳ-260, 268, 274, 386 / Ⅴ-60
来状控　Ⅰ-259
来診　Ⅰ-12, 147, 148, 212, 247, 372 / Ⅱ-222 / Ⅲ-65, 128, 340, 438 / Ⅳ-379
来津(津屋崎)　Ⅰ-151
来邸　Ⅲ-118 / Ⅳ-52, 159, 267, 370 / Ⅴ-62
来店　Ⅰ-60, 227 / Ⅱ-42, 176, 341
礼拝　Ⅰ-94 / Ⅲ-423 / Ⅳ-340
来博(博多)　Ⅰ-310 / Ⅱ-417
来飯(飯塚)　Ⅰ-286 / Ⅲ-114
来賓　Ⅰ-152, 156, 225 / Ⅱ-49, 195, 319
来福(福岡)　Ⅰ-329 / Ⅱ-118, 330 / Ⅲ-98, 399, 410 / Ⅳ-123, 226, 234, 250, 318, 341 / Ⅴ-9, 28, 62, 72, 112, 131, 134, 157, 158, 186
ライフル　Ⅳ-131
来別(別府)　Ⅰ-383, 392 / Ⅱ-142, 330 / Ⅴ-32
来遊　Ⅳ-22
来遊者　Ⅰ-140
来歴　Ⅰ-379
楽市坑区　Ⅱ-79*, 81, 86, 88, 154, 155* / Ⅲ-193*, 295*, 420, 421*
落札　Ⅰ-168 / Ⅲ-56
落成　Ⅴ-58
楽生病院　Ⅲ-388, 389*
落選　Ⅱ-281* / Ⅲ-444
ラジオ新聞　Ⅳ-283
乱費　Ⅲ-398

り

利益[金]　Ⅰ-41, 45, 125, 157, 238, 262, 283, 313, 335, 354, 383, 395 / Ⅱ-11, 49, 204, 292 / Ⅲ-10, 106, 168, 202, 413, 350 / Ⅳ-8, 13, 15, 58, 158 / Ⅴ-53
利益勘定　Ⅰ-354
利益計算　Ⅰ-283
利益決算法　Ⅱ-164
利益率　Ⅲ-350
離縁　Ⅰ-72 / Ⅲ-197
利害　Ⅰ-52, 56, 104, 211, 344, 387 / Ⅱ-49, 126, 147, 276, 317, 348 / Ⅲ-244, 254, 382, 403, 409, 428 / Ⅳ-92, 322 / Ⅴ-29, 88
——研究　Ⅱ-49, 147, 276 / Ⅴ-29
——説明　Ⅰ-211
——調査　Ⅱ-126 / Ⅲ-254, 382, 403 / Ⅳ-322 / Ⅴ-88

——得失　Ⅰ-104
——問題　Ⅲ-244
理化学試検所　Ⅱ-57*
陸軍[省]　Ⅰ-352 / Ⅱ-237 / Ⅲ-88, 89*
罹災者　Ⅲ-412
理事[官]　Ⅰ-42, 407 / Ⅲ-284 / Ⅴ-75, 86
理事会　Ⅲ-240, 373, 386, 396 / Ⅳ-38, 39*, 42, 43* / Ⅴ-70, 140
理事制　Ⅴ-75*
立憲政友会福岡県支部会　Ⅱ-145*
立憲政友会本部　Ⅱ-266, 267* / Ⅲ-422
立候補　Ⅱ-23, 26, 27, 31
立候補者　Ⅰ-293, 296
立太子礼　Ⅰ-407
里道開鑿　Ⅰ-124, 385
利廻り　Ⅳ-165
理由開陳　Ⅰ-296
立願寺温泉(熊本県玉名郡弥富村)　Ⅳ-227*
理由述弁　Ⅰ-138
留任[勧告]　Ⅰ-131, 138, 288 / Ⅲ-120, 311, 312, 394, 395*
留任申入　Ⅲ-394, 395*
流木[問題]　Ⅰ-379, 383–386, 390, 393, 395, 396 / Ⅱ-148, 173
猟　Ⅰ-104, 132, 162, 172, 212, 218, 329, 334, 338, 340, 344, 360, 411 / Ⅱ-193, 205, 237, 366, 416 / Ⅲ-57, 349 / Ⅴ-40
諒闇　Ⅰ-192 / Ⅲ-364
料金　Ⅴ-41, 100, 94
料金値下　Ⅴ-100
料金問題　Ⅴ-94
猟犬　Ⅱ-198 / Ⅳ-118
猟師　Ⅰ-10, 94, 118, 119, 132, 218, 350, 357, 421, 422 / Ⅱ-292, 366 / Ⅲ-57
漁師　Ⅱ-280
療治・療術　Ⅰ-18–20, 258 / Ⅱ-203 / Ⅲ-307 / Ⅳ-354 / Ⅴ-179, 182
両筑軌道　Ⅰ-221*, 227*, 238, 242
療養[費]　Ⅰ-317 / Ⅱ-63, 122, 203, 289, 290, 318, 325, 335, 397 / Ⅲ-277, 289, 290, 414, 418 / Ⅳ-118, 166, 167, 215, 217, 231, 274, 275, 295 / Ⅴ-4, 162, 165, 182, 187
療養所設立(建設)　Ⅱ-335 / Ⅳ-218, 219* / Ⅴ-155*
料理　Ⅰ-122, 167 / Ⅳ-270, 364
料理屋　Ⅰ-290 / Ⅲ-184 / Ⅴ-151
旅館・旅宿　Ⅱ-261, 351, 410 / Ⅲ-178, 370, 432 / Ⅳ-236 / Ⅳ-48, 160, 313, 316 / Ⅴ-40, 78
旅行　Ⅱ-378 / Ⅴ-30
旅順館(旅館)　Ⅱ-159* / Ⅲ-55*
旅費　Ⅰ-278, 280, 308, 348 / Ⅱ-99, 106, 107*, 133, 210, 249, 251, 331, 342, 346, 380, 429 / Ⅲ-70, 78, 84, 350, / Ⅳ-54, 118, 158, 170, 182, 207, 226, 246, 250, 252, 273, 276, 286, 341, 378, 396 / Ⅴ-38, 42, 44, 48, 134, 154, 168, 186
利率　Ⅰ-220 / Ⅱ-317, 348 / Ⅲ-347, 449 / Ⅳ-75
履歴　Ⅰ-32 / Ⅲ-131 / Ⅳ-324
隣家火災　Ⅰ-346
臨検(臨見)　Ⅲ-185, 412
リンゴ　Ⅲ-448
臨時委員　Ⅴ-178
臨時会議　Ⅰ-78, 314
臨時休業[日]　Ⅰ-144, 145* / Ⅲ-137, 402
臨時工事　Ⅰ-52
臨時重役会　Ⅰ-72, 94, 144, 164, 251, 325 / Ⅱ-360 / Ⅲ-14, 54 / Ⅴ-176, 178
臨時費　Ⅱ-429 / Ⅳ-96
隣地買収　Ⅱ-56

れ

霊柩　Ⅳ-258
礼金　Ⅰ-19, 20, 332 / Ⅱ-54
礼式　Ⅰ-94
冷酒　Ⅲ-320 / Ⅴ-112
礼状　Ⅰ-336 / Ⅲ-214
冷水　Ⅰ-13
冷水分与　Ⅲ-440
霊前　Ⅳ-34
霊拝　Ⅱ-216
レール布設　Ⅰ-221

列車　Ⅰ-65, 74, 86, 208, 211, 332, 355 / Ⅱ-10, 118, 131, 256, 277, 366 / Ⅲ-192, 384
棟瓦煙筒　Ⅰ-112
煉瓦塀　Ⅴ-31
煉瓦壁築　Ⅴ-58
連継船　Ⅰ-155
連縺舟 / Ⅲ-394
聯合軍寄付金　Ⅱ-25*
連続坑区（鉱脈）　Ⅰ-94 / Ⅱ-270
煉炭株式会社　Ⅰ-20
レントゲン　Ⅲ-344
聯盟国　Ⅳ-393
連縺舟　Ⅲ-394

ろ

老妓　Ⅱ-73, 74 / Ⅲ-244 / Ⅳ-222, 372
老主婦　Ⅳ-391 / Ⅴ-16
老人　Ⅰ-39, 321, 332 / Ⅱ-338 / Ⅲ-40, 45, 211, 384, 442 / Ⅳ-38, 136, 216, 295
老僧　Ⅴ-160
労働時間　Ⅰ-315
労働者　Ⅲ-219
労働（動労）部長　Ⅴ-56
老婦　Ⅳ-306, 310
老母　Ⅰ-8, 102, 103, 120 / Ⅱ-329 / Ⅳ-162
ロータリー倶楽部（ロータリー会）　Ⅴ-130, 131*, 140, 145
労役者扶助規則　Ⅰ-402, 404
ロシア・露国　Ⅴ-38, 185
露出場所　Ⅰ-8
論説記事　Ⅱ-206

わ

若竹楼（料亭）　Ⅰ-112*, 114, 118, 119*, 130
若菜（嘉穂郡穂波村）　Ⅳ-114, 115*
若菜浦（嘉穂郡穂波村）　Ⅰ-329*
若松［駅］　Ⅰ-12, 30–32, 36, 38, 40, 61, 73, 86, 87, 98, 101, 107, 108, 168, 174, 175, 177, 186, 187*, 235, 240, 241*, 265, 315, 324, 325, 327*, 331, 332, 335, 336, 338, 348, 364, 367, 368, 391, 398, 405, 406, 414 / Ⅱ-37, 41, 46, 77, 88, 96, 99, 120, 132, 140, 174, 187, 258, 369, 372 / Ⅲ-55, 172, 200, 201, 205, 208, 213, 214, 232, 237, 370, 385, 435, 439 / Ⅳ-84, 100, 124, 132, 134, 136, 246, 269, 383, 396
若松埋立地　Ⅰ-367 / Ⅲ-55
若松恵比須神殿建設　Ⅲ-214
若松［築港］拡張　Ⅰ-87, 175
若松火災　Ⅰ-101
若松旧桟橋積入場　Ⅰ-325
若松支局　Ⅰ-336
若松支店（麻生商店）　Ⅰ-364 / Ⅱ-399*
若松事務所　Ⅲ-435
若松出張所（麻生商店）　Ⅰ-86 / Ⅱ-20, 21*, 174
若松所長　Ⅴ-132
若松問屋組合（若松石炭商同業組合）　Ⅰ-12, 240, 241*, 332, 388, 389* / Ⅱ-37* / Ⅳ-84, 379
若松築港会社　→築港会社(p.203)も見よ. Ⅰ-33*, 62, 83*, 139*, 153, 183*, 240, 241*, 265, 280, 281*, 348, 349*, 391 / Ⅱ-41, 45, 46, 57, 64, 77, 132, 133*, 139, 158, 249, 251, 259*, 312, 313*, 319, 378, 379* / Ⅲ-60, 61*, 75, 228, 229*, 301*, 349, 428, 429*, 434 / Ⅳ-38, 39*, 46, 134, 135*, 136, 187, 234, 235*, 269, 334, 335*, 378, 383, 388, 390
——監査役　Ⅲ-434
——重役会　Ⅰ-348 / Ⅲ-60, 74, 75, 228, 301, 349, 428 / Ⅳ-46, 134, 187, 234, 269, 334, 383
——賞与金　Ⅲ-75
若松築港拡張　Ⅰ-87
若松築港計画　Ⅰ-173
若松積入場　Ⅰ-174, 315, 324, 325, 331, 332, 335, 338, 368, 391, 405, 414 / Ⅱ-11, 13, 22, 33, 38, 62, 190
若松積入場設立［願］　Ⅰ-324, 335, 338
若松店員　Ⅲ-172
若松市特別税　Ⅳ-134
若松病院長　Ⅰ-12
若松船入場　Ⅰ-364, 406

若松本部　Ⅰ-108
若松湾浚方　Ⅰ-367
若松湾石炭採取願　Ⅰ-108
若宮（鞍手郡若宮村）　Ⅰ-53*
脇山村（早良郡）　Ⅴ-157
和合神　Ⅴ-20
ワシントン（ヲヲシントン）ポンプ　Ⅰ-11
早稲田学校　Ⅰ-364
早稲田寄付願　Ⅰ-320
綿勝（綿且）（旅館）　Ⅰ-4-6, 8, 12, 58, 96, 97*, 98, 101, 110, 112, 122, 123*, 133, 135, 136, 142, 145, 154, 156, 164, 165*, 168, 177*, 198, 199*, 207-209, 211, 218, 219*, 234, 236, 245, 248, 251, 264, 268, 276, 277*, 280, 296, 305, 314, 318, 323, 344, 345*, 347, 349, 352, 381, 389, 412 / Ⅱ-4, 5*, 8, 9, 16, 32, 34, 35*, 37, 38, 40, 55, 79, 154, 155*, 164, 220, 221*, 260, 261* / Ⅲ-4, 5*, 12, 220, 221* / Ⅳ-351*, 355
渡場　Ⅳ-336 / Ⅴ-139
和田氏別荘（到楽荘）　Ⅱ-306, 314, 315* / Ⅲ-30, 31*, 34
渡瀬駅（鹿児島本線）　Ⅲ-50, 51*
綿惣（旅館）　Ⅰ-370, 371*
和田屋（和田六太郎家）　Ⅰ-162, 163*
綿屋旅館　Ⅲ-184, 185
渡区（宗像郡津屋崎町）　Ⅰ-394, 395*
詫状　Ⅱ-33
割当方法　Ⅲ-425